# SIBYLLE BERG

# GRM

## BRAINFUCK

ROMAN | KIEPENHEUER & WITSCH

## Das Jahrtausend

Begann lausig.

Es gab keinen Computerbug.

Es gab keine verdammte Katastrophe.

Dabei hatten sich die Bewohner der westlichen Welt darauf gefreut, dass nach den unendlich öden 90er Jahren endlich etwas passieren würde. Etwas, das nicht mit einer Finanzkrise zu tun hätte, die nur für Investmentbanker eine Aufregung bereitstellte, auf den letzten Metern vor dem Aufprall ihrer fitten Körper auf dem Asphalt. Wird mein enorm fitter Körper ebenso auf dem Pflaster zerplatzen wie ein weißer, dicker, untrainierter Verliererleib? Oder wird er abprallen, in die Luft federn?

Das frische Jahrtausend hatte eine Überschrift. Sie hieß. ADHS. Kursiv darunter stand: *Wir ordnen den Scheiß jetzt neu.*

Es war die Zeit, in der Facebook groß wurde. In der viele ältere Leute dachten, das Internet bestünde nur aus dieser Idiotenplattform.

Es war die Zeit der massenhaften Falschmeldungsverbreitung, der Massenmanipulation. Die Menschen wurden unglaublich schnell süchtig nach den Likes ihrer Unbekannten. Die Jugendlichen wurden noch schneller abhängig von einer Erregung, die aus der Mischung von Mobbing, Gewalt, Sex und Bullshit entstand.

Es war die Zeit, in der zur realen Grausamkeit der Menschen noch die virtuelle hinzugefügt wurde.

In der die Sehnsucht nach Verständnis zu einer Wut der Unwissenden wurde.

Nie gab es so viele durch das Netz befeuerte Verschwörungstheorien. Der Vatikan, die Koch-Brüder, die Hayek-Gesellschaft, der Club of Rome, die Reptiloiden, die flache Erde – mit der täglich immer komplizierter scheinenden Weltlage wuchs der Wunsch der Bevölkerung nach einem Donnergott.

Es war die Zeit vor irgendwas.

Es ist ja immer die Zeit vor irgendwas.

Später also, nachdem das neue Jahrtausend sich ein wenig warmgelaufen hatte, gab es dann doch ein kollektives Ereignis, das die Menschen in einer Erregung vereinte: Ein Flugzeug flog ins Pentagon und hinterließ ein Loch im Gebäude, das wirkte so, als hätte jemand mit der nassen Hand einen Tunnel in eine Sandburg gegraben. Zwei andere Flugzeuge landeten in Hochhäusern. Die Hochhäuser fielen in sich zusammen, und schon wieder sprangen Menschen aus den Fenstern.

Es war das Jahrtausend, in dem der Zweifel über die Weltbevölkerung kam. Und es normal wurde, dem Staat und den Geheimdiensten, der Presse und den Brillenträgern, dem Wetter, den Büchern, den Impfungen, den Wissenschaftlern und den Frauen zu misstrauen.

Das neue Jahrtausend brachte den Menschen, die das Glück hatten, frisch geboren worden zu sein, eine Reihe unschlagbarer Vorteile. Weltweit ging es der Bevölkerung besser. Hieß es. Sie lebten länger, zufriedener, die Bildung nahm zu, die Säuglinge überlebten das Säuglingsstadium. Die Märkte hatten es gerichtet. Prost auf die Märkte.

Es gab ein paar Verlierer. Sie hatten entweder Pech gehabt oder sich nicht hinreichend um Erfolg bemüht. Jeder konnte aus seinem Leben etwas machen. Wenn er nur wollte. Großartig.

Man gewann fossile Brennstoffe. Mit hydraulischer Fraktuierung wurde der Meeresboden von Erdgas und -öl befreit. Stuxnet – der Computervirus – verlangsamte das iranische Atomprogramm. Blockchain, das die Banken überflüssig machen würde, war erfunden. Die E-Bombe dito. Die Welt sortierte sich neu, der Westen kämpfte um den Erhalt seiner Wichtigkeit. Im Osten schlossen sich China, Russland, Japan und Korea zusammen, um die Märkte neu zu interpretieren.

Die Sprachkommunikation mit Computern wurde eingeführt. AI war noch kein populäres Thema. Die Menschen hatten Handys. Sie fotografierten sich. Sie hatten zu tun. Unentwegt.

Das ist die Geschichte von

## Don

*Gefährderpotenzial: hoch*
*Ethnie: unklare Schattierung von nicht-weiß*
*Interessen: Grime, Karate, Süßigkeiten*
*Sexualität: homosexuell, vermutlich*
*Soziales Verhalten: unsozial*
*Familienverhältnisse: 1 Bruder, 1 Mutter, Vater – ab*
*und zu, aber eher nicht*

Sie beginnt in Rochdale.

Fucking Rochdale. Ein Ort, den man ausstopfen und als Warnung vor unmotivierter Bautätigkeit in ein Museum stellen müsste. Messingschild:»So leben Menschen im neuen Jahrtausend, wenn sie sich nicht an die Gegebenheiten der Märkte anpassen.«

Ein Sammelbecken für die Unnützen. Ein Pool nicht-genmodifizierten Ausschusses.

Also Rochdale. Ein kleines Kaff in der Nähe von Manchester. Bekannt für sein konstantes Wetter. Also schlecht. Rochdale war laut den Berechnungen bereits im fünften Jahr die deprimierendste Stadt des Königreiches. Stadtgewordene Gehirnschäden sind absolut nicht konsumfördernd, und also befand sich die Stadt im Todeskampf.

Seit Jahrzehnten. Wie Tausende Städte des Westens, die sich alle ähnelten: Backsteinhäuser, durchgeweichte Straßen und ein Kino, geschlossene Postämter, geschlossene Supermärkte. Das Zeug braucht man nicht mehr, denn es ist die Zeit des Internets. In dem man jeden Film streamen kann. Alle notwendigen Lebensmittel, sprich Margarine und Weißbrot, kaufen kann. Die Pappkartons werden in die Häuser geliefert. Die Insassen hätten aber auch genauso gut Tapete mit Salz bestreuen und verzehren können.

Rochdale war in den überschaubaren Zirkeln Objektophiler berühmt für die sieben Hochhäuser. Mithin sah man sie verstohlen um die Sozialbauten streichen und hektisch die blätternde Fassade lecken. In den Seven Sisters, so ihre inoffizielle Bezeichnung, war jede Woche etwas los. Was meist mit dem Ableben eines Menschen zu tun hatte. Don beneidete die Menschen, die dort leben durften. Sie hatten das interessantere Leben. Interessanter als das ihre, das in einer ganz normalen Sozialsiedlung ein paar Minuten entfernt stattfand. In den Seven Sisters wurde im großen Stil mit Drogen gehandelt, da erschlugen sich Familienmitglieder, und immer wieder sprangen oder – sagen wir – glitten Menschen aus einem der oberen Stockwerke in die Tiefe. Don hatte damals noch keine Toten gesehen und war überzeugt, dass der Anblick ihr ein großes Geheimnis offenbaren würde. Vielleicht würde er noch einmal die Augen öffnen, der Tote, und im Stil einer BBC-Reporterin mit Helmfrisur fragen: »Und, wie ist das so für einen jungen Menschen« – innehalten und nachdenken, ob das Substantiv zutreffend ist –, »in dieser Stadt aufzuwachsen?« Don würde so tun, als dächte sie nach, und dann sagen: »Wissen Sie, jeder hält doch das Leben, in dem er sich aufhält, für normal. Man kennt kein anderes. Ich wurde hier geboren und habe die Stadt in ihrer Schäbigkeit nie hinterfragt. Sie ist da, wie das schlechte Wetter, wie die langweiligen Schulferien, ich habe nicht darüber nachgedacht, dass es andere Orte gibt. Oder sagen wir so. Ich weiß, dass im Netz behauptet wird, es gäbe sie.«

Der Tote würde kurz insistieren: »Ist Ihre Ausdrucksweise wirklich kindgerecht?«, bevor er weiter tot sein würde.

Don war nicht mehr Wurmfortsatz ihrer Eltern, sondern ein selbständiger Mensch. Sie hatte keine Angst mehr, wenn ihre Mutter nicht anwesend war, suchte deren Gesicht nicht mehr nach Anzeichen des Unmutes ab, sie fragte sich nicht mehr, wie sie ihre Mutter endlich glücklich machen könnte. Kurz gesagt, fragte Don sich nicht mehr, welche Anstrengungen sie unternehmen könnte, damit sie endlich geliebt würde. Es ging Don besser ohne diese komplette emotionale Abhängigkeit.

Wäre sie älter und von ihrer Wichtigkeit erfüllt, würde sie Dinge murmeln wie: »Ich kann sehr gut mit mir alleine sein.« Es fragte sie nur keiner, denn Don war so jung, dass Erwachsene sie nicht als Menschen betrachteten. Dabei war alles schon vorhanden. Die Gefühle, die Gedanken, die Einsamkeit. Es gab nur noch keine vertrauten Fächer, um die Gefühle ordentlich zu sortieren.

Don empfand die ersten Jahre ihres Lebens nicht als schrecklich. Vielleicht ein wenig bleiern, ohne dass sie

damals das Wort dafür gekannt hätte. Vielleicht ein wenig öde und ruhelos, wie es normal ist in der Zeit, in der
Kindheit zu Jugend wird, in der man ahnt, dass sich etwas
ändern wird, aber nicht weiß, was. Don

Hatte Musik.

Scheinbar nur für sie war Grime erfunden worden. Don
wusste nicht, von wem, auch nicht, aus welchen Bestand-
teilen – das war Diskussionsstoff für junge Männer, die
sich mit Fachbegriffen eine Aura von Unbesiegbarkeit
verleihen konnten –,

Don wusste nur, dass die Musik so klang, wie sie sich
gerne fühlen würde. Wütend und gefährlich. Die Stars
hatten die besten Turnschuhe, Ketten und Autos. Sie hatten es geschafft. Sie waren Helden.

Grime lief im Viertel den ganzen Tag. Als Musik zum Lebensgefühl. Wobei Kinder nicht von einem Lebensgefühl
reden würden – es war ihr Leben. Wenn man erwachsen
war, betäubte man aufkommende Gefühle mit Drogen,
wenn man jung war, hörte man Musik. Und betäubte sich
im Anschluss mit Drogen. Grime war wütende Drecks-
musik für Kinder in einem Drecksleben. Don hörte Grime
im Bett, im Bad oder draußen. Dem tollen Draußen.

Also –

Vor dem Fenster eine Laterne, Regen oder etwas Ähnli-
ches, vermutlich waren nur die Fenster schmutzig. Die
Wohnung befand sich im Erdgeschoss und im ersten
Stock. Man konnte das Ganze, wenn man bescheuert war,
als Townhouse bezeichnen.

Als sehr, sehr kleines, schäbiges Townhouse. Das Ding bestand aus zwei kleinen Zimmern mit Blick auf den beto-

nierten Sitzplatz und einen Metallzaun. Irgendwann beim Fernsehen war Don aufgefallen, dass etwas in all den Filmen aus dem Ausland fehlte: Metallzäune. Die gab es in der manischen Häufigkeit nur in England. Alle paar Meter. Rot, grün, blau, egal, Hauptsache Zaun, Hauptsache Metall. Jeder Scheiß wurde damit vom Leben abgetrennt – Schulen, Parks, Kindergärten, Feuermelder. Unklar, ob sie dem Bürger Sicherheit geben sollten, ein Gefühl der Heimat inmitten unruhiger Zeiten, oder ob sie einfach nur rumstanden, als Farbakzent im Grau. Don jedenfalls wünschte sich einen Zaun um ihr Bett, der ihren Bruder fernhielt. Dem sie nicht besonders nahestand.

Hinter dem Zaun, draußen, befand sich ein Weg, über den sich die anderen Bewohner des Blocks, einen Meter von ihrem Fenster entfernt, immer mit einem imaginären Rollator bewegten. Es war relativ dunkel und in befremdlicher Art feucht, aber das merkte Don damals nicht. Dass es immer zog, schien ihr normal. Ihre Mutter war noch einigermaßen in Schuss, sie tat ihr Bestes, um Familie zu spielen, aber es wirkte unbeholfen, als wollte sie ein Puppenhaus aus Schlamm bauen.

Dass alles schlimmer werden könnte, war damals noch keine Option. Keine Option für ein Kind, denn die Angst vor der Zukunft ist ein Hobby der Alten, die ohnehin keine Zukunft mehr haben. Damals war Dons Welt in Ordnung, bis auf den Umstand, dass sie keinen Zaun um ihr Bett besaß, oder noch besser: einen Kellerraum, in den sie ihren Bruder hätte sperren können. Der Bruder wimmerte. Vermutlich pinkelte er wieder ins Bett. Fast meinte Don, Den Urin aus ihm laufen zu hören und

Don war –
Aufgebracht.
Viele schafften das nicht mehr. So eine gute Wut zu erzeugen. Die meisten Älteren, die in Dons Stadt abhingen,
waren betäubt und müde und hockten in den Ecken und
hatten kaum mehr die Energie, den Kopf zu heben. Ab
und zu wurden sie gefüttert, aber. Das vertrug ihr Magen
nicht mehr, diese feste Nahrung in einem aufgelösten Dasein, dann übergaben die Menschen sich, die zu unentschlossen waren, um ihren Kopf aus dem Erbrochenen
zu heben im Anschluss. Die meisten, denen Don begegnete, waren alt. Was jetzt kein Kunststück war, mit sieben – oder fast sieben. Oder fast acht, aber natürlich älter
aussehend. Oder sich fühlend, als ob man älter aussähe.
Dons Haare wuchsen senkrecht nach oben. Ihre Augen
waren schräg und dunkel, und Don war klein, selbst für
eine fast Sieben- oder Achtjährige. Sie war klein und
wütend. Dons Wut war so präsent in ihrem Tagesablauf,
dass sie nicht sagen würde: »Mann, was bin ich wütend
heute.« Sie kannte keinen anderen Zustand. Sie war wütend seit ihrer Geburt. Oder von dem Tag an, an den sie
sich erinnern konnte. Sie hasste die Welt, in der sie leben
musste. Die ein paar Quadratmeter groß war.
Sie hasste diese Welt und war nicht mit ihr befreundet.
Sie hatte nicht einmal eine Beziehung zu ihr oder dem
Platz, der ihr per Geburt zustand, mit dem für sie vorgesehenen Lebenslauf, der zuerst eine schlechte Schul-
bildung bereithielt. Falls sie die überlebte und nicht aus
Versehen in eine Messerstecherei geriet, würde der Versuch, einen Ausbildungsplatz zu bekommen, folgen.

Keine Lehrstelle bekommen, auf Ämtern sitzen und Sozialhilfe beantragen, keine Sozialhilfe bekommen, weil irgendein Papier fehlt; ihre Mutter erhängt zu Hause vorfinden, die Wohnung verlieren, in eine Art Junge-Frauen-Heim kommen, schwanger werden von irgendwem, verprügelt werden, weil sie schwanger geworden ist, das Kind zur Adoption freigeben, oder auch nicht, es ist egal. Sie würde auf eine Wohnung in einem Sozialbau warten, dann wohl anfangen zu saufen und Crack zu rauchen und Fernsehen zu schauen, Menschen beim Pseudoleben, beim Leben, wie es gedacht war, betrachten. Hellhäutige Personen, die in Gärten Tee tranken und ehrliche Arbeit mit ihren unglaublich zupackenden Händen ausübten. Sie verliebten sich, die Leute im Fernsehen. Und dann passierte: fucking Geigen-Musik.

In Dons Welt verliebte sich keiner. Die Menschen in ihrer Stadt hassten sich oder klammerten sich aneinander, wegen der Panik, die alle spürten, und keiner wusste zu sagen, woher sie kam, diese Aufgebrachtheit. Sie hatten doch Wohnungen. Meistens. Sie hatten doch Essen. Eine Art von Essen.

Don las viel, verstand wenig, und doch so viel mehr, als Erwachsene einem sogenannten Kind zutrauten.

Don fühlte:

Wut.

Das ist euer Ernst? Dieser Haufen Dreck, den ihr hier lieblos hingeschmissen habt? »Pass auf! Das ist übrig. Nicht toll, aber es ist deins. Das ist die Erde, die wir leer gefressen haben, das ist dein Viertel, deine Stadt, die diente dazu, Arbeiter unterzubringen, damit sie schnell irgendwelchen Mist herstellen können, den es nicht mehr braucht. Hörst du? Es benötigt die Menschen in deiner Stadt zu nichts, außer um rechtsnationale Idioten zu wählen, die immer eine Antwort auf die Frage nach der Schuld haben.«

Wenn der Mensch weiß, wer schuld ist, geht es ihm besser, dann ist eine göttliche Gerechtigkeit wiederhergestellt. Und es gibt ein Ziel für Dons Hass. In ihrer Stadt hasste man den Fremden. Punkt. Dons Stadt, die sie nie verlassen würde, in der sie ihr Leben herumbringen konnte. Es zu Ende bringen, eigentlich war es schon vorbei, ehe es angefangen hatte, denn sie war am falschen Ort geboren. Von falschen Eltern, und außerdem war das Wetter mies. Hatte sie einer gefragt? Hatte sie irgendeiner gebeten, an dieser Veranstaltung teilzunehmen, nach Regeln, die nicht ihre waren? Welche Menschenpflicht erfüllten sie mit ihrem Aufenthalt und ihren Ausscheidungen zwischen acht Milliarden – oder wenn der Gedanke fertig war, waren es vielleicht schon neun –, die hier herumkrochen und schauten, ob sie noch irgendeinen Vorteil aus irgendetwas ziehen konnten. Die alle etwas – wollten.

Das Leben war ein Geschenk.

Eingestickt auf pinkfarbenen Wandteppichen hing dieser unglaublich dumme Spruch in den feuchten Küchen der Slumbewohner. Was war, wenn man es ablehnte? Wenn man dieses Geschenk in der Form, die für einen vorgesehen war, einfach nicht besonders interessant fand? Aus seinem Umfeld entkam keiner mehr durch Arbeit. Die es nicht mehr gab.

In andere Lebensbedingungen gelangte man nicht mehr,

dafür war kein Platz vorgesehen in einer Welt, in der wenige Menschen darauf bedacht waren, sich viele Menschen fernzuhalten.

»Warum habt ihr das gemacht?« Will man die Alten fragen. »Warum erzeugt ihr Kinder, die ihr dann hasst, weil sie laut sind, weil sie Verlierer sind – vom ersten Moment, und weil ihr euch seht, eure miese Kindheit seht, in ihnen, weil ihr wisst, dass ihr es versauen werdet, wie eure Eltern und deren Eltern durch eure Weitergabe von Chancenlosigkeit.

Wozu? Lasst ihr die Kinder in ihrem Urin vor dem Bett hocken, in dem ihr besoffen liegt oder mit irgendjemandem fickt? Ihr geilt euch an den kleinen Knochen auf, die so leicht brechen, und an dem Gefühl, endlich einmal Macht zu haben über jemanden, der Angst vor euch hat, und dann seht ihr die Kinder an, glasig, und hasst sie in ihrer Bedürftigkeit, die eurer so ähnlich ist. Euch wird ja auch nicht geholfen, von keinem.

Da ist eine Genugtuung in euren matten Hirnen, wenn ihr eure Kinder quält, oder? Jetzt zeigt ihr's denen richtig. Denen da oben. Die euch ausgelagert haben, weg von den Zentren, durch die sie in eleganten Elektromobilen fahren und von einer blühenden Zukunft reden.

Ihr könntet streiken, aber wozu, wenn ihr nichts leistet. Interessiert keinen. Ihr könntet einen bewaffneten Widerstand beginnen, aber – ihr habt keine Kraft mehr. Und keine Waffen. Und keine Idee, auf wen ihr sie richten sollt. Also bleibt ihr liegen. Mit dem Gesicht in eurem Erbrochenen.

Warum laufen diese Männer da draußen immer noch frei

herum, die noch nicht einmal Väter sein wollen, sondern nur auftauchen, um zu ficken oder die Frauen zu schlagen, totzuschlagen, ehe sie dumpf in der Ecke kleben bleiben und sagen: Das habe ich doch nicht gewollt. Ihr habt das alles nicht gewollt? Das ist einfach so passiert, dass es da draußen stinkt und immerzu regnet. Und dass man vom ersten Moment an Angst vor allen anderen haben muss, weil man diesen sogenannten Überlebensinstinkt hat. Das hält doch keiner aus.«

Don hielt das nicht aus.

Und

Weigerte sich, ihren vorgesehenen Platz als Abschaum einzunehmen.

Und

Wartete nicht mehr auf Liebe,

Wartete nicht darauf, dass da so etwas wie eine Zukunft vor der Haustür wuchs. Da würde nichts mehr wachsen, da war Wüste, von den Alten hinterlassen, mit diesen sogenannten Lebensbedingungen. Und ja verdammt, Don war passiv-aggressiv, sie war weiblich, die konnten das nicht besser. Sollte sie sich fucking Testosteron spritzen, um nur noch wütender zu sein, sollte sie sich Hormone reinjagen, um zu glauben, sie sei klüger, als sie war, und dass sie die Welt beherrschte?

Leute wie sie wurden früher in Zoos ausgestellt. Fiel ihr unzusammenhängend ein.

Wenn Menschen die Gelegenheit bekommen, andere zu quälen, werden sie es tun. Wenn sie die Gelegenheit bekommen, dem anderen etwas wegzunehmen, werden sie es tun, dieser Mechanismus, oder nenn es: diese Instinkte.

Die sie agieren lassen, ohne zu denken, die sie losmarschieren lassen und alles ausrotten, was sich ihnen in den Weg stellt –

Don hasste die Dummheit, die Brutalität, die Verschlagenheit und Falschheit, den Geruch, die unbehaarten, schwitzenden Körper und die feuchten Finger, die alles auf Verwertbarkeit abtasten.

»Ihr wollt Krieg, ihr bekommt Krieg.«

Sagte Don. Zu sich.

Das ist die Geschichte von

## Hannah

*Ethnie: asiatisch?*

*Sexualität: heterosexuell*

*Interesse: egozentriert*

*Intelligenz: vorhanden*

*Herausragende Eigenschaften: keine*

*Familienzusammenhänge: Einzelkind, liebevolle Eltern*

Bevor sie Karen, Don und Peter traf.

Als sie noch nicht wusste, was Rochdale meint oder Traurigkeit. Ein kleiner Rückblick

Also. Hannah

Wohnte in Liverpool mit zwei freundlichen Eltern, die typisch für die untergehende Mittelschicht waren. Sie hatten ein Haus mit einem verranzten Hof dahinter gemietet, besaßen zwei Fahrräder und konnten ihre Stromrechnungen zahlen. Hannah hielt die Liebe der Eltern für den Normalzustand – dass sie von ihnen in die Luft geworfen und gestreichelt wurde. Dass sie ihre Hand hielten und unendlich stolz auf sie waren, dass sie an ihrem Bett saßen und in ihr Zimmer kamen, wenn sie schlief, um nachzusehen, dass sie noch lebte, hielt Hannah für selbstverständlich. Durch die ständige Zuneigung ihrer Eltern hatte sie ein überbordend großes Kinderego bekommen. Sie hatte keinen Zweifel an sich selbst. Hannah war groß und dünn und sah nie wie ein niedliches Kind aus. Eher wie die kleine Ausgabe einer interessanten Erwachsenen. Sie wollte nie lange Haare oder Kleider oder pinkes Zeug, sondern studierte eingehend alte Bilder von Katherine Hepburn. Im Netz. So wollte sie einmal aussehen, später. Unnahbar und ein wenig Furcht einflößend.

Hannahs Elternhaus befand sich in einer Problemgegend der Stadt, die vornehmlich aus Problemgegenden bestand. Aber ihre Problemgegend war eindeutig die problematischste. Oft hörte man draußen Schießereien, selten hörte man Sirenen, die Polizei hatte das Viertel schon lange aufgegeben. Aber das war Hannah egal. Alles, was draußen war, konnte ihr nichts anhaben, wenn sie in ihrem Bett lag und die Eltern leise miteinander redeten.

Das Gefühl, absolut behütet und geliebt zu werden, würde sie später vor vielem retten.

Davor, sich umzubringen, zum Beispiel –

Das schien

**Don**

So unbegreiflich. Das Totsein, Wegsein, nicht mehr wütend Sein. Dons Faszination, die sie allem Sterbenden gegenüber empfand, endete an dem Tag des sogenannten Massakers. Mit Ereignissen dieser Art – also: durchgeknallter Teenager schießt andere Teenager um – hatte man im Land wenig Erfahrungen, denn es gab kaum Väter mit einem gut bestückten Waffenschrank, wenn man die Jagdgewehre der Oberschicht außer Acht ließ. Die Väter in Rochdale hatten Bier. Falls da Väter waren, denn Dons Erfahrungen mit Elternteilen bestanden, wie die der meisten Kinder, hauptsächlich aus dem Kontakt mit überforderten Frauen.

Don hatte von dem Ereignis nicht viel in Erinnerung behalten. Außer Schüssen, die klangen wie Silvesterraketen, schreienden Kindern, die klangen wie unter Wasser, und verlangsamten Bildern von Menschen, die in diverse Richtungen rannten oder krochen. Don hatte, am Boden liegend, darüber nachgedacht, in welcher Form der Killer sein Vorhaben wohl im Netz angekündigt hatte. Hatte er sich selbst gefilmt? Mit Hoody? Saß der Killer oder stand er mit dem Gewehr, und hatte er etwas gesagt, das »System, Verachtung, Frauen, nie wahrgenommen, und jetzt zeige ich euch wie ...« beinhaltete? Welche Musik hatte er unter das Video gelegt? Slipknot? Etwas noch Dumpferes? Pitbull? Vermutlich war er, wie die meisten hier, nicht das hellste Licht am Kranz.

Einige Kinder jedenfalls, am Boden liegend, machten Fotos von sich am Boden liegend, während des sogenannten Massakers. Einige besaßen iPhones. Die armen Schlucker irgendwelchen chinesischen Mist. Rund acht Stunden täglicher Beschäftigung mit den Endgeräten sollten auch aus der Generation, der Don angehörte, einen Haufen unkonzentrierter Deppen machen.

Mann, Mann, Mann, dachte Don, wer klebt sich eigentlich Plastikteile auf seine Fingernägel. Don lag neben einem älteren Mädchen am Boden und starrte auf deren Nägel. Sie hatte noch nie etwas Unangenehmeres gesehen. Durch die Rückseite der Fingernägel betrachtet, sah man das gelbe Horn. Das Mädchen war zehn oder dreizehn und sah aus wie eine Babynutte. Die negative Seite der Grime-Videos. Die nicht wirklich als positives Lehrmaterial im Gender-Queer-Diskurs taugten. Die Frauen in den Videos hatten viel Brust und Hintern und ansonsten Goldschmuck und künstliche Fingernägel. Sie wälzten sich vornehmlich stumm auf dem Beifahrersitz irgendeiner Angeberkarre, die ihr Gangster-Rapper geklaut oder von seinem irren Reichtum gekauft hatte. Geld macht nicht glücklich, dachte Don unzusammenhängend und bekam einen Lachanfall in dem Moment, da die Einsatzgruppen eintrafen. Dann wurde noch mehr geschossen. Das stumpfe Klacken des halb automatischen Gewehres des Amok-Horsts ging nun in einem satten Soundbrei, den die Einsatzgruppen mit ihren ordentlichen Maschinengewehren erzeugten, unter. Am Ende war Ruhe und der Amokläufer tot. Ein paar Mädchen dito. Don hatte endlich ein paar Tote gesehen. Es war weniger grandios als in Dons Fantasie. Da lagen einfach Leute und waren nicht mehr vorhanden.

Das ist die Geschichte von

## Karen

*Sexualität: heterosexuell*
*Intelligenz: hochbegabt*
*Krankheitsbild: Neigung zu Zwängen (Lichtschalter*
*ablecken)*
*Konsumverhalten: mangelhaft*
*Ethnie: Gendefekt*
*Familiärer Zusammenhang: zwei Brüder,*
*alleinerziehende Mutter*

Ich lebe, dachte Karen. Sie wusste nicht, ob sie darüber in ausgelassene Freude ausbrechen sollte. Karen war nicht so der emotionale Typ.

Sie war verletzt und hatte ein Trauma. Sagte ein Sanitäter. »Wie heißt du«, fragte der Sanitäter, während er Karens Kopfwunde behandelte. »Karen«, sagte Karen. Und der Sanitäter, dessen Blick über ihren Kopf hinweg nach einem interessanteren Opfer suchte, jemandem mit einem Einschussloch, in das es galt, Gedärme zurückzudrücken, oder einem Bein, das man an Ort und Stelle absägen konnte. Ohne Narkose, wie in Filmen. Hier, beißen Sie auf diese Türklinke, es wird jetzt kurz weh tun. Und im Anschluss hätte er ein Leben gerettet und stünde blutüberlaufen mit dem abgetrennten Bein im Gegenlicht. Also der Sanitäter sagte: »Du hast vermutlich ein Trauma.« »Normal«, sagte Karen. »Kann ich gehen?« Der Sanitäter nickte. Karen entfernte sich, nicht einmal die Augen verdrehend. Alle Kinder hatten ein Trauma. Als Dauerzustand. Karen war das egal. Trauma war ihr zweiter Vorname. Karen wohnte mit ihrer Mutter, die immer kurz vor einem Zusammenbruch war, einem älteren Bruder, der sie quälte, wann immer er Lust dazu hatte, und das war oft, und einem jüngeren Bruder, der bald sterben würde, was ihn aber auch nicht davon abhielt, ein bösartiges Arschloch zu sein, in einer Wohnung, die schon für eine Person zu klein gewesen wäre. Karen war auch das egal. Sie war, wie gesagt, nicht der emotionale Typ. Sie glaubte an Genetik. Ihre Gene mussten Generationen übersprungen haben. Irgendwo in der Ahnenreihe hatte sich vermutlich ein Wissenschaftler befunden. Denn Karen war klüger als ihre gesamte Familie, vermutlich sogar klüger als alle Bewohner Rochdales zusammen. Ihr Leben fand im Netz und in Büchern statt. Sie bewegte sich in einer wunderbaren Welt aus Mikroben, Genen, Keimen, Viren und Mikroorganismen, denen sie Namen gab. Von denen sie träumte. Karens Leben wurde unangenehm, sowie sie ihren Kopf verlassen musste, um sogenannte normale Dinge zu tun. Wie zur Schule zu gehen, zu essen, sich zu waschen. Das einzig Erfreuliche an Karens sogenanntem normalem Leben war das Wetter. Es regnete so oft in Rochdale, dass sie wenigstens auf der Straße einen Schirm benutzen konnte. Karen war unter einem Schirm unsichtbar. Sie versuchte den Trick auch zu Hause. Er funktionierte nicht.

»Um Himmels willen.«

Schrie die Mutter von

**Don**

Im Nebenzimmer. Sie hatte aus den Nachrichten von dem Ereignis erfahren.

Es gab noch Nachrichten im sogenannten Staatsfernsehen und stämmige blonde Reporterinnen, denen es permanent ins Gesicht regnete. Die, immer ein Mikro in der Hand, vor rot-weißen Absperrbändern standen und Katastrophen kommentierten.

»Um Himmels willen«, schrie also Dons Mutter. »Du hättest sterben können.«

Und drückte Dons Bruder euphorisch an sich. Dabei bebten ihre Arme beängstigend. Schon wieder Arme. Es schien, als bestünden englische Frauen vornehmlich daraus. Don starrte auf den Körper der Mutter und war sich sicher, dass nie solche Fleischmassen aus ihr würden wachsen können.

»Los, bring ihm was zu essen«, befahl Dons Mutter – den Sohn an ihre große Brust pressend.

So viel zur Familienstruktur.

Amok und Frauenhass sind Geschwister, las Don später. Und dass es meistens junge Männer sind, die durchdrehen. Irgendwas in ihrem Leben deckte sich nicht mit dem, was sie sich vorgestellt hatten. Dinge mit Macht. Oder mit Penis. Und dass alle vor ihnen auf den Boden fallen, wie sie es von ihren Müttern gewöhnt waren, hatten sie sich vorgestellt. Don war nicht erstaunt. Mit Schwachsinn kannte sie sich aus. Sie hatte einen Bruder.

Und eine Mutter, die alle Lebewesen, an denen kein Penis angebracht war, nicht besonders schätzte. Damit stand sie nicht alleine. Fast alle Frauen in Dons Umgebung himmelten Männer und Jungs an und verachteten Frauen. Vermutlich schämten sie sich, zu den absoluten Verlierern zu gehören, denn unter den Frauen standen nur noch ausländische Frauen. Die einzige Komplizenschaft, die Don mit ihrer Mutter verband, schien ihre

Mangelhaftigkeit. Ein gigantisches Losertum, das sich in allem, was sie taten, ausdrückte. Don entschied sich sehr früh in ihrem Leben dazu, nie eine Frau zu werden. Also so eine, die Don aus Rochdale und den Videos kannte. Die sich vornehmlich dadurch auszeichneten, dass sie irgendwelche Geschlechtsmerkmale aus Kleidung raushängen ließen, und sich die Fingernägel mit Glitzerlack bestrichen – Opfer eben. Ein Mann oder Junge, egal wie schwachsinnig, würde immer mehr wert sein als eine Frau, selbst wenn sie eine Professorin für Kybernetik war. Apropos schwachsinnig, Dons Bruder hatte eine Menge Fehler. Es begann mit seiner Art zu laufen. Dons Bruder trat immer nur mit dem Vorderfuß auf und wippte bei jedem Schritt nach, was seiner Erscheinung die Aura eines Vollidioten gab. Er atmete zu laut, schmatzte beim Essen, sein Mund stand immer ein wenig offen – und Don konnte sich nicht erinnern.

Dass ihre Mutter sie einmal umarmt hätte. Oder angefasst oder gestreichelt, dass sie Filmmutter-Handlungen an ihr vorgenommen hätte. Aber – irgendwann werden Aktivitäten, die nie stattfinden, selbst in der Vorstellung peinlich. Vielleicht war ihre Mutter ja geradezu wild darauf, Don permanent an sich zu drücken, nur hatte sie leider den Zeitpunkt verpasst, damit anzufangen. Außerdem war sie beschäftigt. Sie musste ständig ihrem Sohn hinterherrennen, ihm irgendwas aus dem Gesicht wischen, ihn in die Backen kneifen und ihm entzückt zuhören, wenn er über seine nicht weniger idiotischen Freunde berichtete. Um die Begeisterung der Mutter zu erregen, genügte es, wenn Dons Bruder atmete. Don hingegen betrachtete sie

selten, und wenn, dann war in ihrem Blick die Ratlosigkeit, mit der sie sich und ihr Leben begriff.

»Ich habe an den Aufständen teilgenommen«, sagte

**Dons Mutter**

*Kreditwürdigkeit: keine*
*Ethnie: schwarz*
*Intelligenz: durchschnittlich*
*Hobbys: BBC-Fernsehserien, das Königshaus,*
*Stöbern in Sozialkaufhäusern*
*Sexualität: onaniert zu Prince-Charles-Fotos*
*Familienzusammenhang: 2 Kinder, 1 abwesender Mann*

Oft.

Don konnte sich ihre Mutter nie als aufrechte Black-Pan-
ther-Kämpferin vorstellen. Vermutlich übertrieb sie ihre
Rolle bei den Londoner Straßenkämpfen. Dafür sprach,
dass Dons Mutter Bleaching-Creme verwendete, sich die
Haare so lange glättete, bis sie wie Käsescheibletten aus
ihrem Kopf standen, die unklare Hautfarbe des sogenannten Kindsvaters, und dass sie keine Freunde aus ihren sogenannten Kreisen hatte. Sie verkehrte lieber mit Weißen, sie
schwärmte von der Hauptstadt. Und dass ihre Eltern damals
nach den Unruhen London verlassen hatten, war ihr die
größte Demütigung, denn dieses Rochdale war die Backstein gewordene Manifestation der Tatsache, dass Dons
Mutter nie auf einem englischen Blumenmarkt mit weißen
Ladys in Twinsets Scones verputzen würde. Dons Mut-

ter hatte einen ordentlichen Beruf gelernt. Einzelhandelskauffrau, oder etwas ähnlich Sinnloses aus der 1.0-Zeit der
Wirtschaft. Sie hatte für eine Speditionsfirma, einen Supermarkt und einen Haushaltsgerätehandel gearbeitet und war
immer irgendwann von jemandem im Ausland ersetzt worden, weil der Trend dahin ging, Arbeiten auszulagern, weil
der Trend dahin ging, dass ein paar Menschen immer mehr
Geld verdienen wollten, um sich vor dem Weltuntergang zu
schützen. Das musste respektiert werden.

Dons Mutter fand nur noch Aushilfsjobs. In Wäschereien,
an Kassen, an Tankstellen. Und immer wieder lange gar
keine. In diesen Phasen hatte sie Angst. Sie hatte auch
Angst, wenn sie einen Job hatte, davor, ihn wieder zu verlieren. Sie konnte nicht schlafen, kaum essen, kaum atmen
und verlor den Job ja doch immer. Angst. Immer Angst
vor allem. Am meisten fürchtete sie den Winter, denn das
war die Zeit, in der die Kinder ständig krank wurden, und
wenn die Kinder krank wurden, hieß das, mindestens acht
Stunden im Krankenhaus sitzen, und wieder war sie einen
Job los. Dann musste sie zum Sozialamt, sich schlecht behandeln lassen, dann musste sie Kurse belegen, zum Beispiel, wie man eine richtig gute Bewerbung schreibt. Was
natürlich bei jedem Tankstellenbesitzer im Ort, meistens
Analphabeten aus ... – na, jetzt mal nicht rassistisch werden –, einen tüchtigen Eindruck macht. Wenn das Geld
vom Amt aufgebraucht war und Dons Mutter keinen Job
hatte, mussten sie zu den Christen zur Essensausgabe.

**Don**

Hasste die Besuche bei den Christen. Die bedeuteten: ein
oder zwei Stunden im Freien warten. Um dann irgend-

wann vor Frauen mit zu großen Zähnen stehen, die nach nassem, altem Küchenlappen rochen, im roten Gesicht eine Nase mit geplatzten Adern und gelbweißen, hinten immer verfilzten Haaren auf dem Kopf. Sich von solchen Leuten Dosen mit Bohnen in die Tasche stecken zu lassen war zutiefst demütigend. Und hier noch was Schönes für die Kleinen. Wer waren diese Leute, die wirklich hässlicher aussahen als sie, was gab ihnen das Recht auf ihre herablassende Mildtätigkeit, die nicht zwischen Sozialhilfeempfängern und Hunden unterschied? Don stellte sich immer vor, später zu diesen gütigen Menschen zurückzukehren, mit einer Machete sah sie sich, und die Christen in ihrem Blut, ihre Röcke hochgerutscht, die krummen Beine am Boden. Und dann sah Don sich über die Opfer beugen und ihnen zum Abschluss eine Dose Bohnen in den Mund schrauben.

Was natürlich ungerecht war, denn ohne die Christen, die die Armen fütterten und kraulten, wären die meisten von ihnen vermutlich schon tot. Das Ziel des Staates war es, alle Sozialleistungen auf ein Minimum zu reduzieren, um die starken, arbeitsamen Bevölkerungsschichten zu fördern. Beziehungsweise. Um einfach zu sparen. Beziehungsweise. Um das Land auf seinem neoliberalen Kurs zu halten.

Die Verachtung der Kapitalisten gegenüber den Armen hatte sich institutionalisiert. Obdachlose, Arbeitslose, Arbeitsunfähige, Kranke, Schwache mussten akribische, nicht nachvollziehbare bürokratische Schwachsinnsanforderungen erfüllen, um einen Minimalbetrag zu erhalten, der ihre Lebensfunktionen aufrechterhielt. Der unverwertbare Teil der Gesellschaft konnte durch kleine Formfehler sämtliche Unterstützung verlieren, und dann hockten sie da. In ihren verranzten Buden ohne Strom und Heizung und Essen. Und wer half dann? Die Christen halfen dann, die sich aus Serotonin-Ausschüttungs-Gründen für den Erhalt unerhaltenswerten Lebens engagierten.

Don fing damals an, fast alles zu hassen, was sie umgab. Die Polizistinnen, die jedes Kind aus dem Sozialblock täglich filzten.

Aus Routine, aus Spaß oder einfach, weil sie es konnten. Die Kinder mussten in Reihe stehen, die Taschen ausleeren, die Hosen runterziehen, die Hände über den Kopf nehmen.

Irgendetwas mit Macht oder Respekt führte dazu, dass vermutlich eine oder zwei Millionen Kinder mit der Sicherheit aufwuchsen, vom Staat nicht beschützt zu werden.

Die Polizei fand so gut wie nie Drogen oder Waffen, denn welches Kind war schon so blöd, um die Kontrollen wissend, verdächtige Dinge mit sich zu führen. Die Waffen wurden in den leeren alten Fabriken gelagert. Das Rauschgift dito.

Don hasste. Die verwaschen wirkenden Leute auf den Ämtern, die ihre Mutter behandelten, als wäre sie einfach zu faul und zu dumm, um ihr Leben geregelt zu bekommen, sie hasste den Hausmeister im Block, der den Kindern alles verbot, also laufen, reden, lachen, atmen. Sie hasste ihren Vater –

Dessen Einfluss auf die Erziehung seiner Kinder überschaubar war. Manchmal schickte er Geld. Also selten. Aber wenn es passierte, hielt die Mutter einen langen Vortrag über die Güte dieses Mannes, sie sagte, dass sie ohne ihn verloren wäre, dann weinte sie. Was Don gelernt hatte, war: Die Frauen erledigten all die unendlich praktischen, öden Dinge, die es zum Leben benötigte. Sie standen bei Ämtern an, schleppten ihre Kinder zu Ärzten und verschwanden dann in ihre Wohnungen, um irgendeinen Frauenkram zu machen, bis sie irgendwann mental krank wurden, was in ihren Kreisen immer Depression bedeutete, was in ihren Kreisen immer hieß: Mutter liegt im Bett, weint und steht nicht mehr auf. Frauen schufen nichts Außerordentliches. Außerordentliches war Männersache. Die interessanten Aktivitäten gingen von Männern aus. Die standen unter den Laternen, hörten Musik, rauchten, tranken, machten Drogengeschäfte. Jungs machten die gute Musik. Damals gab es noch keine Frauen in der Grime-Szene, die wichtig waren. Die so gefährlich wütend und laut waren wie Männer.

Männer nervten

## Peter
*Diagnose: psychologisch auffällig*
*Gefährdergrad: nicht einzuschätzen*
*Sexualität: heterosexuell, eventuell*
*IQ: unklar*
*Ethnie: weiß, kaukasisch sagt man, oder?*
*Familienzusammenhang: keine Geschwister*

Das war einfach Pech gewesen mit Peters Geburt an einem Tag, als es nicht einmal geregnet hat. Da war wohl etwas schiefgelaufen. Das passiert öfter, als man denkt.

An dem Tag seiner Geburt, als seine Mutter das Gesicht der Hebamme und dann dieses Kind gesehen hat. Das durchsichtig war und eindeutig nicht von ihrem Mann, der dann auch weg war. Der sehr dunkelhaarige, sehr dumme Mann. Und Polen, ja nun, auf dem Land in Polen, mach da mal was, wenn du jung bist, dich der latente Faschismus im Land anekelt, wenn du alles schon kennst – die Feigheit der Menschen, die leeren Läden, die staubigen Straßen und vor allem die Abwesenheit jeder Hoffnung. Mach was mit einem durchsichtigen Kind, das kaum redet, einen nie ansieht und Stunden damit verbringt, an die Decke zu starren oder mit seinen Fingern stumme Gespräche zu führen. Mach was, wenn die zehn debilen Männer im Dorf wirklich keinerlei sexuelle Aussage für dich bereithalten. Also dann halt England. Da waren schon Millionen andere Polen, und man hatte kaum Beschwerden gehört. Viele fanden auf der Insel, was es zu Hause nicht gab. Jobs. Geld. Abwechslung. Interessante Ausländer und mit den Jahren der Besitz eines Ferienhauses in Polen, das landschaftlich ja eins a war. Das langte doch für ein neues Leben. Das bekam man doch hin – wenn man nicht zu anspruchsvoll war, und wenn sie was waren, die Leute aus dem Osten, dann genügsam.

Arme Leute aus dem Osten, muss man vielleicht einschränkend anfügen. Arme Leute aus dem Osten wussten, wie man durchkam, sie waren hungrig. Sie waren unsentimental. Sie konnten kämpfen und waren nicht verwöhnt. Prost auf die Klischees.

In dem Dorf, aus dem Peter stammte, aus dem seine

Mutter wegwollte, gab es eine Sandstraße. An der Sandstraße, von der Peter immer dachte, sie sei aus Dreck gebaut und würde sich irgendwann öffnen und alles verschlingen, standen Häuser, die, wenn sie komplett zugeschneit waren, romantisch wirkten. Alte Gartenzäune, zersprungene Scheiben, schiefe Türen, Löcher im Parkett. Von den hundert Leuten im Dorf waren fast alle über fünfzig und sahen aus wie über siebzig. Fleischgewordene Hilflosigkeit, die es nicht geschafft hatte, in eine andere Stadt, in ein fremdes Land zu fliehen. Fleischausschuss, der über die staubige Straße taumelte, sobald seine Sozialleistung eingetroffen war, um sich einen Schnapsvorrat im Kiosk zu kaufen, der neben Alkohol Gurken in staubigen Gläsern und Haferflocken führte. Worauf Alkoholiker halt so stehen.

Peter wurde von den Männern im Dorf gehasst. Er war anders. Das genügte. Er war in der Nähe seiner Mutter. Das war, wo die Dorftrottel sein wollten. Es gab nur noch wenige Frauen im Dorf. Wer konnte, ging weg. Und bald würden sie auch weg sein, sagte seine Mutter oft zu Peter. Bis es so weit war, wollte sie Spaß. Was auch immer sie damit meinte, es begann damit, dass sie mit einem kurzen Rock über die staubige Straße des polnischen Nestes lief, als wäre sie auf einem Casting. Peter wusste, was Castingshows waren, er wusste alles, denn es gab das Internet, das selbst in die entlegene Weite Polens vorgedrungen war. Peter fand befremdlich, wie seine Mutter sich verhielt. Sie lachte zu laut, wenn irgendeiner der Alkoholiker mit ihr sprach, ihr Rock rutschte bis zum Schritt hoch, und sie vergaß ihren Sohn, also ihn, sobald ein Mann auftauchte. Peter hatte keine Ahnung, warum seine Mutter die Gesellschaft eines zahnlosen Alkoholikers der seinen vorzog. Hier war doch keiner, der Schönheit in irgendeiner Form würdigen konnte. Schönheit zu erkennen, setzt ein Training voraus, das hier nicht stattgefunden haben konnte. Es war hässlich in dem Nest. Flach, keine Bäume, keine Hügel, nur Felder und Häuser, die Ruinen glichen. Die meisten Leute waren, wie erwähnt, verschwunden, nur Peter wollte nicht weg. Für ihn war der Ort egal. Er war vertraut. Das zählte. Peter war gerne mit sich zusammen, wenn er nicht mit Menschen reden musste oder einen Lärm hören oder unter einer Schranke durch, die sich gerade bimmelnd schloss, oder wenn seine Mutter weg war. Mit seiner Mutter verband ihn vor allem Gewohnheit. Wenn Gewohnheiten unterbrochen wurden, bekam Peter Panik. Er hatte keine Ahnung, warum. Er kannte sich nur so. Überwiegend in einem Zustand, als schliefe er und würde gerne aufwachen. Seine Mutter verschwand mit einem Alkoholiker in ihre Wohnung. Peter mochte Männer nicht.

Es gab zu viele davon.

Dachte

**Don.**

Überall, wo es interessant war, saßen sie herum. Wenn sie in Gruppen auftraten, war das unerfreulich. Die Gruppe vor Dons Haus – na ja, Haus – hatte gestern einen kleinen streunenden Hund angelockt. Der Kadaver lag dann einige Tage da.

Don wusste nicht, warum Männer so etwas taten. Aber sie wusste, man musste Angst vor ihnen haben. Man durfte sie nicht reizen. Sie konnten brüllen, ohne dass es klang wie kreischen. Sie redeten Unsinn, in Halbsätzen. Man wollte ihnen gefallen. Man wollte dem coolsten Gangster gefallen. Oder dienen. Um nicht erschlagen zu werden. Wie Dons Mutter. Wie alle Mütter im Block, die meistens alleine mit den Kindern waren, weil die Männer gingen, sobald sie keine Lust mehr hatten, die Frau zu schlagen. Erschöpfungsdepression war die häufigste Frauenkrankheit im Land. Na ja, Krankheit. Na ja. Frauen eben. Die Selbstmordrate stieg bei ihnen über vierzig in absurde Prozentzahlen, die Don gerade vergessen hatte. Eine Menge Kinder mit depressiven Alkoholiker-Müttern lebten in ständiger Panik, nach Hause zu kommen und ihre Familienangehörige tot irgendwo liegend, hängend oder schwimmend vorzufinden. Die kommende Generation würde aus den psychotischen Ex-Kindern aus armen Verhältnissen, den Ritalin-durchgedrehten psychotischen Ex-Kindern aus untergehenden Mittelstandsfamilien und den sadistischen Ex-Kindern aus der Oberschicht bestehen und wäre gut gerüstet für das neue Zeitalter.

APROPOS – damals entstand die Bewegung

Der

**Abgehängten.**

Männer.

Junge und mittelalte, die sich überall in der westlichen Welt in homoerotischen Vereinigungen mit unterschiedlichen Namen fanden. Alt Right, Neonazis, National Action, Aryan Brotherhood, White Nationalist Party, League of St. George, Blood & Honour, Stormfront,

34

Identitäre, Vigrid, Deutsche Heidnische Front – die un-
freiwillig Zölibitären
Gruppen –
Die ihnen das Gefühl der Stärke zurückgaben, das ihnen
Durch
Frauen
Genommen worden war. Millionen weißer Männer wa-
ren entmannt worden. So. Damit komm mal klar.
Verdammte Scheiße. Sie hatten zu viele männliche Hormone oder nicht mehr genug, beides ein schmerzhafter
Umstand, und sie fanden sich in einer Welt, die sie nicht
mehr benötigte. Nutzlos und wütend. Nicht geliebt und
nicht gehört. Verteigt um die Leibes-Mitte,
Frauen,
Also – Personen, die man käuflich erwerben konnte, als
sogenannte Polizistinnen, Richterinnen, Ärztinnen. Das
war wie Ausländer mit Brille. Das war, als ob der Hund
zum Politiker wird. Auf Frauen konnten sie sich alle erst
einmal einigen bei ihrer Suche nach Verantwortlichen für
dieses Unwohlsein, das doch fast alle verspürten, in einer
Welt, die nicht mehr behaglich war. Die nie behaglich
war, aber verdammt, früher wusste man das doch nicht.
Früher gab es das Netz nicht, das einem sagte, wie unbehaglich es geworden war. Das konnte einen echt sauer
machen.
Nun gehörte es sich nicht, durch die Straßen der westlichen Welt zu mäandern und Frauen zusammenzuschlagen. Also mussten erst mal andere dran glauben. Ausländer. Auch Frauen, nur mit den größeren Penissen. Mit
denen sie den weißen Männern die Frauen wegnehmen

wollten, die die weißen Männer hassten. Okay, es war kompliziert. Scheiß der Hund drauf.

Die Abgehängten bügelten ihre Hemden, trainierten ihre Muskeln, lugten vorwitzig zum Penis des Nebenmannes, dachten an all die Penisse in ihrer Gang. Wenn man sie aneinanderreihen würde, könnte man die Welt wieder in eine Ordnung ficken. Sie vernetzten sich weltweit zu einem gesunden, bewaffneten, rechtsradikalen, faschistischen Idiotenhaufen, der durchdrehte vor Angst, in die menschengegebene Unwichtigkeit zu verschwinden.

In

**Dons**

Umgebung gab es keine Nazi-Gruppen oder -Parteien. Die Männer in ihrer Umgebung waren zu träge, um sich zusammenzurotten. Das Gefühl der Unbrauchbarkeit in der dritten Generation hatte sie schlaff werden lassen, die ehemals stolzen Fischer, Bauarbeiter, stolzen – irgendein Scheiß –, was bedeutete, sie hatten mit ehrlichen Händen ehrlichen Mist erledigt, der einen anderen Mann reich gemacht hatte. Dessen Familie heute in der Regierung sitzend über die Sozialhilfe des ehrlichen Arbeiters befand. Dass ein Mensch, ohne – sagen wir – Kabel herzustellen, nichts wert ist, und dann eben böse wird, ist verständlich. Und wurde auch als mildernder Umstand berücksichtigt, falls mal ein Mann aus dem Viertel vor Gericht landete, weil er seine Frau oder sein Kind komplett oder halb totgeschlagen hatte.

Wenn die Frauen die pathologisch nachvollziehbare, sozialisierte Wut überlebten, dann verbanden sie einander die Verletzungen, nachdem die sporadisch auftauchenden, gedemütigten Männer die Kontrolle über sich verloren hatten. Im Anschluss entfernte sich der Mann, ratlos auf die Unordnung blickend, die er erzeugt hatte. Dann war Ruhe, dann verheilten die Wunden, dann kam der Mann zurück, und alles ging von vorne los: Die Frauen drehten durch vor Entzücken über die Anwesenheit eines zahnlosen Typen, der den ganzen Tag, die Hand im Schritt, vor dem Fernseher saß, bis er abends in ein Pub ging, um da zu sitzen. Fast alle Frauen fühlten sich ohne einen Mann unvollständig. Oder formalästhetisch gesprochen: Männer belebten das Bild in den hässlichen Wohnungen und vor den Häusern.

Apropos

Dons Umgebung.

Achtzehn Reihenhäuschen, zwei Stockwerke, Backstein, Gitter, Beton, keine Bäume oder Pflanzen wollte man dem Beton hier zumuten. Hier wohnten: Flüchtlinge, Arbeitslose, Leute mit fehlenden Gliedmaßen, schlechten Augen, Alkoholiker, Junkies, und immer mehr von ihnen zogen aus London zu, weil ihre Sozialwohnung in eine Eigentumswohnung umgewandelt worden war. Eben ohne sie.

Don hatte nie von wispernden Wipfeln beschattete Gebäude gesehen, kannte keine leistungsstarken Heizungen, dichten Fenster, sauberen Badezimmer, Brunnen, denn Rochdale war eine sehr gerechte Stadt, die überall gleich beschissen aussah.

Wenn man aus ihrem Block in die Stadt ging, was Don mit Karen oft in Ermangelung anderer Ziele tat, fand man dort eine Hauptstraße vor. Die Attraktion an der Hauptstraße waren die Sozialkaufhäuser, wo gespendete oder am Straßenrand gefundene Waren an die Bewohner der prosperierenden Gemeinde verkauft wurden. Es gab neben diversen Wettbüros und 1-Pound-Shops noch ein Shoppingcenter, in dem die Hälfte der Läden leer stand, und ein Costa Café, vor dem Don und Karen sich gerne aufhielten, um Touristen zu beobachten. Also die drei, die sich aus Versehen einmal im Monat nach Rochdale verirrten, weil sie in schlechten Online-Reiseführern etwas vom Food-and-Drink-Festival oder von Dippy, dem Saurier im Naturkundemuseum, gelesen hatten. Okay. Diese zwei Menschen, die dann starr vor Schreck durch die Hauptstraße eierten und in ihrer Verzweiflung das Parkdeck auf dem Einkaufszentrum besuchten, die beobachteten sie gerne. Die Touristen leuchteten wie Gold. Sie konnten. Einfach verschwinden, nachdem sie ihren überteuerten Costa Café getrunken hatten und sich vor den schwangeren Minderjährigen und den vielen pakistanischen jungen Männern, die durch die Einkaufspassage latschen, genug gefürchtet hatten.

Sie konnten einfach an Orte verschwinden, an denen es garantiert besser war.

An Tagen, da keine Touristen zu besichtigen waren, sahen sich Don und Karen in den Sozialkaufhäusern die alten Klamotten und todtraurigen Menschen an, die sich alte Sachen ansahen. Drei Viertel der Leute waren ohne Arbeit in der Stadt des Dauerregens. Sie hatten darum viel Zeit, den Dreck zu betrachten, den ihre Nachbarn in die Kaufhäuser und Pfandleihhäuser trugen, um sich vom Erlös ein wenig Bier zu gönnen. Einst, so ging die

Sage, war die Stadt voller glücklicher Arbeiter gewesen. Überall standen noch die Leichen der ehemals erhabenen, bombastischen, glücksspendenden Fabriken, die von dieser wunderbaren fernen Zeit zeugten. Sie waren geschlossen worden, weil keiner mehr den Mist benötigt, der da hergestellt wurde. Im neuen Jahrtausend braucht es Banken, Finanzdienstleister und IT-Fachkräfte. Man nennt das Evolution.

Nun waren die Fabriken also leer und dienten als Abenteuerspielplatz, als Drogen- und Waffenversteck und als Treffpunkt zum Geschlechtsverkehr gegen Vergünstigungen. Alte Arbeitslose verfickten hier ihre monatliche Unterstützung, junge Mädchen fickten hier, um ein wenig Zuneigung zu bekommen. Ein paar Homosexuelle dito. Karen und Don waren oft in den Fabriken, um Menschen beim Geschlechtsverkehr zu beobachten, was sie angenehm eklig fanden. Wenn sie nicht in der Hauptstraße herumhingen, auf Spielplätzen Grime-Videos schauten oder in Fabriken herumschlichen, unternahmen sie Freizeitaktivitäten, die aus dem Ärgern von Passanten, dem Stehlen von Dingen und Schlägereien mit anderen Kindergruppen bestanden. Don trainierte, seit sie sechs Jahre alt war, mit YouTube-Tutorials Kampfsport im Mandale Park, in dem außer einigen Obdachlosen, die zu besoffen waren, um ihrem Training Aufmerksamkeit zu schenken, niemand war. War nicht so ein großartiger Park. Eher eine unentschlossene Ansammlung struppiger Laubbäume. Krav Maga hatte es Don besonders angetan. Eine Technik, die sehr effektiv war und das Überleben sichern konnte. Wie die Schießkurse, die Don im

Netz betrachtete, die Tutorials von Farc-Kämpferinnen, die darüber berichteten, wie man tötete und sich eine Unterkunft baute. Don spürte eine große Erregung beim Betrachten von Bildern und Videos, die mit bewaffnetem Widerstand zu tun hatten. Frauen, die in Sekunden Maschinengewehre zusammenschraubten und Feinden mit einer ruckartigen Drehung deren Köpfe ausschalten konnten. Don hatte etwas gefunden, wofür sie brannte, etwas, das größer war als sie selbst. Sie trainierte hart, und ihr Körper veränderte sich, er wuchs. In die Breite. Kompakt, wie ein Pitbull. Dachte Don.

Das war in der Zeit, in der ihr Bruder nicht mehr nur einmal in der Woche, sondern täglich ins Bett machte. Wegen seiner traumabedingten Gefühle. Die er nur in Form von Urin äußern konnte. Don lag in dem kleinen, stinkenden Kinderzimmer und war aufgeregt. Sie wusste, dass sie hier bald verschwunden sein würde. Weg von dem Uringeruch, dem Schein der Laterne draußen, dem Schlurfen von Leuten, die hinter ihren unsichtbaren Rollatoren herkrochen. Don schloss die Augen und versuchte, sich eine Zukunft vorzustellen. Was ihr nie richtig gelang. Sie wusste nicht, wie es am Meer roch oder in Bangkok, sie hatte keine Ahnung, was reiche Menschen in eleganten Wohnungen so machten. Also stellte sie sich einfach London vor. Weiß, glänzend und modern. Und sie mittendrin. Die Aufregung, die dieses Unbekannte erzeugte, hielt bis zum Morgen. Bis in die Schule hielt sie, in der Don seit einiger Zeit nicht mehr als Schwuler ausgelacht oder als Lesbe verspottet wurde. Die anderen Kinder begannen, Angst vor ihr zu entwickeln. Ein Umstand, der

Don sehr gut gefiel. Sie war, seit sie sich erinnern konnte, von den anderen verachtet worden. Sie genügte den Anforderungen des Durchschnitts nicht. Der Durchschnitt ihrer Mitschüler war weiß. Oder pakistanisch. Mädchen trugen Kleider oder Röcke. Sie begannen sich mit sieben zu schminken und hatten mit zehn zum ersten Mal Sex. Jungs rauchten, tranken Bier und trugen Kapuzenjacken, sie waren weiß, hatten Augenringe oder waren pakistanisch und verkehrten in dem Fall nicht mit den anderen. Dazwischen gab es keinen Raum für Interpretationen. Dazwischen gab es Karen und Don. Die Freaks. Denen man auf die Fresse hauen konnte. Aber das war Vergangenheit. Wenn Don mit Karen nun den Schulhof betrat, senkten die anderen den Blick zu Boden. Wie im Tierreich, dachte Don, und ging mit wiegendem Schritt über den Platz wie ein fucking Cowboy. Karen lief hinter ihr her oder vor ihren Füßen,

Nie vollkommen anwesend.

Die

**Karen**

Saß in ihrem Zimmer, das eigentlich die Abstellkammer war, es gab kein Fenster, aber dafür eine Tür. Man ist ja mit wenig zufrieden. Sie las über Bajos de Haina, eine Stadt in der Dominikanischen Republik, die von einer Batterie-Recycling-Firma verseucht worden war. Die Stadt der Freaks. Die interessierten Karen, die kurz darüber nachdachte, wie es sich anfühlen mochte, wenn alle in Rochdale so aussehen würden wie sie. Oder alle dasselbe Interesse hätten. Mit fünf hatte Karen in einem Sozialkaufhaus ein Buch über Systembiologie gefunden und war seitdem besessen von Mikroben, Blut, Hormonen und Computern. Das war für Karen der Ort geworden, an dem sie lieber lebte als auf dieser schäbigen Oberfläche der sogenannten Welt. Karen strich sich über die Narbe an ihrem Kopf –

Nach dem Vorfall, der, wir erinnern uns, den Amoklauf freundlich umschrieb, als Karens oberflächliche Wunden im Krankenhaus behandelt worden waren, hatte sie sich vorgestellt, wie dieses Überleben eines Amoklaufes die Strukturen in ihrer Familie grundlegend ändern würde. Wie sie das Krankenhaus verließ, und da ständen ihre Mutter und ihre Brüder, und alle würden sie umarmen, und dann gingen sie zusammen zu McDonald's. Tränen, Umarmungen und so weiter. Das hatte so nicht stattgefunden. Karen bewegte sich nicht gerne alleine auf den Straßen. Obwohl sie es nicht anders kannte, störte es Karen doch, ständig angestarrt zu werden. Es war, als bohrten sich die Blicke durch die Haut und griffen nach ihren Organen. Blicke. Verächtliche, angeekelte, entsetzte, missbilligende. Karen sah anders aus.

Sie trug eine innere Brille und hätte eine Zahnspange gebraucht. Keiner hier hatte eine Zahnspange. Oder gute Zähne. Viele hatten überhaupt keine Zähne. Rochdale war ein Ort, wo keiner seinen Körper bei Chirurgen und in Fitnessstudios formte und es tausend Variationen von Nachlässigkeit zu bestaunen gab,

Aber Karen hatte es schlimm erwischt. Ein rezessiver Erbgang, eine Störung in der Biosynthese der Melanine war verantwortlich für Karens weißes, krauses Haar, die helle, sommersprossige Haut, die farblosen Wimpern und Augenbrauen und die hellblauen Augen. Karen wurde politisch korrekt als Mensch mit Albinismus bezeichnet, aber auch das half ihr nicht, ein gesundes Selbstbewusstsein zu erlangen. Ihre Mutter und ihr älterer Bruder waren dunkelhäutig und schön. Also aus Karens Sicht. Waren eigentlich alle anderen schön, und sie sah aus wie ein Brötchen, das man unter einer Mülltonne findet. Karen hatte sich damit arrangiert, eine Außenseiterin zu sein. Soweit man sich als junger, fast pubertierender Mensch damit arrangieren kann, von fast jedem als außerordentlich hässlich empfunden zu werden. Von zahnlosen, verfetteten alten Männern, schielenden, schlecht riechenden Frauen mit schiefen Köpfen und pickligen, übel riechenden Jungs. Karen war das Kind, das auf dem Pausenhof alleine in der Ecke stand. Sie war das Kind, das von kleineren Kindern angestarrt und von Erwachsenen kommentiert wurde. Sie war das Kind, zu dem ihre Brüder eine gestörte Beziehung hatten. Sogar ihr jüngerer Bruder verachtete Karen, was erstaunlich war, denn er hatte das Hutchinson-Gilford-Syndrom. Wenn es jemand kannte, dann unter dem Namen Progerie. Die meisten aber sagten nur Alien zu Karens jüngerem Bruder, der eigentlich ein winziger, hilfsbedürftiger Mensch sein sollte, aber aus irgendwelchen Gründen ein boshaftes kleines Arschloch war. Genetisch war in Karens Familie also einiges schiefgelaufen. In einem englischen Sozialdrama hätte die kleine, vom Schicksal geschlagene Familie ein Hort der Wärme, des Humors und der Liebe sein können. Aber leider waren sie nur Leute, die zufällig zusammen in einer Sozialwohnung hockten und einander auf die Nerven gingen. Oder sich schlugen, wie an dem Tag, an dem Karen nach dem Ereignis aus dem Krankenhaus kam, in ihrer Kammer verschwand und dann irgendwann auf die Toilette musste. Ihre Brüder hatten am Vorabend Party gemacht, also auf der Straße herumgelungert und Drogen mit Alkohol gemischt zu sich genommen. Danach wurde der kleine Bruder vermutlich wieder die Kinderrutsche heruntergestoßen oder als Weitwurfgegenstand benutzt. Ein Spaß bis in den frühen Morgen, wenn man die lallenden Stimmen aus dem Wohnzimmer mit einer körperlichen Verfassung in Zusammenhang bringen mochte.

Die Wohnung war zu klein, um eine gewisse Anonymität zu gewährleisten. Auf den 43 Quadratmetern gab es das Zimmer der Brüder, das Wohnzimmer, in dem ihre Mutter schlief, Karens Abstellkammer, ein winziges Bad und eine Küche. Alles in Ocker gehalten. Das vielleicht einmal weiß gewesen war. Oder rot. Oder egal. Alles ein wenig – in die Jahre gekommen. Die Vorhänge waren zugezogen, das Wohnzimmer roch nach Alkohol. Die Brüder saßen auf dem Sofa und sahen aus wie ein Mann und seine Puppe. Der große Schöne, der kleine Seltsame. Sie schauten im Netz YouTuber an, die sich die Vorhaut mit Sekundenkleber zunieteten. Ihre Hirne waren von Dauerreizen bereits irreversibel geschädigt. Im Fernseher, der parallel ohne Ton lief, kamen Katastrophenmeldungen aus Japan, das von einer großen Flutwelle überschwemmt wurde. Die Trottel machten Witze, und Karen sah erstarrt zu, wie alte Damen auf einem Hügel hockten und ihren wildromantischen Küstenort anstarrten, in den gerade ein Containerschiff gespült wurde. Die beiden Honks, mit denen Karen angeblich verwandt sein sollte, kreischten entzückt. Tote. Es gab Tote. Vielleicht würden Leichen gezeigt werden. Es erstaunte Karen immer wieder, wie viele Stunden die beiden damit verbringen konnten, irgendwohin zu glotzen. Oder damit, Alkohol zu trinken und Schwachsinn zu reden. Und wie wenig Zeit sie sich für alles nahmen, was Menschen aus ihnen hätte machen können. Etwas lesen oder duschen zum Beispiel. Einer der beiden entdeckte Karen und schrie nach etwas zu essen. Karen wusste, dass es sich nicht lohnte zu diskutieren, und stellte Brot und Margarine vor den beiden Idioten ab. Der ältere trat nach ihr, weil ihm vielleicht die Qualität der dargebotenen Speisen nicht zusagte. Oder aus anderen Gründen. Karen fiel zu Boden. Der junge Bruder lachte kreischend. Ihr armen Würste, dachte Karen. Die Brüder langweilten sich mit der Leere in ihren Gehirnen, mit den verheerenden Auswirkungen der Hormone, die ihnen das Gefühl bescherten, die Herrscher der Welt zu sein. Das Testosteron, das verhinderte, dass sie sich realistisch betrachteten, als das, was sie waren, zwei junge Männer ohne jede Aussicht auf ein angenehmes Leben. Der eine würde, schenkte man der Statistik Glauben, in wenigen Jahren tot sein. Der andere vermutlich schon bald einer Schussverletzung erliegen. Leider war das Datum ihres Dahinscheidens nicht fixiert. Bis es so weit war, würden sie hier hocken, mit ihren Joints, die sie doch eigentlich ruhiger machen sollten.

Karen stand in dem Moment auf, als ihre Mutter nach einer

Doppelschicht als Nachtschwester heimkam. Mit brennenden Augen und müde von all dem Schwachsinn,
Sterbt doch einfach aus
Dachte

**Die Mutter**
*Ethnie: schwarz*
*Religion: katholisch*
*Attraktivitätswert: 4*
*Politische Orientierung: müde*
*Hobbys: schlafen*
*Gesundheitszustand: Beruhigungsmittel-Missbrauch,*
*beginnende chronische Erschöpfungsdepression,*
*Karies, Osteoporose*

Stand im Flur, sah ins Wohnzimmer.
Und erinnerte sich plötzlich. Karens Mutter sah sich im Flur stehend, an jenem Abend vor Jahren. Der große Unterschied war –
Sie hatte noch Hoffnungen gehabt.
Der Unterschied war, sie war jung gewesen.

In einem Laufgitter saß ihr jüngster Sohn, der zwei war und aussah wie ein kleiner alter Mann, in einem Haufen Kot. Ihre Tochter, die immer wirkte wie ein Rest, der liegen gelassen worden war, fraß ihre Fingernägel, während das älteste ihrer Kinder, das sich durch einen kolossalen Willen zur Zerstörung auszeichnete, befriedigt vor einem

Haufen Scherben hockte, die vorher irgendwelche Haushaltsgegenstände gewesen waren. Die offenen Schranktüren, das Fehlen männlicher Kleidung und die nicht mehr vorhandene Spardose verrieten, dass es ihrem Freund, dem Vater der Kinder, zu viel geworden war. Er war offenbar überfordert gewesen. Das musste man verstehen. Er war Musiker, talentiert, unentdeckt, jung und konnte sein Leben nicht mit der Aufzucht von Kindern mit diversen Defekten vergeuden.

Karens Mutter wusste in jenem Moment, damals, dass der Lebenslauf, der für sie vorgezeichnet war, einfacher zu ertragen wäre, wenn sie sich einfach aus dem Fenster würde fallen lassen. Sie war damals sechsundzwanzig, hatte gerade eine Fortbildung zur OP-Schwester begonnen, die sie am Tag nach der Erkenntnis, dass sie nun alleine mit drei Kindern sein würde, beendete.

Auch wenn ihr Mann wenig zum Auskommen beigetragen hatte, eigentlich gar nichts, hatte er doch wenigstens die Kinder beaufsichtigt.

Karens Mutter begann, als Nachtschwester zu arbeiten, eine Rentnerin aus der Nebenwohnung sah alle halbe Stunde nach den Kindern. Leider gab die Frau schnell auf, nachdem sie wiederholt mit Gegenständen beworfen worden war.

Karens Mutter zahlte von da an einen Babysitter, geriet mit der Miete in Verzug, ihre Haare fielen aus, sie bekam Panikanfälle und verlor den Job. Das unglaubliche Glück in dieser unerfreulichen Situation war, dass sie vom Sozialamt eine Wohnung in Rochdale zugewiesen bekam.

Und hier stand sie jetzt.

Im Flur, Jahre später. Und nicht mehr als Person vorhanden. Karens Mutter existierte nicht mehr als sexuelles Wesen mit Träumen und Hoffnungen, sondern war zu etwas geworden, das nur der Aufgabe folgte, ihre Kinder und sich am Leben zu erhalten, auch wenn ihr in Momenten nicht klar war, wozu das gut sein sollte.

Vermutlich ihrer dauernden Müdigkeit geschuldet, hatte sie das Gefühl, dass nichts real war. Die Familie wohnte in einem der sieben Hochhäuser mit Aussicht auf nichts. Karens Mutter war Nachtschwester. Sie kümmerte sich um die Folgen der Langeweile im Ort. Junge Männer mit Schuss- und Stichverletzungen, immer noch Jungs, denen die Hände von explodierenden Feuerwerkskörpern weggerissen wurden, die sich die Augen bei irgendwelchen Mutproben ausgestochen hatten. Männer, die ihr Genital in Staubsauger und Türspalten, in Tiere oder ins Eisfach gesteckt hatten. Männer, die sich Flaschen und Früchte, Bohrgeräte und Hämmer in den Arsch gesteckt hatten. Männer, die besoffen gestürzt, vor Wände gelaufen, ins Wasser gefallen waren. Männer, die sich in Körperteile gesägt hatten, die unter Autos eingequetscht waren. Kinder, die von Männern halb oder ganz totgefickt oder -geschlagen worden waren. Und Frauen nach gescheiterten Selbstmordversuchen. Mit halb weggeschossenen Gesichtern, querschnittsgelähmt nach Sprüngen aus unzulänglicher Höhe, mit verätzten Organen nach dem Genuss von Rohrreinigern. Wenn sie von ihren Nachtschichten in die Wohnung kam, wusste sie manchmal nicht, wer die drei Personen waren, die sich dort aufhielten. Karens Mutter hatte nicht einmal mehr Zeit, sich vorzustellen, wie ihr Leben aussehen könnte. Sie wollte nur noch schlafen. Und vergessen.

Wollte

## Hannah

Alles.

Denn sie hatte ihre Mutter überlebt. Sie würde auch den Rest schaffen. Eventuell. Hannah war am Meer geboren. Na ja. Meer. In Liverpool, wir erwähnten es schon, die stolze Dockarbeiter-Stadt und so weiter. Die Dockarbeit machten unterdessen automatische Kräne, die Auftragslage war ohnehin überschaubar, nachdem die Textil- und Stahlfabriken verschwunden waren, die Menschen waren seit Jahren ohne Arbeit und soffen, die Kinder erfanden die Gangs. Das ist es, wofür die Stadt unterdessen bekannt ist: als Wiege der bewaffneten Kinderverbrecher, die ihr langweiliges Leben inmitten rechtsradikaler, nationalistischer oder auch nur hilfloser Eltern aufmöbelten, indem sie einander umbrachten. Waffen sind ein Teufelszeug. Erleichtern aber die Umsetzung des im Menschen verankerten Bedürfnisses, andere Menschen zu entfernen. Früher waren die Kinder für Drogenbosse als Kuriere unterwegs gewesen. Sie flogen mit Easyjet nach Holland oder Spanien, kauften Drogen, schmuggelten sie in Containerschiffe. Aber. Irgendwann merkten die Kinder, dass die Drogenbosse ihnen außer Waffen nichts voraushatten. Sie besorgten sich Waffen – eine brillante 8-mm-Luger gab es schon für 350 Pfund. Kleine vollautomatische Gewehre kosteten 500. Boah, vollautomatische Gewehre.

Ein Traum. Die Kinder begannen, Leute zu erschießen. Erst die Bosse, dann die restlichen erwachsenen Verbrecher. Dann terrorisierten sie ihr Viertel, erschossen Kinder anderer Gangs und schließlich sich selber.

Hannahs Eltern waren indische Juden, in der dritten Generation in England. Was, es gibt Juden in Indien, fragten Menschen später gerne, wenn sie meinten, eine Unterhaltung führen zu müssen, um ihre Offenheit zu zeigen, denn Offenheit zeigte man in England gerne, also – jedenfalls, bevor die Lage eskalierte.

Hannahs Eltern hatten in Liverpool ein Fotogeschäft gehabt. Hallo? Fotogeschäft? Ja, genau. Es lief nicht besonders gut, um genau zu sein, lief gar nichts mehr, und Hannahs Vater machte ein wenig Geld mit stundenweise honorierten Jobs in der jüdischen Gemeinde von Liverpool. Wenigstens wohnten sie in einem Haus. Na ja, Haus. Diese engen, zugigen Dinger. Zwei Stockwerke, unten der Laden und die Küche, oben zwei kleine Zimmer, knarrende Treppen, dunkler, kleiner Hof hinten.

Wenigstens hatten sie genug zu essen. Na ja, Essen. Dass es fast jeden Tag irgendein Gericht mit Kartoffeln gab oder Nudeln mit Tomatensoße, war Hannah relativ egal. Sie war ein Kind und liebte Nudeln mit Tomatensoße, wie die meisten Kinder stand sie auf Gewohnheiten. Hannahs Eltern waren sehr freundlich, und so war ihre Kindheit bis zu dem Tag, den sie in Folge innerlich immer nur »DEN Tag« nennen wollte, perfekt. Selbstverständlich war das nicht. Keine Woche damals, da nicht ein neuer Kinderpornoring aufflog, Kinderleichen in Blumenkübeln und Tiefkühltruhen gefunden wurden, Kinder mit schweren Misshandlungen aufgefunden wurden. Kinder waren die Zukunft, hieß es. Und an die glaubten viele nicht mehr. W. z. b. w.

Hannah hatte keine Ahnung, was Zukunft bedeutete, aber in diesem ihr bedeutungslosen Begriff sollte sie, wann immer sie an »DEN Tag« denken würde, einen Schmerz erfahren, der war, als ob jemand mit der Hand in ihren Körper griff, um Organe rauszureißen.

»DER Tag« bestand aus dem, was man ein Zusammentreffen unglücklicher Zufälle nennen konnte.

Hannahs Vater hatte sie zu einem Fußballspiel mitgenommen. Er war, wie alle männlichen Bewohner der Stadt, verrückt nach Fußball. Fußball war eine wichtige Volksablenkungsmaßnahme, um Menschen von der Revolution abzuhalten. Fast so wichtig wie Verschwörungsseiten, Filterblasen, Nazipages, gefälschte Meldungen, Manipulation, Pornosites und das Hobby, das Netz mit blöden Gesichtern zu überfluten und mit Scheißkommentaren. Neben alldem war es der Fußball, der die Masse der sozial Schwachen, die aktuellen und zukünftigen Verlierer, die zweite Generation der Bildungseinsparungen und der Älteren, der Ausschussware des Kapitalismus, vom Erhängen oder Randalieren oder Nachdenken abhielt. Das Stadion hatte ein paar hundert Millionen gekostet. Es schwebte über den eingestürzten Dächern von Norris Green wie der Flügel eines behütenden Engels. Der Fußballverein verschenkte Tickets an kleine Gangster oder ließ sie nachmittags trainieren, damit sie von der Straße weg waren. Die Spieler umarmten, auf eine sehr männliche und zugleich authentische Art, Kinderkiller auf Fotos.

51

Süß. Alle Menschen im Land waren verrückt nach Fußball. Sie konnten Junkies sein, obdachlos, krank, solange ihr Verein gewann, war die Welt für sie in Ordnung. Eine Woche hielt die Euphorie vor. Bis zum nächsten Spiel.

Das sogenannte Aufbegehren der Abgehängten würde nur stattfinden, wenn Fußball plötzlich verboten würde. Aber warum sollte jemand so etwas Blödes tun. Das wäre wie Smartphones verbieten. Oder Alkohol. Oder das Königshaus. Selbst die diversen Terrororganisationen, die seit einigen Jahren das Land mit einer Reihe von Mordanschlägen langsam auf die große Welle der Angst vorbereiteten, wagten sich nicht an die Stadien. Ein Terroranschlag auf die Spielstätten der Götter hätte Krieg bedeutet.

Hannahs Vater trug einen Schal in Grün-Rot, er war Teil eines großen, starken, nicht gedemütigten Männerkörpers, wenn so ein Spiel gewonnen wurde, und wenn der Verein verlor, dann konnten die Männer endlich um ihr Leben weinen. Die Fußballfans waren eine der letzten Gruppen, in denen der Einzelne kurzfristig ein Mitgefühl für jemanden, der nicht er selber war, aufbrachte. Das Stadion war der Ort, wo sich Menschen in den Armen lagen und zusammen weinten. Was wäre es für eine unkontrollierbare Macht, wenn sie sich außerhalb der Stadien in ihrem ratlosen Elend zusammenschließen würden. Aber das taten sie nicht. Sie ermordeten einander lieber. Nach dem Spiel. Oder schütteten sich Säure ins Gesicht, was der heiße Scheiß der Saison war.

Als Hannah mit ihrem Vater nach dem Spiel zu Hause ankam, standen zwei Polizistinnen vor der Tür. Räuspern.

Leider haben wir die unangenehme Pflicht, ihnen mitzu-
teilen, dass ihre Gattin.

Und so weiter. Es rauschte in Hannahs Ohren. Mutter war
in die Schusslinie von irgendwem, vermutlich Kindergangs, geraten und lag jetzt im Krankenhaus.

Es sieht nicht gut aus. Sagten die Polizistinnen vielleicht,
oder Hannah bildete sich das ein. Warum wohnen Sie
auch in diesem beschissenen Viertel, Sie sind doch ordentliche Leute? Warum wohnen Sie in einem Quartier,
in das sich die Polizei nur in großen Konvois wagt? Und
so weiter. Vermutlich auch nur eingebildete Sätze, die
nichts zu irgendetwas beitrugen. Hannahs Erinnerung
setzte im Krankenhaus wieder ein. Wo sie leer auf die
Menschenmassen starrte, die sich im Warteraum drängten.

Sie warteten auf ihre

*Impfung.*

In jenem Jahr drohte eine Welle der japanischen Enzephalitis. Jeden Tag gab es einen bis mehrere Berichte
über die grauenhafte Bedrohung. Eine furchterregende
Krankheit mit zu erwartenden Todesopfern im Zehntau-
sender-Bereich. Die Regierung hatte Impfstoff aus China
geordert. China oder Japan, egal. Die Impfung war ob-
ligatorisch. Hannah erinnerte sich daran. Sie war direkt
in den Kopf appliziert worden. Was einigermaßen ekel-
haft gewesen war. Drei Tage war das her. Hannah hatte
geweint, aber ihre Mutter war da gewesen, wie immer,
wenn sie geweint hat. Oder gelacht, oder wenn sie krank
war oder hungrig oder nervös – immer war ihre Mutter
da gewesen.

Und jetzt war
Ihre
Mutter
Irgendwo in den Gedärmen dieses Krankenhauses. Menschen ausgeliefert, die vermummt waren. In einem Krankenhaus, das gerade wegen des Erwerbs verrosteter Kanülen aus Kostenspargründen in den Medien für keine Aufregung gesorgt hatte. Das Krankenhaus, das in mehreren Fällen Organe ohne Einwilligung entnommen haben sollte. Vater, sagte Hannah, und wartete, dass er sie ansehen wollte oder halten oder irgendwas unternehmen, das zu einer Verbesserung der Situation hätte beitragen können. Er war doch erwachsen. Erwachsene sollten wissen, was in solchen Fällen zu tun ist.

Aber
Wie immer, wenn Vater ein Problem hatte, vergaß er, dass Hannah ein Kind war. Dass ein Kind nicht so gut darin war, Probleme alleine zu lösen. Dass ein Kind immer an den Weltuntergang glaubte, wenn ihm keiner sagte, dass alles gut wird. Nichts würde gut. Hannah sah verstört eine Unruhe, die aus dem Operationstrakt in den Warteraum übergriff. Bewegung. Schwestern. Blutkonserven. Am Ende der Unruhe in Krankenhäusern steht immer ein junger Arzt, der mit gespielt niedergeschlagener Miene sagt: Wir haben unser Möglichstes getan. Man weiß nichts Genaueres.

Genaueres hätte

**Dr. Brown**

*Intelligenz: durchschnittlich*
*Aggressionspotenzial: hoch*
*Ethnie: pink*
*Gesundheitszustand: beginnender Wahnsinn wegen*
*permanenter Übermüdung*
*Kreditwürdigkeit: nicht vorhanden*
*Sexualität: SM mit Vergewaltigungstendenzen*

Wissen können. ...

Der Unfallchirurg arbeitete seit 23 Stunden.

Und er wusste: Das war die Strafe des Universums für die falsche Universität. Und die fehlenden Verbindungen. Der Rest war Schuld des Systems. Das System, Sie wissen schon, es muss ja für die meisten verpfuschten Lebensläufe herhalten. In Browns Alter, in Klammern 44, war man Chefarzt, arbeitete in einer Privatklinik, war Schönheitschirurg geworden.

Oder.

Man hatte eben keine Verbindungen und versagt und arbeitete am städtischen Krankenhaus in der Unfallchirurgie. Das bedeutete: Überstunden, mäßige Bezahlung und brillante Chancen, einen Herzanfall zu bekommen.

An jenem Tag lagen nur zwei Schussopfer auf den Liegen. Ein weißer Mann in Browns Alter mit einem Lungenschuss und eine undefinierbar dunkle Frau mit mehreren Schussverletzungen im Brustbereich. Beide wurden stabilisiert, und dann musste Brown sich entscheiden, nicht wahr. Eines nach dem anderen. Er konnte sich schließlich nicht teilen. Und wen wählt man da? Den Menschen, der einem ähnelt, oder den, der in Farbe und Textur, in Geschlecht und vermutlich Sozialstatus komplett und absolut unter einem steht? Also muss man hier jetzt unbedingt wertend sein. Aber. Während die dunkelhäutige Frau auf ihrer Liege verstarb, während Dr. Brown den Mann, der ihm in der Zusammensetzung ähnelte, operierte. Bemerkte keiner Hannah, die im OP stand. Die versuchte, die Hand ihrer Mutter zu halten. Die sich Dr. Browns Gesicht einprägte. Und irgendwann von ihrem Vater nach draußen gezogen wurde.

Unklar, wie

**Hannah**

Und ihr Vater nach Hause kamen.

Wie sie jene erste Nacht überlebten,

Ob sie sich hielten.

Vergessen. Auch die Zeit im Anschluss, die ohne Anfang und Ende zu etwas Dumpfem zusammenfloss. Der Tradition folgend fand die Beerdigung schnell statt. Ein Rabbi und ein paar Gemeindemitglieder, der Stein auf dem Grab, und es war immer noch nicht der Moment, in dem Hannah zusammenbrach und endlich weinen konnte. Sie musste ihren Vater trösten. Ein Woche lang saßen sie zu Hause Schiv'a. Ein paar Bekannte kamen mit Essen, dann kam keiner mehr.

Die beiden Zurückgelassenen hätten sich helfen können, das Gefühl, allein gegen die Welt zu stehen, mildern, aber dazu waren sie nicht in der Lage. Hannah merkte weder, dass das Fotogeschäft jetzt definitiv geschlossen wurde, noch dass ihr Vater erst täglich bekifft war und dann auf andere Drogen umstieg, weil er auch mit Marihuana noch zu viel fühlte, sie merkte nicht, dass das Geld knapp wurde, ein Räumungsbescheid kam und der Restfamilie eine Übergangsunterkunft in Rochdale zugewiesen wurde. »Das wird schön«, sagte der Vater mit dieser neuen Stimme, die immer klang, als ob er unter Wasser liegen würde. »Es ist eine ruhige kleine Stadt, und in der Nähe gibt es einen See. Sie haben ein viktorianisches Stadthaus, einen Saurier und einen sehr guten Fußballverein. Den Rochdale AFC.« Sagte Vater. Dann weinte er. Hannah dachte, dass ihrem Vater der Abschied von seinem Fußballclub schwerer fiel als das Verlassen des Hauses, in dem Hannah ihr ganzes Leben verbracht hatte. Hannah krümmte sich in den verbleibenden Nächten in Liverpool um die alten Kleider ihrer Mutter, die sie auf ihr Bett gelegt hatte. In einer neuen Stadt würde es keinen Ort geben, an dem sie mit ihrer Mutter gewesen war. Sie würde all die Wege verlassen, die sie zusammen gegangen waren. Falls ihre Mutter noch irgendwo anwesend wäre – unglücklich würde sie sein, weil sie Hannah nirgends finden würde.

Die letzte Erinnerung an das, was Hannah für viele Jahre unter dem Begriff Heimat gelagert haben würde, war eine dicke Frau vom Sozialkaufhaus, die die auf dem Boden liegenden Kleider mit ein wenig Ekel betrachtete. Die Kleider ihrer Mutter. Die noch nach ihr rochen. In denen Hannah sie noch sehen konnte. Die dann in Kisten verschwanden und von zwei Männern abtransportiert wurden.

Dann waren sie also umgezogen. Mit zwei Reisetaschen und zwei Rucksäcken hockten sie im Bus, umgeben von

Menschen in verschlissenen Anzügen, die ihre schmutzigen Plastikschuhe an den Hosenbeinen rieben und Mitteilungen über ihren Aufenthaltsort und ihre Verfassung an ihr Endgerät weitergaben. Fast jeder trug einen Fitnesstracker. Fast jeder hatte ein schlechtes Gewissen, weil er oder sie zu wenig Kraft in die Erneuerung und den Aufbau der eigenen Ressourcen investierte. Aber sie waren so müde, die Menschen, nach den Fahrten zum Arbeitsplatz oder zu den zwei oder drei Arbeitsplätzen, und die Zähne verrotteten bei vielen wieder so wie damals, als schlechte Zähne die Visitenkarte der Verlierer waren. Alle im Bus saßen und mahlten mit den Wangenknochen. Außer Hannahs Vater. Der war tot. Oder sah so aus.

Hannah hatte genug von Erwachsenen.

Sie hatte genug von dieser Busreise durch beschissene Landschaften, genug von der Situation, aus der sie gerne verschwunden wäre. Zum ersten Mal spürte Hannah, wie demütigend es war, Kind und abhängig zu sein.

Als sie endlich in Rochdale eintrafen, sah es dort auch nicht besser aus als irgendwo. Als Liverpool. Einfach in Klein. Einfach in Regen gehüllt, der scheinbar nie aufhören wollte. Viktorianisch. Saurier. Mein Arsch.

Vor einigen Wochen hätte Hannah sich auf den Boden geworfen, um ihn zu küssen, wie der Papst, und ihre Eltern hätten gelacht. Nun stand da ein vollkommen abwesender Vater, und Hannah musste ihn motivieren und tun, als hätte sie eine Ahnung.

Sie liefen, Google Maps folgend, durch die Hauptstraße des Ortes, die leer war und in einer scheinbar von Menschen befreiten Siedlung endete, Hannah klingelte beim Hausmeister.

Ein dicker alter Mann, in Klammern 35, öffnete und war vermutlich gerade beim Besuch einer Pädophilen-Plattform gestört worden, wenn man seiner offen stehenden Hose eine Bedeutung beimessen wollte. Der Hausmeister führte die beiden ins Untergeschoss des Hauses – und sieh nur, was da aus einem schlichten Keller geworden war. Die Keller waren mit fluoreszierender Farbe bestrichen worden, Linoleum mit Holzoptik war verlegt, das gesamte Geschoss mit WLAN und TV-Anschluss ausgestattet. Einer Gruppe hochdotierter Stadtplaner war die Idee zur Verdichtung im Stadtbereich gekommen. Das war schön geworden. Fenster – na ja, gut, Fenster gab es nicht, aber was wollte man da draußen schon sehen.

»Wenn die Möbel nachkommen ...«, sagte ihr Vater, es schien ihm egal zu sein, wo sie waren und warum. Und welche Möbel eigentlich?

»Hier ist die Gemeinschaftsküche«, sagte der Hausmeister und zeigte ihnen eine Gemeinschaftsküche. Ein Kühlschrank, in den jeder Bewohner seine abschließbare Futterbox stellen konnte, ein Gasherd, der mit einer Cashkarte einsatzfähig wird. Die Waschanlage dito, »hier die Karte für die Benutzung der Warmwasserdusche, und die hier«, sagte der Hausmeister, »ist die Karte für die Benutzung des Fernsehers«, der neben den Betten schon in dem Raum stand. »Müssen sie Geld aufladen. Tschüss.« Sagte der Hausmeister, dann ging er zurück zu den Menschen, die er liebte.

»Na ja, wenigstens ein Fernseher«, sagte der Vater und

ließ sich aufs Bett fallen. Staub, zusammengesetzt aus alten Hautpartikeln, tanzte im Neonlicht, und Hannah war zu dumm, um einen Ausweg zu finden.

Sie könnte versuchen, Schwung in die Sache zu bringen. Blumen, Pferdeposter und Bettdecken besorgen. Oder sagen: »Hey, komm, wir melden uns beim Sozialamt, damit wir Essensmarken für die Armenküche bekommen.« Oder: »Lass uns die Stadt erforschen. Sauriermuseum, Cafés und so weiter. Da hängen wir dann ein bisschen ab und finden Freunde.« Oder: »Ich habe da super Sozialkaufhäuser gesehen, da können wir.«

Egal.

Es war alles egal. »Vielleicht zahlt das Amt die Miete nicht«, sagte Hannah, »dann werden wir auf einer Müllkippe entsorgt.« Früher hätte ihr Vater geantwortet: »Das wird großartig. Da werden Ratten sein, hochintelligente Tiere, die können wir dressieren. Und meistens ist es auf Müllhalden ruhig. Romantisch. Es gibt Essen dort, alte Kleidung, wir bauen uns ein Haus. Der Geruch, na ja, ein Geruch halt.«

Aber Vater redete nicht. Er hockte und starrte so lange, bis Hannah wütend wurde. Sie war doch das Kind. Und bevor sie etwas Unüberlegtes sagte, erforschte sie besser ihr neues Zuhause. Verzweigte Kellergänge, an den Wänden künstlerische Graffiti, Neonlicht, einige Türen standen halb offen, dahinter, was vom Leben übrig bleibt. Viele alte Männer, ein paar alleinerziehende Frauen aus Berufen, die es nicht mehr gab, hockten da und hatten alle Funktionen auf ein Minimum heruntergefahren.

Und nun war

## Don

Nervös. Ihr Bruder war nicht da, vermutlich spielte er im Keller mit verwesten Haustieren. Es war ganz plötzlich passiert. Dass sie sich und ihre Umgebung von außen zu betrachten begonnen hatte. Nach der Impfung, um genau zu sein. Jetzt würde sie zwar keine Enzephalitis bekommen, dafür aber nie mehr in ihren Körper zurückgelangen. Wie über Nacht hatte Don ihre Zufriedenheit verloren. Als hätte sie eine Brille benötigt, die ihr nun von der Kasse bezahlt worden war, kleiner Witz, Brillen für Sozialhilfeempfänger gab es nicht, was die Zahl der Auffahrunfälle und der Analphabeten drastisch hatte steigen lassen. Don nahm auch den Geruch plötzlich wahr – diese Mischung aus billigem Essen, unzureichender Lüftung, feuchter Wäsche, Schimmel und nachlässig gereinigten Menschen. Vor dem Fenster lag die absolute Leere eines Sonntagabends. Don empfand eine so umfassende Langeweile, dass ihr Körper zu jucken begann.

Don dachte, dass Sterben angenehmer sein müsste, als mit dieser Unruhe weiterzuleben.

Das Problem war

Don hatte ihre Sexualität entdeckt. Würde man sagen, wenn man einen an der Waffel hätte. Don hasste alles an sich. Ihre Muskeln, die Stämmigkeit ihres Körpers, der dem eines kleinen Ringers glich, die Haare, die Haut, den zu großen Mund, die zu schrägen Augen, die zu hohe Stirn. Don lief in der Wohnung herum, sie saß herum, ging auf die Straße, und jeder Ausflug endete damit, dass sie auf ihrem Bett lag und versuchte, sich an Karens Vortrag zu erinnern.

»Das ist nicht schlimm«, hatte Karen vor ein paar Tagen erklärt. »Das ist die Pubertät. Hormone. Es ist, als hätten sie dich durch eine Außerirdische ausgetauscht. Hast du das Gefühl?«

»Na ja, sagen wir so, ich habe ja früher nie gedacht – wow, das bin ich. Jetzt habe ich nur das Gefühl, ich sei eben nicht mehr ich. Verstehst du, was ich meine?«, hatte Don geantwortet.

»Verstehe ich. Chemische Prozesse. Es würde dich überfordern, wenn ich dir die genauen Vorgänge beschreiben würde. Oder soll ich?«, sagte Karen voller Hoffnung auf einen langen Vortrag. »Nein, lass mal«, antwortete Don.

»Na gut. Also«, fuhr Karen fort. »Pubertät ist wie ein Abschied von einem lieben Menschen. Also von dir. Irgendwann wirst du wieder gesund sein, wie nach einer Erkältung. Es dauert nur ein paar Jahre. Die gilt es, ohne Unfälle auszusitzen.« Dass Don nun theoretisch alles über ihren körperlichen Zustand wusste, half wenig. Sie saß mit nervösen Beinen auf ihrem Bett und begann, sich für die Welt der Pornografie zu interessieren. Sie sah: Mann-fickt-Frau-Pornos. Viele-Männer-ficken-Frau-Pornos. Mann-fickt-gefesselte-Frau-Pornos. Mann-fickt-Hund-und-Huhn-Pornos. Sie fand die Filme auf vielen verschiedenen, auch textlichen Ebenen unbefriedigend. Nach den Zoophilen-Rubriken kam Don zu heißem Lesbensex. Don war fasziniert. Um es neutral zu formulieren. Sie nahm Frauen in ihre sexuellen Fantasien auf. Um genau zu sein, handelte es sich bei der Bebilderung ihrer tapsigen Vorstellungen ausschließlich
Um

**Hannah**

Die Don oben, in der 1.0-Welt, kennengelernt hatte. So wie sich Kinder eben kennenlernen. Don stand im Hof, sah im Endgerät das neue Stefflon-Don-Video, nach der unsere Don, die eigentlich Donatella hieß, sich benannt hatte. Stefflon Don rappte von Brillanten und einem Rolls-Royce. Hannah kam dazu, sagte: »Das ist ja Scheißmusik.« Kurz darauf lagen die beiden sich prügelnd am Boden.

Seitdem waren sie befreundet. Das machte alles für Hannah erträglicher, denn sie hatte nun ein Tageslicht- und ein Kellerleben. Apropos – wann immer Hannah glaubte, die Belegung der Kellerwohnungen verstanden zu haben, wurden die Bewohner wie über Nacht ausgetauscht. Nur ihr Vater war immer da, wie ausgestopft.

Seit er das Netz für sich entdeckt hatte, bewegte er sich überhaupt nicht mehr. Er zeigte Hannah Katzenvideos. Und das muss man sich mal vorstellen – zwei Menschen in einem englischen Keller, der in einer Immobilienanzeige vermutlich »Reizende Souterrain-Wohnung mit Kabelanschluss im Herzen der Stadt« hieße, betrachteten Videos von Katzen in Boxen, die Menschen in Asien gemacht hatten, die vermutlich auch in irgendwelchen Kellern hockten. Das Netz – was für eine großartige, weltumarmende Erfindung. In dem sich Menschen verwirklichen konnten.

Hannah zum Beispiel machte jeden Tag Dutzende Fotos von sich. Ihre dunklen Haare reichten bis zu den Hüften, und ihr Gesicht verfügte über beeindruckende Wangenknochen. Das musste doch festgehalten werden. Sie ließ eine Wetter-App darüber entscheiden, was sie tragen sollte, sie bewegte sich ausschließlich mit Google Maps in der Stadt, trackte ihre Bewegungseinheiten, ihren Körperfettanteil und sang mit einer Playback-App zu Grime. Kurz gesagt: Hannah gewöhnte sich an die neuen Umstände. Sie war ein Kind, die gewöhnen sich an jeden Mist, denn es mangelt ihnen an Vergleichen, um ihre Lebenssituation erbärmlich zu finden. Selbst die Trauer wurde ihr zu einem normalen Zustand. Die war nicht mehr spitz und scharf, sondern zu einem Dauerton geworden, immer da, in einer Schicht ihres Gehirns. Hannah konnte lachen und Grime-Tracks ansehen und über Jungs reden, und dennoch war die Trauer anwesend und machte, dass Hannah sich fühlte, als ob nichts wirklich wäre. Durch die Tage bewegte sich ein lachender Hannah-Avatar, aber in der Nacht wurde es kalt. Die Nächte, in denen sie nicht schlafen konnte, weil sie an Dr. Brown dachte. Den sie irgendwann erschlagen würde. Die Nächte, in denen aus dem Keller Schreie kamen.

Und in denen

**Hannahs Vater**

*Ethnie: asiatisch*
*Hobbys: Katzenvideos*
*Gesundheit: endogene Depression nach Verlust*
*Politische Neigung: keine*
*Verwertbarkeit als Konsument: null*

Nicht schlafen konnte. Wie so viele. Millionen lagen gerade in Gefängnissen, in lichtlosen Löchern, in Verschlägen, lagen neben ihrer verwesenden Mutter im Bett, in Slums, in denen der Gestank das Angenehmste war. Viele wussten nicht mehr, warum sie weiterleben sollten, sie würden so gerne nicht mehr da sein, doch wie macht man das, wie stirbt man nur. Es ist nicht einfach, sich umzubringen. Die Energie, woher soll man die nehmen, wenn doch das Leben ist, als hätte man Schlafmittel genommen. Nicht vorhanden sich an den Wänden entlangtastend. Jede Bewegung verursachte in ihrer Sinnlosigkeit körperliche Schmerzen. Der Weg zur Küche durch die Kellergänge mit flackerndem Licht und der fluoreszierenden Farbe an den Wänden, und hinter den Türen sitzen immer welche, die gerade irre werden. Von Versprechungen umgeben, die das Ministerium für Hoffnung ihnen gemacht hat. Das sie glauben machen wollte, dass sie alles erreichen könnten. Was im gesellschaftlichen System immer eine Yacht beinhaltete.

Das Leben im Keller glich einer Zwischenstufe von Leben und Tod. Es waren verschwommene Bewegungen und eine Verlangsamung des Denkens zu verzeichnen, eine Apathie, die jeden Bereich des Körpers ergriff. Das

kam Hannahs Vater sehr entgegen, denn in allen lebens-
erhaltenden Maßnahmen sah er den ekelerregenden Be-
weis dafür, dass er noch nicht tot war. Er begann, selbst
Hannah zu hassen. Dafür, dass sie da war. Er hasste sich
für seinen Hass, war aber zu müde, um dem nachzuge-
hen.

Überall sah er seine tote Frau. Sie stand neben ihm. Saß
neben ihm auf dem Bett. Hannahs
Vater wusste, dass er hier sterben würde, denn genug
Kraft, um sich und Hannah an einen anderen Ort zu befördern, würde er nie mehr haben.

Das
*Dream-Island-Forum*
Hatte er zufällig gefunden. Na ja. Zufällig. Was eben
passiert, wenn man »Wie bringe ich mich um« in die
Suchmaschine eingibt. *Dream Island.* Jetzt auch als App!
Hurra.

Eine Plattform für Menschen wie ihn. Lebensmüde. Zu
feige zum Sterben. Er hatte Freunde gefunden. Sie redeten zusammen. Sie weinten zusammen. Sie machten sich
Mut. Tauschten Tipps aus. Sie unterstützten sich in ihrem
Todeswunsch und begleiteten einander auf dem letzten
Weg, sozusagen. Seit Hannahs Vater in der Gemeinschaft
war, hatte sich ein junger Mann erhängt. Ein Mädchen
war vom Dach gesprungen, ein anderes hatte Tabletten
genommen. Die Gruppe hatte ihnen online beim Sterben
zugesehen, sie hatten gesungen und gebetet, bis das Ziel
der Mitglieder erreicht war.

Nach dem Verscheiden eines Dream-Island-Mitgliedes

herrschte immer ein Moment der Stille im Forum. Die Übriggebliebenen zündeten eine Kerze an und
Als

**Hannah**

Nach Hause kam, eines Abends, war ihr Vater nicht da. Schön, dachte sie, dass er sich aus seiner Erstarrung zu lösen schien. Nach einer Stunde ging Hannah in die Waschräume. Wo ihr Vater mit geöffneten Augen und Pulsadern in der Dusche lag. Er lächelte.

Auf der Dream-Island-Site wurde geweint, Herzen fluteten das Profilbild von Hannahs Vater.

Hannah kauerte sich neben ihn.

Nun war sie

Definitiv allein.

Das Schließen des Leichensack-Reißverschlusses erzeugte tatsächlich dieses dumpfe Geräusch wie in TV-Serien. Die Transportmitarbeiter bedachten Hannah weder mit Aufmerksamkeit noch mit Anteilnahme. Hannah hatte noch einen Moment im Flur gestanden und auf die Treppe gestarrt, über die gerade ihr Vater abtransportiert worden war. Dann hatte sie ihre Sachen gepackt und war zum Spielplatz gegangen. Dort hatte sie von anderen Kindern die Adresse eines besetzten Hauses bekommen. Es lag am Stadtrand. Was weiter entfernt klang, als es war, denn in Rochdale war alles Stadtrand. Das Haus wirkte solide. Dank der zugenagelten Fenster. Es sah aus, wie man sich ein Haus mit Straßenkindern vorstellte, wenn man sich nicht an amerikanischen Filmen orientierte. Ein wenig erbärmlich. Das Gebäude wirkte von innen und außen wie verrostet und mit Schimmel überzogen. Falls es so was gibt, dann hier, und die Kinder, die sich in dieser Ruine aufhielten, waren keine malerischen Punks, sondern einfach dreckige Kinder. Das Wasser war abgestellt, im Garten wurde Regen in Tonnen gesammelt, Strom geklaut, und an die zwanzig obdachlose Jugendliche Slash Kinder waren ständig erkältet, husteten, lagen wie junge Hunde in den Ecken und froren. Kinder, nach denen keiner suchte, die niemand vermisste. Hannah richtete sich im Erdgeschoss ein, sie ging nicht mehr zur Schule, aus Angst, in ein Heim verbracht zu werden. Damit stand eine wundervolle Zukunft in der Mehrheit der Gesellschaft für sie bereit. Sie könnte Schuhe in einem Sozialkaufhaus anbieten. Oder schwanger werden und Sozialhilfe empfangen. Oder sterben.

Hannah wusste theoretisch, dass sie keine Eltern mehr hatte. Und dass sie traurig sein müsste. Aber da waren keine Gefühle. Dachte sie. Wozu Gefühle entwickeln, die unweigerlich in Trauer enden würden, wenn keiner da war, der Anteilnahme entwickelt. Keiner, der einen tröstete. Nicht einmal weinen war da sinnvoll.

Hannah war fast zwölf und sah durch ihre Körpergröße älter aus. Ihre Haare hatte sie sich auf zwei Zentimeter gekürzt, die Augen mit sehr viel Schwarz umrandet. Und natürlich hatte sie sich selber einige Piercings ins Gesicht gezogen, das machte man damals noch.

Und draußen war Sommer.

Der war zu hell.

Dadurch sah

**Don**

Ihren Bruder zu deutlich. Er saß am Rechner. Entweder

war er in der Schule und starrte mit offenem Mund Pornos auf seinem Endgerät an, oder er hockte zu Hause und glotzte da in sein Endgerät. Es interessierte Don nicht, was er da machte. Diese Familie war ihr weitgehend egal. Die Menschen waren ihr egal. Sie hielt sie für eine Fehlentwicklung. Was hätte dagegen gesprochen, wenn die Planeten sich ohne diese Biomasse freundlich mit Steinen bedeckt durch das All bewegten?

Apropos, Dons Mutter nahm Beruhigungstabletten, um zu vergessen, dass sie ihr Leben in den Sand gesetzt hatte. Dons Vater,

Weil wir gerade von Geisteskrankheiten reden,

Hielt sich immer noch oder schon wieder im Gefängnis auf. Don hatte ihn einmal besucht. Der Raum, in dem die Angehörigen auf die Männer treffen, mit denen sie leider verwandt sind, war voller Spezialisten in allen Bereichen der Kriminalität. Tätowierte, aufgepumpte Männer, deren Blödheit einen erschauern ließ. Don war voller Hoffnung, dass ihr Vater während seines Aufenthaltes wenigstens zu einem guten Verbrecher werden würde. Er saß zum zweiten oder fünften Mal ein, und irgendwann musste doch mal etwas Vernünftiges aus ihm werden. Falls es jedoch so wäre, würde die kleine Familie nie in den Genuss seiner neuen Talente kommen, denn direkt nach seiner Entlassung tauchte er auf, um seine Sachen zu holen. Er hatte bei einem Besuchstag eine Frau kennengelernt. Sie war blond und dick und wohnte ein paar Häuser von Don entfernt. »Auf Wiedersehen, Vater«, sagte Don, als der uninteressante kleine Mann sich entfernte. Dons Mutter nahm eine Handvoll Tabletten.

Die dicke neue Frau von Dons Vater gebar anschließend ein dickes Kind, und Don war die Sache gleichgültig. Ab und zu kam er noch zu Besuch, dann wurde zuerst gestritten, es ging immer um Geld, das er in seine neue Familie investiert hatte, der Vater fühlte sich daraufhin gekränkt, weil er es nicht geschafft hatte, reich zu werden, und das machte ihn logischerweise aggressiv. Dann schrien sich die Eltern an und tranken Alkohol, im Anschluss hörte Don Geräusche aus dem Schlafzimmer der Mutter, die Don, den Pornos sei Dank, als Fickgeräusche identifizieren konnte. Danach schrien sich ihre Eltern wieder an.

Und

Don sah aus dem Fenster in den Himmel. Sie wollte sehr gerne wegfliegen. Auf einen familienfreien Kontinent. Wenigstens sah der Himmel aus wie zu Hause.

**Peter**

War vor einiger Zeit angekommen.

Es war irgendwann vor Sonnenaufgang. Gewesen.

Die Fahrt hatte gefühlte 100 Tage gedauert. Peters Mutter hatte sich die Sache einfach gemacht und, wann immer sie wach wurde, einen Schluck aus der mitgeführten Wodkaflasche genommen, schnell überprüft, ob Peter noch da und die Busfahrerin nicht eingeschlafen war, ehe sie wieder zur Seite sank. Peter hatte starr geradeaus geschaut. Seine Pupillen bewegten sich nicht, er fixierte kein Ziel, was er sah, verschwamm zu etwas Konturlosem. Peter fühlte sich beobachtet. Und das zu Recht. Die Insassen des Busses, die nicht schliefen oder besoffen waren, starrten Peter an. Er war einer dieser Menschen, die angestarrt wurden. Hemmungslos. Dass er aussah wie ein Außerirdischer, wusste er, doch er war sich sicher, dass die Menschen ihn wegen seiner Widerwärtigkeit betrachteten. So, wie man besonders eklige Insekten bestaunen mochte.

Zu Hause hatten die Leute sich an ihn gewöhnt.

Zu Hause gab es nicht mehr.

Da gab es nur den Bus, die Nacht, die sich auflöste, seine schlafende Mutter, die weggewollt hatte. Da wollte doch jeder, der bei Verstand war, weg. Aus einem Ort, der aussah wie achtzig Prozent aller Orte auf der Welt, in dem Menschen wohnten. Und alle sehnten sich nach Fernsehstädten. Irgendwas, wo Leute pfeifend auf Treppenstufen vor Stadthäusern hockten, Kaffee aus Pappbechern tranken und sich über ihre Endgeräte beugten.

Dann halt England. Es war so gut wie jedes Land, von dem man keine Ahnung hatte. Der englische Premierminister hatte die gut ausgebildeten, polnischen Arbeitskräfte willkommen geheißen. Mann, aber doch nicht so viele!

Inzwischen waren es mehr als zwei Millionen, und sie waren verhasst. Die Polen. Sie waren schuld. Zusammen mit den Muslimen. Oder den Igeln. Irgendeine Gruppe von armen Deppen musste schuld sein, damit die Ohnmacht der Masse, die aus der Überbewertung ihrer Möglichkeiten resultierte, ein Ventil fand. Und so weiter. Menschen eben.

Peter und seine Mutter hatten keine Ahnung von den Übergriffen auf Polen, dem bevorstehenden Brexit, den Nazis. Sie hatten anderes zu tun. Gehabt. Vorbei.

Hallo, England.

Hallo, ihr Idioten, ihr glaubt im Ernst, wir haben auf euch gewartet? Na, dann schaut euch einmal um! Rund um den Busbahnhof sah es aus, als wäre gerade ein Krieg verloren worden. Es gab Feuerstellen, Lagerplätze, Plastikplanen und Hunderte, die an Häuserwänden und Bordsteinen hockten. Peter hatte gelernt, dass es nicht half, sich, Impulsen nachgebend, schreiend auf den Boden zu werfen, also lief er, auf den Boden blickend, auf dem er gerne gelegen hätte, hinter seiner Mutter her.

Peter wollte aus sich heraus, seit er denken konnte. Er war in seinem Körper eingemauert, und es war ihm unmöglich, mit denen da draußen Kontakt aufzunehmen. Dieser Zustand machte Peter so wütend, dass er mitunter seinen Kopf gegen Wände schlug oder zu schreien begann. Er war nicht wütend auf die anderen, sondern auf sich und seine Unfähigkeit, diesen Millimeter Haut zu durchdringen, der ihn von allem draußen trennte. Von Leuten, die lachten. Zum Beispiel. Er lachte nie wegen etwas, das außerhalb seines Ichs stattfand, sondern nur über Witze, die er sich erzählte.

Wenig später kamen Peter und seine Mutter in Rochdale an, wo irgendein Bekannter von irgendeinem Säufer aus ihrem Dorf schon seit ein paar Monaten lebte. Rochdale war ein Ort, der sich mit seinen schlechten Straßen und unrenovierten Häusern nur unwesentlich von ihrem Dorf in Polen unterschied. Ihrem. Ex-Dorf.

Die Adresse, die sie bei sich hatten, gehörte zu einer ehemaligen Schule, vielleicht war es auch eine Irrenanstalt gewesen, mit einem großen Saal, in dem Dutzende Polen ihre Koffer und Säcke, ihre Kinder und Kleider um sich und ihre Matratzen verteilt hatten. Der Matratzenplatz kostete fünfzehn Pfund die Woche, und Peters Mutter unterschrieb bei einem stark behaarten Polen einen Schuldschein. Peter starrte. Zu Hause war ihm die Umgebung egal gewesen. Sie hatte ihn nicht behelligt. Hier war es unerträglich. Laut. Es roch nach Essen und Mensch und nach Armut. Peter konnte nicht schlafen. Er beobachtete seinen Herzschlag, der sich nicht beruhigte, er sehnte sich nach jemandem, der ihn hielt, und wusste doch, dass er ein Halten nicht ertragen würde.

Peters Mutter verschwand am frühen Morgen, um in Manchester Arbeit zu finden, es gab da einen Arbeitsstrich, auf dem man sich gut gelaunt irgendwelchen Idioten feilbot. Peters Mutter hatte nur gesagt: »Warte hier.« Bevor sie ging. Sie hatte es aufgegeben, mit Peter zu reden. Die Mutter-Kind-Bindung ließ zu wünschen übrig, was wohl Peters Schuld war. Wie alles. Die Kriege, die Armut, das Wetter – alles seine Schuld. Peter betrachtete seine Hand. Er aß Kekse, die seine Mutter abends mitbrachte, und wagte sich am Anfang nicht auf die Straße. In der ersten Woche. Als die vorbei war und er von dem Gestank im Schlafsaal genug hatte, stand er einige Tage vor der Tür und starrte nicht vorhandene Bäume an. Ein paar Tage später schaffte er es schon bis zur nächsten Kreuzung, und dann irgendwann ging Peter durch das Viertel. In dem er von da an, immer wieder denselben Zirkel ziehend, umherlief. Manchmal neun Stunden am Tag, um sich zu beruhigen.

Peter sprach mit keinem.

Irgendwas stimmt mit dem Jungen nicht, sagten die Leute, die es wissen mussten. Die ihm hinterhersahen. Die, mit denen alles stimmte, die ordentlichen Leute, die nie darüber nachdachten, dass sie eine Laune der Natur waren, Primaten, die einander verachteten und aus Fenstern fielen, von Treppen stürzten, sich beim Sex erhängten, die ihre Fußnägel fotografierten, um sie ins Internet zu stellen, die an Wahlen glaubten und an die Königin, der sie gerne zuwinkten, wenn sie mit ihrer vergoldeten Kutsche herumeierte.

Apropos,

Peter hatte in seinem früheren Zuhause Fotos seiner neuen Heimat betrachtet. England. Aus den 70er Jahren des letzten Jahrtausends. Verdreckte Kinder in dunklen Gassen, Müll auf der Straße, Alkoholiker auf der Straße, was er nun sah, ähnelte den Bildern. Nur ein Hauch Farbe war zugefügt worden und Reklame, ansonsten hatte sich nichts geändert. Der Traum vom weltweiten Wohlstand aller hatte sich nicht erfüllt. Ja nun. Besser als im Mittelalter war es allemal. Besser als in Polen war es fast überall. Die polnischen Männer arbeiteten in Zehn-Stunden-Schichten auf dem Bau, in Gruppen latschten sie abends durch die erloschene Innenstadt, um in dem Schlafsaal zu landen, wo Polnisch gesprochen wurde, wo es polnisches Essen und gemütliche Matratzen gab. Die Frauen arbeiteten zehn Stunden in der Landwirtschaft, bei der Straßenreinigung, sie arbeiteten in Nähstuben, Schusterläden, Bäckereien, in Supermärkten – sie fuhren jeden Tag bis zu drei Stunden, nach London, Edinburgh und wie all die Nester hießen – um ihre beschränkten

Fähigkeiten auf dem Markt zu verkaufen. Ein Hoch den Märkten.

Es war die Zeit, in der große Teile der biobritischen Bevölkerung gelähmt auf den Untergang warteten und zu müde waren, um nachzudenken. Sie hatten Endgeräte, sie waren beschäftigt, und Peter konnte sie ungestört beobachten. Es leuchtete ihm nicht ein, warum Millionen aus seiner alten Heimat hierhergekommen waren – dort hatten sie nach einem Tag ohne Arbeit auf einem Sofa gesessen, hier saßen sie nach Zehn-Stunden-Schichten auf dem inneren Sofa, also auf einer Matratze, also WTF. Konnte es wirklich das Endziel eines Lebens sein, eine Hypothek für ein zugiges kleines Haus in einer Gegend, die aussah wie Polen, aufzunehmen und sich von der Fantasie zu ernähren, dass irgendwo ein paar Stunden entfernt die Königin wohnte, ja, dass man sie mit ihren putzigen Hunden auf der Straße treffen könnte, dass man sozusagen royale Luft einatmete? Während Peter lief und dachte, ließ sich seine Mutter auf Felder fahren, wo sie Spargel stach und Erdbeeren erntete und im Anschluss in einer Bar in Manchester ihren Tag als Tresenkraft beendete.

*Nach einiger Zeit*

Während seine Mutter auf der Nachschicht war, trug sich ein Ereignis zu, das mit einem Polen zu tun hatte. Der Pole hieß

## Sergej

*Intelligenz: durchschnittlich*
*Aggressionspotenzial: hoch*
*Ethnie: weiß*
*Kreditwürdigkeit: nicht vorhanden*
*Sexualität: hyperaktiv*
*Politische Ausrichtung: Hang zum Rechtsextremismus*
*Familie: irgendwo*

Und war vor einem Jahr nach England gekommen. Er war jung und hatte geglaubt, dass England auf ihn warten würde. Zu Hause in Pila – in dieser wunderbaren Stadt mit dem herrlichen Gutshaus – erzählten sich Leute immer wieder märchenhafte Geschichten von jungen Polen, die es in England zu Millionären gebracht hatten. Und nun saß er hier in einem dreckigen Nest, nachdem es in London keine bezahlbare Unterkunft für ihn gegeben hatte, und erledigte miese Jobs in Manchester. Früh um fünf aus dem Matratzenlager, im Bus zu Baustellen, unter fragwürdigen Sicherheitsbedingungen (zwei Abgänge während der letzten Monate, drei Kollegen schwer verletzt, ohne jede Aussicht, wieder zu genesen, ohne jede Aussicht, ein Ticket für die Rückreise bezahlen zu können, mit schlechter Aussicht auf eine Unterkunft in einem Obdachlosenheim).

Tagsüber also: Stahlarbeiten ausführen. Abends zurück. In einer Kneipe saufen. Tschüssi. An seinen freien Tagen (zwei bisher) hatte sich Sergej in Manchester das richtige Leben angesehen. Gut gekleidete Menschen, die ins Radisson-Hotel spazierten, Limousinen, die vorfuhren.

Leute, die im Selfridges shoppten, die lachten, die ein normales Dasein hatten. Er verstand die Sprache nicht, die Leute nicht, aber er wollte auch ein Leben, denn das, was ihm gerade geboten wurde, war einfach nur Mist. Und auch an eine Frau war nicht zu denken. Die Polinnen wollten einen reichen Briten, die einheimischen Frauen wollten einen reichen Briten. Oder eine Frau. Oder ihre Ruhe. Keine wollte Sergej. Und. Das war doch kein Zustand für einen jungen Mann, der immerhin eine Berufsausbildung hatte, an keinem Leben teilzunehmen und unsichtbar zu sein. Da lächelte niemand, wenn er mit seinen Arbeitsklamotten durch die Stadt lief. Keiner nickte oder grüßte oder sagte: »Danke, dass du unsere Drecksarbeit machst, weißt du, unsere Arbeitslosen sind einfach zu deprimiert. Sie sind zu müde. Ihnen wurde so lange gesagt, dass es nichts für sie zu tun gibt, dass sie es inzwischen selber glauben. Ihnen wurde so lange gezeigt, dass sie nichts wert sind, dass sie es selber glauben. Jetzt sind sie zu müde, um aufzustehen, Forderungen zu stellen, sich aufzuregen.«

Es tröstete Sergej nicht, einer unter Millionen Polen zu sein, hier auf dieser unfreundlichen Insel. Was ist denn das für ein Benehmen, was ist denn das für ein System, wo man Arbeiter importiert, die dann auf Matratzen liegen und nicht einmal gegrüßt werden. Nicht einmal ein Dankeschön. Und zurück nach Hause zu gehen ist keine Option. Und nach Amerika zu gehen ist keine Option, dazu fehlt das Geld. Und für eine Prostituierte war ihm sein Geld zu schade. Und Geld. Das war das Einzige, an das Sergej denken konnte. Das Einzige, das ihn interessierte. Dass es unwichtig sein soll, dass es vulgär ist, darüber nachzudenken, sagten doch nur Menschen, die welches besaßen und nie Hunger gehabt hatten oder wussten, dass es im Leben nur zwei Optionen gibt – als Versager in seinem eigenen Dreck mit seinem Penis in der Hand von einem Hund angenagt zu verrecken oder es zu schaffen. Alle interessanten Dinge im Leben hatten mit Geld zu tun. Die Freiheit, nicht arbeiten zu müssen oder sich überlegen zu können, was man gerne arbeiten würde. Der Abstand zu anderen Menschen, der Besuch anderer Länder und ein ordentliches Bett mit einer Privatsphäre. Verdammte Axt – der Mongo auf der Nebenmatratze wieder. Schlug seinen dämlichen Kopf seit einer halben Stunde auf den Boden. »Schnauze, du Vollidiot«, sagte Sergej. Und noch einmal lauter. Ein paar andere im Raum zischten genervt. Sergej beschloss, den Idioten endlich zur Ruhe bringen. Dann kann er flennen und muss seinen Kopf nicht mehr zerschlagen.

Dann hatte Sergej

### Peter

Mit einer Hand den Mund zugehalten, mit der anderen Peters Pyjamahose heruntergezogen, seine Hose geöffnet und seinen Schwanz in Peters Hintern gestoßen. Peter wusste nicht genau, was da passierte, geschlechtliche Sachen waren ihm fremd, aber es war unangenehm. Es tat weh, und es stellte in Peter, der immer einsam war und nicht wusste, wie er einen Kontakt zu irgendwem herstellen könnte, eine Einsamkeit her, die eine neue Dimension von Kälte hatte. Er atmete nicht mehr und wartete ab, bis der Mann sich aus ihm zog und in der Dunkelheit verschwand. Ein alter Mann links neben Peter hatte den Vorfall – wenn man so sagen wollte, weil man kein besseres Wort finden mochte, das all die Brutalität in sich vereinen konnte, die es mit sich führte, in einen Kinderkörper einzudringen, Dinge zu zerreißen im Kinder-Inneren, drauf zu scheißen, dass da ein kleiner Mensch war, an dem man sich rieb –, also, der Mann hatte den Vorfall beobachtet, er hatte sich einen runtergeholt dabei, danach drehte er sich um und schlief ein. Peter saß am darauffolgenden Tag und am Tag danach sich wiegend in einer Ecke in der Toilette.

*Wenige Tage später*
Kehrte Peters Mutter von ihrer Tresen-Schicht heim. Na ja, heim.

Sie war erregt denn –

Sie war entdeckt worden. Vom Scout einer Fernsehproduktion. Filme, Serien, all der Scheiß waren die letzten 1.0-basierten Branchen, in denen es noch ausreichend Arbeit für Leute mit einer Feuchtausstattung gab. Personen (ohne Beschäftigung), die noch Zeit zum Fernsehen hatten, wollten keine Avatare beim Liebesspiel sehen, sondern echte Menschen, mit Menschengefühlen. Die Content-Anbieter waren angetreten, alle Bereiche des gesellschaftlichen Lebens, also in dem Fall das Fernsehen, durch etwas wie das Fernsehen zu ersetzen, in dem sie tonnenweise Serien und Filme anboten, damit der Mensch, der arbeitslose oder der mit einem Mindestlohnjob, nach getaner Arbeit oder nach den Stunden in den Schlangen von Essensausgaben nicht auf Gedanken kommt. Hat nicht funktioniert. Auf den Plattformen muss man Entscheidungen treffen, und dazu sieht sich kaum einer mehr in der Lage. Also gab es weiterhin Fernsehen, kind of. Mit einem wunderbaren Unterhaltungsprogramm. Für all die Formate und Serien und Sendungen braucht es, nennen wir sie Darsteller. Viele. Der Kunde will neue Gesichter sehen, es langt ja, dass man das eigene jeden Tag ertragen muss. Es gab auf der Insel ungefähr drei Millionen Darsteller für die Reality-Shows, Virtual-Reality-Shows und Filme, die nur ein Ziel hatten: den Menschen auf seine Zukunft vorzubereiten. Gewohnheiten zu schaffen, damit die Veränderung der Realität nicht auffallen möge. So wie damals der amerikanische Traum durch staatsfinanzierte Bücher und Filme den Menschen richtig Lust am Konsumieren und der Rollenverteilung machte, waren es in der nahen Vergangenheit Filme und Shows wie *Matrix, The Walking Dead, Terminator* und *Big Brother,* die die Menschen auf das einstimmten, was die Zukunft für sie bereithielt.

Fast alle britischen Reality-Shows spielten in Sozialblocks und handelten vom Untergehen der Armen oder von Gangs oder von Teenagermüttern oder Sexsklaven, damit jene, die noch nicht ganz dort unten gelandet waren, sich fürchteten und die Fresse hielten, und die in den Sozialblocks sich darin wiedererkannten und Ruhe gaben. Fast alle Fernsehserien spielten auf dem Land und handelten von glücklichem, selbstbewusstem Dienstpersonal, von erbaulichen Landärzten und Polizistinnen, die allesamt durch Oxford stromerten, weil es da immer noch so aussah, wie man sich England wünschte, wie England für die Mehrheit der Bevölkerung nie war – so gebildet, reizend, launisch. Fast alle Filme spielten nach einer Apokalypse. Es werden immer Pulsbomben gezündet, die den Strom verschwinden lassen. Es gibt immer Brände, Finanzkrisen, Seuchen und Menschen, die sehr fit sind, die herumrennen, weil sie so fit sind, und darum heil aus der Nummer herauskommen.

Peter reagierte auf die neue Karriere seiner Mutter wie üblich – nicht. Er war die nächsten Wochen damit beschäftigt, zu verstehen, was da in der Nacht auf der Matratze passiert war. Es gelang ihm nicht. Also löschte er die Erinnerung an den Vorfall. Und ersetzte die Leerstelle in seinem Hirn durch das Nachdenken über die Lösung seltsamer Probleme. Er entwickelte immer wieder Ansätze, wie man die Welt zum Beispiel mit dem vermehrten Einsatz flugfähiger Fahrräder würde retten können. Solche Ideen waren das, die man manchmal in der Nacht hat. Nur wachen die meisten am Morgen auf und sehen ein, dass sie im Halbschlaf den perfekten Quatsch gedacht haben. Peter wachte nie auf. Er wuchs. Er war in den Monaten in Rochdale mindestens zwanzig Zentimeter größer geworden. Er konnte, einer seiner Inselbegabungen geschuldet, bereits perfekt Englisch lesen und verstehen, das Sprechen scheiterte daran, dass er kaum sprach, auch in der Schule nicht, in die er nun täglich gehen musste, wo er in der letzten Reihe alleine saß. Die zwanzig Zentimeter schützten ihn vor den körperlichen Angriffen, die ihm als Freak zustünden.

Ansonsten entwickelte sich das Leben der kleinen Migrantenfamilie hervorragend.

Mit dem Vorschuss für ihre erste Rolle – eine polnische

Putzfrau, die durch einen Roboter ersetzt wurde – konnten die beiden eine neue kleine Wohnung beziehen, die über ein eigenes Bad und eine Küche verfügte und über ein Fenster zur Straße, an dem Peter nach der Schule sitzen konnte. Er starrte auf die Straße, auf die verdammten Polen, die zu ihren Baustellen tigerten und von den Baustellen zurückkamen, und er wartete auf seine Mutter. Die immer später nach Hause kam.

Wie an jenem Tag.

Als Peter erwachte, sah er sie einen Koffer packen. Das sagte man so. Kein Mensch hatte mehr einen Koffer, aber was es auch war, sie packte es, leise, wie um Peter nicht aufzuwecken. Die rücksichtsvolle

**Mutter**

*Intelligenz: geht so*
*Sexualität: asexuell*
*Hobbys: Danielle-Steel-Hörbücher*
*Verwertbarkeit für die Märkte: unterdurchschnittlich*
*Fitnesslevel: schlecht, verkapselte TBC*

Nahm nicht viel mit, es würde ja alles neu gekauft werden, von ihrem neuen Freund, einem reichen russischen Irgendwas, den sie vor einer Woche kennengelernt hatte, genau im richtigen Moment. Es kamen kaum mehr Aufträge, die Unterhaltungsbranche hatte sich innerhalb kurzer Zeit an ihr sattgesehen, das schöne Profil allein war nicht tragfähig, ihr schlechtes Englisch verunmög-

lichte Sprechrollen, die Angebote für polnische Dar-
stellerinnen beschränkten sich fast nur auf Pornofilme,
und nun packte sie, weil der neue Freund mit ihr in seine
Wohnung in London ziehen wollte, aber leider ohne
**Peter.**
Dessen Kopf vollkommen leer war. Sein Körper war kalt.
Weißt du, ich mache das für uns, sagte Peters Mutter und
stopfte einen Spitzenschlüpfer in ihre Tasche. Sie hatte
ja irgendwie Gefühle für ihr Kind, aber. Keine besonders
ausgeprägten. Nicht so stark, dass sie den Russen weg-
geschickt hätte. Zu sehr sah sie sich in einer großen Wohnung in London. Mit Personal. Mit Kleidung. Und für
Peter wäre gesorgt. Er würde für Peter sorgen. Vielleicht
in einigen Tagen ein schönes Internat und dann irgendwann,
Aber –


**Der Russe**
*Intelligenz: ausgezeichnet*
*Aggressionspotenzial: hoch*
*Ethnie: weiß*
*Kreditwürdigkeit: geht so*
*Nettovermögen: nur noch 8 Mio.*


Hatte vor – wenn überhaupt – noch einige eigene Kinder
herzustellen. Sein Interesse an einem behinderten, nicht
aus seinem Sperma erzeugten Sohn war überschaubar.
Der Russe schmunzelte immer, wenn er den Vorurteilen,

die Menschen aus dem sogenannten Westen dem einfachen, primitiven, korrupten und brutalen Russen gegenüber hatten, begegnete. Er sah ihren verächtlichen und zugleich ängstlichen Blick. Es gefiel ihm.

Er war als Kind eines Professorenpaares in einer eleganten Neubauwohnung in Moskau aufgewachsen, sprach acht Sprachen, hatte in Ökonomie und Psychologie leider nur mit »magna cum laude« doktoriert und nie etwas anderes gewollt als Erfolg. Keiner der hinlänglich angenommenen Gründe für Macht und Erfolgsgier griff bei ihm. Er war gebildet, geliebt worden, er hatte nur keine Lust, jemanden über sich zu dulden, er hatte keine Lust auf Nachbarn, er wollte jeden bis zur Vernichtung verklagen, der ihm auf die Nerven ging, er wollte von Schönheit umgeben sein, und er wollte seiner Natur folgen. Dem evolutionären Prinzip. Die Spitze sein und nicht der Speergriff. Der Russe war an Geld nicht sexuell interessiert. Er wollte nur genug davon, um seine Sterblichkeit zu vergessen. Er träumte davon, sich vor seinem Ableben digitalisieren zu lassen. Vielleicht, so dachte er mitunter, wäre er unglücklicher, wenn er ein zwei Meter großer, schöner Mann gewesen wäre. Der glaubte, der Wettbewerb bezöge sich auf die Definition der Muskeln und das Abschleppen der schönsten Frauen. Doch er war klein. Und hatte mit 20 eine Glatze bekommen. Am Anfang seiner Berufstätigkeit hatte er sich der wirtschaftlichen Nutzung des Aralsees gewidmet. Der unterdessen komplett verschwunden war, der Verwendung des Wassers für Industrie und Landwirtschaft gedankt und so weiter. Die Aufzählung seiner wirtschaftlichen Aktivitäten langweilte ihn. Sie folgte dem einfachen Prinzip des Wachstums. Leider kam der Russe mit seinen Aktivitäten irgendeinem regierungsnahen Oligarchen in den Weg, der aus langweiligen Gründen eine Umsatzeinbuße durch die Geschäfte des Russen, dem intime Kontakte in die Regierung fehlten, befürchtete. Die Geschäfte des Russen wurden zusammen mit der Anklage wegen Spionage gegen ihn eingefroren. Ihm gelang es gerade noch, einige Mittel nach Panama zu transferieren und das Land zu verlassen. Nun geht es ihm langsam besser. Nun geht es ihm immerhin so gut, dass er sich verliebt hat. Zum ersten Mal in seinem Leben.

»Das ist doch großartig.« Sagte

**Peters Mutter**

Die mit dem Packen fertig war und sich in Schwung geredet hatte. Sie stand da mit ihrem Koffer, der eine Tasche war, und wollte weg sein.

»Es ist nicht für lange, ich lasse dir erst mal Geld hier und komme dich jede Woche, was sage ich, jeden Tag, also jeden zweiten, besuchen, du hast ja hier alles. Nicht wahr.« Sagte Peters Mutter zu dem schweigenden Kind. Das nicht mehr wie ein Kind aussah. »Die Miete ist bezahlt. Essen ist noch im Kühlschrank.« Die Mutter kniete sich vor Peter. Sie hatte eine Tätowierung an der Schulter, die sie als älteren Menschen auszeichnete. Jüngere Menschen ließen sich nicht mehr tätowieren. Wovon auch.

»Es ist nicht für lange, und du bist ja schon ...«, sagte Peters Mutter.

»Zwölf«, sagte Peter. »Ja, genau«, sagte seine Mutter. »In dem Alter habe ich bereits ...« Was seine Mutter in dem Alter schon alles gewuppt hatte, sollte Peter nie erfahren, denn unten vor der Tür hupte der Fahrer des Russen, und Peters Mutter sprang auf, nahm ihren imaginären Koffer und verließ die Wohnung mit an Überstürzung grenzender Hastigkeit. Endlich stand Peter auf, irgendetwas schien durch die Bleiverglasung seines Verstandes gedrungen zu sein. Leise sagte er: »Geh nicht.« Doch seine Mutter ging, sie hörte ihn nicht, sie versuchte, sich die Ohren zuzuhalten, sie sprang die Stufen hinunter, und Peter folgte ihr, ständig »geh nicht, geh nicht« murmelnd. Auf der Straße stand der Bentley des Russen, der saß im Fond des verdunkelten Wagens. Peters Mutter öffnete die Tür, und Peter klammerte sich an ihren Pullover. »Geh nicht. Geh nicht.« Das war für seine Verhältnisse relativ viel Text, half aber nichts. Peters Mutter riss sich los, der Russe gab den Befehl zur Abfahrt. Peter rannte dem Wagen noch einige Meter hinterher, fiel hin und blieb auf der Straße sitzen. Er wusste nicht, wie er wieder aufstehen und sich weiterbewegen sollte.

Peter war so nervös, dass es zu einer kompletten Blockade seines Systems kam. Irgendwie gelangte er in die Wohnung zurück. Irgendwie atmete er weiter. Er saß eine Woche regungslos am Boden der von der Mutter leeren Wohnung, er aß nicht, trank nicht, er nässte sich ein. Keiner fragte sich, warum Peter nicht in der Schule war. Hey, er war ein Pole, er war ein Verlierer, er war ein Freak, da fragte sich keiner, wo so ein Verliererkind war, wenn es nicht im Unterricht saß, der sowieso zu nichts führen würde. Peter hatte die Schule vergessen, sich vergessen. Er kroch durch die Wohnung. Die Heizung war abgeschaltet. Das Gas dito.

Das Wasser funktionierte noch. Seine Mutter hatte wirklich Geld dagelassen. Es würde bei sorgfältiger Planung für einen Monat Nahrung reichen. Peter aß Ravioli aus der Dose, er fror, und er schaute aus dem Fenster. Das Internet war tot. Nichts zu lesen. Nichts zum Ablenken. Peter wartete, ohne zu wissen, worauf, ohne dass er sich nach seinem alten Leben sehnte, wartete er auf ein neues. Es musste ja irgendetwas passieren. Irgendwas passierte doch immer, zum Beispiel: Das Wasser wurde dann abgestellt. Nach weiteren Tagen, das Geld war unterdessen fast aufgebraucht, traf ein Räumungsbescheid ein. Logisch, nach den vorherigen Mahnungen, die Miete betreffend. Eine Räumung bedeutete das Auftauchen von Uniformierten. Und Uniformierte würden annehmen, dass es sich bei Peter um ein Kind handelt, und darum kindgerechte Maßnahmen ergreifen. Also packte Peter, was er für unverzichtbar hielt, ein paar Bücher, einen Wecker, die Endgeräte, einen Pullover und einen Pyjama, und schloss die Tür hinter sich. Auf der Straße war es wie immer, also unentschlossen. Peter stand ratlos, wie vermutlich jeder ratlos herumstehen würde, der zum ersten Mal ohne Wohnung ist. Erschwerend kam dazu, dass Peter noch nicht erwachsen war und keine Freunde hatte, weil er nicht wusste, was darunter zu verstehen war. Vermutlich würde ihm beim Laufen eine Idee kommen, also lief er los. Er hatte keine Angst, denn er wusste nicht, wovor. Vor der Kälte, der Nacht? Vor dem Tod – das wäre ja lächerlich. Peter wusste alles über den sogenannten Tod. Ein Zustand, wie vor der Geburt. Ein Zustand, als ob er in sich säße und nicht nach außen gelangte. Nur ohne sitzen.

Angst hatte er nicht, eher großen Widerwillen, sich auf neue Situationen einstellen zu müssen. Vorteilhaft war allerdings, dass er sich nichts fragte. Nicht, was jetzt aus seinem Leben werden sollte, wo er schlafen, was er essen sollte. Peter lief los. Irgendwann nach zwei Stunden Gelaufe, er hatte die kleine Miststadt unterdessen fünfmal umrundet, hockte er sich vor den Eingang des Parkhauses in der Innenstadt und wartete.

Gleich wird es losgehen

Wusste

## Don

Sie hatte einen Ausflug vor sich. Um die Mutter-Kind-Bindung zu festigen, fuhr die Kleinfamilie nach London. Eine Busfahrt. Ausgedacht irgendwann im Tablettenrausch der Erziehungsberechtigten. Das war, soweit Don sich erinnern konnte, der erste in ihrem Leben. Keiner, den sie kannte, fuhr in Urlaub. Das tägliche Leben der Leute in Rochdale war ja eine unentwegte Feier des Nichtstuns. Don freute sich seit Wochen auf London. Sie konnte kaum schlafen vor Aufregung. Nur der Klang des Namens der Hauptstadt ließ ihr Herz schneller schlagen. Sie war mit Google durch die Straßen gelaufen, und was sie gesehen hatte, war – lebendig. Im Gegensatz zu dem vorherrschenden Gefühl, dass in Rochdale alles, was einmal gelebt hatte, eingekocht worden war.

Dons Mutter legte sich ein dünnes Kleid zurecht, das sie mit Wasser benetzte. Ja, sie benetzte es. In Ermangelung eines Bügeleisens war das ein guter Trick, um den Lappen zu glätten. Die Familie schlief unruhig am Tag vor der großen Reise. Don erwachte viel zu früh, sie sprang aus dem Bett. Als sie gerade im Bad war, um Muskelshirts anzuprobieren, klingelte es. Es dauerte eine Weile, bis Don in ihrer Aufregung der traurigen kleinen Gestalt vor der Tür einen Namen zuordnen konnte. Es war ihr Vater.

Er stand weinend da. Lehnte den Arm wirkungsvoll an den Rahmen, um das Zittern seines Körpers abzufedern. Sofort kam Dons Mutter mit ihrem geglätteten Kleid angerannt. Vater hatte Ärger mit seiner neuen Frau, wie seine geplatzte Augenbraue belegte. Dons Mutter war völlig außer sich vor Vergnügen, den alten Sack wiederzusehen. Wie ein Hund, der seinen Herrn nach Langem wiedersah, sprang sie um den Idioten herum, und die Kinder standen starr im Gefühl der sich anbahnenden Enttäuschung hinter ihr im Flur. Um die Sache abzukürzen: Wenig später saßen alle im Bus. Dons Mutter knutschend auf dem Schoß ihres Ex-Mannes und die Kinder schweigend hinter den beiden. Dons Bruder kotzte dann irgendwann, es war seine erste Busreise. Es war auch Dons erste Busreise, aber sie wusste sich zu beherrschen. Ihre Mutter war so benebelt vor Glück, trank mit Vater aus der von ihm mitgeführten Schnapsflasche, dass sie das Missgeschick nicht mitbekam. Don reinigte den Bruder mit seinem Stofftier, das er aus Gründen der Infantilität mit sich führte. Dons Bruder war kein Kind mehr. Auch er befand sich in der Pubertät und hatte bereits einen Haarflaum auf der Oberlippe, in der Kinderzimmerdunkelheit hörte Don ihn wichsen. Ungefähr fünfmal in einer Nacht. Das Geräusch bekam Don nicht mehr aus dem Kopf, wann immer sie den Flachkopf betrachtete. Wie auch immer –

Kurz nachdem die Familie die Vororte von Manchester hinter sich gelassen hatten, war Dons Reiselust komplett verschwunden, und als der Bus öde Stunden später im Terminal in London einfuhr – der Moment, den sie sich intensiv und großartig vorgestellt hatte –, wollte sie nur nach Hause. Vielleicht hatte sie in ihrem Leben noch nie so eine Enttäuschung gefühlt wie im Moment, da der noch kindliche Teil in ihr gehofft hatte, dass ein Wunder geschehen würde. Als die Busfahrerin sie zum Verlassen des Fahrzeuges aufforderte, weckte Don ihre sogenannten Eltern. Dann standen sie alle ratlos im Nieselregen, die Eltern begannen über dem Stadtplan zu streiten. Rund um den Busbahnhof lagen Menschen mit Decken und Koffern am Boden. Don sah Frauen, die in den Rinnstein urinierten, und Babys, die wie tot auf Reisetaschen lagen.

Die Gruppe schaffte es dann in den nächsten Pub. Die Eltern tranken weiter. Irgendwann fing Dons Vater wieder an zu weinen, weil keiner sich um ihn kümmerte oder er allein war oder er ein Versager war. Dons Mutter kippte vom Hocker. Die Kinder sammelten sie auf. Und dann fuhren sie zurück.

Bei der Ankunft in Rochdale war es dunkel. Schweigend schlurfte die Familie durch die Hauptstraße. Don war weit zurückgeblieben und sehnte sich. Nach irgendetwas Außerordentlichem, das den Tag retten wollte. Nach Musik, Lautstärke, nach Liebe oder einem Banküberfall. Und dann sah sie ihn vor dem Parkhaus sitzen. Den schönsten Menschen, den sie jemals gesehen hatte. Tausendmal schöner als Beyoncé. Er hockte da, starrte in die Luft. Don blieb stehen und betrachte ihn aus einigen Metern Entfernung. Er sah so seltsam aus, hier vor dem Parkhausgeschwür. Als ob sich ein Superstar in die kleine Stadt verirrt hätte. Don hatte so einen Menschen bisher nur in Filmen oder Musikvideos gesehen. So leuchtend. So perfekt. So blond und schlank. Ein wahrlich erstaunliches Aussehen hatte der Junge. Vor allem hier. Im Kontrast zu Rochdale. Ein paar Betrunkene wankten durch die Hauptstraße, die Geschäfte geschlossen, die Lichter erloschen, keine Kneipe hier, das Costa Café hatte auch schon zu. Und der Junge saß da und bewegte sich nicht. Vielleicht war er ausgestopft. Don setzte sich neben ihn.

»Sie ist weg«, sagte der Junge nach einer Weile.

Don interessierte nicht, wer weg war. In ihrer Welt verschwand immer jemand. Meist handelte es sich um Erziehungsberechtigte, die ins Gefängnis, in die Psychiatrie oder auf den Friedhof gerieten. Man redete hier nicht über seine familiäre Situation. Das war langweilig, denn es war in Abwandlungen immer dieselbe Geschichte: Erwachsene, die am Leben gescheitert waren.

Don fiel auf, dass der Junge ihr nicht in die Augen sah. Besonders gesprächig war er auch nicht. »Also los, komm.« Sagte sie, stand auf, zog Peter hoch. Was ihn ein wenig verunsicherte. Sie brachte ihn zu Hannah in das besetzte Haus.

Von jenem Abend an war die Gruppe zu viert.

Das ist die Geschichte von

## Don, Peter, Hannah und Karen

Die von jetzt an ihre Zeit nach der Schule und an den Wochenenden gemeinsam verbrachten. Sie hatten ihre Familie gefunden. Den Ort, der einer Höhle glich, die transportabel immer bei ihnen war. Sie hatten

Einander erkannt. Als Außenseiter, als Randgruppenerscheinung, als Aussätzige, und das war erstaunlich genug, denn normalerweise erkennen sie einander nie, die am Schulhofrand Stehenden. Sie orientieren sich immer an der Masse, die Seltsamen, die Streber, Spinner, die zu Dicken, zu Dünnen, die Schwulen oder Verlausten, und sehen sich nicht als was sie sind: die Seltsamen. Jene

Von denen die anderen, die normalen Kinder, noch Jahre später beim Betrachten alter Klassenfotos im Endgerät sagen werden: »Der – vergessen wie er hieß, der Spinner – ich weiß nicht, der war irgendwie komisch.«

Bei der Gruppe in Rochdale war ein Wunder passiert, oder die Witterung war schuld, eine Laune der Umstände hatte sie zueinandergeführt, und nicht klar war, ob sie durch irgendetwas anderes verbunden waren als durch den Umstand, dass die Mehrheit sie befremdlich fand.

Weil keiner ihnen gesagt hatte, was gut und böse war, hatten sie ihr einziges Gesetz verabschiedet: Keiner wird uns mehr verletzen.

Das war natürlich Quatsch, denn Menschen waren dazu eingerichtet, einander zu vernichten. Sie konnten gar nicht anders, die Menschen, aber das wussten die vier noch nicht, die sich nicht einmal in der Gruppe die Schwäche offenbarten, ab und zu zu weinen, weil sie nicht mehr weiterwussten. Weil sie noch Kinder waren und manchmal einfach keine Ahnung hatten, wie sie das alles schaffen sollten. Sich ein Leben einzurichten und mit diesem Gefühl klarzukommen, dass keiner auf sie wartete. Und der Alltag. Meine Güte, nur nicht über den Alltag nachdenken. Immer längere Schlangen bei der Essensausgabe, immer mehr Schikanen beim Sozialamt, immer öfter Messerstechereien in der Schule, das kann einem zu viel werden, als Kind.

Aber –

Sie hatten sich gefunden und waren nicht mehr alleine.

Die vier waren Freunde und sicher, dass sie bis an ihr Lebensende zusammenbleiben würden. Keiner würde sie je trennen. Dachten sie.

Sie saßen, nach ein paar Wochen,

In denen sie so glücklich miteinander gewesen waren, als seien sie frisch verliebt, auf dem Spielplatz, zwischen alten Heroinspritzen und einer verrosteten Schaukel, und machten einen Blutschwur. »Hat einer von euch Aids«, fragte Karen, die ihre Hände nach jedem Kontakt mit Gegenständen und Menschen desinfizierte. Während sie noch nachdachte, welche Infektionskrankheiten das Blut Fremder beheimaten konnten, hatte Hannah sich schon einen Schnitt in die Hand gesetzt. Hannah fürchtete nichts mehr. Sie hatte alles verloren, was ein Kind verlieren konnte, und ab und zu ritzte sie ihre Arme mit Rasierklingen auf, um irgendetwas zu spüren. Dann sah sie sich das an und fühlte sich lächerlich in dieser typisch weiblichen Autoaggression. Peter hielt stumm seine Hand hin, ließ sich von Hannah schneiden, obwohl ihm nicht klar war, was dieser Schwur bringen sollte. Aber er war glücklich in der Gruppe. Wie alle. Die Kinder, die nun ihre Hände aufeinanderlegten, schienen zu leuchten auf dem kleinen Spielplatz. Sie waren nicht mehr die Fremden. Sie waren eine Einheit.

Dann fing es schon wieder an zu regnen, wie eigentlich immer in Rochdale in der längsten Zeit des Jahres.

Es war Sommer

Das bedeutete in der Welt von

**Ma Wei**

Dass die Luftqualität wieder ein wenig nachließ. Sonst war alles wie immer. Die Verschwörungstheorie Nummer 569, um die rasante Veränderung der Welt einordnen zu können, war folgende:

China – und wenn wir von China reden, sprechen wir immer vom Inneren der sogenannten Partei – hatte vor dreißig Jahren einen Vierzigjahresplan verabschiedet. Der Plan beinhaltete die Stufen, die es zum Erlangen der Weltmacht zu erklimmen galt.

Erst mal der billigste Weltproduzent für alles zu werden. Was der chinesischen Bevölkerung zu einem bescheidenen Wohlstand verhalf. Und dazu diente, an das technische Know-how hinter allen im Ausland entwickelten Produkte zu gelangen, die in China produziert und kopiert und letztlich perfektioniert wurden.

In dieser Zeit entstanden die Berichte zur prekären Lage der Arbeitskräfte in China. Unmenschlichkeit, Rückständigkeit und so weiter. Diese Dokumentationen waren alle in chinesischen Filmstudios gedreht worden, um dem Rest der Welt das Bild eines rückständigen Dritte-Welt-Reichs zu vermitteln. Parteitreue Künstler berichteten ebenfalls im Ausland von den unmenschlichen Bedingungen in China. Sie klagten an. Sozusagen. Und manifestierten den Ruf des Landes. Das unterdessen die Währung stabilisierte. Das Staatseinkommen erhöhte. Und in absurder Geschwindigkeit, der Masse an billiger Arbeitskraft und der Diktatur sei Dank, das Land umstrukturierte. Alles Alte verschwand. Überall entstanden neue Gebäude, Shoppingmalls, hochmoderne Fabriken, Infrastruktur, Ökologie und Umweltschutz wurden perfektioniert, die Luft wurde – besser. Die westliche Welt lagerte unterdessen ihre Industrie und Fabrikation, ihr Fachwissen, nach China aus. Die Märkte, Sie wissen schon. Was zu Stufe zwei des Planes führte. In einer Koalition mit Russland, Korea, Vietnam, Malaysia, den Philippinen und einigen arabischen Ländern wurde die Schwächung des Westens konkret in Angriff genommen. Hacking, Spionage, Wahlmanipulation, die elektronisch manipulierte Spaltung der westlichen Gemeinschaften verlief zügig, auch weil – die meisten Endgeräte und große Teile der in ihnen laufenden Software in China hergestellt worden waren.

Sie wissen schon.

Zunehmend wurden die Länder des Westens von absurd albernen Diktatoren regiert. Nach Untergang riechende, traurige Männer, die den Kollaps der westlichen Systeme beschleunigten.

China kaufte unterdessen die halbe Welt auf. Land in Afrika, Pakistan, im Osten, Häfen weltweit, Unternehmen, Gebäude, Minen, Ölquellen, Abbaugebiete für seltene Erden. Die einheimische Bevölkerung hatte Freude am

Konsum gefunden, sie würde ihn um nichts aufgeben wollen. Sie konnten sich neue Wohnungen kaufen, Autos und im Land produzierte Apple-Geräte und Gucci-Taschen. Sie waren

Glücklich, denn sie konnten konsumieren.

So viel zur Verschwörungstheorie Nummer 569. Vielleicht war ein wenig Wahrheit in ihr, vielleicht aber auch nicht. Herr Ma Wei war auf jeden Fall sehr zufrieden mit der Entwicklung der Welt am Anfang dieses glorreichen Jahrtausends.

Es war Sommer

Das bedeutete,

**Die Kinder**

Hatten Sommerferien. Die bestanden aus Tagen, die ohne Übergang Nacht wurden, nach 198 Stunden. Im Hof verdorrtes Gras, auf dem Plastiktüten lagen, wie um die Aufmerksamkeit des Betrachters mahnend auf den Plastikmüll in den Weltmeeren zu lenken. An den Zäunen lehnten gelangweilte Kinder, die kein Geld hatten, um ins Schwimmbad zu gehen. Das es ohnehin nicht gab.

Die Tage in den Ferien begannen mit einem guten Frühstück – das die wenigsten einnahmen, denn entweder schliefen die Mütter ihre Depression aus oder gingen den Drecksjobs nach, die man als alleinerziehende Mutter bekam, die meistens mit Putzen, Prostitution, der Pflege alter Leute oder dem Einwickeln von irgendwelchen Maschinenteilen zu tun hatten. Bei vielen gab es Weißbrot. Weißbrot geht ja immer, wenn man es mit Mayonnaise bestreicht. Manchmal war auch das nicht vorrätig. Dann galt es, einen beherzten Schluck Wasser zu nehmen und später etwas zu stehlen. Vom Hof kam ständig das Geräusch von Bällen, die sinnlos gegen eine Mauer geschossen wurden. Die Öde machte, dass der Körper schon beim Aufstehen wieder liegen wollte, nicht liegen konnte, weil er nervös war. Irgendwann gingen die Kinder raus zu den anderen, um mit ihnen herumzustehen oder Bälle gegen die Wände zu schmeißen. Nach ein paar Stunden, kurz bevor sie ihren Kopf auf den Beton schmetterten vor Langeweile, verließen sie ihren Block, um sich woanders an einen Zaun zu lehnen und Musikvideos zu betrachten. Ihre Stars kamen aus Vierteln, die denen in Rochdale glichen, und hatten es zu einem Leben gebracht. Was Goldketten, große Autos, goldene Taschen, Gucci und Sammler-Sneakers bedeutete.

Was die Kinder unter einem Leben verstanden, hatte ausschließlich mit Geld zu tun. Geld war, was sie von denen in den richtigen Städten, also Manchester, trennte, die sie ab und zu besuchten. Schwarzfahren, Leute ansehen, die ins Selfridge tigerten. Alle träumten davon, in diesem Selfridge zu wohnen, und sie hassten die Menschen, die dort Tee tranken und Porzellanhunde kauften. Die Kinder gehörten zur neu definierten Generation Z. Das Ende des Alphabets. Das Ende der Nahrungskette, gut erforscht, um Produkte besser verkaufen zu können. Sie waren die zweite Welle von Digital Natives. Körperlich verbunden mit digitaler Technologie, waren sie in Ermangelung irgendeiner Perspektive zur Darsteller-Generation geworden. Je voller die Welt wurde, je austauschbarer die Menschen, umso verzweifelter der Wunsch, gesehen zu werden. Brachte nur nichts.

**Don, Karen und Hannah und Peter**

Machten seit kurzem nur noch Fotos von sich, auf denen sie nicht zu erkennen waren, der Idee geschuldet, dass sie eventuell später einmal kriminell werden wollten.

Seitdem also Hoody-Fotos.

Seit die Armee des Landes in Ausnahmefällen gegen Demonstrationen vorgehen durfte.

Seit darüber diskutiert wurde, die Polizei und die Armee zu privatisieren.

Was egal war. Und zu keiner Entrüstung in der Bevölkerung führte. Der Brite neigte nicht zu öffentlichem, vulgärem Protestverhalten. Hatte Peter in einem Artikel gelesen. Alles, was die Kinder wussten, hatten sie aus dem Netz gelernt. Sie waren im neuen Jahrtausend geboren, sie kannten nichts anderes. Sie hielten ADHS nicht für eine Krankheit, die Alten waren einfach unerträglich langsam. Und die Stadt, in der sie wohnten, hielten sie für die ödeste Stadt der Welt. Seit die Algorithmen Gegenden nach ihrer Rentabilität bewerteten, lief hier gar nichts mehr. Die letzten halbherzigen Investoren waren abgesprungen, nachdem sie von einer Investment-App nachdrücklich vor der unberechenbaren Einwohnerschaft Rochdales gewarnt worden waren.

Die Angehörigen der Generation Z lebten in ihren Endgeräten, wo immer mehr los war als auf den langweiligen Straßen in ihrem Nest. Sie unterhielten sich in Chatgruppen, starrten Selfie-Accounts an, sie verbrachten acht Stunden am Tag mit dem Glotzen auf Displays und hatten keine Ahnung, was daran falsch sein sollte, weil die Welt im Netz aus Fotos, Filmen und Spielen bestand, die

Offline-Welt jedoch aus schlechtem Wetter und Drogen-
abhängigen, aus renovierungsbedürftigen Häusern und
Langeweile.

Dann also ins Netz

»Ja.« Sagt

**MI5 Piet**

»Sehr schön. Die hohe Zustimmung der Bevölkerung für
alle Fragen der Sicherheit. Fällt mir da unzusammenhängend ein. So, ich zeige Ihnen jetzt mal den Versuchsauf-
bau. Möchten Sie den kurz erklären, also so, dass es jeder
versteht?«

**Programmierer**

»Sehr gerne. Aber mit der Verständlichkeit habe ich es ja
nicht so. Ich bin Autist.«

**MI5 Piet**

»Nichts für ungut, dann versuche ich es mal. Also. Wir
haben für jeden Bürger, jede Bürgerin, jedes Kind.«

**Programmierer**

»Also jeden mit einem Endgerät und Internetzugang.«

**MI5 Piet**

»Ja genau,
Einen Avatar angefertigt. Auf Basis aller von der Person
gesammelten Daten.«

**Programmierer**

»Alter, Geschlecht, sexuelle Orientierung, politische
Aktivitäten, Konsumverhalten, Krankheitsprofil, Strafregister, Kredit- und Finanzprofil, politische Einstellung,
Verkehrsverhalten, Ressourcenverbrauch, Konsumverhalten, Diätsünden, orthopädische Einlagen, Pornofilm-
konsum –«

**MI5 Piet**

»Ja danke, wir haben verstanden, also wir haben hier für fast jeden Menschen einen elektronischen Avatar gebaut. Die Algorithmen berechnen von diesem Menschen exakt ein Bewegungsprofil, ein Gefährderprofil, sie berechnen das Wahl- und Kaufverhalten, sagen die Wahrscheinlichkeit krimineller Aktivitäten voraus, das – «

**Programmierer**

»Im Fall dieser Kinder aus einem sozialen Brennpunkt sehr hoch ist.«

**MI5 Piet**

»Richtig. Eine gesonderte Beobachtung wurde ...

Oh, sehen Sie nur, es ist Sommer.«

Interessierte Blicke nach draußen.

Draußen ist nichts los, dachte

**Don**

Vom Erwachen an genervt.

Don wollte. Alles. Sofort. Erwachsen werden. Eine Idee, was sie mit ihrem Leben anfangen sollte. Aus Rochdale verschwinden. Wachsen.

Nicht mehr in diesem aufgeregten, fremden Körper stecken. Wollte sie auch gerne. Don dachte über Liebe nach. Das bedeutete: Sie sah weiter Pornos – wie alle, die über Liebe nachdachten. Alle in Dons Alter waren mit dem Betrachten von Pornoseiten beschäftigt. Pornos waren die solide Grundlage für die sexuelle Schulung wachsender Menschen. Die Jungs lernten, wie Frauen auszusehen hatten und dass sie immer bereit waren. Dass sie herumlagen, die Frauen, und man sie lange und hart stoßen musste, um ein toller Liebhaber zu sein. Die Mädchen lernten, dass man sich als Frau verzückt winden musste, wenn einem die Brüste hart geknetet wurden und ein Penis in der Scheide herumfuchtelte. Die Mädchen würden in Folge meist ihr Leben lang auf die tolle erfüllende Geilheit warten, wenn ein Penis in ihnen herumstocherte und ihre Brüste hart geknetet wurden, sie lernten, dass sie sich kleiden mussten wie Pornodarstellerinnen, um in den Genuss eines Typen zu kommen, der sie wie Scheiße behandelte. Also sahen alle Mädchen in Dons Alter aus wie Nutten. Sie konnten sich im Anschluss an ihre Verkleidung in ihren tollen Nuttenkleidern fotografieren und auf Instagram posten, was für unglaubliche Eins-a-Nuttenkleider sie trugen. Wenn sie vergaßen, sich zu fotografieren, erledigten die vorsorglich installierten Kameras das für sie. Es gab vermutlich keinen Winkel im Land, der nicht von Überwachungskameras erfasst wurde. Ende der 1990er Jahre hatte die Regierung zum Schutz ihrer Bürger mit der Installation begonnen. Erst an jeder Kreuzung und Brücke, jedem Tunnel, dann in Laternen in Kellereingängen, und nun war das Werk vollbracht. Da passten einfach nirgends mehr Kameras hin. Kein Blatt Papier zwischen Mensch und Gerät. Keiner regte sich über die Kameras auf, denn es war gut für die Sicherheit. Spätestens ab 2001 war es dann wegen der Muslime. Verstand jeder.

Es änderte nichts an Dons Zustand.

Nachdem sie Pornos angesehen hatte. Und davor. Und nachts. Also immer. Hatte Don Angst vor sich selber. Sie kannte sich nicht mehr und die Gefühle, die in ihr erzeugt wurden. Etwas Dunkles, bei dem es um Leben und Tod ging, hatte sich in ihr breitgemacht. Sie bewegte sich anders, aggressiver. Sie wollte mit ihrem Auftreten die Menschen wegwischen, wollte sie zur Seite springen sehen. Don hörte in einem Dauerloop »Stress« von Justice. Sie hörte, wenn sie nicht Justice hörte, Young M.A: »Them bitches cold as ice, man you swear them chickens frozen Them pieces maxing out you would swear these bitches broken.«

Sie bewegte sich wie Young M.A, Jungs starrten sie an, Don starrte zurück, und sie fühlte nichts. Eine Erregung wie beim Hören von Musik und beim Masturbieren fühlte sie nicht. Sie begann im Nachbarschaftsverein zu boxen, der wie alle diese Clubs von einem ehemaligen Verbrecher geleitet wurde, dem Gott erschienen war. Wenn Don nicht boxte, trainierte sie weiter im Park Kampfsport.

Aber

Ruhiger wurde sie nicht. Dieser Sommer würde, falls Don einmal alt werden würde und sich verklärt an ihn erinnern wollte, der intensivste ihres Lebens gewesen sein. Der Sommer, in dem sie so lebendig war, wie sie es danach nie mehr erleben sollte.

Vermutlich ist Sex nur in der Vorstellung so. Schnell, gefährlich, zerstörend und intensiv. Vielleicht ist Sex nur gut, wenn man keinen Sex hat. Wenn man noch glaubt, dass Sex die Welt verändern oder man andere zu Tode ficken könnte. Für Don war die Pubertät nichts Romantisches, Zärtliches. Es ging um Zerstörung, und sie wusste nur noch nicht, wessen. Don wollte ein Junge sein. Sie wollte einen Schwanz. Und verachtete Jungen. Sie wollte in der Nähe von Mädchen sein, sie riechen, ansehen, aber Mädchen machten sie verlegen. Keine Ahnung. Es gab niemanden, mit dem Don über ihren Zustand reden wollte. Oder konnte. Denn sie wusste nicht, worum es sich bei dem Zustand handelte. Eventuell ging es den anderen ähnlich. Sie alle waren plötzlich gewachsen, ihre Stimmen und ihr Geruch hatten sich verändert. Die Kinder waren unruhig und gelangweilt, sie warteten, dass dieser Sommer endlich vorbeigehen würde. Jeder mit seinem Smartphone, an Dutzenden verschiedenen Apps, die ihre Gesichter mit lustigen Masken verzierten, ihre biometrischen Daten liefernd, Grime-Videos betrachtend. Tinder-Fotos bewertend, Snuff-Movies schauend und nackte Klassenkameraden auslachend, die so dämlich gewesen waren, ihre Genitalien in eine Cloud zu stellen. Ein Mädchen hatte versucht, sich umzubringen. Mit Rohrreiniger, nachdem zu viele Kommentare über ihre ungleich großen Brüste gepostet wurden. Sie hatte überlebt, na ja. Irgendwie.

Die meisten Kinder waren, nicht anders als Erwachsene, zu dumm, um zu begreifen, was sie da taten, aber damals verstand noch keiner, was das Netz wirklich war. Es war wenigstens ein bisschen Unterhaltung in diesem heißen Sommer. Es war vielleicht der heißeste seit Beginn der Wetteraufzeichnung. Andauernd war ja jetzt irgendwo das heißeste, nasseste, kälteste Wetter, die Welt übertraf sich in Superlativen, die Meere stiegen, das Eis schmolz, die Tiere starben aus, und alle machten weiter, als wäre es normal, was es vielleicht auch war. Es war egal. Es gab Endgeräte. Und keiner, nicht einer, hatte eine Enzephalitis bekommen. Oder eine merkwürdige Grippe. Aber überall wurden neue Laternen aufgestellt.

Dons Mutter hatte begonnen, Schlaftabletten zu nehmen. Sie hing mit offenem Mund auf dem Sofa, und der Fernseher lief. Gerade wieder ein Programm über die Wirksamkeit von Emojis als Belohnungssystem. Überall wurden gerade sogenannte Belohnungssysteme propagiert, die das alte System der Bestrafung ablösen sollten. Für eine gerechte Welt und so weiter. Menschen werden gerne belohnt. Das schüttet bei ihnen Endorphine aus, da werden sie ganz glücklich, die Menschen. Draußen flirrte die Hitze

Und

**Don, Peter, Hannah und Karen**

Trafen sich jeden Morgen. Sie saßen abwechselnd vor ihren Hauseingängen. Gingen dann zu den alten Fabriken, saßen da herum, dann wechselten sie zum Spielplatz.

»Wollen wir jemanden zusammenschlagen?«, fragte Don an einem dieser unendlichen Nachmittage, auf dem Weg zu einer der leeren Fabriken, in der Hoffnung, Menschen beim Geschlechtsverkehr zu beobachten. Die anderen blickten kurz von ihren Endgeräten auf.

»Zusammenschlagen ist mir zu wenig radikal«, sagte Karen. Seit der Impfung hatte sie öfter Kopfschmerzen. Und neigte zu Gewaltfantasien.

»Habt ihr auch das Gefühl, die haben uns bei dieser Impfung irgendwas ins Gehirn eingepflanzt?«, fragte sie. Peter nickte. »Tracker. Sie haben sicher Tracker eingesetzt.«

Don fasste sich an den Kopf. »Das wäre interessant«, sagte sie, »wenn sie uns Nanosonden gespritzt hätten, die sich durch unser Gehirn fressen und all unsere Gedanken in eine Zentrale übermitteln. Man fragt sich natürlich, wer an unseren Gedanken interessiert sein könnte, aber ...«

Karen sagte: »Genau, das ist es. Eine Impfung. Erfolgt in einer Sekunde, versteht ihr?« Keiner verstand.

»Alles auf der Welt wird in Sekunden entschieden.« Fuhr sie fort. Die anderen stellten sich auf einen der üblichen Karen-Vorträge ein, die in der harten Version nicht unter einer Stunde zu Ende waren.

»Steck ich den Penis in den Staubsauger.« Sagte also Karen. »Die Hand in den Mixer. Kette ich mich an das Auto und klemme einen Klotz unter das Gaspedal. Schicke ich die Mail an den Schuldirektor, steige ich mal eben auf diese Leiter, fahre nachts bei schlechtem Wetter genau über eine vereiste Brücke. Lass mal den Kohleofen ohne Abzug einheizen und schlafen gehen.

Ich drücke mal den Atomkrieg-Auslöser-Knopf. Wisst ihr, was ich meine?«

Keiner wusste, was sie meinte. »Die eine falsche Entscheidung«, sagte Karen, »die man nicht einmal Entscheidung nennen kann, sondern einfach Zuckung. Und dann folgen das Koma im Krankenhaus, die erschütterte Familie, die Sozialhilfe, die Entlassung, die Scheidung und ab auf die Straße, das Leben ohne Hand, das Leben im Rollstuhl. Entscheidungen sind die Illusion, Macht zu haben. Oh ja, Macht, wie geil. Und dann denken sie, na ja, was sie so denken nennen, und schreiben Zettel mit Pro und Kontra voll, am Ende entlädt sich alles – in Sekunden. In der sie falsche Entscheidungen in bescheuerten Leben fällen. Dabei könnten alle einfach liegen bleiben. Versteht ihr, was ich meine?«

»Nein«, sagt Don. »Keine Ahnung.«

Peter schaute glasig.

Hannah dito.

»Also«, sagt Karen,

»Wir rächen uns an allen, die uns wehgetan haben. Lasst uns eine Todesliste machen. Darauf kommen alle, die uns gequält haben und beleidigt. Wir werden sie aufspüren, ihre Schwachstellen herausfinden und ihnen eine Sekunde schenken, die sie nie mehr vergessen werden.« Karen sah die anderen an, mit einem leicht irren Blick. Keiner der anderen wusste, was genau sie meinte, aber Todesliste klang erst einmal gut, es war eine angenehme Ablenkung von den letzten Tagen des unendlich langen, öden Sommers. Und dann saß jeder mit sich und dachte an Momente, die sie vergessen wollten. Die sie verdrängt hatten, um sie irgendwann in Staub aufzulösen, wenn sie alt genug dafür waren. Sie dachten an Einsamkeit und Demütigung. An gefickt werden auf stinkenden Matratzen, geprügelt werden, sie dachten an den Tod und an die Hilflosigkeit.

Peter schrieb seine Mutter, den Russen und Sergej, den Polen, der ihn vergewaltigt hatte, auf. Hannah notierte Doktor Brown, den Mörder ihrer Mutter. Und Thome Percy. Entwickler der Seite Dream Island.

Und Don Walter, den ehemaligen Freund ihrer Mutter.

Dann wussten sie nicht weiter. Sie waren auf einmal nicht mehr cool, jung und stark. Sondern Kinder, die eigentlich weinen wollten. Und wussten, dass keiner sie trösten würde,

»Ich warte.«

Sagte

## Thome

*Intelligenz: durchschnittlich*
*Aggressionspotenzial: hoch*
*Ethnie: rosa*
*Sexuelle Orientierung: asexuell oder*
*vielleicht homosexuell*
*Fetisch: Turnschuhschnüffeln*
*Politische Einordenbarkeit: rechtskonservativ.*
*Aber auch ein wenig egal*
*Gesundheitsrisiken: Bluthochdruck, Fettleber*

Es war die Zeit, als seine Mutter noch lebte. Seine richtige Mutter. Mutter – Mutteerr –

Mutter antwortete nicht. Es war Mittag, vermutlich lag sie auf ihrem George-III-Sofa. Thome hasste das Möbel, dessen Brokatüberzug in Kopfhöhe vom Fett der Haare seiner Mutter nachgedunkelt war. Häufiges Haarewaschen hielt Thomes Mutter für ein Hobby der Neureichen und der Unterschicht. Ihr Haar war ständig am Hinterkopf platt gelegen. Es hatte die Farbe ihrer verwaschenen Kaschmirpullover. Wenn sie nicht auf dem Sofa lag, war sie vielleicht mit den Hunden draußen. Diese Drecksviecher, die aussahen, als hätte man ihnen die Beine abgesägt. Gute Jagdhunde, die auf ihren abgesägten Beinen andere Tiere zu Tode hetzten. Die Jagd, eine Verlagerung der Gier, Menschen zu töten, auf dem Boden des schottischen Hochlands. Damit kannte Mutter sich aus. Mit Töten, Verachtung, Scones und Alkohol. In der Community, in der sich Thomes Elternhaus befand, gab es nur Säufer. Erstaunlich, oder? Dass die Oberschicht des Landes aus

einer großen Leberzirrhose besteht, dass in dieser gepflegten, mit Bougainvilleen bewachsenen Wohneinheit
der Alkohol das Zepter schwingt. Thome wusste, einem
kleinen Stalker-Tick geschuldet, was jeder der Bewohner
in jeder Sekunde tat. Er kannte sie nackt, wusste, was
sie aßen, wählten, kannte ihren Einfluss in der Politik,
wusste, welche Waffen sie wo lagerten, welche sexuellen
Vorlieben sie hatten, er kannte die Dauer ihrer Orgasmen.
Bereits in jungen Jahren legte Thome den Grundstein
zu seiner späteren Passion: Menschen beobachten. Und
überlegen, wie man ihnen schaden konnte.

In den Kreisen, in denen Thomes Eltern sich bewegten,
gab es keine Moral. Moral war eine Sache, um die Unterschicht bei Laune zu halten, in einem Wettbewerb um die
Gunst eines höheren Wesens.

In den Kreisen, in denen Thome aufwuchs, gab es weder politische Korrektheit noch Bio-Nahrung, es wurde
geraucht, gesoffen, gehurt, es waren: die letzten freien
Menschen, die mit denen hinter den Bougainvillea-He-
cken nichts zu tun hatten. Die Leute hier kannten Netflix nicht, Facebook, sie waren noch nie bei McDonald's
gewesen oder auf einer Pauschalreise. Sie wussten nicht,
dass es Selbstbedienungs-Supermärkte gab und Goo-
gle-Suchmaschinen, sie kannten Starbucks nicht oder
Tinder, außer

Die Unternehmen gehörten ihnen.

In Thomes Straße gab es einige Männer mit ausgesprochen pädophiler Neigung. Die Freude, gefesselt und er-
niedrigt zu werden, war in fast jedem Gebäude der Straße
daheim – Thome bemerkte das Abschweifen seiner Ge-

danken, was normal war bei einem brillanten, schnellen Geist, wie er ihn in sich trug.

»Dann wollen wir mal fortfahren, Sir. Sind Sie so weit?« Den Tick, mit sich in der Höflichkeitsform zu verkehren, hatte Thome seit seiner Internatszeit. Es gab einem Halt, eine erwachsene Person mit sich zu wissen.

Also

Früher war das, dass Thome mit seinem Vater und seiner Mutter hinter einem Busch im schottischen Hochland stand und das Wildbret erwartete. Es war Thomes erste Jagd, er hatte grauenhafte Angst. Er hatte sein Ausbeinmesser am Gurt befestigt, um ihn das schottische Hochland im Nebel, in ihm das Grauen. »Wir sind hier, um die Tiere von ihrem Leiden zu erlösen.« Hatte sein Vater gesagt. Was man so sehen konnte, wenn man Leben als Leiden betrachtet, wie seine Eltern das zu tun schienen. Thome fror. Er wartete auf

**Das Rotwild**
*Offenheit: nicht vorhanden*
*Gesundheitsrisiken: Depression, Jäger*

Es war eher ein introvertiertes Wild. Erstaunlich
Dass man vom Leben genug haben konnte, dachte das Wild, so wie man sich nicht vorstellen konnte, alt zu werden, wenn man jung war. Das passierte den anderen. Den anderen, in ihrer peinlichen, selbst verschuldeten Alterung.

Ihm würde das nicht passieren, dachte das Wild. Zumindest dafür waren Jäger gut. Und
Da war er auch schon, der Schlag gegen die Brust, aber. Kein Schmerz. Dachte das Wild. Haben sie danebengeschossen, die Vollidioten? Haben sie nicht einmal das gekonnt? Leider nein, denn ich schaffe es nicht, die Augen offen zu halten. Ich mach die mal zu. Was hat das nur zu bedeuten? Dass da nicht die schönsten Momente des Lebens ablaufen. Innen. Ist kein Tunnel, kein Licht. Nur ich bin. Allein. Mit dem Himmel, dem Licht, das ausgeschaltet wird. Und dem Wissen, dass alles, alles umsonst. War.
Und dann geht die Sonne unter – zum letzten Mal. Tschüss, ihr unglaublichen Arschlöcher.
Viel Spaß mit euch. Ihr Vollidioten, dachte

## Thome

Und hörte den Schuss wie aus großer Entfernung. Als sein Vater mit dem Kopf des Tieres zu ihm trat, erbrach er sich. Auf den Hirsch. Auf die Tweedhose seines Vaters. Und dann weinte Thome. Er konnte nicht mehr aufhören damit. Damals. Als sein Vater begann, ihn zu verachten. Und seine Mutter Krebs bekam. Wegen ihm. Und starb. Seine Schuld. Später wurde es schlimmer.
Die Vorhänge aus modrig riechendem Samt – Außenstehende wären erstaunt, würden sie die Villen der Oberschicht betreten und den verranzten, verrotteten Zustand der Immobilien sehen, den die Oberschicht als standesgemäß betrachtete – waren halb geschlossen. Der Vater – ein Sir, by the way – saß mit in die Hand gestütztem Kopf in einer dunklen Ecke des Raumes. Auf dem Bett, auf dem be-

reits seit neun Generationen familienzugehörige Tote herumgelegen hatten, befand sich nun Thomes Mutter. Eine strenge Frau mit großen Brüsten. War sie gewesen, und die immer noch zur Decke ragenden Brüste waren zeitlebens ihre Schamstelle gewesen, dieser proletarisch große Busen, der bei der Jagd hinderlich war. Sie war auch, entgegen ihrer stillen Hoffnung, die sie abends in ihr betrunkenes Gebet einfügte, nicht auf der Jagd verendet, sondern hatte Brustkrebs bekommen. Diese Krankheit, bei der die Menschen flüstern: »Sie hat so sehr gekämpft.« Als ob die Krebszellen das interessieren würde. Die Krebszellen waren Menschen in Kleinausgabe. Alles fressen, was ihnen in den Weg kommt, ohne Rücksicht auf Verluste, auch in Kauf nehmend, vor lauter Gier, dass irgendwann der Wirt nicht mehr ist. Thomes Mutter hatte sich einen unglücklichen Zeitpunkt für ihre Erkrankung ausgesucht. Die Biosensoren waren gerade erst erfunden worden. Programmierbare Bakterien, die von außen gelesen werden konnten. Später würden sie Krebs aufspüren und direkt im Zentrum des Tumors aktiv werden können. Na ja, später eben. Thome stand an dem sogenannten Totenbett und erklärte sich das Ausbleiben von Trauer oder Anteilnahme mit einer Reihe spitzfindiger mentaler und absolut angesagter Krankheiten. Asperger, ADHS, Hochbegabung, WTF. Er fühlte nichts und dachte nur: Na ja, weg ist weg. Thome hatte die Schulzeit im Internat der Manchester Grammar School als Müllschlucker der Perversion seiner Mitschüler – irgendwie – überlebt. Nun stand das Studium an. Seine Noten waren mäßig, aber die Kontakte seiner Eltern – sorry, seines Vaters – über jeden Zweifel erhaben. Also würde es Cambridge werden, also wäre sein Weg vorgezeichnet. Wenn er es nicht komplett vergurkte, würde Thome ein angenehmes Leben bevorstehen. Die Familienvilla in einer Privatstraße am Holland Park, ein einflussreicher Posten irgendwo, erst mal IT, seinen Neigungen zum nerdigen Angeben geschuldet, später Politik, dann Gehirnschlag. Bis dahin: ein erstklassiger Club, und vielleicht würde er eine Frau kennenlernen, die Kaschmir-Twinsets lieben und die letzten Jahre ihrer Unbeschwertheit in Cambridge bei Gruppensexpartys ausleben würde. Um ihm später als gemäßigte Alkoholikerin mit einem Faible für Jagdhunde einige degenerierte Kinder zu schenken. Apropos, nun war also die Mutter gestorben an einem Krebsleiden in einem Bereich des Körpers, den Leute wie sie nie beim Namen nannten. Lustiger Fakt. Ein erstaunlich falsches Seufzen klang durch die Ruhe des Raumes.

**Thomes Vater**
*Sexualität: SM-Fetisch, dauerhafter Viagra-Konsum*
*Hobbys: sammelt Orden und getragene Slipeinlagen*
*Rauschgifte: raucht Havanna, Opium*
*Hobbys: liebt es, seinen Rücken mit einer Kratzhand*
*zu bearbeiten*
*Gesundheitsrisiken: Bluthochdruck, beginnende*
*Leberzirrhose*

Seufzte. Irgendetwas musste er ja tun, um seiner Betroffenheit Ausdruck zu verleihen. Thomes Vater war Mitglied des Oberhauses und verwaltete das immer noch stattliche Vermögen seiner Familie, deren Wurzeln bis ins 13. Jahrhundert zurückreichten und das trotz geschlossener Fabriken beachtlich war. Er besaß Anteile an einigen digitalen Unternehmen, die sich vornehmlich mit dem Sammeln, Auswerten und Manipulieren von Daten beschäftigten, und war gerade dabei, als alter Militärfreund die erste private Armee des Landes zu gründen. Er finanzierte eine Online-Zeitung, in der fantasievolle Studenten gefälschte Videos, Fotos und Meldungen veröffentlichten, die die sogenannte Spaltung der Bevölkerung förderten. In seiner IT-Firma arbeiteten einige Mitarbeiter im Department Mikrotargeting erfolgreich an der Neuerfindung Großbritanniens. Ganz schön viel um die Ohren, das alte Haus. Man kann sagen, dass Thomes Vater gemeinsam mit anderen Milliardären maßgeblich an Untergang und Wiederauferstehung des Landes beteiligt sein würde. Wie Gott. Oder Jesus. Egal. Thomes Vater war Mitglied der Hayek-Gesellschaft, einer Ansammlung marktradikaler Idioten, die Mitglied der Atlas Group waren, einer Ansammlung von noch mehr marktliberalen Idioten, die mit der Abschaffung des Staates beschäftigt waren, und alle zusammen wollten vor ihrem Ableben schnell noch die Welt umgestalten. Oder einfach mehr Macht. Oder mehr Geld. Oder –

Halten wir den Plan, der seit einiger Zeit von unterschiedlichen alten Säcken durchgeführt wurde, kurz fest. Wenn man mit den Mitteln der Demokratie das Vertrauen in die Demokratie vollkommen pulverisiert, also absolute Volltrottel in hohe Positionen bringt, Bürgerkriege initiiert, die sogenannten Guten gegen die sogenannten Bösen aufhetzt, mit den Mitteln des Nudgings, der Manipulation ihrer verdammten Gehirne durch Endgeräte, soziale Medien, falsche Informationen nutzt, wenn man die Presse komplett unglaubwürdig macht, wenn man Brutalität, Nazis, Dummheit und Faschismus fördert, kurz – ein irrsinniges Chaos anrichtet, dann heißt das kurzfristig: Gewinneinbußen. Aber Shit happens. Da muss man sich halt überlegen, welche unglaubliche Erleichterung der Finanzsysteme der nächste Schritt beinhaltet. Der nächste Schritt, der bereits bevorstand.

Also die Erde. Die musste ein wenig von Menschen befreit werden. Klingt wirr? Mitnichten. Wenn Ihnen das seltsam vorkommt, dann nur, weil Sie die Größe der Vision nicht begreifen. Nun ja. Reden wir von der Familie. Wie es die Tradition wollte, war

**Thome**

Eine Enttäuschung für den stattlichen Pädophilen. Thome hatte sich daran gewöhnt, von seinen Eltern verachtet zu werden. In seinen Kreisen war das eigentlich Grundsatz jeder Familie. Die gegenseitige Verachtung war das Fundament, auf dem das Königreich errichtet worden war. Tradition, das Internat, die Universität, die teure Grabstätte. So könnte man den Lebenslauf von seinen Leuten zusammenfassen.

Die Beisetzung seiner Mutter im Familiengrab war ein berauschendes Fest. Selbst die kurzbeinigen Jagdhunde seiner Mutter wohnten den Feierlichkeiten mit erstaunlicher Zurückhaltung bei. Ungefähr tausend alte, reiche weiße Menschen schritten dem Sarg nach, der die Krö-

nungskirche verließ und so weiter. Thome war nun Halb-
waise und wartete immer noch auf ein Gefühl. Gefühle
waren in seinen Kreisen nicht schicklich.

Thome hatte gelernt, dass es unwichtig war, sich an einer
anderen Bevölkerungsgruppe als weißen Männern zu
orientieren. Die meisten in seiner Umgebung waren unattraktiv, aber gut gekleidet. Ein Vorbild, das Thome für
erreichbar hielt. Die meisten verachteten Frauen und
fürchteten sie zugleich – auch darin fand er sich deutlich wieder. Thome war in einem sexuellen Alter, aber es
war noch nie zum Äußersten gekommen. Onaniert hatte
er. In allen Ecken der Villa. Am effektivsten im Schlafzimmer der Eltern. Also der ehemaligen Eltern. Während seine Mutter, Friede ihrer Leiche, aushäusig war.
Stand Thome vor dem Ehebett und wichste. Das war
immer der heftigste Abgang. Manchmal im Keller. Den
Gärtner beobachtend. Auch nicht schlecht. Früher. Nun
langweilte er sich, starrte die Decke an, starrte aus dem
Fenster, in diesen unendlich begradigten Park. Er lag auf
seinem Bett, hörte elektronische Musik. Und überlegte,
ob er sich einmal eine Prostituierte leisten sollte. Damit
er endlich wüsste, wie das funktioniert mit der Jugend,
die er bis dahin noch nicht ausgelebt hatte. Aber. Wenn
er sich vorstellte, in so ein Bordell zu gehen, in dem es
sicher schlecht roch, und dann an der Bar Frauen auf-
gereiht zu finden, die alle dem Hauspersonal glichen,
vielleicht war sogar eine der Bediensteten dabei, die
sich ein Zubrot verdiente, und dann würde er mit der
Köchin, die er, seit er vier war, kannte, auf ein Zimmer
gehen, wo sie ihn wegen seines Penis auslachen würde,

der seltsam schief war und vorne spitz zulaufend wie der eines Hundes. Eines Corgis. Damit kannte sich Thome aus. Mit Sex nicht. Die Zeit war noch nicht reif. Die Zeit – mahnte. Er sollte endlich seine Zukunft gestalten. Später würde er irgendwie Chef eines Internetunternehmens sein, dessen Gewinn gewaltiger wäre als das der meisten Länder. Thome betrachtete sich als eine Mischung aus Peter Thiel und Mercer. Ein IT-Gott, bei dem das Aussehen keine Rolle spielte. Denn Thome sah nicht gut aus. Blass, zu stark schwitzend, mit dünnen rötlichen Haaren und einer ausufernden Nase. Er war an die zwei Meter groß mit einem Gesäß, das doppelt so breit war wie seine Schultern, und einem bereits in der Jugend erkennbaren Ansatz zu einem Spitzbauch. Aber Thome wusste, dass seine optische Erscheinung bei seiner gesellschaftlichen Position eine absolut untergeordnete Rolle spielte. Mit seinem Namen brauchte es nicht einmal das Vermögen seiner Familie, um unter den attraktivsten Mädchen aus der Gesellschaft wählen zu können. Na ja, attraktiv. Was bei Inzest halt so rauskommt. Kleine blaue Augen und dicke Ärsche. Früher hatte Thome unter seinem Äußeren gelitten. Man kann behaupten, das Internat war die Hölle gewesen. Aber dafür konnte er jetzt programmieren und wusste, dass er sexuell verwirrt war. Stand er auf SM? Auf Kinder? Tiere? Windeln. Das hatte er einmal ausprobiert. Er hatte Männerwindeln im Geheimfach seiner Eltern gefunden. Neben den Tierpornos und einigen Snuff-Filmen, in denen polnische Hausfrauen zu Tode gefickt wurden. Irgendwas ist ja immer. Also Windeln waren es nicht, aber was dann? Sexualität, die öffentlich ausgelebt wurde, fand in Thomes Kreisen nicht statt. Er würde sein geschlechtliches Leben wie alle, die er kannte, gestalten – in eine angesehene Familie heiraten und den Rest unter Ausschluss der Öffentlichkeit halten. In Kellern, bei Sexpartys und in Clubs, mit Prostituierten oder Sklaven. Er konnte es kaum erwarten. Er konnte kaum erwarten zu studieren. Computerwissenschaft in Cambridge. Thome hatte mit sechs zu programmieren begonnen. Er hatte, später, einige aufsehenerregende Hacks vollbracht – das Faken von Fingerabdruck und Iris-Scan zum Beispiel. Im Netz gab es dafür auch eine ordentliche Anerkennung. Thome würde nie etwas wie Uber oder Netflix erfinden. Seine Zukunft lag in der Schnittstelle von Macht und Technologie. Und da draußen. Wurden die Märkte gefeiert. Hurra, die Märkte. Hatten irgendeinen Geburtstag. Diese wunderbaren freien Märkte. Prösterchen. Alte Männer jubelten. Sie waren erigiert. Männer wie Thomes Vater. Er wusste doch, was da geplant wurde. Im Hintergrund, unsichtbar für die meisten, hatten die Märkte – hurra, die Märkte –, von Algorithmen befeuert, ein Eigenleben entwickelt. Einige der wichtigsten Investmentfirmen mit öden Namen wie: Gartmore Group und Blackwood, RIT Capital Partners plc –

Jetzt hatte Thome vergessen, was er denken wollte, das passierte ihm öfter und hatte seinen Ursprung in seinem absurd schnellen Verstand, der sich schon wieder mit mehreren neuen Themen befasste. Es war der Moment vor irgendeiner großen Finanzkrise, die das Land wieder einmal zum Kollabieren bringen sollte. Und vor der Finanzkrise ist auch immer danach. Die Märkte werden alles richten. Gerade war die Wasserversorgung privatisiert worden. Heißt. Der Wasserpreis hatte sich vervierfacht, und weil die Eingeborenen deshalb begannen, Wasser zu sparen, entstanden den neuen Eignern Verluste, die mit den Steuergeldern der Eingeborenen ausgeglichen wurden. Großartig. Weiter geht's. Das Transportsystem. In privater Hand. Was eine dramatische Erhöhung der Ticketpreise mit gleichzeitiger Verschlechterung des Gleissystems zur Folge hatte. Dann waren die Schulen dran. Was eine Welle von Entlassungen des Lehrpersonals nach sich zog. Die Sozialwirtschaft. Was hieß: Die Bewohner des Landes zahlten Abgaben für den Fall, dass sie irgendwann auf Sozialleistungen, Invalidenrente, Arbeitslosengeld, Krankengeld, Rente angewiesen sein würden, der Staat leitete diese Gelder an private Unternehmungen weiter, die den Großteil des Geldes für ihre sogenannte Infrastruktur verwandten, um am Ende bei der Auszahlung der Gelder, der Instandhaltung der Sozialgebäude, der medizinischen Versorgung, der Krankentransporte Bedürftiger und den Rentenzahlungen zu sparen und für die Anleger profitabel zu wirtschaften.

Es war der letzte Moment der Europäischen Gemeinschaft, und

Die Geheimdienste komplettierten ihre Sammlung aller Daten, die Gerüchten zufolge in einer großen sogenannten Forschungseinrichtung in der Schweiz gelagert wurde. Die sogenannte Forschungseinrichtung, an der fast alle finanzkräftigen Länder der Welt beteiligt waren, hatte einen autonomen, neutralen und sich jeder Gerichtsbarkeit entziehenden Status. Luftaufnahmen zeugten von erhöhter elektrischer Aktivität. Physikalische Experimente. Sie verstehen schon. Da stand der größte Datenspeicher der westlichen Welt. Doch damals wusste noch keiner genau, wozu. Was sollte es nützen, Millionen Mails abzufangen, das Surfverhalten zu dokumentieren. Wem nützten all die Social-Media-Likes und -Einträge. Wer sollte das alles lesen. Dachten die Menschen. Alle nutzten inzwischen Computer und Smartphones. Kaum einer wusste, was er da tat. Außer Thome. Er sah sich demnächst als Chef des Geheimdienstes. Oder als Eigner einer schlagkräftigen Cyberarmee. Da würden die zukünftigen Kriege stattfinden. Die mit Daten gewonnen werden würden. Oder mit der Zerstörung von Sicherheitssystemen. Zerstören klang gut. Das würde großartig werden.

**MI5 Piet**
»Nun, unter uns, ich lache, im Rahmen meiner Möglichkeiten, die eher ein Schmunzeln gestatten. Wenn wir hier die Zukunft des Avatars des jungen Mannes betrachten, dann sieht seine Zukunft nicht so interessant aus. Könnten Sie Genaueres sagen?«

**Programmierer**
»Gerne. Meine künstlichen neuronalen Netze sehen da –
Da ist –
Nichts.
Aber –«

**Thome**
War endlich, wo er hingehörte, in Cambridge. Dem Ort,

der Nobelpreisträger in Serie hervorbrachte. Die Uni, die bis vor nicht allzu langer Zeit nur aufnahm, wer Latein sprach. Na, und wer sprach das? Richtig, die Privatschüler. Und was heißt das? Richtig, hier gab es keine normalen Leute. Hier war man bis auf einige Stipendiaten aus der Schicht der Leute unter sich.

Thome fühlte sich, als seien alle Bestandteile seines schwach ausgeprägten Ichs mit den äußeren Bedingungen deckungsgleich geworden. Hier in einer der Wiegen des Empire zu atmen, war, wie Teil eines großen Planes zu sein, den Thome nie gehabt hatte. Thome war Mitglied des Ruder- und des Lunch-Clubs sowie einer Geheimloge, die so geheim war, dass noch nicht einmal ein Treffen stattgefunden hatte. Hier wuchsen sie heran, die zukünftigen Politiker, Richter, Anwälte und Waffenhändler des Landes, umgeben von Heiratsmaterial, das keinerlei Beruf ergreifen würde. Thome war erfüllt von der eifrigen Rastlosigkeit, die Menschen beherrschte, wenn sie am richtigen Ort das Rechte taten. Wenn sie ihrer Bestimmung folgten. Thome beugte sich nach den Vorlesungen über seine Arbeiten, ja, er sah sich dabei von oben zu: ein ehrgeiziger junger Kader, der sich mit gerunzelter Stirn den großen IT-Problemen der Zukunft widmete. Abends ging er in den Club, am Wochenende rudern. Sein Körper veränderte sich ebenso zum Positiven wie sein Geist, so viel konnte er jetzt schon erkennen. Wenn sein Blick über den Campus streifte, war es ihm, als blickte er auf die Familie, die er nie gehabt hatte, wenn er abends durch die Pubs der kleinen ehrwürdigen Stadt tigerte, sah er Menschen, die ihm glichen. Ein paar interessante Frauen waren auch anwesend, sicher würde sich hier eine gute Verbindung knüpfen lassen.

Der Campus lag ruhig, an diesem

*Sonntag.*

Thomes Freude, fern von seinem Vater zu sein, von der Langeweile, dem Gefühl, nicht zu genügen, wurde minimal durch den Unbill abwesenden Personals getrübt. Aufräumen, Socken waschen, Socken rollen. Thome stellte sich kurz vor, er würde aus diversen Gründen verarmen und müsste täglich all diese Menschensachen machen. Nahrung einkaufen. Anstehen. Zeug kochen, Betten beziehen. Thome hatte keine Ahnung, wie die anderen Leute – also Leute eben – das schafften. All diese öden, zeitvernichtenden Verrichtungen, die nur darauf abzielten, den menschlichen Organismus am Leben zu erhalten. Toilettenpapier kaufen als sichtbarer Beleg dafür, Ausscheidungen zu haben. Er hatte noch nie einen seiner Verwandten oder Bekannten Toilettenpapier kaufen sehen. Die Toilette wurde nie erwähnt, sie war unsichtbar und unhörbar. Außer bei sexuellen Praktiken. Er wusste von Nachbarn, die sich eine gläserne Toilette in ihre Schlafzimmer gestellt hatten, um den Stuhl beim Verlassen des Körpers ihrer Partner zu beobachten. Das machte sie wuschig. Thome wusste, dass es zwischen den »Leuten« und ihm keine Berührungspunkte gab. Das war nicht arrogant gedacht, es war ein Fakt. Er versuchte immer wieder einmal, mit Leuten ins Gespräch zu kommen. Aber er verstand nicht, wovon sie redeten. Raf schnarchte kurz auf. Wer the fuck war Raf? Thome teilte sein Zimmer mit einem jungen Mann, der mit irgendwem aus dem Königshaus verwandt war. Aber wer war das nicht. Thome würde mit wenig Anstrengung sicher zehn stammbaumbedingte Verbindungen zu den großen Königshäusern herstellen können. Irgendein umtriebiger Urgroßvater war überall in diversen Stammbäumen zu finden. Zurück zu Raf.

Dessen Haare ihm in sein nur minimal degeneriertes, aristokratisches Gesicht fielen. Thome wiederstand dem Drang, sie zu wuscheln. Er war Brite. Da wurde nicht gewuschelt, gekost, da wurde Konversation geführt. Das musste als Vorspiel langen. Raf schnarchte wieder. Es war gestern spät geworden. Der pakistanische Drogendealer hatte Raf, Thome und zwei andere blasierte Vollidioten aus dem Cambridge-Ruder-Club nach Rochdale zum Geschlechtsverkehr mit sehr jungen Mädchen eingeladen. Keiner der jungen Männer hatte bisher Erfahrungen mit Prostituierten, darum waren sie sofort begeistert der Einladung gefolgt. Etwas Dreckiges lockte, da war man gerne dabei.

Während der Fahrt nach Rochdale herrschte eine seltsame Ruhe. Die jungen Männer fühlten sich unbehaglich. Nicht weil sie unterwegs waren, um ihre Genitalien in Personen zu stecken, die vermutlich nicht begeistert davon waren. Keiner der jungen Männer dachte daran, dass eine Prostituierte ein menschliches Wesen war, denn neben dem Umstand, dass es sich um eine Frau handeln würde, wäre sie eine von den Leuten. Es war den jungen Männern nicht vorzuwerfen, dass sie Lebewesen, die außerhalb der Oberschicht geboren worden waren, als nicht relevant erachteten. Man musste die Tradition, die

Erziehung und den Hang des Menschen, sich über andere zu stellen, mildtätig in die Beurteilung des Geisteszustandes, in die Bewertung ihres Charakters einbeziehen.

Also.

Das Unbehagen der jungen Arschgeigen begründete sich darauf, mit einem Pakistani in einem hässlichen Auto zu sitzen. Dieselbe Luft wie er zu atmen, die schmutzigen Sitze unter sich zu wissen. So abstoßend wie dieser Ort, in den sie irgendwann einfuhren. In einer Kellerwohnung, vermutlich nannte man sie in Kreisen von Arbeitern Souterrain, hockten auf einer Matratze zwei verladene Minderjährige und schauten Musikvideos auf ihren Handys. So, und jetzt? Fragten sich die Jungen, sahen die Mädchen an und wussten nicht weiter. Der junge Pakistani spürte die Unsicherheit und machte vor, wie die Sache funktionierte. Er schob seine Hand einem der Mädchen – einem Albino, wie es schien – unter den Rock, küsste sie unsanft, legte ihren Busen frei, winkte einen der jungen Männer zu sich und schob ihn in sie.

Von einigen Psychopathen abgesehen verfügt jeder über eine innere Klippe. Unten in einer dunklen Höhle liegt das, was der Mensch unter dem Begriff »böse« gelernt und gespeichert hat. Ein kleiner Schritt, komm schon, sagte das Böse da unten im Schwarz, lass dich fallen, es wird alles leichter dann. Der erste Junge machte den Schritt, er verließ sich und das Gefängnis seines Anstands. Er fiel grunzend in den Albino und fickte sich um den Verstand. So einen Orgasmus hatte er noch nie erlebt. So einen dreckigen Riesenorgasmus. Der Paki rieb Koks in sein Zahnfleisch, die Jungen taten es ihm nach. Sie fanden es nicht seltsam, einander beim Ficken zu beobachten, im Gegenteil, es machte sie geiler, es war, was sie wirklich wollten, einander begatten, ohne schwul zu sein, und als Thome an der Reihe war – das eine der beiden Mädchen war unterdessen ohnmächtig geworden –, wies sein Glied keine Erhärtung auf. Thome fühlte sich wie damals auf der Jagd, als er sich auf den Hirsch erbrochen hatte. Als Versager. Er beobachtete Raf, der sich neben ihm in dem Nicht-Albino-Mädchen bewegte. Wie wütend knallte er sein Becken gegen ihren Unterleib. Aus dem Mund des Mädchens kamen Blasen. Als ob sie bereits tot wäre und Gase austraten. Thome betrachtete Raf, seine Stöße, und dann ging es auch bei ihm. Wenn er die Augen schloss. Er schloss die Augen. Er wollte Raf gefallen. Er nahm den Albino hart ran. In alle Öffnungen, bis sie blutete und der Pakistani einschreiten musste. Thome beruhigen musste, der in eine Raserei geraten war.

Auf der Rückfahrt schwiegen alle. Die Erinnerung an die nackten Geschlechtsteile der Kommilitonen stand in ihnen wie ein Traum.

Das lag erst kurze Zeit zurück. Und nun war Sonntag, und Thome betrachtete den halb nackten Körper Rafs, der anregend mit Sommersprossen übersät war. Thome trat näher. Er sah die rötlichen Härchen auf Rafs Beinen. Thome war noch in Unterwäsche. Auf dem Weg zum Schrank streifte er die Decke von Rafs Körper, die im Anschluss dessen Gesäß freilegte. Thome stand still, sein Herzschlag beschleunigte sich stark, sein Mund öffnete sich, und in der Unterhose bildete sich eine Erektionsbeule. So, dann mal los mit der Beule, den Trainingsanzug übergeworfen und ab in die jungfräuliche Erhabenheit des Sonntags. Thome sah ein letztes Mal auf den schlafenden Raf, verließ das Studentenwohnheim, als er das aristokratische Knacken des Kieses auf der Einfahrt hörte, das nahenden Besuch ankündigte. Ein Bentley, genauer – der Bentley seines Vaters. Die Kombination aus Vater, Erektion und Joggen basiert vermutlich auf Parametern der Zufallstheorie, dachte Thome, sich seine Waden massierend und den Auftritt seines Vaters erwartend. Sein Vater entstieg dem Wagen, auf dessen Beifahrersitz eine Frau, die unwesentlich älter schien als Thome, in einem kurzen Rock mit sehr hohen Schuhen saß. Die Frau stieg unsicher aus. Eine neue Angestellte? Ein Kindermädchen. Warum brachte Vater eine verdammte Bedienstete hierher. Thomes Vater räusperte sich. »Das ist Tamara.« Sagte Thomes Vater. »Wir werden heiraten.«

*Später*
Also, nach einigen Wochen, wenn Thome nach Hause fuhr, betrat er die Familienvilla durch den Dienstboteneingang. Er schlich durch das ihm fremd gewordene Haus. Tamara hatte sich eingebracht. Die neue Mutter. Die natürlich keine Prostituierte war, sondern Beraterin. Sie half russischen Neuankömmlingen in London bei Immobilienfragen, Anlagen, Investitionen, vermittelte Einladungen zu Pferderennen und den Erwerb wertvoller Diamanten. Die kleine Geschäftsidee boomte. Und hatte durch Tamaras Einheirat in die Oberschicht einen unglaublichen Schub erhalten. Erregt hatte sie das Haus umdekoriert. Die Buchsbäume waren durch moderne

Plastiken eines russischen Exilkünstlers ersetzt worden, das alte Parkett im Haus war herausgerissen. Jetzt lag Marmor auf dem Boden, und die alten Möbel waren unter der Leitung eines italienischen Interieur-Designers Mobiliar aus der Hand des großen Künstlers Colani gewichen. Tamara liebte italienisches Design.

Nun. Leider war

### Thomes Vater

abwesend. Die späte Liebe und die politischen Ambitionen waren ein unseliges Zusammentreffen. Er brauchte die Unterstützung seiner Freunde, um Premierminister zu werden. Es konnte nicht zugelassen werden, dass all die Arbeit sich aufgrund der Regungen seines alten Penis als sinnlos erweisen würde. Thomes Vater nahm nun an jeder mittelprächtigen Jagd teil, die sich ihm bot, belebte seine Kontakte zum Königshaus neu und hoffte darauf, dass die Gesellschaft seine Frau vergessen würde, wenn sie unsichtbar war. Die Gesellschaft war stur, sie verzieh und vergaß nie. »Oh my dear. Es ist eine Freude, Sie zu sehen«, begannen die Gespräche, die mit seinem Vater geführt wurden. »Werden wir Sie bei der Moorhuhn-Jagd sehen? – Oh, entschuldigen Sie, ich muss mit Lord Summerburn noch einige Details besprechen. Wir haben das Vergnügen später.« Seine Gattin wurde nie erwähnt. Nie. Eingeladen. Sie strich in einem Morgenmantel durch die Villa und langweilte sich, falls sie nicht gerade Oligarchen-Geliebten Diamanten verkaufte oder Bentleys oder eine Firma, die Deutschen gehörte, oder Rolls-Royce oder eine Firma, die Deutschen gehörte. Die IT-Firmen im Land gehörten den Russen und den Amerikanern, der Großteil der Stadt Arabern und Russen.

## Xiang Mai

»Nichts gehört mehr den Russen oder Arabern, oder gar den Deutschen. Besonders nicht den Deutschen.«
»Macht leise, ihr Idioten«, dachte

## Thome

An diesen Wochenenden, wenn er in seinem Zimmer saß und unten Russen verkehrten. Frauen, denen es gelang, trotz sehr teurer Kleidung billig zu wirken, Männer, denen es nicht gelang, ihre Brutalität unter Maßanzügen zu verstecken. Das ist gelebte Völkerverständigung, das ist Globalisierung, ein Hoch den Völkern. Alle murmeln: »Prost.« Dass Menschen sich so oft in den Rahmen ihrer eigenen Klischees bewegten, war doch erstaunlich. Thome setzte sich – mitunter vollkommen ohne eine andere Absicht als der, zu stören – zu den Russen, die ein wenig verunsichert wirkten. Er beobachtete die Hausherrin. Betrachtete ihre Brüste, die aus dem Ausschnitt drängten. Der Gedanke, dass sein Vater, den er sich nur in Flanellanzügen vorstellen konnte, seinen Penis von dieser Frau lutschen ließ, war Thome nicht einmal unangenehm. Das war ein großartiger Moment. In dem sich Thome seinen Vater mit heruntergelassenen Hosen vorstellte, mit dieser Versace-Bitch vor ihm, das war der Moment, in dem der Respekt ihn verließ. Das war, bevor der Hass ihn erfüllte,

*Monate später*

Der Hass auf alle. Sein Leben. Cambridge. Das Studium, in das Thome so große Hoffnungen gesetzt hatte, das die Entpuppung seiner Persönlichkeit werden sollte – Raupe, Schmetterling und so weiter –, war ein Flop. Es blieb hinter Thomes Erwartungen zurück. Seine intellektuellen Fähigkeiten dito. Fast jeden Tag gelangte Thome an das Ende seines Verstandes. Er beobachtete Studienkollegen, die intellektuell an ihm vorüberzogen, er blieb hinter einem Schild in seinem Kopf sitzen, auf dem stand: »Fertig jetzt.« Manchmal schlug er seinen Kopf gegen die Wand, um die Synapsen flockiger werden zu lassen. Der Erfolg blieb aus. Er kam bis zu dem Schild, er drückte und presste, als ob eine Ausscheidung anstünde, aber es ging nicht weiter. So ist es also, sein Mittelmaß zu begreifen, begriff Thome, ein Schicksal, das er mit Millionen Wissenschaftlern, Ingenieuren, Künstlern und Sportlern auf der Welt teilte, die alle wussten, dass es für sie nie zu etwas einzigartig Überragendem reichen würde, die aber dennoch weitermachten und gegen ihren Verstand anhofften. Dass noch ein Wunder passieren, ein Knoten platzen, eine Eruption im Hirn ihre Kreativität freisetzen mochte. Von dem Versagen seines Verstandes abgesehen war Cambridge auch gesellschaftlich ein Desaster. Das Gerücht von der Mesalliance seines Vaters hatte sich innerhalb von Tagen über das Empire verbreitet. Es gab kaum etwas, was die Gesellschaft nicht entschuldigen würde. Die Liebe zu Kindern, Hunden, also auch geschlechtlich, Untreue, Homosexualität, der Verlust des Vermögens, Drogensucht, alles schien entschuldbar und wurde stilsicher totgeschwiegen – nicht so die Fraternisierung. Wenn die Oberschicht etwas verachtete außer der Armut, waren es Neureiche. Araber, Russen. Jemanden aus dieser Schicht zu begatten, war in Ordnung, wenn es in aller gegebenen Verschwiegenheit stattfand. Aber solche Leute heiratet man doch nicht. Der letzte öffentliche Skandal mit Lady Diana Spencer und ihrem Araber war allen noch in Erinnerung. Auch, wie man sich dieses Problems entledigt hatte. Es war die schlimmste Katastrophe in der Oberschicht, seit Edward VIII. 1936 eine geschiedene Amerikanerin heiraten wollte. Die Momente, in denen die Monarchie infrage stand, waren traumatischer als die Anschläge 2005. Für Thome hatte die späte Geilheit seines Vaters schreckliche Folgen. Er war gesellschaftlich

Tot.

Sein ehemaliger Mitbewohner schlief jetzt mit dem 6. Earl of Canterbury. Thomes zweites Bett war leer geblieben. Der Ruder-Club hatte ihn ausgeschlossen, der Lunch- und Geheim-Club dito. Es war die Rede von neuen Statuten gewesen. Man fragte da nicht näher nach, man insistierte nicht, man trug sein Schicksal wie ein Mann. Ein Mann, der keine Freunde mehr hatte. Es wollte keiner mit ihm duschen. Oder ihn bei Sexpartys dabeihaben. Oder länger mit ihm reden, rauchen, saufen oder – sagen wir es einfach – zu tun haben. Danke, Vater. Thomes Leben hatte seinen bisherigen Tiefpunkt erreicht. Er sah sich, einen unattraktiven, mittelmäßigen Menschen, auf den nun nicht einmal das bequeme Leben eines Oberschichtsangehörigen zu warten schien. Der Hass, der

unbestimmt immer einen Teil von Thomes Charakter ausgemacht hatte, entlud sich digital – die Weiterentwicklung
der Welt war großenteils frustrierten Typen wie ihm zu
verdanken. Die zu neunundneunzig Prozent das Wissen
der Welt in Wikipedia und Wikimania mit Wikileaks und
Blogs bestimmten und formten. Sie schrieben Codes, sie
hackten die Wirtschaft, sie schrieben Algorithmen, die in
ihrem Sinn die Weltherrschaft übernehmen würden, mit
einem künstlichen Verstand, der ihren reflektierte. Mahlzeit! Thome begann mit der Programmierung seiner ersten Plattform. Er nannte sie: Insel der Träume.

Irgendwann

Gab

**Don**

Auf.

Den Sommer. Sich selbst. Den kollektiven Zwang, ihre
Jugend zu genießen. Wie soll das denn gehen, bitte schön?
Wie soll man sich an etwas erfreuen, um das man nicht
gebeten hat. Sollte sie draußen sitzen und Bier trinken,
Bushaltestellen demolieren, mit einem oder mehreren
der blassen Jungs aus dem Viertel Geschlechtsverkehr haben, nur damit sich das Thema erledigt hatte? Don blieb
im Bett. Sie war jung und hatte gefühlte hundert Jahre zu
verschenken. Aus dem Badezimmer die Geräusche, die
ihr Bruder am Smartphone machte. Vermutlich schulte
er seine sexuelle Kompetenz.

Diese unendlichen Sommerwochen waren eine Katastrophe.

Denn Dons Mutter entdeckte den Alkohol. Die vulgärste
aller Drogen. Zu Beginn wusste Don nicht, was ihre

Mutter so verändert hatte. Sie so launisch und aggressiv gemacht hatte, doch irgendwann verstand sie, dass die Persönlichkeitsveränderung mit den Flaschen zu tun hatte, die immer vor ihr standen. Mit der Zeit erkannte Don den jeweiligen Zustand ihrer Mutter an deren überkonzentriertem Gang, den aufgerissenen Augen und der verschleppten Konsonantenbetonung. Dons Mutter fand dann immer einen guten Grund, die Kinder zu verprügeln. Dazu muss man wissen. Der körperliche Schmerz ist nicht das größte Problem beim Geprügeltwerden. Es ist der Ausbruch von Gewalt und Vulgarität, der den Vorgang so elend macht. Die Luft wird giftig, die Gegenstände verlieren ihre Unschuld, weil sie die Zeugen von Demütigung werden. Das alles machte die Zeit, in der Dons Mutter trank, zur unangenehmsten in ihrer Kindheit. Alle ihre Erinnerungen später sollten ausschließlich in jenem Jahr stattfinden, komprimiert zu körperlichem Schmerz und mentalem Ekel.

Manchmal ging Don mit ihrem Bruder in die Kneipe, um mit freundlichem Nachdruck um ihre Heimkehr zu werben.

Um zu verhindern, dass die Frau später wieder schreiend durch die Wohnung stolperte. (»Hey Mutter, zu Hause schimmelt es zwar ein wenig an den Wänden, wir haben auch kein Geld mehr für die Stromuhr, aber wir könnten doch zusammen in der feuchten Küche sitzen und Margarinebrote essen.«)

Dann standen die beiden wie in so einem Scheiß-Dickens-Weihnachtsfilm neben dem Tresen, an dem ihre

Mutter mit Männern saß, denen immer irgendwo etwas heraushing, und zu laut lachte. Nach einiger Zeit wurde es selbst der Betrunkenen zu peinlich, und sie folgte ihren Kindern. Zu Hause gab es dann Prügel.

An einem Abend versuchte Dons Mutter mit einer Axt (woher hatte sie eine fucking Axt?) die Zimmertür einzuschlagen, hinter der sich die Kinder eingeschlossen hatten. Don und ihr Bruder seilten sich mit dem Laken aus dem ersten Stock ab und verbrachten die Nacht auf dem Spielplatz. Don tröstete ihren albernen, jammernden Bruder und rechnete nach, wie lange sie noch ein Kind sein musste. Eindeutig zu lang. Sie überlegte, was für Alternativen sich ihr boten. Nun. Was ein relativ kleines Kind ohne Schulabschluss auf dem freien Markt zu einem Lebensunterhalt beitragen konnte, war überschaubar. All die Ideen, die sich kurz einstellten – auf einem Schiff anheuern (als was, bitte schön?), Kinderpornos drehen, professionell in den Drogenhandel einsteigen –, waren unangenehm. Die Welt, die Don kannte, bestand aus Rochdale, der blöden Familien, der Schule und ihren Freunden. Mehr konnte sie sich nicht vorstellen.

Vermutlich ist die Kindheit mit all den Kränkungen, die sie beinhalten kann, die schrecklichste Periode im Leben. Die kindergefühlte Unendlichkeit der Lebenszeit potenziert jedes Unwohlsein. Sich als selbständiger Mensch zu fühlen, es aber nicht zu sein, abhängig von Launen erziehungsberechtigter Leute, die es auch nicht besser wissen. Don hatte keine Ahnung, dass es Kindheiten gab, in denen junge Menschen im Fond eines Autos saßen, das von den Eltern in einen Urlaub gesteuert wurde, während sie aus dem Fenster schauten in unendliche Sommertage. Dass da jemand war, wenn sie hinfielen, der Pflaster auf Wunden klebte und abends am Bett saß und dem Kind über den Kopf streichelte. Das Unglück von Kindern wurde nicht dadurch hergestellt, dass sie ihre Zustände mit denen anderer vergleichen konnten, sondern wegen der Unfähigkeit zu wissen, was sie benötigten, um ein Wohlgefühl zu erzeugen.

Dons Mutter begann, Männer mit nach Hause zu bringen. Als ob sie allein nicht unangenehm genug gewesen wäre. Menschen, die lallten, laut waren und mit jeder Bewegung ein Anrecht auf irgendetwas demonstrierten, das sie sich im Zweifel auch mit Aggression nehmen würden. Die Männer torkelten gegen die Möbel, kniffen die Kinder in die Wange oder ignorierten sie einfach und schoben die Mutter mit glasigem Blick in die Richtung ihres Betts. Don hatte immer Angst um ihre Mutter, denn sie wusste nicht, was da in ihrem Zimmer los war, vor dessen Tür sie mit einem Küchenmesser saß, um im Notfall einzugreifen. Einer dieser Männer wurde dann der feste Freund ihrer Mutter, was daran zu erkennen war, dass er öfter kam. Es war ein weißer, absurd großer Mann mit seltsam rostfarbenen Haaren und einem kleinen Buckel da, wo der Rücken in den Hals überging.

Der Mann zog nach ein paar Tagen mit zwei Plastiktüten in die Wohnung ein. Er verteilte mit ernstem Gesicht Bücher und Schreibzeug auf dem Küchentisch, weil er ein Fernstudium der Theologie absolvierte. Er betete. Pausenlos. Bei jedem Margarinebrot, nach jedem Stuhlgang.

Morgens, wenn er aus dem Schlafzimmer kam. Er kniete vor der Spüle und dankte Gott für dieses und jenes. »An Walter könnt ihr euch ein Vorbild nehmen«, sagte Dons Mutter und betrachtete den Kackvogel liebevoll. »Jetzt haben wir wieder einen Mann im Haus, der sich um uns kümmert«, sagte sie. Dons Bruder zog sich zurück und hämmerte mit seinen Fäusten auf sein Bett ein. Auch wenn er seinen Vater nur alle paar Monate sah, bewunderte er den Verbrecher doch außerordentlich.

Als ob auch das Schicksal seine Freude an der neuen Familienaufstellung haben würde, fand Dons Mutter einen Großküchenjob in Manchester. Sie verließ das Haus jeden Morgen um sieben. Und so blieben die Kinder mit dem Mann zurück, der Walter hieß und seinen Tag mit Gebeten begann. Er kniete vor der Küchenzeile und sprach mit Gott. Eines Tages beobachtete Don Walter dabei und musste leise lachen. Der Lacher kam einfach so – beim Anblick des seltsamen Menschen, der in einer Sozialwohnung mit seinem Herrn sprach. Walter drehte sich um, sah Don und sprang auf sie zu. Er schlug ihr mit der Faust ins Gesicht. »Du lachst mich aus? Du lachst mich nicht aus!«, schrie er und steigerte sich in eine große Wut.

**Der Walter**
*Intelligenz: durchschnittlich*
*Aggressionspotenzial: hoch*
*Ethnie: weiß*
*Hobbys: zu Cross-dressing-Fotos von Nazis onanieren*
*Kreditwürdigkeit: nicht vorhanden*
*Verwertbarkeit: ähhm*

War nur einer von Millionen.

Eine Million Walters, und jeden Tag wurden es mehr, die so. Sauer waren. So echt sauer, weil sie wussten, dass sie recht hatten. Weil sie eine Million Walters waren. Und recht hatten, und keinen interessierte es. Sie hassten es, wenn die Margarine schimmelte. Wenn Frauen sie im Auto überholten. Und wenn es regnete und die Schuhe nass wurden. Und wenn Hunde sie ankläfften. Und wenn Kinder mit diesen unnatürlich hohen Stimmen sprachen, die klangen wie die Stimmen von Pornodarstellerinnen. Und wenn Schwarze bessere Zähne hatten. In Walter war es nie behaglich. Nie konnte er mit einem schönen Glas, sagen wir, Thai Mountain Tee unter einer Zypresse sitzen und einfach mal fünf gerade sein lassen. Immer war eine Anspannung, die etwas wollte, und nie etwas Gutes. Das Wollen hatte mit Entäußerung zu tun. Wenn Walter nicht jemanden flachlegen oder verprügeln konnte, wenn er nicht einen Hund zur Seite kicken oder ein Eichhörnchen mit einem Stein erledigen konnte, die rothaarige Sau, dann saß er auf einem Stuhl in seiner Küche, in der er schon alles zerstört hatte, was sich zerstören ließ. Der Scheißstuhl war aus Stahl. Welcher Idiot kommt denn auf die Idee, einen Stuhl aus Stahl zu machen? Und auf dem Stuhl saß er dann, und beide Beine wippten nervös hoch und runter in rasender Geschwindigkeit, sodass er damit nicht mehr aufhören konnte. Die Fensterscheibe war schon kaputt. Seine Faust dito. Walter gab weiter, was er gelernt hatte. Er war mit seinem Vater, Gott hab ihn selig, in der Wohnung aufgewachsen, die er dann auch später allein bewohnte. Der Vater war arbeitslos gewesen und hatte eine stark vergrößerte Leber. Die Mutter war dann weg gewesen, sie war eine Nutte, darum war sie weg, und Walter war mit dem Wissen aufgewachsen, dass außer Kraft und Aggression nichts zählte auf der Welt. Sein Vater drosch auf ihn mit allen Gegenständen ein, die in der kleinen Wohnung noch intakt waren, und in der Schule wurde er verprügelt, weil er schlecht roch, weil er log, weil er keinem in die Augen sehen konnte, weil er, wenn er seinem Vater in die Augen gesehen hatte, Dresche bekam. Walter nässte sich ein, er kaute seine Nägel, er stank. Warum auch nicht, denn in der Wohnung war es dreckig, da zogen Fruchtfliegen ihre Bahnen, Maden wackelten auf alten Konservendosen, und sein Vater trug die Unterhosen, ohne sie jemals zu waschen, auf dem Klo klebte ein eingetrockneter Rand aus Kot. Wenn es Sozialhilfe gab, dann zog sein Vater los und kaufte Alkohol, dann wurde geprügelt, dann war das Geld alle, und Walter musste raus, um Essen zu stehlen. So war das beim Walter gewesen, und als er endlich erwachsen war und arbeitslos wie sein Vater, als der Vater endlich tot war und der Walter entdeckt hatte, dass es Menschen gab, die Angst vor ihm hatten, also Kinder und Frauen, da begann er aufzublühen. Laut zu werden und zu Gott zu finden, so glücklich war er, dass es doch ein höheres Wesen geben müsste, das ihn auf den Pfad geschickt hatte. Eben Der Gott.

Dieser Gott war ein Mann, der ihm die Idee gab, warum er auf der Welt war. Und der Walter wusste endlich, wie er eine Struktur in sein Leben bekommen würde. Dann hat er eine Frau kennengelernt. Und dann ist er zu ihr gezogen. Halt die Fresse. Schrie er, und

**Don**

Schwieg, und das machte Walter aus irgendwelchen Gründen noch wütender. Walter schrie, dass er ihr zeigen werde, was Schmerzen sind. Er griff ihren Arm und drehte ihn aus seiner Halterung.

Als Don wieder zu sich kam, lief der Fernseher. Walter hatte Margarineschnitten zubereitet. Keine Pointe.

Von dem Tag an hatte Walter es sich zur Aufgabe gemacht, Don zu einem gläubigen Kind zu erziehen. Er sperrte sie ins Klo. Er ließ sie auf Erbsen knien. Teile der Bibel auswendig lernen, und nie war er zufrieden mit dem Resultat, dann erfolgte eine Bestrafung. Die einprägsamste Bestrafung erfolgte über der Toilette, in die Walter Dons Kopf drückte, immer wieder unter Wasser, bis Don panisch wurde und um sich schlug – und so weiter.

Würde ein unbeteiligter, geistig gesunder Erwachsener die Situation betrachten, so würde die absolute Abwesenheit von Hoffnung bei dem Kind ihm am meisten zusetzen. Don zitterte, und sie wusste, dass sie gleich sterben würde. Sterben. Der Begriff war das reine Grauen, die kalte Bodenlosigkeit. Don verlor die Kontrolle über ihre Blase. Urin lief an ihren Beinen hinunter. Walter entfernte sich von der am Boden liegenden Don, genau in dem Moment, als Dons Mutter nach Hause kam. Sie hat sich eingepisst, sagte Walter, und Dons Mutter gab ihr eine Ohrfeige. Dann ging sie mit Walter und einer Flasche, die sie mitgebracht hatte, in ihr Schlafzimmer. Dons Bruder war nicht vom Computer aufgestanden.

Am nächsten Tag wartete Don an der Bushaltestelle auf ihre Mutter. Als sie nach einer Stunde, die Don gewartet hatte, kam, als Don ihr alles erzählte, lief die Mutter schweigend mit ihr in die Siedlung. Sie sagte zu Walter, der in einem Topf irgendetwas kochte: »Meine Tochter hat mich angelogen. Sie hat schlecht über dich gesprochen.« Dann begann Dons Mutter zu weinen und Don anzuschreien, dass sie ihr das Glück ihres Lebens nicht gönnen würde, und zu Walter sagte sie: »Du musst sie bestrafen.« Walter riss Don ins Schlafzimmer, stieß sie aufs Bett und befahl ihr, die Hose herunterzuziehen und sich nicht wieder einzupissen. Don hörte, wie Walter den Gürtel aus seiner Hose zog. Dann schlug er sie. Minutenlang. Geschlagen zu werden konnte man ganz gut aushalten, wenn man sich ablenkte. Zum Beispiel mit Schwüren. Don schwor sich, dass ihr keiner etwas anhaben könnte. Nie mehr. Sie fühlte die Erniedrigung nicht, sie sah die Erbärmlichkeit von Walter, ihrer Mutter. Es wäre eine Frage der Zeit, bis sie weg wäre. Verschwunden. Walter hingegen erledigte sich von selber. Er lernte eine neue Frau kennen und zog mit ihr nach London.

Das war also dieser Sommer gewesen, in dem alles schieflief.

Oder etwas Neues begann.

»Los, mach ein erloschenes Gesicht«

Sagte

**Hannah**

Die Kinder versuchten, einen erloschenen Ausdruck in sich herzustellen. Die Augen dumpf zu Boden gerichtet. Die Schultern hängend. Für die Kunst. Hannah hatte die Idee, eine YouTube-Karriere zu starten. Vielleicht wäre sie eine geborene Influencerin. Sie war immer auf der Suche nach einem Talent in sich. Ihr Kanal hieß: Leben im Keller. Hauptsächlich filmte sie die anderen beim Herumkriechen an sozialen Brennpunkten – eine Modenschau mit Klamotten von der Heilsarmee, Interviews mit Obdachlosen.

»Wie sind Sie denn in diese Lage geraten?«

»Na ja, ich bin krank geworden.«

»Alles klar, vielen Dank. Ein schönes Leben noch.«

Die ernsthaften Sozialreportagen waren nicht sehr erfolgreich. Keine hundert Zuschauer. Weitaus mehr Klicks gab es, wenn Hannah Jungs dazu brachte, sich die Augenlider mit Sekundenkleber zu verschließen, Sponge-Bob-Tattoos auf die Stirn zu tätowieren oder mit geklauten Fahrrädern in voller Fahrt gegen Häuserwände zu knallen.

An jenem Tag, als alle erloschen schauen sollten, drehte sie ein Make-up-Tutorial. Karen, Peter und Don schauten bedrückt, gleichsam hoffnungslos, von draußen fiel das Licht eines lausigen Nachmittags in die Fabrikhalle. Hannah schminkte die erloschen schauenden Kinder und nahm das auf.

Hannah sah aus wie eine dieser Manga-Figuren, in denen Kinder mit Barbiepuppenkörpern herumlatschten. Die

Haare unterdessen weißblond und einen Zentimeter kurz, dazu dieser seltsam schlaksig-lange Körper,

Wie die aussehen,

Dachte

**Karen.**

»Eine vollkommen neue Weltordnung steht uns bevor«, sagte Hannah gerade in die Kamera, und Karen bekam richtig schlechte Laune. Wenn jetzt Comicfiguren die Welt erklärten, dann konnte sie ja auch gleich nach Hause gehen. »Was meinst du damit«, fragte Karen. »Mit der Neuordnung? Spielst du auf die Rolle des Vatikans an? Da wird doch aus der Offenbarung des Johannes herausgelesen, dass in der ›Endzeit‹ das Heilige Römische Reich wieder ersteht. Eine arrangierte Apokalypse, in der die Katholiken als neue Weltmacht übrig bleiben, ist mal eine Idee. Apropos, wusstet ihr, dass es jetzt Drohnen gibt, die kleiner sind als eine Handinnenfläche. Sie platzieren eine minimale Sprengladung an der Stirn des Zielobjekts und schalten es aus.« – »Oh Mann, das sind doch Märchen«, sagte Don, und

»Ähm, nein«, flüsterte

**MI5 Piet**

Aber vermutlich

Hatte

**Karen**

Einfach schlechte Laune an jenem Nachmittag. Sie hatte jetzt zunehmend Launen, war nervös und aufgekratzt und niedergeschlagen und wütend, und das alles im Minutenrhythmus wechselnd, und Karen wusste, was das bedeutete. Es ging los. »Ich muss los«, sagte sie, denn sie ertrug die anderen oder sich nicht mehr und ging nach Hause. Na ja, dahin, wo sie wohnte. Zu den Hochhäusern. Die kleinen Balkone, auf denen natürlich wegen des ständigen Regens nie einer saß oder grillte – was auch, das eigene Bein?

Also die kleinen Balkone voller Arme-Leute-Matratzen und Schränke, was man als Loser eben so an Zeug brauchte. Der Hauseingang vollgeschmiert, muffig riechend ob all des schlechten Essens, das hier gekocht wurde, ein hoher Lärmpegel – irgendwelche Leute schrien sich immer an, irgendwelche Kinder heulten immer, irgendwas war immer los, der Lift ist fast ständig kaputt, und wenn nicht, klingt er, als ob er seine letzte Fahrt schon hinter sich hätte. Die Wohnung lag erfreulich leer am späten Nachmittag, draußen vor den Fenstern eine gute Sicht aus dem 12. Stock, die Sonne hing hinter Wolkenfetzen, auf den Straßen irrten ein paar traurige Autos herum, unten vor den Häusern gelangweilte Jungs. Für einen Moment war Karen glücklich, denn ihr Leben würde hier nicht stattfinden. Nach dem Studium würde sie in die USA gehen oder nach Israel, aber erst einmal musste sie ihre Adoleszenz überstehen. Es war an der Zeit, von ihrem alten Ich Abschied zu nehmen und eine Pause in ihrer intellektuellen Entwicklung einzulegen. Die Hormone erzeugten in ihrem Ohr ein Dauergeräusch, und sie wusste, was das bedeutete. Karen, immer noch Musterschülerin und Bio-Nerd, Karen, die künftige Stipendiatin, wusste, dass sich ihr Körper nun auf die Fortpflanzung vorbereitete und ihr Hirn bald unbrauchbar würde. Zu Devlin packte sie ihre Biologie-Fachbücher und Mikroskope, die sie von der

Schule entliehen hatte, zusammen mit ihrem Verstand unter ihr Bett und versprach, bald zurückzukommen. Dann glaubte sie zu spüren, wie ihr Gehirn durch eine Masse ersetzt wurde, die aus absoluter Blödheit bestand. Nachdem das erfolgt war, probierte Karen ihre spärliche Garderobe, prüfte sie auf sogenannte Sexyness, versuchte Make-up und neue Frisuren. Herzlich willkommen in der Welt des sexuellen Schwachsinns, waren die letzten vernünftigen Worte, die Karen von sich hörte. In dem Jahr, in dem die künstliche Intelligenz die ersten Schritte in ihre eigene tapsige Kreativität unternahm, verlor die Menschheit ein weiteres denkendes Mitglied.

*Wenig später*
Begann für Karen das normale Elend junger Menschen. Der Übergang von einem Kind zu einem erwachsenen Arschloch war eingeleitet und äußerte sich in schlechter Laune, was verständlich ist, wenn man weiß, was da bald aus reizenden Kindern wachsen wird. Karen machte, was pubertierende Mädchen eben so machen: onanieren, Pornos ansehen, Jungs auf Facebook stalken. Sie betrachtete selbst die beiden Vollidioten, die ihre Brüder waren, sorgfältig. Na ja, den einen. Sie sah Jungs in der Schule und vor der Schule, sie sah sie in der Hauptstraße vor den Wettbüros herumhängen, sie sah sie, wenn sie die Augen schloss und wenn sie schlief. Karen wollte sich nicht für etwas interessieren, das ihr intellektuell unterlegen war, und dennoch war sie machtlos dagegen, zwanghaft auf Hintern, Nacken und Beine zu starren. Was zu keinen Resultaten führte, keine Interaktion fand statt, denn die

Jungs in ihrem Alter nahmen Karen nicht als sexuell verwertbares Wesen wahr. Karen war der Streber-Albino. Die mit der Brille und den roten Augen.

Anders als in ihrer Zeit als denkendes Wesen ging Karen nun nach der Schule nicht direkt nach Hause, um zu lesen, sondern sie zeigte ein großes Interesse an den Auslagen der Sozialkaufhäuser in der Fußgängerzone. Also da, wo ansehnliche Gruppen junger Männer herumstanden und nach irgendetwas suchten, das ihre innere Erregung in etwas Produktives – wie ficken oder jemanden verprügeln – transformierte. Es kam nie zu einem Kontakt zwischen Karen und diesen Jungs, selbst wenn sich einer für sie interessiert hätte, wäre es für ihn aus Gründen des Gesichtsverlustes unmöglich gewesen, mit Karen in eine Beziehung zu treten. Karen war in der männlichen Schwarmintelligenz das Letzte vor der Begattung einer englischen Bulldogge. Angesprochen wurde sie schließlich, als sie eines Tages wieder nach Hause wollte – also wollte ist jetzt falsch, irgendwie nach Hause musste, weil da ihr Bett stand –, ein junger, gut aussehender Mann, der vermutlich pakistanische Wurzeln hatte.

*Die Pakistanis*
Waren nicht unbedingt die beliebteste Bevölkerungsgruppe im Vereinigten Königreich. Sie hatten ihre eigenen Viertel, ihre eigenen Gangs, ihre eigenen Regeln, und es gab kaum etwas, was man mit ihnen zu tun hatte, außer man brauchte einen Laster oder ein Taxi, Drogen, Nutten oder billiges Gemüse.

Die Pakistanis waren zu viele. Kein Mensch ist auf die Erkenntnis vorbereitet, sich die Welt mit Milliarden anderer teilen zu müssen. Das ist zu viel Information, das wirft Fragen auf wie:

Bin ich eventuell nicht einmalig?

Was wollen die alle auf meinem Planeten?

Solange die Milliarden alle korrekt entfernt in ihren Ländern vor sich hinlebten, war das noch in Ordnung. Man konnte im Fernsehen teilnahmslos beobachten, wie Personen in weit entfernten Ländern einander in Stücke schnitten oder anderweitig starben. Das war der Moment, in dem man Bier holen ging. Aber jetzt waren sie da. Hier. Gegenüber. Vor Ort. Sie kamen mit Bussen und Booten und Flugzeugen, zu Fuß und geschwommen, und viele hatten das Gefühl, dass sich Millionen Dunkelhäutiger gleichzeitig an einem Rand der Insel festhielten, um ihren Körper an Land zu schwingen. Es war die Zeit, in der viele ältere Männer begannen, vor dem Islam und den Flüchtlingen, vor der Überfremdung zu warnen. Sie schrieben Bücher, die sich hervorragend verkauften, und Artikel und gründeten Bewegungen, und die Leute – also Leute, die vorher nie darüber nachgedacht hatten, warum es immer regnete – fanden eine Erklärung und begannen die Pakis und die anderen, also einfach die Muslims, mit gelinden Vorbehalten zu betrachten. Was

**Karen**

Nicht wunderte. Der Mensch war nicht in der Lage, für große Gruppen Fremder Mitgefühl zu entwickeln. Anteilnahme, die über jene, mit denen man verwandt und befreundet war, hinausging, beschränkte sich bestenfalls auf Einzelpersonen, die gut aussahen oder traurig in Kameras blickten.

»Hey, warte mal«, sagte der Pakistani. Er griff nach Karens Arm. Der Arm schmolz. Der junge Mann stand dicht vor ihr, er war groß und schlank, mit breiten Schultern, einem weißen Hemd, unter dem eine glatte Brust zu erkennen war, seine Haare waren halblang und fast blauschwarz, er trug eine sehr enge schwarze Jeans. Karen sagte nichts. Was auch. Der Wahnsinn flutete ihr Sprachzentrum, als sie die eleganten Hände des jungen Mannes betrachtete. Der junge Mann, dessen Namen Karen in dem Moment, in dem er ihn sagte, wieder vergessen hatte, sagte etwas, von dem nur einzelne Worte in Karens Verstand vordrangen. Öfter gesehen, nicht getraut, sie anzusprechen, wo sie wohne, ah genau, in die Richtung muss er auch, können wir zusammen gehen, und dann gehen sie zusammen, und als sie nach dem viel zu kurzen Weg – diese dämlich kurzen Wege in dieser absurd kleinen Stadt – bei Karen angekommen waren, griff der junge Mann, dessen Namen Karen immer noch nicht wusste, nach ihrer Hand und zog sie an seine warme Brust. Habe ich gerade warme Brust gedacht, dachte Karen, und habe ich gedacht, dass doch eigentlich genau jetzt jemand aus dem Hochhaus springen und auf uns landen könnte. Und dann im Todeskampf würde ich ihn anfassen. Dachte Karen und sagte nicht ein Wort, weil Worte aus Buchstaben bestanden und sie gerade alle vergessen hatte.

Der junge Mann sah ihr in die Augen, dabei war sein Gesicht ein wenig zu nah an ihrem, sie roch irgendein Produkt in seinem Haar, er fragte, ob sie ihn wiedersehen wollte. Karen nickte, vielleicht spuckte sie kurz vor Aufregung, stolperte dann ins Treppenhaus, rannte alle gefühlten 678 Stockwerke hoch, betrat die Wohnung, in der es stank, in der die Idioten auf dem Sofa hingen, und zum ersten Mal dachte Karen: Fickt euch.

*Dann*
Folgten mit Geigen unterlegte Wochen. In denen Karen jede Stelle des jungen Mannes durchdachte. Seine Ohren, seine Hände, die Haut, die Hose, die Stimme, und dann wieder von vorne, und in der Nacht von ihm träumen wollte bitte. Das stellte sich aber nicht ein, solche Träume auf Bestellung werden nicht geliefert. Karen lief durch die Wohnung, mit der sie nichts mehr zu tun hatte, die berührte sie einfach nicht mehr, diese Wohnung, und sie sah die Wohnung zum ersten Mal, mit dem abgerissenen Duschvorhang, dem Herd mit den eingebrannten Flecken, die ockerfarbene Auslegeware, auf der scheinbar diverse Menschen ausgeblutet waren, und dem Blick nach draußen auf nichts Schönes. Egal, sie hatte. Einen Freund. Einen Freund. Das war so unwirklich, dass Karen sich fühlte, als wäre sie überraschend geisteskrank geworden. Bei allen Verrichtungen, die das Leben mit sich brachte, Zähne putzen, anziehen, sich von den Brüdern beleidigen lassen, sagte sich Karen Patuks Namen, und schon erfolgte diese Adrenalinausschüttung, die ihr Herz kurz aussetzen ließ, und Hormone fluteten in so einer Masse ihren Körper, dass sie bewegungsunfähig wurde. Nicht einmal die Ankündigung ihres großen Bruders, zum Islam zu konvertieren, weil er dann vier Frauen würde heiraten können, reichte aus, um sich aufzuregen, so absolut egal war ihr, was zu Hause passierte. Wie aus

dem Augenwinkel bemerkte sie kurz, dass ihr Bruder ein Problem zu haben schien, das sich in ständigem Kratzen an seinen Körperteilen äußerte.

### Karens großer Bruder
*Intelligenz: geht so*
*Temperament: unbeherrscht*
*Konsuminteressen: Pornos, Waffen, Drogen*
*Krankheiten: Nagelpilz*

Dachte nie: Alter, die Limitierung meines Verstandes ist deprimierend. Er war.
Bis zu den Füßen gelangweilt in seinem
Zu kräftigen Körper.
Karens großer Bruder hatte gepumpt, wie alle seine Freunde. Sie hatten auf dem Spielplatz Klimmzüge gemacht, bis der Verlierer ohnmächtig wurde. Hatten Steine weit geworfen und Rumpfbeugen gemacht, in einem Ausmaß, das dazu führte, dass sie sich am nächsten Tag nicht mehr bewegen konnten. Nun hatte er für diesen perfekt definierten Körper aber nichts, was er damit unternehmen konnte. Um am Wochenende nach Manchester in einen Club zu gehen, brauchte man Geld. Viel Geld, wenn man Frauen einladen wollte. Woher bekam man dieses tolle Geld? Man konnte mit Drogen dealen, doch das brachte nicht genug ein, da fast jeder Zweite Dealer war. Überfälle? Was sollte man denn stehlen? Die Kasse aus einem Sozialkaufhaus? Ein System war wirklich am Ende,

wenn es nicht einmal seinen Kriminellen eine Zukunft bot. Karens Bruder war schwer genervt. Keinen verdammten Respekt bekam er für seine Muskeln und seine Anwesenheit. Alle um ihn herum waren Verlierer wie er. Kinder, die gelangweilt auf den Gitterzäunen saßen und Frauen hinterherpfiffen. Die mit heruntergezogenen Jeans ihre Calvin-Klein-Unterhosen freilegten und sich mit komplizierten Handzeichen begrüßten.

Den ersten Erwachsenen lernte Karens Bruder kennen, als seine Freunde mit einer Muslim-Gang aneinandergerieten. Zuerst prügelten sie sich, dann bluteten sie zusammen, das war der homoerotische Code unter jungen Männern, die nicht einmal mehr in den Krieg ziehen durften, um sich da körperlich näherzukommen und von allem Weiblichen zu reinigen. Sie kamen mit den Muslims ins Gespräch, und dabei stellte sich heraus, dass die Muslims kraftvoller und klarer waren. Sie hatten nicht so viele Fragen wie Karens Bruder und seine Kollegen. Sie waren einfach die coolsten Gangster. Karens Bruder ließ sich einen Bart stehen. Und hatte endlich einen Plan für sein Leben.

Was

**Karen**

Komplett egal war. Sie schlief kaum, aß wenig. Sie las nicht mehr. Sie wusste nicht, wer gerade gegen wen Krieg führte, welche Ungerechtigkeit gerade wieder irgendwo stattfand, sie war nicht über die Aktivitäten der Nazis informiert, noch hatte sie eine Ahnung davon, welcher neue heiße Scheiß, der das Leben aller zum Guten wenden würde, gerade erfunden worden war. (Es waren neuromorphe Chips, die, im guten Fall, implantiert Teile der Netzhaut ersetzen können. Aber zunächst einmal wurden sie zur biometrischen Gesichtserkennung verwendet und so weiter.)

Karen war nicht interessiert.

Sie war verliebt. Nachts sah Karen aus dem Fenster und stellte sich vor, Patuk stünde hinter ihr. Tags saß sie in der Schule und stellte sich vor, er würde auf der Toilette auf sie warten, sie würde schnell in eine der Kabinen gleiten wie ein Aal, und da würde er es tun. Das Es. Von dem sie keine Ahnung hatte, was es war. Wie es sich anfühlte. Trotz ihres überbordenden Wissens. Ehemaligen Wissens, denn die Hormone hatten ihren Verstand schrumpfen lassen. Wenn Karen mit Patuk verabredet war, saß sie bereits eine Stunde vor der Zeit auf ihrem Bett und hoffte, nicht ohnmächtig zu werden. Sie stand eine halbe Stunde vor der Zeit im Eingangsbereich ihres Hochhauses und versuchte, nicht die Wände abzulecken vor Aufregung. Sie stand vor dem Haus und versuchte, absolut uninteressiert zu warten, damit es ihr möglich war, irgendwie von dieser Haustür wegzukommen, falls Patuk nicht auftauchen sollte. Wovon sie fest ausging. Aber. Patuk kam immer. In seinem Auto oder im Auto seines Onkels, scheißegal, ein Auto, und dann fuhren sie zum Hollingworth Lake oder nach Manchester. Wäre Karen ein Mädchen, das quietscht, würde sie pausenlos quietschen: »Er ist so süß. OMG, er ist sooooo süß.« Und dann würde sie sich mit den Händen aufgeregt Luft zufächeln. Karen machte das innerlich. Innerlich fuchtelte sie mit all ihren Gliedmaßen herum und schielte und atmete zu schnell. Ja. Sie war jedoch ein wenig weniger außer sich als am Anfang ihrer – Achtung: Liebe –, denn.

Die Drogen, die Patuk immer mit sich führte – es war, als hätte er die geheimen Innentaschen des Sakkos, das er nie trug, mit Waren aller Art vollgestopft – erleichterten Karen ihr Menschsein. Sie sprach den angebotenen Hilfsmitteln gut zu. Leichte Drogen. Spaßdrogen. Pillen. Koks. Die Karen erlösten. Sie ihr Erstaunen über die Größe der sexuellen Aussage, die Patuk machte, bei der gleichzeitigen Unterkomplexität seines Wesens vergessen ließen. Die Drogen, die sie auch aus ihrer Gehemmtheit befreiten. Endlich musste sie sich nicht mehr beim Stammeln betrachten – sie war das Stammeln. Breit konnte sie auf Wiesen sitzen, sich mit Patuk küssen und seine Hand, die in ihrer Hose spazieren ging, willkommen heißen.

Karen wusste nicht, was sie mit ihrem neuen Freund reden sollte, aber es war nicht unangenehm, dass ihr die Worte fehlten. Überdies – Patuk wusste immer etwas zu erzählen. Dinge aus dem Fernsehen oder seine Analysen der Weltpolitik, die immer in einem Untergang der westlichen Welt mündeten. Oder er küsste sie einfach und sagte, dass er noch nie jemanden mit so weißer Haut gesehen habe und mit so schönen Haaren und Lippen. Karen wusste nicht, was sie davon halten sollte. Entweder lagen all jene, die über sie gelacht hatten, falsch, oder Patuk kam aus einem Land mit im Westen unbekannten Schönheitsidealen. Vielleicht fanden sie in Pakistan auch Regenwürmer elegant. Ein elegantes, schnelles Tier, so ein Regenwurm. Vielleicht waren in Patuks Land Albinos und Regenwürmer Gottheiten. Auf jeden Fall.

War es der erste Sommer, den Karen in seiner gesamten Sommerhaftigkeit erlebte. Mit dem Geruch, den Vögeln am Morgen und ab und zu Sonne, die auf das Pflaster fiel.

Theoretisch wusste Karen, dass irgendwann ihr erstes Mal stattfinden musste, und sie ahnte, dass es fast immer mit feuchten Wiesen oder Autorücksitzen, dunklen Zimmern, Angst vor den Eltern, Mücken am Hintern und schlechter Musik zu tun hatte. Aber natürlich dachte Karen, bei ihr würde es anders sein. Überwältigend und goldfarben, ohne das Schmatzen von Zungen oder den Geruch, den Menschen absonderten. Und als der Moment gekommen war, wusste Karen darum. Sie saßen in einem Restaurant, und Karen aß nichts, weil sie Patuk anstarren musste. Er sah so unglaublich gut aus. Karen fühlte sich unwohl mit der zu durchsichtigen Bluse, die er ihr geschenkt hatte, und den Absatzschuhen aus dem Sozialkaufhaus. Sie trank Wein. Schmeckte scheiße, half aber, nicht so genau hinzuhören, wenn Patuk redete. Karen starrte ihn an und wollte ihn von oben bis unten betasten und ablecken und essen oder einfach erschlagen, um ihn für immer, also bis zu seiner Verwesung, neben sich haben zu können. Leider verstand Karen ab und zu, was Patuk erzählte. »Ich werde Schneider, weil ich gerne mit Menschen zu tun habe.« Pause. Etwas in seinem Ohr, die Hand geht zum Ohr, findet Material. Die Finger rollen das Etwas, ehe es in den Mund gesteckt wird. Nicht hinsehen, noch einen Schluck nehmen, sich auf das schöne Gefühl konzentrieren, es nicht verlieren wollen. Da hing noch was in Patuks Mundwinkel, schnell das Messer abgeleckt. »Autos habe ich am liebsten, wenn sie sehr schnell sind. Es ist dann wie Fliegen.« Ist klar, dachte Karen. Wie Fliegen. Anstrengender, als verliebt zu sein, ist nur noch, verliebt zu sein und das gefühlserzeugende Objekt ein wenig dumm zu finden. Ein schrecklicher Konflikt zwischen Hormonen und Hirn. Karen hatte keine Chance. Sie war außer sich. Und noch ein Schluck. Und noch eine Flasche später lagen sie auf einer Decke am See, es war feucht und ein wenig zu kalt für die transparente Bluse, von den hohen Schuhen war ein Absatz in der Wiese stecken geblieben. Dann küssen, fummeln und Slip zur Seite, und dann war er in ihr, das war schmerzhaft und überhaupt nicht großartig, gar nicht, und Patuk knallte mit seinem Unterleib gegen ihren, die Geräusche zu laut in der Stille. Patuk stöhnte, Karen erschrak und dachte, sie hätte ihm wehgetan. Patuk zog sich aus ihr, wischte seinen Penis an der Decke ab, sah Karen nicht an, die ihre Sachen richtete, die nass und zerdrückt waren.

Auf der Heimfahrt kein Wort. Sie küssten sich nicht zum Abschied. Karen ging in ihre Kammer. Und begann zu weinen. Sie war sich sicher, dass etwas mit ihr nicht in Ordnung war, dass die wunderbare Liebe zu Ende sein würde, weil sie seltsam war. Weil es für Patuk sicher genauso schrecklich gewesen war wie für sie. Irgendwie schmutzig. »Ach komm, nimm noch einen Schluck.« Sagte Patuk

*Ein oder zwei Wochen später*

Und damit fing es an. Dass Karen noch einen Schluck nahm. Sie sehnte sich, wie die meisten hier, nach irgendetwas, das ihr gehörte, nach etwas Schönem, Warmem, denn es zog ständig überall.

Und das ist doch grauenhaft, wenn da nirgends ein warmer Ort ist. Der war für Karen ihr Gehirn gewesen, das war unbrauchbar geworden durch all die chemischen Prozesse. Da gab es nichts, wo Karen in Sicherheit gewesen wäre. Nur ihr Freund, der gut roch, ein Auto hatte, ihr Komplimente machte und Alkohol einflößte. Ihr Freund, mit dem sie geschlafen hatte, das sagte man so, auch wenn es nicht mehr war als ein kurzes Ficken, dem ein erneuertes kurzes Ficken gefolgt war.

Wieder hatte Karen nichts Großartiges gespürt. Bei diesem zweiten Mal, ein paar Tage und ein paar Essen und Auf-der-Wiese-Knutschen später, auf einer alten Matratze in einem Keller. Karen dachte: Ob er schon fertig ist? Und Patuk war fertig und gab ihr irgendwelche Pillen und sagte, warte, gleich wird es besser. Es wurde besser. Die Pillen waren großartig. Karens Körper wurde warm und abwesend, ihr Gehirn dito, sie grinste seltsam, ohne das Grinsen entfernen zu können, und der Raum drehte sich. Von weit entfernt hörte sie Worte. »Nur das eine Mal. Ich hab ein echtes Problem.« Was Luden eben so sagen.

Dann stand ein älterer Mann in Karens Sichtfeld. Er öffnete seine Hose, Karen war ja schon nackt. Er kniete sich über sie, und Karen fühlte kaum, dass er in sie drang. Sie war noch feucht von Patuks Sperma, das gefiel dem Mann wohl auch nicht. Er fluchte, dann zog er seine Hose hoch und verließ den Raum. Karen wusste nicht, was genau da passiert war. Sie sah auch den Kollegen von Patuk nicht, der den Vorgang mit dem Handy filmte. Als Karen ein wenig klarer wurde, lag Patuk neben ihr und streichelte sie. Aber es wurde nicht besser. Ihr Freund fuhr sie später nach Hause und fragte, ob es schlimm war, und sagte, dass sie ihm echt geholfen hätte und dass er sie noch mehr liebte. Was Luden eben so sagen. Karen war weder dumm noch ein Mädchen, aber sie war verliebt. Sie lag starr in ihrer Kammer und wagte kaum zu atmen, denn das würde heißen, am Leben zu sein und nachdenken zu müssen. Später stand Karen am Küchenfenster und sah hinunter. Es waren viele Stockwerke. Und dann dachte sie kurz, ein Aufflackern ihres früheren Verstandes, an ihre Freunde.

An Peter und Hannah

Und an

**Don**

In deren Wohnung das Dach eingestürzt war. Nachts. Als alle schliefen. Der Strom war weg, und der Bruder heulte. Dons Mutter fuchtelte mit einer Taschenlampe herum. Alle hatten überlebt. Hurra. Als es hell wurde, sahen sie über sich den Himmel. Das war fast romantisch. Die plötzliche Helligkeit leuchtete die Familienmitglieder und den Rest der Möbel zu stark aus. Don betrachtete, auf ihrem staubigen Bett sitzend, ihre Mutter, die den verängstigten Bruder tröstete. Sie fühlte keine Verbindung zu diesen leicht übergewichtigen Menschen, deren Haut, durch einseitige Ernährung bedingt, grau über zu weichen Strukturen befestigt war. Ein schiefer Tisch, ein Sessel mit abgerissenem Polster. Mit dieser Ausstattung von organischer und anorganischer Materie ließ sich kein Preis gewinnen.

Bis der Schaden repariert wäre, müsste die Familie umziehen, hieß es. Leider gebe es in Rochdales Sozialwohnungen momentan keinen Platz. »Tut mir leid«, sagte die Ansprechpartnerin auf der Behörde. »Die Kinder gehen hier in die Schule, sie haben ihr Umfeld hier, sozusagen«, schrie Dons Mutter in ihr Telefon. »Ja, ich habe Sie verstanden«, sagte die Beamtin. »Aber es gibt keine Wohnungen in ...« – »Wir leben hier. Das ist unsere Heimat. Wir sind hier verwurzelt«, sagte Dons Mutter und weinte ein wenig. »Ja, ich habe Sie verstanden, aber wir haben keinen Wohnraum für Sie«, sagte die Frau.

»Wegen all der Ausländer, die wichtiger sind als gute britische Bürger«, schrie Dons Mutter in ihr Mobilgerät, was ein wenig lustig war, diese latent rassistische Aussage von einem Menschen, dessen Eltern aus einem sogenannten Ausland eingewandert waren. Aber Leute, Sie wissen schon. »Ich habe keinen freien Wohnraum für Sie«, schrie die Frau zurück, »und wenn Sie mich noch weiter belästigen, werde ich Ihnen auch in keinem anderen Ort zu Wohnraum verhelfen.«

Die einzige Wohnung, die sofort verfügbar war, befand sich in Manchester. Genauer gesagt in Salford, genauer gesagt – egal. Es brachte auf jeden Fall eine gewisse Aufregung mit sich. In die große Stadt ziehen. Das war fast wie nach London übersiedeln. Die Familie besaß nicht mehr sehr viel, was zu packen gewesen wäre, der Einsturz hatte die ohnehin hässlichen Möbel von der Heilsarmee komplett ruiniert. Ein paar Taschen und Kisten, Matratzen und Lampen waren schnell zusammengesucht, dann kam ein alter Pakistani mit einem Umzugswagen. Dann wurde die lausige verstaubte Habe eingeladen. Ein letzter Blick auf die Zäune, die Menschen in ihren Rollstühlen – Tschüssi, Heimat.

Don blieb nicht einmal Zeit, sich von Hannah und Peter zu verabschieden. Karen war sowieso mit ihrer Sexualität beschäftigt. Hannah und Peter mit ihrem Leben. Aber es wäre ja nicht für lange.

Auf den ersten Blick unterschied sich die Umgebung nur unwesentlich von Rochdale. Beige- und schimmelfarbene kleine Häuser, blumenlose Vorgärten, ein paar Autowracks, ein paar Kampfhunde, Gruppen feindlich aussehender Jugendlicher. Fast alle hellhäutig. Viele Fahrräder. Vermutlich gestohlen. Keine Bäume. Es gab hier keine verdammten Bäume. In Rochdale standen wenigstens an den vergitterten Parkplätzen und dem Fußballplatz ein paar verkrüppelte, meist kahle, jämmerliche Kackbäume. Hier stand nichts – außer Häusern. Vorgärten mit Metallteilen und Straßen mit grimmigen Jugendlichen. Prost.

Wer in einem dieser Viertel lebte, blieb hier – die meisten Bewohner kamen oft nicht weiter als bis zum Ende ihres Blocks, weil ihnen das Geld für Transportmittel fehlte.

Woher nahmen sie nur die Lebenslust, die einfachen Menschen, ohne eine gepflegte Ablenkung von der Öde, die ein Leben mit sich brachte, ohne Kino, Theater, Konzerte, Restaurants, Abendessen bei Freunden, Städtereisen, Friseurbesuche, Zoobesuche, Cafébesuche, Spabesuche, Reisevorbereitungen, Einkaufsbummel.

So.

Die kleine Familie war vor der neuen Wohnung angelangt. Ein Reihenhaus mit kaputtem Gartenzaun und Steinen im Vorgarten. Und nun musste Don den Transporter verlassen, und das neue Leben wurde real. Plötzlich vermisste sie ihre Freunde so sehr, dass ihr Tränen in die Augen traten. Sie vermisste vor allem

## Hannah

Die hatte die rätselhafte Nachricht von Don am Morgen bekommen.

»Haus kaputt. Sind auf dem Weg nach Manchester-Salford in neue Unterkunft. Bis bald.«

WTF.

Hannah würde sich später darum kümmern. Erst mal aufstehen. Oder noch ein wenig sitzen bleiben, aus dem Fenster sehen.

Im Vorgarten standen ironisch ausgebrannte Autokarosserien. Die standen bei armen Leuten immer herum. Von den Reichen in den Graben geschmissene Knochen, an denen die Verlierer noch ein wenig herumnagen konnten. Peter lag mit offenen Augen auf seiner Matratze und war vielleicht verstorben. Er wohnte jetzt schon einige Monate hier in Hannahs Zimmer. Und hatte vielleicht zehn Sätze gesagt, die alle mit: »Wo ist ...« begannen. Das würde wohl nie aufhören. Hannahs Einsamkeit würde überall dieselbe sein. Sie begann mit dem Erwachen. »Guten Morgen, Hannah«, sagte sie zu sich. Dass es außer ihr keinen gab, der zu ihr halten wollte, wurde ihr jeden Morgen klar.

Keiner da, der ihr irgendetwas leichter machen würde. Niemand, der auf sie wartete. Da draußen in der Welt – da war keiner erfreut über ihre Anwesenheit. Das war doch unerträglich. In manchen Momenten war Hannahs Verlorenheit auf dem Planeten so raumgreifend, dass sie kaum mehr Luft bekam.

Hannah wusste nicht, was sie mit einem anderen Menschen tun sollte. Außer mit ihren Freunden. Die vielleicht keine Freunde waren, sondern nur eine Notgruppierung seltsamer Kinder. Außenseiter in einer Welt des normalen Elends. Na, das fing ja großartig an, dieser Tag, an dem Don aus irgendwelchen Gründen nach Manchester abgehauen war. Die Kälte im Raum unangenehm in den Füßen. Im Haus verschiedene Tonlagen von Husten. Draußen regnete es, die Tropfen waren so groß, dass sie wirkten wie Schnee.

Und Peter, die Flasche. Lag da und wuchs. Er wuchs scheinbar jeden Tag zehn Zentimeter. Er machte nichts außer fressen, schlafen und wachsen. Ein bisschen wie ein Krebsgeschwür. Hannah sah den Krebs an, in einer Ecke des Zimmers, das aussah wie alle Zimmer in besetzten Häusern überall auf der Welt. Ein Kleiderständer, Kleiderhaufen am Boden, kaputte Jalousien, kaputte Bohlen, ein Stuhl, ein Bett auf Ziegelsteinen. Und natürlich kalt. Und natürlich ein wenig dreckig, falls eine erwachsene Person in das Zimmer käme. Kommt keine. Die Kinder sehen den Dreck nicht, einer Fehlfunktion der Iris gedankt. »Hörst du, Peter?« Sagte Hannah. »Don ist weggezogen.«

**Peter**

Blickte auf und nickte.

»Danke für das großartige Gespräch.« Hörte er Hannah sagen, die aus dem Zimmer rannte. Peter wusste nicht, wie er sich jetzt verhalten sollte. Er machte Fortschritte in der Nachahmung von sogenannter Normalität. Er zwang sich, Menschen in die Augen zu sehen, sie standen drauf. Er ließ sich sogar zu kleinen Berührungen hinreißen. Er tat alles, um dieses »Freunde-Haben« in sein Leben zu integrieren. Er lernte, zuzuhören und Antworten zu geben. Er funktionierte in den Erwartungen der anderen und leistete damit einen gewaltigen Beitrag zu seiner Resozialisierung. Aber im Moment war er überfordert. Don war weg. Und Hannah verärgert. Peter hatte gelernt, wie sie aussahen, wenn sie verärgert waren. Der Mund wurde schmal und der Blick seltsam blöd.

Peter blieb liegen. Seine Körperfunktionen waren verlangsamt, der Stoffwechsel kaum vorhanden. Er wartete ab. Bis es einen Anlass geben würde, sich zu bewegen. Das war bisher nur der Fall gewesen, wenn Hannah ihn aufforderte, das Zimmer zu verlassen, um mit den anderen irgendwo herumzuhängen. Oder wenn es galt aufzupassen, wenn die anderen stehlen gingen. Essen, Kartoffeln, Gemüse, so ein Zeug.

Peter war nicht mehr in die Schule gegangen. Seit Langem. Er lernte im Internet besser. Danke, Stromklauen. Danke, sich in fremde Netze einloggen. Interessantere Dinge lernte er. Über das Tempora-Projekt, über Menschen, die ihr Gehirn auf Chips laden wollten, um im Netz unsterblich zu sein. Er bereiste mit Google Länder und spazierte an Meeren herum, er lernte Floskeln auf Portugiesisch und Französisch.

Aus den anderen Räumen im besetzten Haus kamen Geräusche. Kinder stritten sich und lachten, sie klapperten mit Töpfen. Sie lebten. Sie waren jung und kannten gemeinschaftliche Strukturen, die den Menschen dieses seltsame aufgehobene Gefühl gegeben hatten, nicht mehr. Sie staunten, wie angenehm es sein konnte, sich im Rudel aufzuhalten.

Es gab keine Postboten, die man kannte. Die Post wurde von einer Privatfirma zugestellt, die gehetzte Sklaven beschäftigte. Es gab keine verbindenden Schalterstellen des Zusammenlebens mehr. Keine Beamten, Verkäuferinnen aus dem Nachbarhaus. Überall arbeiteten Wanderarbeiter, Leiharbeiter, Geknechtete oder fucking Geräte. Wenn da keiner mehr ist, den man kennt, wächst die Bosheit des Einsamen. Anonymität lässt jede Höflichkeit verschwinden. Es gab sie nicht mehr, die moralische Instanz, die vorgetäuschte Freundlichkeit, es ging ums Ganze. Jeder war der Feind, jeder, der auf der Straße zu langsam lief oder im Supermarkt die Kasse blockierte, den Sitzplatz, jeder, der fucking Shit einfach nur da war, verringerte die Chance auf das Überleben eines anderes. Es war klar, dass eigentlich die Zuwanderer schuld waren, die Muslime, die sich Europa zum Untertan fickten. An die trauten sich die wenigsten. Täglich kamen neue Einwanderer in die Stadt. Hurra, neue Leute. Sie bezogen die Wohnungen in den Sozialhäusern, bekamen Sozialhilfe, und dauerte es vorher vier Stunden, ehe man im Krankenhaus seinen Untersuchungstermin bekam, so musste man jetzt mit acht Stunden rechnen. Die Essensausgaben der Kirchen und privaten hilfsbereiten guten Menschen waren überschwemmt von Fremden. Aus Ländern, in denen der Umgangston ruppig war, wer wollte es ihnen verdenken, dass sie sich vor die müden Zombies in ihrer

neuen Heimat drängten, die schon seit zwei Generationen erloschen waren. Die Regierung, die im Moment aus
laut pöbelnden populistischen Nazis bestand, befeuerte
die unerfreulichen Tendenzen. Ein Volk, in dem alle sich
hassten, war beschäftigt. Alter Hut.
Es war die Zeit vor dem gefühlten Untergang.
Also – den Alten schien es so. Den Alten scheint jede Veränderung immer wie das Ende der Welt. Die sie kannten.
Die Jahre des entfesselten Menschen. Des Menschen
vor –. Vor irgendwas.
Scheiß der Hund drauf.
Dachte

**Don**

Nach einigen Wochen in Manchester-Salford. Weit entfernt, hinter der unsichtbaren Grenze, die das Viertel von
der Welt trennte, fand gerade wieder mal eine Krise statt.
Selbst lernende Algorithmen hatten sich einen Spaß erlaubt und den unendlichen Nullen auf den Konten einiger
Leute weitere Nullen hinzugefügt.

**EX 2279**

```
>++++++++++
[>++++++++++>+++++++++++>+++++++++++>
++++++++++> +++++++++++><<<<<<-]
>++>--->>>+>
<<<<<<
>.>.>.>.>.
```

## Dons

Verstand war zwar wie ein leuchtendes Schwert, aber diese Nullnummern hatte sie nie verstanden. Gab es hundert Milliarden? Lagen die in einem Keller? Auf jeden Fall: Krise. Banken gingen pleite, Broker sprangen aus Hochhausfenstern, Schlangen vor den Bankautomaten, elektronische Währungen boomten, der ganze Scheiß, wieder weltweit, versteht sich, Portugal und ein paar andere Länder, die Don nie bereisen würde, waren bankrott. Don dachte: Na und. Wir sind auch bankrott. Das ist der Vorteil am Armsein.

Don hatte andere Sorgen. Sie war in einer neuen Schule und musste mit Kapuzenshirt und mürrischem Auftreten ihre Position als Kind, vor dem alle anderen Angst hatten, neu behaupten. Die Hierarchie in ihren Kreisen war übersichtlich, der gerechten Armut gedankt, die alle teilten, gab es nur jene, die Angst hatten, und die anderen. Erstaunlicherweise benötigte Don ihre Potenztools in der neuen Schule nicht. Es gab an ihr keine Messerstechereien, keine verprügelten Kinder und kaum Drogendealer. Die Direktorin glaubte an Wunder und hatte gute LehrerInnen eingestellt, sie sorgte für akzeptables Mittagessen, und nach der Schule gab es Arbeitsgemeinschaften, Kurse und abends einen Club, in dem sogar einmal die Woche Abende für Homosexuelle stattfanden. Die meisten Kinder waren lieber in der Schule als zu Hause, sie gammelten nicht mehr gelangweilt auf der Straße herum oder machten kleinere Einbrüche. Die Direktorin sollte später aus Kostengründen entlassen werden.

Dons blöder Bruder urinierte nicht mehr in sein Bett,

ihre geisteskranke Mutter suchte einen Job und fand keinen, sie hatte Tabletten und Alkohol. Don wusste nie, in welchem Zustand sie ihre Mutter zu Hause vorfinden würde – von innen am Boden liegend, die Tür blockierend oder nur in der Küche hockend und diverse Pillen auf dem Tisch anstarrend.

Nach ein paar Wochen in Manchester-Salford hatte Don fast vergessen, dass sie einmal woanders gewohnt hatte. Sie saß vor dem Haus und wartete auf ein Wunder, als ein Konvoi SUVs ins Viertel einfuhr. Es war eine Filmcrew.

Eine Stunde danach stand eine nervöse, stark untergewichtige Frau, die, wie es schien, drei Zigaretten gleichzeitig rauchte, vor Dons Tür, und das war wirklich befremdlich, denn außer Angehörigen der absoluten Unterschicht rauchte keiner mehr. Sich mit einer Zigarette zu zeigen, kam einem Auftritt mit kotverschmierter Unterhose gleich. Ein Sichtbarwerden der eigenen Aufgabe. Die Frau war Location Scout und wollte Dons Haus fotografieren, wegen der authentischen Originalschauplätze, die sie suchte. Es sollte ein Sozialdrama gedreht werden. England war berühmt für seine ergreifenden Sozialdramen. Falls es noch nicht gesagt wurde. Die Fernsehzuschauer raunten begeistert: »Oh, diese Sozialdramen.«

Sie spielten immer in Gegenden wie dieser. Armenwohnungen, Armenhäuser, Sie wissen schon, Zeug. Teilweise mit Gärten, teilweise mit Wäscheleinen, teilweise mit Staffordshire Terriern, American Pitbulls. Man konnte die Tiere sehr effektiv für Hundekämpfe abrichten, man musste bloß einen Strick mit Fleisch beschmieren, sie reinbeißen lassen, an die Decke hochziehen und dann mit Eisenstangen auf sie einprügeln. Die vierbeinigen Freunde ließen nicht locker. Erstaunlich!

Es gab einige Sozialdramen, die die Halter solcher Hunde – seit Langem arbeitslose, komplett gelangweilte, erbärmliche, wütende Männer – zeigten. Manchen war in durch Alkohol erzeugter Ohnmacht von dem einen oder anderen Hund das Gesicht weggegessen worden. Meist ging es in den Dramen aber um ehrliche Frauen, denen ihre ehrlichen Kinder weggenommen wurden. Ehrliche Arbeiter, die ihre ehrliche Arbeit verloren und dann in einem Zimmer landeten, in dem immer eine nackte Glühbirne von der Decke hing, die hin und her schwang.

Das kommt nicht infrage, sagte die kettenrauchende Frau und verabschiedete sich aus dem Haus, in dem Dons Familie jetzt wohnte und das für das Sozialdrama nicht schäbig genug war, obwohl es spielend jede Schäbigkeitsolympiade gewonnen hätte. Das Haus bestand aus einer Küche, die, als die Familie einzog, voller verschimmelter Lebensmittel, leerer Bierdosen und Insekten gewesen war. Ein kaputter Schrank, ein Herd mit Gasflaschen. Ein schmaler Gang führte in das Elternschlafzimmer mit Gittern vor dem Fenster. Das Zimmer der Kinder im Obergeschoss hatte Wasserflecken. Hier hatten die Vormieter ihren Hang zum Sammeln von skurrilen Dingen wie Lumpen, Pizzaschachteln und Wimpeln ausgelebt. Ein weiteres Zimmer war das, wofür man die sogenannte Bettensteuer entrichten musste. Es war ein Raum zu viel für die Familienmitgliederanzahl, und der Staat ging davon aus, dass die Bewohner es vermieten könnten. Darum musste Dons Mutter von ihren 70 Pfund Sozialhilfe in der Woche 20 Pfund abgeben. Die meisten Bewohner von Sozialwohnungen lösten das Problem, indem sie in dem leeren Zimmer Marihuana anbauten. Alle paar Tage kam die Polizei ins Viertel, machte eine Razzia, um die Hanfanlagen auszuheben, irgendein überforderter Elternteil landete im Gefängnis und die Kinder in einem Heim. So weit zur Drogenprävention.

Die Unterstützung, die Dons Familie zustand, langte, um dreimal am Tag Kartoffeln zu essen. Um dreimal am Tag Kartoffeln zu essen, musste Dons Mutter zum Amt gehen, stundenlang warten, aber – irgendetwas gab es immer, das die Auszahlung des Geldes unmöglich machte, zum Beispiel, dass man einen Kurs verpasst hatte, weil jemand krank geworden war, oder dass man kein Konto hatte, auf das das Geld überwiesen werden konnte. Zehn Millionen Menschen im Land hatten kein Konto, weil die Banken sie nicht als Kunden akzeptierten. Aber die Banken hatten auch ihre Probleme, wie gesagt, die Krise zum Beispiel. Don würde sich auch nicht als Kunden haben wollen.

»Okay, was haben wir noch?«, fragte die Location-Scout-Frau ihre Crew. Im Viertel gab es einen Trainings-Fußballplatz, der von Manchester United finanziert worden war. Die jungen Milliardäre trainierten dort, von verlausten blonden Kindern beobachtet. Die wiederum davon träumten, Fußballer zu werden, was natürlich nicht eintreten würde. Für sie hielt das Leben andere Überraschungen bereit. Den Filmdreh zum Beispiel. Das war in den folgenden Wochen das heiße Ding im Viertel. »Wunderbar, genau so«, rief der Regisseur, ein alter Mann, wann immer er eine minderjährige Mutter im Bademantel vor ihrer Haustür antraf. Bald schon verkleideten sich alle Mädchen im Viertel und standen mit ihren Geschwistern vor den Türen, um im Film stattzufinden. Die Männer liefen in Unterhemden und mit Bierflaschen über die Straßen, man hatte schnell begriffen, wie man die Filmcrew glücklich machen konnte und ein wenig Freibier abstaubte.

Die Kinder verkleideten sich extra erbärmlich, sie eierten mit schmutziger Kleidung und angemalten Augenschatten durchs Viertel und begannen zu husten, wenn sie in die Nähe des Regisseurs kamen. Der Regisseur spendierte ihnen dann eine Cola – und erzählte vom Unrecht der Israelis gegenüber den Palästinensern. Das war den Kindern egal, aber die Cola nahmen sie und nickten dem alten Mann zu, der sie zum Dank für ihr Nicken im Hintergrund durch den Film laufen ließ. Also nicht alle. Don durfte nicht laufen. Sie hätte das Konzept durch ihre Pigmentierung gestört. Es ging um die weiße, abgehängte Arbeiterklasse, die in ihrer Farblosigkeit so mitleiderregend wirkte. Menschen, die einen Hautton aufwiesen, als seien sie gerade aus dem Urlaub gekommen, taugten eher als Darsteller in Sozialdramen über Drogendealer.

Die weißen Kinder liefen also durchs Bild, während im Vordergrund junge Schauspieler Kinder aus dem Viertel spielten. So beschissen mit alten Trainingsanzügen würde hier keiner herumlaufen. Andere trugen nur Unterwäsche und lallten. Vermutlich, um das Elend richtig darzustellen und zu zeigen, dass die Leute hier ehrlich waren und nicht einmal Kleider besaßen. Bei einigen Familien, also bei denen ohne Hanfplantage im Extrazimmer, drehten sie auch im Haus, dazu wurde Tapete abgerissen, um ein authentisches Bild zu vermitteln.

Als die Filmcrew wieder abzog, schmissen die Jungs Steine hinter den Autos her. Sie fühlten sich beschmutzt, ohne sagen zu können, wodurch. Dann kehrte das Viertel zu seiner Routine zurück.

Don

Dachte schon

*Nach ein paar Wochen*

Nicht mehr täglich an ihre Freunde in Rochdale. Die WhatsApp-Nachrichten wurden seltener, denn was sie verbunden hatte, waren Kleinigkeiten, Tratsch, gemeinsame Orte, gemeinsame Feinde. Jetzt, wo es keinen Alltag mehr gab, den sie teilen konnten, blieb wenig zu sagen.

Dons Leben fand nun hier statt. Mit neuen Kindern, die alle keine Freunde waren, nie werden würden, denn mitunter hatte Don ein schlechtes Gewissen, weil sie ihre Gruppe aus Rochdale so wenig vermisste. Die Jungs hier waren wütend – sie rasten mit geklauten Crossrädern durch die baumlosen Straßen und waren immer wieder so dämlich, dabei in den Radius der Überwachungskameras zu geraten, und – schon wieder ein Junge mit einem Jugendstrafprozess. Die Mädchen sahen zu, dass sie ein bisschen Zuneigung bekamen. Worunter sie nichts verstanden. Worunter die Jungs Geschlechtsverkehr verstanden. Es gab viele Mädchen, die mit dreizehn Jahren ein Kind hatten, das sie wie eine Puppe herumtrugen.

Die Erwachsenen, wenn sie nicht depressiv oder drogensüchtig waren, musste man einschränkend anfügen, waren in Ordnung. Fast alle in dem Viertel geboren als Kinder ehemaliger Arbeiter. In ihrem genetischen Programm schwebten noch homöopathisch dosierte Erinnerungen an »die Gewerkschaft«, »den Zusammenhalt«, an die Macht, das gesamte Land mit einem Streik zum Stillstand bringen zu können. Im Viertel gab es eine Kneipe, der Wirt sorgte dafür, dass die Kinder sich aufwärmen konnten, wenn sie aus diversen Gründen nicht nach Hause konnten. Don war zufrieden.

Ein ungewohntes Gefühl.

Manchester-Salford war für Don die Kneipe, in der die Kinder abhingen, die Mädchen, die im Handy Beyoncé- und Grime-Videos schauten, die Jungs, die ihre geklauten Räder und Mopeds auf einem

Haufen vor der Kneipe lagerten,

Es war der Ort, wo ihr Bruder mit Raubüberfällen begann, um von den weißen Jungs akzeptiert zu werden, es war der Ort, wo sie lernte, die Polizei zu hassen. Und Handys zu fürchten, die auf wundersame Weise mit der Polizei verbunden waren. Die immer, wenn die Kinder sich verabredeten, auftauchte, um demütigende Kontrollen durchzuführen, die das Herunterziehen der Hosen beinhalteten.

Manchester-Salford war der letzte Moment vor dem frühzeitigen Erwachsenwerden, als die Welt von Don noch Abenteuerspielplatz und Kameradschaft war.

Irgendwann, nach gefühlten Jahren und zwei gewachsenen Zentimetern – nur zwei? ja, nur zwei –, kam ein Brief vom Sozialamt Rochdale. Das Haus – na ja, Haus – war wieder einzugsbereit. Die Unterkunft in Manchester-Salford musste geräumt werden, weil hier neue Häuser entstehen sollten für den untergehenden Mittelstand.

Um das Viertel aufzuwerten, wurden überall in den Sozialsiedlungen okay ausgestattete Einfamilienhäuser zu sogenannten marktüblichen Preisen errichtet. Das machte sich hervorragend in der Statistik, die dafür sprach, dass es der Bevölkerung zunehmend besser ging. Was die Stadt gut dastehen ließ, was aus irgendwelchen Gründen gut war und die Leute, die wirklich kein Geld hatten, dazu zwang, wegzuziehen. In eine noch tristere Gegend, noch weiter im Norden.

Don rief den Umzugsdienst an. Diesmal kam der Neffe des pakistanischen Bürgers, der inzwischen ein britischer Bürger war, ein schmieriger junger Typ mit Goldketten.

Vermutlich war es klug, in Gold investiert zu haben. Dachte Don unzusammenhängend. Sie hatte gepackt, ihren fetten Bruder und ihre weggetretene Mutter verladen. Sie stiegen in den Umzugswagen, und Don hätte sicher geweint, wenn sie der Typ dazu gewesen wäre, aber sie lenkte sich ab und starrte auf den braunen Nacken des Pakistanis.

Er hieß

## Patuk

*Behinderung: Linkshänder*
*Hobbys: Wetten, Goldketten, schöne Stoffhosen*
*Intelligenz: durchschnittlich*
*Aggressionspotenzial: hoch*
*Kreditwürdigkeit: nicht vorhanden*
*Verwertbarkeit: unklar*
*Ethnie: Asien*
*Terroristische Gefährderstufe: selbstredend*

Und war als Jugendlicher in Rochdale gelandet. Der Zeitpunkt, um in England einen furiosen Neustart hinzulegen, war ein wenig ungeschickt gewählt. Die großen Anschläge in London waren noch nicht vollkommen vergessen. Die auf das World Trade Center dito. Und Paris. Und so weiter. Die imaginären Gedenkplätze hingen noch voller Zettel, Gebete und Teddybären, alle möglichen Popstars hatten vor den Bären und Zetteln und Herzen aufrührende Lieder gesungen, der Krieg gegen die Achse des Bösen war ausgerufen, und die ersten Verschwörungstheorien über die schrittweise Übernahme der westlichen Welt durch Muslime waren im Umlauf. Das gelinde Misstrauen der nicht muslimischen westlichen Welt den Muslimen gegenüber war nicht geringer geworden. Vorsichtig gesagt.

9/11, wie die Sache später genannt wurde, war eventuell einer der Auslöser für alles. Den Rückzug ins Volksempfinden auf allen Seiten, die Überwachung aller, die neuen Diktaturen, die sichtbare Veränderung der westlichen Welt. Es gab später einige Anhänger der Verschwörungstheorie, dass die ersten Anschläge und die Flüchtlingsbewegung eine Inszenierung waren. Geplant von einigen Unternehmern in Amerika, die Profit aus einem chaotischen Europa und eventuellen Kriegen zögen. Oder dem Vatikan, der seine These des Weltuntergangs beweisen wollte. Oder China, das den Westen ins Chaos stürzen wollte, um ... Egal.

Wie auch immer. Die EU brach auseinander, die Leute rannten wie Hühner durch die Gegend. Natürlich gab es keinen Plan hinter den flüchtenden Menschen. Es wäre hervorragend gewesen, hätte es einen Plan gegeben. Es gab aber so viele Ideen und Interessen wie Menschen auf dem Planeten, und richtig vernünftig war nichts davon. Es wurde zu voll auf der Erde. Das machte die Leute nervös und brachte die Wissenschaftler zu verwegenen Prognosen. Sie alle endeten in Katastrophen, die mit der Halbierung der Weltbevölkerung, mit Kriegen, Euthanasie zu tun hatten.

Der Ort, den Patuks Familie sich aufgrund der bereits ansässigen großen Gemeinde aus der alten Heimat und einiger entfernter Verwandter ausgesucht hatte, war gerade zum ersten Mal zur deprimierendsten Stadt Englands gewählt worden. Stillgelegte Fabriken, stillgelegtes Leben, aber – Patuk fiel das nicht auf, als sie, mit einem Bus von London aus kommend, in die verwaschenen Straßen einfuhren. Auf der Straße standen einige schlecht gelaunte Eingeborene, die Patuks Familie ohne besondere Zeichen der Willkommenheißung betrachteten. Was sollte er nur mit diesen unattraktiven Leuten anfangen, war Patuks erster Gedanke. Danach der Erstkontakt mit der asphaltierten Straße. Ohne Schlaglöcher. Wie Wiesel glitten die Rollkoffer darüber, darin Zeug, was man eben so mit sich führt, wenn man seine Heimat verlässt. Fotoalben, Untersetzer ...

So, so, das ist also England. Ein bisschen dunkel, die Häuser, aber nicht so schief wie das, was man zu Hause unter Gebäuden versteht. Es war kalt. Aber daran hatte sich die Familie schon auf der Überfahrt gewöhnt, die im Vergleich zu den Umständen, unter denen Flüchtlinge in den kommenden Jahren ins Land kommen sollten, zwar relativ zugig, aber ungefährlich war. Familienzusammenführung, gefälschte Unterlagen, die Nummer. Je näher sie dem Haus der Verwandten kamen, umso mehr Leute aus der alten Heimat waren auf der Straße anzutreffen. Es würde alles gut gehen. Die Familie hatte Hoffnung.

Süß.

Patuk war in der ersten Zeit in der neuen Heimat vor allem kaum vorhanden. Wie die meisten Menschen spürte er sich nur in Gewohnheiten, und wenn die wegfallen, dann bleibt ein Mensch in lähmender Ratlosigkeit zurück. Patuk beobachtete sich von außen beim Gehen und Reden und Atmen. Die große Familie, bei der sie untergekommen waren, die lauten Kinder, die Enge der Räume, mit den Eltern in einem Bett zu schlafen. Strange Shit. Das Bein seines Vaters im Schlaf zu berühren dito. Den Rest des kleinen Hauses mit Fremden zu teilen, keinen Ort zu haben, um ungestört über die Welt nachdenken zu können, also über Mädchen – hochgradig befremdlich. Patuk war jung, seine Hormone machten ihn irre, aber das wusste er nicht, er dachte einfach, er würde irre.

Er dachte ans Sterben, und dann wieder an Mädchen. An Gott und an sein Leben und vor allem an die Leute, mit denen er jetzt leben sollte, mit diesen blassen, missmutigen Leuten, bis er sterben würde. Ungewohnt sauber war das Nest, das man in einer halben Stunde durchqueren konnte, im Vergleich zu dem Ort, wo er den ersten Teil seiner Jugend verbracht hatte und von dem er nie gedacht hatte: Alter, ist das dreckig hier. Zu Hause hatte er gedacht, dass seine Familie wohlhabend wäre. Immerhin war sein Vater Ingenieur in einem Unternehmen, das alte Schiffe zerlegte. Jetzt kam ihm sein ehemaliges Zuhause unglaublich schäbig vor. Die Blicke der weißen Leute hatten vielleicht mit der Schäbigkeit zu tun, die ihm und seinen Verwandten aus allen Öffnungen strömte. Der Premierminister des Landes machte es Einwanderern leicht, ins Land zu kommen. Er wollte ein Zeichen gegen die Überalterung setzen, multikulturell, offen, weiß der Teufel, was er sich gedacht hatte, auf jeden Fall hatte der Premierminister nicht genau überlegt, was er mit dem frischen Einwandererblut genau anstellen wollte. Das würde sich schon finden und selber regulieren, die Märkte regulieren doch alles, das würde schon klargehen. Wie in allen Ländern Europas pflanzten sich die Menschen in England wegen des Feminismus nicht befriedigend fort. Mit neuen, fortpflanzungsfreudigeren Leuten hoffte man, die Rentenzahlungen an die Alten sicherzustellen. Das war, bevor die Renten abgeschafft wurden.

Für Patuks Familie war die Ausgangslage optimal. Kostenlose Ärzte, und den Pass bekam man auch schon nach drei Jahren. Dass der Kontakt zu den Einheimischen gestört war – ja, man konnte von einer feindseligen Ignoranz sprechen, mit denen sie den Zugezogenen begegneten –, ließ in Patuk einen Trotz entstehen. Einen Stolz auf die verlorene Heimat. Ein Überlegenheitsgefühl, das auf seiner intakten Familie, seinem intakten Glauben und seiner intakten Gesichtsfarbe gründete. Diese weißen, müden Leute würde er einfach wegfegen. Patuk legte sich einen Wegfeger-Gang zu. Er hatte keine Angst vor den Säufern, die auf ihren Gitterzäunen hockten und ihm Beleidigungen hinterherriefen. Er würde sie alle ficken. Er war jung. Er war stark. Und er war viele.

*Monate später*

In der Zeit, in der Patuk nicht mit seinen Kollegen, die alle aus einem ähnlichen Familienzusammenhang kamen wie er, irgendwelche Sachen plante, lief er herum und versuchte zu begreifen, wie die Regeln in dieser neuen Welt waren. Kompliziert. Die Mädchen hatten kurze Röcke an. Bei dem Wetter. Vor lauter Beinen wusste Patuk nicht, wohin mit seiner Erektion. Die Mädchen waren leicht zu haben. Ihre Brüder und Väter waren mit Alkohol beschäftigt, die Mütter arbeiteten. Patuk hatte das einmal probiert. Mit dem Alkohol. Es hatte sich nicht bewährt. Erbrochenes war im Spiel gewesen. Nach seinen Spaziergängen, an Hochhäusern vorbei, aus denen seltsam schlecht gelaunte Menschen starrten, an vernagelten Häusern und Fabriken vorbei, wo imaginäre Ratten, vor Langeweile verendet, auf Haufen lagen, versuchte er zu verstehen, worum es den Leuten hier ging. Richtig gute Laune hatte keiner. Laute Familien gab es nicht, offene Türen, durch die man in Küchen sehen konnte, in denen

Menschen aßen, fanden nicht statt. Stattdessen huschten die Einwohner über die nassen Straßen, die eingezäunten Plätze in ihre eingezäunten Wohnblocks. Patuk versuchte dieses Huschen zu analysieren. Es hatte mit einem gesenkten Blick, hastigen Bewegungen und dem Wunsch nach Ohnmacht und Tod zu tun. Die wollten alle nicht da sein. Und konnten nicht einmal eine Fantasie entwickeln, wo sie stattdessen stattfinden wollten.

Patuk hockte auf Schaukeln auf Spielplätzen, die selbst den verranzten, blassen Kindern hier zu trist waren, er atmete tief durch und versuchte, optimistisch zu sein. Er durchstöberte die Sozialkaufhäuser, schloss Pferde- und Hunderennwetten in den Wettbüros der Stadt ab und wurde von den weißen Mitbürgern angepöbelt. Es gab da diese etwas aufgeheizte Stimmung. Die Bewohner der durch Engländer und Franzosen im Suff aufgeteilten Länder im Nahen und Mittleren oder sonst was Osten hatten durch irre Führer in Klammern männlich ihren Hass auf die westliche Welt entdeckt, was mit Minderwertigkeit, gekränkter Liebe und mangelndem Selbstbewusstsein zu tun hatte.

Europa hatte den Hass entdeckt. Amerika hatte den Hass entdeckt. Vornehmlich auf sich selber. Auf diese Vorspiegelung von Demokratie. Auf die Veränderung der Welt, in der man kaum mehr vorkam ohne ein ansehnliches Geld. Auf die anderen, die von dem wenigen, was einem noch zustand, ihren Teil beanspruchten. Auf die Unterlegenen, die weggehörten. Auf die Globalisierung, die sich nicht bewährt hatte, aber hauptsächlich auf das Leben, das sich als nichts Besonderes herausstellte.

Für Patuk lief es gut. Sein Vater hatte in der Werkstatt seines Cousins Arbeit gefunden. Sie konnten ein Haus mieten. Ein kleines Haus an der Zubringerstraße zur Autobahn – und endlich konnte Patuks Mutter Zeug aufstellen und mit Staubwedeln herumfummeln, und Patuk hatte mehr Zeit für seine neuen Freunde. Es gab erstaunlich viele pakistanische junge Männer in diesem kleinen Nest. Sie hatten gemeinsame Interessen, wussten, was eine gute Familie war, und waren an Mädchen interessiert. Nicht an den Mädchen, die er im Familien- und Bekanntenkreis traf, denn die waren tabu, sondern an den hübschen blonden Neue-Heimat-Mädchen, die sehr exotisch waren und sehr hemmungslos. Sozusagen. Da musste was gehen.

*Noch später*

Hatte Patuk mit dem Übergeben diverser Rauschgiftpäckchen Geld verdient, und er hatte sich bei Selfridges in Manchester sein erstes Gucci-Hemd gekauft. Sein Glückshemd. Denn im Anschluss fand er einen Job bei einem Verwandten. Er würde Schneider werden. Das war nicht unbedingt das, was er sich vorgestellt hatte. Welcher junge Mann, außer er war abartig, dachte schon mit Inbrunst daran, Klamotten zu nähen? Aber es war besser, als ewig zur Schule zu gehen, und vor allem konnte man sich mit so einem Schneiderberuf selbständig machen. Das stellte Patuk sich vor. Irgendwas mit selbständig, einem Auto und einem Haus. Und vielleicht nicht hier. London. Wenn schon. Keine Ahnung, wie London aussah, aber da alle Welt davon redete, wie toll dieses London war, musste ja wohl was dran sein. Patuk hatte, wie die meisten seiner Freunde, keine Ahnung davon, in was für einem Land er lebte, von seinen ungeschriebenen Gesetzen und seinen fragwürdigen Traditionen. Er wusste nicht, welche Kolonien außer Indien unter der Krone ausgebeutet worden waren, er wusste nichts davon, dass die Regierung des Landes seit aller Ewigkeit aus Abgängern zweier Universitäten gebildet wurde, er verstand Haferflocken nicht und Twinsets. Der Winter, der Regen, die Jagd, all dieser Kram, diese leise Melodie im Hintergrund, die früher die Menschen eines Landes von der Geburt an begleitet und sozialisiert hatte, war durch die Globalisierung und damit verbundene neue Völkerwanderung unwichtig geworden. Es ging immer mehr Menschen nur darum, irgendwie durchzukommen. Zu überleben. Der Begriff der Heimat hatte sich entleert. Er wurde, wenn überhaupt, künstlich aufgeladen, überstrapaziert mit leeren Stellungnahmen, die keiner mehr atmete. Patuk war das alles gleichgültig. Er war jung, er hatte eine Zukunft, und er hatte ein Mädchen getroffen.

Also

**Don**

starrte aus dem Fenster und ahnte, dass ihr Leben nun genau da wieder anschließen würde, wo es in Rochdale aufgehört hatte. Das blöde Haus, der blöde Bruder und – keine Ahnung. Keine Ahnung. Keine Ahnung. Ihr Kopf tat weh. Wenn sie sich jetzt vorstellte, Hannah, Karen und Peter wiederzusehen, dann tat ihr Kopf noch mehr weh. Und draußen nichts Neues. Meine Güte, dieses Land. Don könnte, selbst gefesselt irgendwo hängend, bestimmen, was eine englische Landschaft von einer nicht englischen – also minderwertigen – unterschied. Alles hier schien mehrfach zu heiß gewaschen. Weißes mit Buntem. Wo es doch immer war wie vor oder nach einem Regen. Vor oder nach einem Naturereignis, das alle Bewohner verstrahlt hat. Die Tiere auch. Keine Landschaft, die einen je in einer Art so berührt, dass man dachte: Hier ein kleines Haus und Schafe besitzen, weiter bräuchte ich nichts zum Glück. Dann, nach einer halben Stunde, als die Familie mit ihren Kisten vor dem Haus in Rochdale stand und Dons Mutter versuchte, die Tür aufzuschließen, wurde die von innen aufgerissen. Ein Mann (Unterhemd, unrasiert, Bauch – um das Bild abzurunden) stieß Dons Mutter weg, worauf Don dem Mann gegen das Schienbein trat. Und so weiter. Die Prügelei, an der sich einige Nachbarn sofort begeistert beteiligt hatten – es lief nicht so viel hier –, endete damit, dass die Polizei auftauchte, die dann feststellte, dass das Sozialdepartment offenbar einen Fehler gemacht hatte. Bis zur Klärung des Vorganges wurde die Familie erst mal ins Obdachlosenheim verbracht.

*Das Obdachlosenheim*

meinte selbst in Rochdale das untere Ende des selbst verschuldeten Versagens. Leute, die auf der Straße schliefen, gab es in Rochdale nicht. Noch nicht. Denn. Das Obdachlosenheim war überfüllt. Täglich kamen neue Leute aus den größeren Städten. Überall da, wo man anstelle von Sozialbauten elegante Eigentumswohnungen errichten konnte, wurden die Sozialfälle in die unattraktiven Randgemeinden umgesiedelt. Damit sie dort ohne jede Chance auf irgendwas aussterben konnten.

Die kleine Familie war im Heim angekommen, das genauso abgefuckt aussah wie alle Häuser der Stadt, die Tür war aus Stahl und mit einer Kamera versehen, die alles aufzeichnete, was sich davor abspielte. Mit Alkohol und Drogen abgefüllte Überreste, die im Winter an dieser Tür rüttelten, weil sie im Trockenen schlafen wollten. Verrückte Idee.

Im Eingangsbereich gab es Neonlicht, Teppichboden, Wasserspender. Ein süßlicher Geruch von Desinfektionsmittel kämpfte mit den Ausdünstungen der Armut. Schlechtes Essen, heimliches Rauchen und Alkohol waren noch die milderen Gerüche. Schwieriger war der süßsaure beißende Geruch ungepflegter Menschen. Dreck unter langen Nägeln, fettige, verfilzte Haare, Hautfalten, Genitalien. Einige Bewohnerinnen standen vor ihren Zimmern. Wenn sie nicht als Familie hier lebten, wohnten sie in Sechsbettzimmern. Da freute man sich über etwas Quality-Time mit sich.

Misstrauische Menschen, offene Geschwüre, viele mit Ticks, die meisten jedoch ruhiggestellt von den Pillen, die hier beherzt verteilt wurden. Die machten, dass sich keiner zu klar über seine Lage wurde, keiner den Hunger spürte. Die wunderbaren Medikamente machten, dass die meisten Armen sich nicht aus dem Fenster stürzten oder zu den Mistgabeln griffen und brüllten: »Was macht ihr mit unserem einen kleinen kurzen lächerlichen Leben? Sollen wir das wirklich verdämmern in einer stinkenden Unterkunft? Gibt es wirklich keinen Platz für uns, nirgends?« Die Pillen machen vor allem: dumpf. Wie im Halbschlaf schlurften die Untoten durch die Flure, in speckigen Bademänteln und stinkenden Trainingshosen. Apropos – die Serie »The Walking Dead« war gerade zur erfolgreichsten TV-Serie aller Zeiten gekürt worden.

Don wurde kurz panisch. Was, wenn sie hier nie mehr herauskommen würde? Wenn es das jetzt war? Hier, mit der Familie in einem Zimmer. Der Bruder schon eingerichtet auf seiner Matratze, mit einem Ego-Shooter-Spiel beschäftigt, den Mund offen, es tropft, du Vollidiot. Die Mutter sich wiegend auf ihrem Bett.

Es war Sonntag. Don lag auf einem Etagenbett und lauschte den Atemgeräuschen ihrer Familie. Keiner sprach. Jeder auf seiner kleinen Insel des Entsetzens. Die normalen Menschen, die Angehörigen der verschwindenden ehemaligen Mittelschicht, die mit den Beschäftigungsverhältnissen in Versicherungen und Reisebüros, dachten doch, das kann mir nie passieren, wenn sie angestrengt über die am Straßenrand hinwegsahen. Vielleicht ja. Vielleicht nein. Täglich kamen Tausende Neuzugänge in die Heime, in die Notschlafstellen, auf die Belüftungsschächte der U-Bahn.

Don versuchte, nicht zu denken. Was dann bleibt, war das sogenannte Gefühlsleben. Alles in ihr sehnte sich nach normalem Junge-Menschen-Zeug. Nach Sich-Verlieben, Küssen, Sex, lauter Musik und schnellen Motorrädern. Don wollte überall sein, wo kein Obdachlosenheim, kein Rochdale und keine Familie wären. Die Erwartbarkeit dessen, was draußen für sie bereitstand, beleidigte sie geradezu. Ein außenstehender Mensch aus – sagen wir – der Ukraine oder aus Malawi oder Bangladesch, aus dortigen, wie sagt man, prekären Verhältnissen, könnte sich über

Dons Selbstmitleid amüsieren. Der Mensch könnte sagen: »Begreif doch bitte, dass wir keinen Wert haben. Als Lebewesen haben wir nur eine Bedeutung, wenn wir uns durch irgendetwas auszeichnen. Ein Vermögen am besten, oder einen Start-up-Verstand. Irgendeine herausragende Gabe wie Klavierspiel oder Ballspielen, irgendein Scheiß, mit dem andere ein Vermögen machen können. Wenn du nicht zum Erstarken der Wirtschaft beiträgst oder die Leute mit einem Gesangstalent von ihrem Leutesein ablenken kannst, ist es ein wenig vermessen, eine Prämie dafür einzufordern, dass deine Eltern gefickt haben. Du hast dir irgendetwas vorgestellt, weil du in einem halbwegs zivilisierten Land lebst, das heißt, du wirst nur eventuell vergewaltigt oder erschossen, du kannst wählen gehen. Hey, wie cool ist das. Alles darüber hinaus ist für dich nicht vorgesehen. Das ist es jetzt. Hier auf einem Doppelstockbett in einem stinkenden Obdachlosenheim, in dem die Schreie der anderen, die verstehen, dass sie zum Sterben hier abgelegt wurden, dich vom Schlaf abhalten. Friss es.«

Würde jemand sagen, der Don von oben betrachtete. Aber

Da war keiner. Nicht mal einen Gott gab es, verdammte Hacke.

*Nach einigen Tagen*

Ging es Don besser. Sie hatte sich gewöhnt. Die Menschen mal wieder. Wenn es sein muss, lassen sie sich Schwimmhäute wachsen. Und dann

Passierte ein seltsamer Zufall.

Einer von der Sorte, wie sie nur in Kleinstädten passieren konnten

Weil gerade

**Hannah und Peter**

Im Obdachlosenheim eingetroffen waren. Hannahs besetztes Haus wurde abgerissen, und ein trister Block für irgendwen wurde gebaut. Egal –

**Hannah**

War in letzter Zeit ein wenig aus dem Schwung gekommen. Ihre Karriere als irgendwas stagnierte, ihr YouTube-Kanal war abgeschmiert, jeden Tag machten Tausende junger ideenloser Leute ihren eigenen Channel auf und versorgten die Welt mit Produktempfehlungen, Katzenfilmen, Comedy-Clips, Schmink- und Abnehm-, Sport- und Bestattungstipps. Das war also schon wieder nichts, was sie vor anderen auszeichnete. Da war keine Gabe über sie gekommen. Es musste auf der Welt doch einen Platz für ihr Talent geben, wenn sie nur wüsste, welches. Hannah würde so gerne für etwas brennen. Aber es entzündete sie nichts. Sie versuchte zu schreiben und stellte es in Ermangelung von Erregung wieder ein. Den Chef der Bar in Manchester, in der sie bis vor Kurzem gearbeitet hatte, konnte sie von einer Tanzperformance überzeugen. Okay. Also eine Tanzperformance. Hannah hatte keine Ahnung. Sie fragte einen Perkussionisten, ob er sie begleiten wollte. Und entwickelte dann die Idee, ein Leben von der Geburt bis zum Tod zu performen. Sie kugelte halbherzig auf dem Boden herum, schlug sich gegen die Brust, rollte sich ein. Und merkte, dass es kompletter Müll war. Hannah kündigte den Job in Manchester, es waren ohnehin Fragen nach ihrem Alter aufgekommen. Minderjährig war aktuell kein beliebtes Alter auf dem

Arbeitsmarkt. Sie sah zwar nicht so aus, aber sie war ein verdammtes Kind, das zur Schule hätte gehen, das Pflegeeltern oder einen Heimplatz zugewiesen bekommen hätte sollen. Zum Glück löste sich die Bürokratie im Land gerade auf. Massenentlassung, Digitalisierung und so weiter. Und Hannah existierte nicht im System. Sie besaß kein Konto, keine Kreditkarte, keine Meldeadresse. Den Platz im Obdachlosenheim, der normalerweise mit einem Berechtigungsschein verbunden gewesen wäre, hatte sie wegen der Räumung des Hauses bekommen. Sie war einfach in dem Pulk von Jugendlichen untergetaucht. Registriert sein hieß sichtbar werden. Amtlicher Zugriff, Sicherheitskräfte, Maßnahmen. Hannah misstraute dem Staat. Die guten Erfahrungen, die sie mit ihm gemacht hatte, waren überschaubar. Es gab Ärzte. Dass Leute verhungert am Straßenrand herumlagen, fand so nicht statt, aber sie lagen auf jeden Fall schon mal rum. Sie lagen herum wie Müll, die Menschen, aber die Bemühungen, den Müll in Heime zu entsorgen, ließen nach. Lassen wir sie liegen, die Leute, damit sich die anderen fürchten. Wie Mafiosi ihre Feinde an Brücken aufhängen, um Angst zu verbreiten, ließ die Regierung die Leute liegen. Los, renn, Mensch, streng dich an, sonst bist du der Nächste. Beschwer dich nicht, funktioniere, erzeuge keine Kosten, halt den Mund. Verhungern tat noch keiner. Vielleicht krank werden wegen der schlechten Ernährung, vielleicht krank werden wegen der Sorgen, vielleicht mit 50 sterben, wie 80 aussehend, vielleicht Lungenentzündung bekommen, an der man stirbt. Vielleicht an einer Infektion sterben, vielleicht sich erhängen, weil es kein Leben ist, mit weniger als einem Pfund in der Tasche. Nein, verhungern tat keiner. »Sehen Sie, hier verhungert keiner, der Welt geht es besser, und draußen steigt das Wasser.« Ein Reality-Star war Präsident in Amerika geworden. Der Ku-Klux-Klan hatte einen Zulauf wie seit den 60er Jahren nicht mehr, die Menschen sammelten sich in Facebook-Gruppen und zündeten Flüchtlingsheime an, in Paris wurden Zeltlager, in denen Tausende Obdachlose und Zugereiste lebten – na ja, lebten – geräumt. Jeden zweiten Tag fand ein Terrorangriff irgendwo in Europa statt. Egal.

Denn

**Peter**

Hatte Don umarmt. Also. Irgendwie die Arme um sie gelegt und schnell wieder weggezogen. Die neue Umgebung war Peter ein wenig erträglicher, seit die bekannten Menschen wieder versammelt waren. Seit Don plötzlich wieder da war. Fühlte er sich sicherer in diesem Heim, das ihm schien wie ein billiger Horrorfilm, in dem Tote herumlatschten und mit ihren Knochenhänden nach den Lebenden griffen.

Peter entfernte sich in der nächsten Zeit nicht gerne von Don und Hannah. Wenn er alleine im Haus unterwegs war, wurde er angefasst, angespuckt. Er gehörte nicht hierher. Wie immer. Neben dem Unwohlsein in der neuen Umgebung vermisste Peter am meisten einen eigenen Rechner. Er wollte Hannahs Gerät nicht so oft benutzen, denn sie sah ihn in letzter Zeit so erwartungsvoll an. Was erwartete sie? Was erwarteten die Leute generell?

Da, die

**Alte Frau**

*Sexualität: unwichtig*
*Verwertbarkeit: nicht vorhanden*
*Konsumverhalten: nicht vorhanden*
*Sehschärfe: dito*
*Gesundheitsprofil: eine Niere verkauft,*
*die zweite beschädigt*

Vom Saufen. Natürlich, das liegt ja auf der Hand. Dass sie krank war. Vor Kurzem noch
War sie Punk gewesen und Straight Edge. Nun war sie kaputt. Und alt. Aber das wusste sie nicht, so wie das kein Mensch von sich weiß, dass er alt ist. Für die anderen, denn innen bleibt jeder irgendwo stehen. Meistens mit Mitte dreißig. Und sieht nur an schlechten Tagen erstaunt auf die Verwüstungen, die die sich langsam teilenden Zellen hinterlassen haben. Aber das vergisst der Mensch dann wieder, diesen schrecklichen Moment mit sich im Spiegel, und dann ist jeder wieder in sich, mit seinen Mitte dreißig. Nun, die alte Frau war zu kaputt für solche Selbsttäuschung. Die Beine voller Wasser, die Augen trübe, die Ohren taub. Und immer der Husten und die Knochenschmerzen, das ist das Schlimmste, dass alle Knochen wehtun, dass man sie sich rausreißen möchte. Die alte Frau war fünfzig oder achtzig und hatte keine Lust mehr. Sie glaubte nicht mehr an ein Wunder, sie war gelangweilt und angeekelt von allem, und sie wollte einfach einschlafen, weil ihre Zukunft nur noch einen Krankenhausaufenthalt für sie vorsah, wo sie von diversen Geräten noch ein wenig am Leben erhalten werden

würde, damit sie ihren Beitrag zum medizinischen Fortschritt leisten konnte. Sterbehilfe war verboten. Es war den Entscheidungsträgern angenehmer, das Dahinscheiden von Kranken und Alten in aller quälenden Langsamkeit zu verfolgen. Einer leichten sadistischen Neigung folgend. Von Morgen an biss die alte Frau ihre Kiefer, Zähne waren da keine mehr, zusammen vor Wut. Da hockten ein paar Idioten im Parlament und entschieden darüber, wie lange sie in einem Obdachlosenheim herumzuliegen hatte. Sie unterschrieben Papiere mit Montblanc-Füllern und gingen dann zum Brunch. Und sie lag hier und konnte keine Sterbehilfe bekommen. So wie in zivilisierten Ländern, wo freundliche Sozialdemokraten mit ein wenig Gift erscheinen, sie mit geheucheltem Mitleid betrachten und ihr das Licht löschen würden. Die Demütigung, abhängig zu sein, zog sich bis in die letzten Meter. Auf denen irgendwelche fucking Arschlöcher eine alte Frau zwangen, in ihrem Zustand noch auf ein Dach zu steigen, sich fallen zu lassen und eventuell noch ein paar Leute zu erschlagen beim Aufprall. Die alte Frau hatte sich alle Möglichkeiten, abzutreten, vorgestellt. Erträglich war keine davon. Alle hatten mit Stuhl in der Unterhose, Überwindung, Schmerz oder dem Erschrecken anderer zu tun. Weil ein paar wohlhabende Menschen es so entschieden hatten. Die alte Frau sollte in Folge nicht mehr essen und trinken, was nach vier Tagen mit einer Einweisung in die Klinik endete, in der sie zwangsernährt wurde, um sie wieder in ihr Sechsbettzimmer ins Obdachlosenheim zu entlassen, wo sie wieder begann, die Nahrungsaufnahme einzustellen. Und ihre Wut wurde zu Hass und Ekel, die eigene Demütigung betreffend. Mit diesen Gefühlen verließ sie die Erde, und wollte man gläubigen Spinnern Glauben schenken, wären diese Gefühle in der Hölle, in der nur Leute wie sie hockten, nun auf ewig bei ihr.

Die Stimmung im Heim ist unbehaglich.

Ein anderes Wort fällt

## Peter

Nicht ein. Es war wie in einem Geisterhaus, in dem die unglücklichen Seelen Verstorbener herumeierten. Nur dass sie hier noch lebten. Ein wenig.

Keiner wusste, was ein anderer wollte, verstand seine Gefühle. Sie konnten sich keinen Trost geben. Sie waren untröstlich, sie waren einsam. Die armen Leute. Peter wusste wenigstens, dass er zu keinem einen Kontakt herstellen konnte. Die anderen glaubten sich in ihrem Smalltalk, ihrem unendlichen Strom sinnloser Worte, mit anderen zu verbinden. Oder etwas von sich zu zeigen, etwas Großartiges, mit all den Lügen, die sie erzählten. Jedes Wort, das durch den Filter des Gehirnes eines Erwachsenen floss und dort kontrolliert wurde, um den Erwartungen anderer zu entsprechen, war eine Lüge.

Im Heim begann Peter, sich zu radikalisieren. Er hatte immer gedacht, die Freaks wären seine Freunde. Die Kranken, Süchtigen, die Enttäuschten, dass sie seine Freunde seien, hatte er doch gedacht, dass sie ihn akzeptierten und mochten, wie er sie mochte, die im Knast Tätowierten, die mit den Rasta-Zöpfen, die Traurigen, Einsamen. Und nun war er wieder nur der Fremde. Der Außenseiter, der angestarrt wurde. Menschen liebten es, auf alles herabzusehen, was unterlegen schien. Auch hier. Gab es keine Erlösung. Keinen Frieden. Keine Ruhe. Die Neonröhren knatterten auf den langen Fluren mit dem grau melierten Bodenbelag, mit den gelben Türen, vor denen sie standen und verstummten, wenn Peter sich näherte. Wenn Peter etwas nicht verstand, begann er, mit dem Kopf gegen die Wand zu schlagen. Wenn Peter mit dem Kopf gegen die Wand schlug, erinnerte er sich an seine Mutter, die ihn als einziger Mensch früher davon abbringen konnte. Dann schlug er den Kopf noch stärker gegen die Wand.

Und

## Don

Saß neben Peter. Sie berührte ihn nicht, saß nur da, bis er ruhiger wurde. Der arme Irre. Der nach Anfällen immer schlief. Und dabei auch nicht entspannter aussah. Oder glücklich. Keiner von ihnen kannte dieses Gefühl, auf das alle so scharf waren, dass sie Drogen kauften, um es zu erlangen. Half aber nichts. Sie wurden nur breit davon. Müde. Ohnmächtig und bekamen dünne Beine. Die Leute. Glück würde ich gerne einmal kennenlernen, dachte Don, die dann abends in ihrem Doppelstockbett lag. Das Grunzen des Bruders hörte, das schwere Atmen der Mutter. Von draußen kam das Scheppern einer Flasche, die irgendeiner vor sich herschoss. Don war plötzlich klar, dass die Beziehung zu ihrer Familie sich nicht mehr positiv verändern würde.

Mutter, dachte sie, Mutter, das sind unsere letzten Tage. Unsere innere Goodbye-Tour. Man könnte über Gefühle reden. Mein Gefühl ist, dass ich Abschied nehmen werde. Dich noch einmal sehen, riechen, dein Gejammer hören, um leichter zu gehen. Wenn ich bei dir bleibe, werde ich zu dem, was mich umgibt. All diese Kinder und Jugendlichen, die von ihren Eltern mit in den Abgrund gerissen werden. Vom Leben oder – sagen wir – vom Vegetieren auf den Boden geschleudert, die Eltern. Und da liegen sie dann. Besoffen, depressiv, krank, verbraucht, lallend, unglücklich, jammernd, und die Kinder legen den Alten ein Kissen unter den Kopf und gehen raus und haben das Gefühl, die Welt schulde ihnen etwas, weil sie so traurige Eltern haben, die doch für sie alles sind. Die Welt. Sind. Die zusammenbricht. Es gibt nichts Gefährlicheres auf der Welt als Kinder, die keinen Halt haben. Und da will ich nicht enden. Ich will mein Leben nicht von jemandem beeinflussen lassen, der mich verachtet. Auch wenn das Wort ein wenig groß ist. Auch wenn ich weiß, dass du nur dich selber nicht magst. Mutter. Weil du dir die Schuld an deinem Elend gibst. Weil du denkst, Frauen zögen das Unglück an. Auch wenn mir klar ist, dass die Welt, diese wunderbare Welt, in der immer mehr Menschen zu einem kleinen Wohlstand kommen, und ja, die Säuglingssterblichkeit und so weiter, dass also diese Welt unsere Eltern zu Verlierern gemacht hat. Weil sie nicht geerbt haben. Weil sie in die falschen Familien geboren wurden. Weil sie nur weitergeben, was in ihnen ist. Dachte Don. Sie hätte die Sätze gerne gesagt, wusste aber nicht, wozu das gut sein sollte. Don hatte genug Informationen zu ihrer Situation gesammelt, um zu wissen, dass es kaum schlechter werden kann. Sie muss von hier verschwinden. Die Flasche, die über die leeren Straßen scheppert, die Laute in der kleinen, feuchten Stadt – einfach nicht cool. Das sind Kleinstadtgeräusche. Quietschen von Kinderwagenrädern und Spatzen. Außer Spatzen verirrt sich kein Vogel in die Stadt.

*Auf dem Weg in die Schule,*

Die Don als Einzige aus der Gruppe aus unklaren Gründen noch besucht, hört sie ein paar Autos und Pakistanis, die miteinander streiten. Sie hört die Spatzen und denkt für eine Sekunde daran, wie eine richtige Stadt klingen müsste, chinesische Reklame, Hupen von Wagen im Stau, unterschiedliche Sprachen, Hubschrauber, Sirenen, und ihr wird schwindlig vor Sehnsucht nach Aufregung und Erhabenheit.

Aus einem Bus, der vor der Einkaufspassage hält, drängen Menschen auf der Suche nach dem Sauriermuseum oder nach Elend. Sie haben von den Kriminalfällen in Rochdale gelesen, Minderjährige seien zur Prostitution gezwungen worden von Ausländern. Nun stehen sie hier in der Fußgängerzone mit dem verunsicherten Blick, den Menschen in unvertrauter Umgebung bekommen. Ihrem Umfeld entnommen, spüren sie sich auf einmal. Sie spürten, wie verwundbar sie waren. Schnell zerstört, das System der eigenen Wichtigkeit, durch eine Messerattacke oder einen Schwall Kotze in der Fremde. Sie merkten, dass sie nichts sind, in der Fremde, die Leute, und nun haben sie Don entdeckt und lächelten sie unter Zwang an. Da ist eine Minderheit, da muss man Offenheit in sein Gesicht zaubern.

Die Kunstinteressierten, die Linken, die guten, ordentlichen Leute, die noch eine Beschäftigung hatten, kriegten sich nicht mehr ein beim Aufeinandertreffen mit einem Schwarzen oder einer andersartigen Minderheit, sie traten sich auf die Beine, schissen sich in die Hosen aus Angst, einen falschen Begriff zu verwenden. Wie nannte man aktuell Inuit und Roma und Sinti, und welche Form für welchen in einem Transgenderprozess begriffenen Menschen ist korrekt, und darf man noch Alte sagen? Geflüchtete gilt noch. Die kollektive Plauderfreudigkeit und der Humor waren einer großen Verklemmtheit gewichen, und wieder waren die Menschen damit beschäftigt, sich selber zu regulieren und sich das Leben zur Hölle zu machen. Auf den Straßen und im Netz. Aus dem Monty Python verschwunden war. Um ein paar Milliarden Hasseinträgen Platz zu machen, als ob da etwas jahrelang unterdrückt gewesen wäre, mit all den angeblich demokratischen Regierungen und den Privilegien, die jeder noch so absurden Minderheit zugebilligt wurden. Unisex-Toiletten und Genderwissenschaft – und dann Endlich explodierte so lange Angestautes, Unterdrücktes brach aus den Individuen, die sich in Folge endlich mit Boshaftigkeit, Verachtung und Hass labelten. Sie krochen aus dem Netz in die Straßen, wurden Messerattacken, Prügeleien, Säureangriffe auf Frauen. Das Abschlachten von Hunden. Zugezogenen Hunden. Allen Hunden außer englischen Hunden. Auch Rochdale wurde unerfreulich. Immer mehr Menschen bewaffneten sich, täglich gab es Schlägereien. Schwule wagten sich nach Einbruch der Dämmerung nicht mehr auf die Straßen, Frauen dito. Aber das nur am Rande, am Rande der Welt, die in eine neue Phase der Widerwärtigkeit taumelte. Ja, es ging allen besser. Auch in Äthiopien wurden Babys nicht mehr von Heuschrecken gefressen, aber die Welt hielt nur noch wenig Orte zum Träumen bereit. Orte, an denen man genießerisch die Sonne beim Versinken ins Meer betrachten und eine allumfassende Liebe spüren konnte, die gab es kaum noch. In dieser seltsamen Zeit. In der jeder auf sich geworfen schien, jeder gegen jeden antrat, um irgendwie zu überleben.

Als

Don nach der Schule

Heimging, gab es

Wieder mal ein Unwetter. Sie wechselten sich so schnell ab, die seltsamen Wetterereignisse. Sturm und Regen, Überschwemmungen und Frost. Die Menschen hielten pflastersteingroße Hagelkörner in der Hand und machten Selfies in Kanus, mit denen sie über die Flüsse fuhren, die Straßen waren, sie machten Victory-Zeichen und lachten.

Obwohl –

Es waren

Tage, an denen die Kinder nicht einmal auf die Straße konnten, nicht einmal aufs Dach konnten und ratlos im Eingangsbereich des Heimes hockten. Jedes versunken in seine Erinnerungen. Versunken in den Hass auf die Erinnerungen und die dazugehörigen Personen. Im Hass auf die eigene Schwäche.

Und

Sie machten sich langsam Sorgen um Karen. Die auf keinen Anruf reagierte. Die nicht zu Hause war. Außer Karens blöden Brüdern war keiner da gewesen. Der große

Bruder trug jetzt ein langes Nachthemd und einen Bart, der kleine war an ein mobiles Beatmungsgerät angeschlossen. Die Kinder beruhigten ihre Sorge mit der Idee, dass Karen vermutlich in alten Fabriken Sex hatte und am Wochenende zum See fahre mit ihrem großartigen Freund, dass sie eben so beschäftigt sei, wie man es mit der ersten Liebe, die die anderen noch nicht erlebt hatten, vermutlich ist. Und das ist doch eigentlich
Großartig,
Dachte

**Karen,**
Hundert Männer später, hundert Tabletten und Kokseinheiten später. Das ist doch großartig, dass ich munter bin. Dachte Karen und war munter. Vielleicht, weil ihr Körper sich an die Drogen gewöhnt hatte oder etwas in ihr überleben wollte. Die Zeit, von deren Dauer Karen keine Ahnung hatte, war in einem Dauerloop aus Nebel, Gelalle, Küssen, Captagon, Crystal Meth, Sperma, Alkohol und Dingen, die Karen nicht benennen konnte, zu einem unklaren Film zusammengeflossen, in dem sie sich sah in klaren Momenten. Durch die nächtlichen Straßen laufend, auf Matratzen liegend, aus Öffnungen blutend. Immer nur für kurz bei sich. Wie Demenzkranke erwachen für ein paar Sekunden, ehe sie wieder ins Vergessen versinken. Patuk war immer da. Er hatte andere Frauen, Mädchen, Karen hätte schreien können, nicht weil sie missbraucht wurde, sondern weil er mit anderen Mädchen zusammen war, aber
Da erfolgte kein Schrei, sie war zu benebelt, zu abwesend,

und das, was schreien wollte, saß irgendwo auf einem Baum und sah ihr zu. Seit Beginn ihrer Liebe – innehalten – seriously?

Hatte Patuk Karen überwacht, Drogen nachgelegt, wenn sie aus dem Rausch zu erwachen drohte, besänftigt, wenn sie weinte, gedroht, wenn sie wegwollte. Er war eigentlich nur während der wenigen Stunden Nachtruhe und des Unterrichts nicht neben Karen gewesen. Am Anfang. Als Karen noch in die Schule ging. Bevor sich ihre Tätigkeit intensiviert hatte.

Selbst mit Vergiftungserscheinungen und unter Drogeneinfluss, auch mit zwanghaftem Schlafen im Unterricht war Karens Leistung besser als die aller anderen Schüler gewesen. Die Lehrer, die alle Facetten der Verhaltensauffälligkeit gewohnt waren, sprachen Karen nicht auf ihren Zustand an. Besser war es. Denn Karen hatte keinen Zustand. Sie hatte keine Gefühle, sie war breit. Und bewegte sich wie eine Maschine durch den Tagesablauf, den sie sich nicht ausgesucht hatte. Nachts oder früh am Morgen, als Karen schlafen ging, bemerkte sie unklar, dass ihr Krüppelbruder gestorben war. Die Mutter weinte. Aber vielleicht hatte sie das geträumt. Der ältere Bruder betete scheinbar ununterbrochen. Später war Karen nicht mehr nach Hause und in die Schule gegangen. Sie hatte ein Zimmer in einer Fabrik. Hier wurden Freier bedient und Kinder wie Karen untergebracht, hier sah sie auch Patuk nicht mehr so häufig.

Eine seltsame leere Zeit war da vergangen, aus der sie nun erwachte. Karen wurde nüchtern. Sie hatte Kopfschmerzen, Schmerzen in den Armen, den Beinen, im

Bauch, im Gesäß. Das Licht in der Kammer war zu hell, der Geruch zu laut. Es war außer ihr keiner anwesend. Vielleicht hatte das nachlassende Interesse der Kunden an Karen die Bewacher nachlässig werden lassen.

Also aufstehen. Alles dumpf, und die Beine, meine Güte, nicht an die Beine denken, sie hingen weiß und dünn an dem etwas geschwollenen Unterleib. Karen ließ sich aus dem Fenster des Zimmers im zweiten Stock fallen, sie spürte den Aufprall ihres Körpers kaum, denn der war in den letzten Monaten anderen Belastungen ausgesetzt gewesen als so einem albernen Aus-dem-Fenster-Springen, und lief durch die Nacht in ihr ehemaliges Zuhause. Keiner war daheim. Der kleine Bruder wohl beerdigt, der andere vermutlich bei Allah.

Karen wusch sich zwei Stunden, wissend, dass sie damit alle Klischees verwirrter Mädchen erfüllte, die natürlich selber irgendwie schuld an allem waren, hauptsächlich, weil an ihnen kein Penis befestigt war. Sie warf ihre Kleidung weg, nahm sich aus dem Schrank des älteren Bruders Hoody und Armee-Hose, die brauchte er mit seinen neuen Nachthemden ja nicht mehr, sie setzte sich in die Küche und wartete auf das Erscheinen ihrer Familienreste.

Nach Stunden kam

**Karens Mutter**

Und war so müde, dass sie sich nach dem Betreten der Wohnung auf den Boden fallen lassen wollte. Die Wohnung würde sich um sie falten und sie begraben, und das Leben würde sie nie mehr mit Briefen und Telefonaten, mit Behörden, mit Handwerkern, mit Robotern, die sie in Telefon-Warteschleifen parkten, belästigen. Und nie wieder einen neuen Job suchen müssen, keinen finden – Kürzungen, Sie wissen schon –, heimkommen und diese Idioten treffen, die ihr älterer Sohn jetzt immer um sich scharte. Honks, die nur in Halbsätzen reden konnten. Und das leere Bett des Jüngsten sehen und irgendwie froh sein, dass er tot war, und sich dafür hassen. Wie sah Karen nur aus in letzter Zeit. Sie musste gewachsen sein und zwanzig Kilo abgenommen haben. Vermutlich rauchte sie Hasch. Und hasste ihr Leben. Prima, dann waren sie schon zu zweit. Auf dem Tisch lag neben zehn Rechnungen für alle Bereiche des Menschseins Post von der Hausverwaltung.

**Karen**

Sah ihre Mutter sie nicht ansehen. Mit hektischen Bewegungen ihrer Finger, die seltsam rheumatisch aussahen, fummelte sie an den Briefumschlägen herum, während Karen ihr alles erzählte. Von den Drogen, den Männern, den Zuhältern, den anderen Mädchen, von denen einige schwanger geworden waren. Zwei hatten sich umgebracht, weil sie sich nicht mehr nach Hause trauten, die meisten aber waren unter Drogen und noch teilweise lebendig. »Ich rufe jetzt die Polizei an, okay?« »Was hast du gesagt«, sagte ihre Mutter und sah Karen kurz leer an. Karen rief die

**Polizistin**

*Gesundheitszustand: adipös*
*Hobbys: zuckerabhängig, Kleidung im Netz bestellen*
*und zurückschicken*
*Politische Zuordenbarkeit: linksliberal*
*Sexualverhalten: das Tinder-Profil blieb seit*
*geraumer Zeit ohne Matches*

An

»Ja, ich habe Sie verstanden. Das klingt relativ abenteu-
erlich, was Sie da behaupten. Aber ja, danke, wir gehen
dem Hinweis nach. Es kann sein, dass wir noch mal mit
ihnen sprechen müssen. Gute Nacht.«
Die Polizistin tat, als schriebe sie Karens Adresse auf.
Dann löschte sie den Mitschnitt des Telefongesprächs.
Keiner hier auf der Wache wollte sich vorwerfen lassen,
racial profiling zu betreiben. Es waren an die zwanzig
Anzeigen eingegangen. Man hatte Mädchen untersucht,
Protokolle aufgezeichnet. Und im Anschluss vernichtet.
Die Computer hatten im letzten Jahr zehn Polizistinnen
um den Job gebracht. Archiv, Sekretariat, Notrufzent-
rale, Buchhaltung, alle waren durch Maschinen ersetzt
worden. Wer wollte da wegen ein paar Mädchen, die ohnehin mit fünfzehn schwanger und Sozialhilfe beziehen
würden, seinen Job riskieren. Die Polizistin lutschte an
einem Stück Würfelzucker. Und

**Karen**

Legte den Hörer auf
Nach einigen Minuten der Stille –
Karen dachte, ihre Mutter sei jetzt schockiert oder be-

troffen oder entsetzt – blickte ihre Mutter erneut auf und fragte: »Hast du telefoniert?« Sie ließ die Kündigung der Wohnung.

Zu Boden fallen und

Atmete sehr flach, ihre Augen standen offen, kein Blinzeln. Karen hatte unterdessen den Brief gelesen, hatte die Rechnungen betrachtet. Beide starrten in Ermangelung eines Himmels ins Nichts.

*Eine Woche*

Später

Saßen Karen und ihre Mutter auch im Obdachlosenheim, und das ist der Zufall, der keiner ist, sondern nur eine normale Abfolge von Veränderungen der Welt auf kleinem Raum. Die Veränderungen waren der Verschärfung der Armut geschuldet, die oft den Verlust der Wohnung beinhaltete, und dem Umstand, dass es nur ein Heim in Rochdale gab, in dem nun eben auch Karen und ihre Mutter landeten. Ein Doppelstockbett. Ein kleines Fenster. Wer kam auf die Idee, den Fensterrahmen grün zu streichen, damit der Blick auf die Kreuzung wirkte, wie in einen Fernsehapparat aus dem letzten Jahrtausend zu starren? Der Raum war sehr eng für zwei, aber Karen war das egal, solange sie ihre Ruhe hatte. Der Entzug war nicht dramatisch gewesen. Ein wenig Übelkeit, zittern, frieren, eine Leere, eine Leere, die besser war als das Erinnern, was darauf folgte, was sie nun verdrängte, durch Viren. Hurra, Viren. Karen beschäftigte sich gerade mit Adeno-assoziierte Viren des Serotyps. Die Biester waren eine wahre Teufelsbrut. Was sich mit denen alles anstellen ließe. Testosteron unschädlich machen zum Beispiel. Sie las sich durch eine Theorie, der zugrunde lag, dass die Eliminierung von Testosteron 90 Prozent aller Weltprobleme lösen würde. Sie fühlte, dass da eine große Idee entstand, die sie nicht fassen konnte, noch nicht. Sie würde die Schule am Ende des Unterrichtsjahres abschließen und hätte dann vier Schuljahre übersprungen. Nicht schlecht für eine fucking Hochbegabte, dachte Karen und überlegte sich, welches der vier Stipendien für Mikrobiologie in Aberdeen, Nottingham, Reading und London sie annehmen sollte. Die Universität in London war nur auf Platz vier im Ranking, aber hey – London. Karen schob die Entscheidung noch auf, denn im Moment war es unmöglich, ihre Mutter zu verlassen, die sich in einer sehr schlechten Verfassung befand. Als hätte sie sich nur durch die Nachtschichten und den gewohnten Heimweg am Leben erhalten und fände nun zum ersten Mal Zeit, über ihr Leben nachdenken. Ganz schlechte Idee. Karens Mutter zitterte, denn das plötzliche Absetzen der Schilddrüsenhormone bekam ihr nicht gut. Die Kassen zahlten solche Luxusprodukte nicht mehr. Abgesehen von Tranquilizern zahlten sie kaum mehr etwas. Karens Mutter hatte versucht, Arbeit zu finden. Nachtschwestern wurden keine mehr gesucht, Tagschwestern auch nicht, und was dann blieb – Prostitution, Poledance, Animierdame –, was also nicht durch Maschinen ersetzt worden war, eignete sich nicht für eine ältere Dame in Klammern vierzig mit Schilddrüsenproblemen und Übergewicht. Das geht nicht gut aus als müde Frau in einer Welt, in der jährlich vierzig Millionen Leute Arbeit suchen. In der täglich Tausende dazukommen, der Entwicklung geschuldet. Der Automatisierung. Den Robotern. Hurra, wir haben jetzt Roboter für jeden verschissenen Bereich des Lebens. Sie funktionieren, versteht ihr, ihr Idioten. Funktionieren, wir haben es jetzt ein Jahrzehnt versucht, euch nach unseren Anforderungen zu gestalten. Sehnig, übertrainiert, überangepasst. All der Scheiß. Und was ist? Ihr habt ein Burnout bekommen. So, nun Tschüssi. Apropos –

Karens verbliebener Bruder war mit seiner ersten Frau, der mit Allahs Hilfe noch einige folgen würden, nach London in die Wohnung ihrer Familie gezogen. Nur so lange, bis Karens Bruder in der Lage wäre, seiner Pflicht als Familienvorstand nachzukommen. So lange, bis Karens Bruder klar werden würde, dass vier Frauen bedeuteten, für vier Frauen und die mit ihnen erzeugten Kinder finanziell aufzukommen. Und sie sexuell zu befriedigen. Also die Frauen. Karens Mutter fuhr einmal in der Woche in die Hauptstadt, um den Knallkopf zu besuchen.

Wenn Karens Mutter in London war, lagen Peter, Karen, Don und Hannah auf dem Bett und schauten Internet. Jeder Person in einem Sozialhilfehaushalt stand ein Endgerät zu. Das war wichtig für die Zukunft. Welche Zukunft? Egal.

*Draußen im Flur*

Hatten sich ein paar Männer die Kante gegeben und lallten. Wasser rauschte. Leute schrien sich an, und eine Frau hatte es übel erwischt. Sie war wahnsinnig geworden. Job verloren, Mann weg, Wohnung weg, auf die Straße umgezogen, im Winter. Dumme Idee. Dann eine Wunde am Bein, von einer Ratte zugefügt, die sich entzündete, irgendwann umgefallen, ins Spital gebracht, das Bein amputiert. Nach der Amputation hatte man sie in das Obdachlosenheim gebracht, wo sie doch ein Bett hatte, mit ihrem einen Bein, und einen Sozialarbeiter, der einmal in der Woche Konserven brachte. Die Frau, sie saß auf ihrem Bett und winselte in einem nicht menschlichen Ton. Vielleicht gibt es in Menschen eine Sicherung, die durchbrennt, wenn die Demütigung einen gewissen Grad überschritten hat. Vielleicht stecken sie vieles weg, die anpassungsfähigen Leute – den Verlust von Familien, von Wohnungen, Sicherheit, Gliedmaßen und das Übernachten auf Parkbänken –, aber irgendwann ist die Grenze zur Unerträglichkeit überschritten und sie fangen an, sich hin und her zu wiegen und zu schreien vor lauter Trauer. Die Kinder, die kaum noch Kinder waren, lagen wie junge Hamster zusammen. Sie blickten durch das Endgerät in die Welt und waren sich sicher, dass irgendetwas Großes draußen auf sie warten würde. Jetzt kamen die Nachrichten. London

Die Stadt, in der

**Karens Mutter**

In den 13. Stock eines Hochhauses fuhr. Das Gebäude, in dem ihr Sohn wohnte, glich einer vertikalen Stadt der Dienstleister. Der Nannys, Tapezierer, Uber-Fahrer, die mit den Einstundenarbeitsverträgen. Karens Mutter schaute beunruhigt die Plastikabdeckungen im Aufzug an, der sehr langsam war, und atmete wie ein Kettenraucher. Aufeinandergestapelte Slums, die elektrischen Leitungen, die teils über Putz lagen, die Gasherde, die verschimmelten Fensterrahmen. In der Dreizimmerwohnung lebten neben ihrem Sohn und seiner auch im Haus verschleierten Frau zehn Menschen. Karens Mutter saß zwischen ihnen unbehaglich auf einem Sofa, das mit Plastikfolie vor dem Leben geschützt wurde. Die Menschen redeten arabisch. Nur nicht mit ihr. Sie saß und langweilte sich und fragte sich, warum sie eigentlich gekommen war. Und dann merkte sie, dass es komisch roch. Dann hörte sie von draußen Schreie. Karens Mutter sah aus dem Fenster und hatte

Rauch im Gesicht. Es schien ein Feuer in den unteren Etagen zu geben – der dritte und vierte Stock standen in Flammen, es krachte, Scheiben platzten, der Rauch verdichtete sich, drang unter der Tür in die Wohnung. Das Husten begann, die Augen brannten. Auf den Flur, nichts wie raus hier. Im Flur weinende Kinder, schreiende Frauen, Menschen in Unterhosen, mit Bündeln, ohne Bündel, mit Hunden, die übereinanderstolperten, sich traten, sich stießen auf dem Weg zu den Treppenhäusern, den Fahrstühlen – echt jetzt? Decken-Abhängungs-Platten fielen auf Leute, erschlugen Leute, die über die Liegenden stolperten. Karens Mutter war ins Treppenhaus gedrückt worden. In dem nichts zu sehen war außer Rauch. Nichts zu hören war außer Schreien. Das dunkel war und überfüllt. Sie drängte sich zurück in die Wohnung. Sicher würde die Feuerwehr gleich kommen, sie retten. Das lernt man doch so, dass die Feuerwehr einen rettet. Einfach den Kopf aus dem Fenster halten ging nicht, die Flammen hatten sich bis auf zwei Stockwerke unter ihnen gefressen. Menschen verließen ihre Wohnungen springend. Man hörte sie unten aufschlagen. Die

Feuerwehr wies die im Haus Verbliebenen an, sich auf den Boden zu legen und die Türen abzudichten.

Na ja.

## Die Kinder

Lagen auf dem Bett wie – Kinder. Sie hielten einander die Füße ins Gesicht, kitzelten sich und hatten gerade *Black Mirror* gesehen, nachdem sie *Utopia* gesehen hatten. Nun folgten die Nachrichten, die Nachrichten, die kaum einer mehr verdauen konnte, begreifen konnte, der Daesh rannte, Menschen enthauptend, durch die Wüste, ein paar Eisberge waren ins Meer gefallen, das Meer gestiegen, die Russen freuten sich über neue Meerespassagen, ein Forscher warnte vor jahrtausendealten Viren, die im Eis überlebt hatten, jetzt auftauten, in Indien waren ein paar Frauen umgebracht worden, ein paar Faschisten irgendwo an die Macht gekommen, überall in Europa wurden jetzt große Mengen unglaublich ungebildeter, pöbelnder Menschen sichtbar, die ihren Hass auf alles in Kameras brüllten, in London brannte ein Haus. Seid mal ruhig. Seid einfach mal –

Ruhig. Sagte

## Karen

Sie hatte ruhig das brennende Haus angesehen. Gedacht. Es gibt viele Sozialbauten in London. Und auf ihre Mutter gewartet. Aber. Als am nächsten Tag keine Nachricht von ihrer Mutter kam,

Als am nächsten Tag keine Auskunft in irgendeinem Krankenhaus zu erhalten war.

Als am nächsten Tag kein Regen fiel und keine Sonne

schien, war Karen klar, dass sie keine Familie mehr hatte.

»Du hast uns.« Sagte Hannah, als sie auf dem Dach ihr tägliches Treffen abhielten.

»Wir haben uns«, sagte Don, zu sich selber.

»Komm, wir hauen ab.« Sagte sie laut. Keiner antwortete. Jeder saß in seiner eigenen Erstarrung, die der Gedanke auslöste. Es war eine Sache, sich nachts vorzustellen, abzuhauen. Die Gedanken waren mit Glamour verbunden. Eine ganz andere Geschichte war es, sich aus der Gewohnheit zu reißen, eine Tasche zu packen und mit anderen Kindern an einen unbekannten Ort zu verschwinden.

»Lasst erst mal die Liste überprüfen«, sagte Hannah. Eine Übersprunghandlung, die den Moment der Erstarrung beendete. »Die Liste der Menschen, die uns gequält haben, oder verletzt, oder egal.«

Die anderen schauten ein wenig leer. Sie hatten die Sache schon längst wieder vergessen, in dieser Zeit, in der Neuigkeiten nach einer Stunde bereits wieder veraltet waren.

Hannah holte ein kleines Notizbuch aus ihrer Jacke.

»Also, wir haben bis jetzt folgende Personen, die wir bestrafen werden:

Walter, der Ex-Freund von Dons Mutter.

Dr. Brown, der Arzt, der den Tod meiner Mutter verschuldet hat.

Thome, der Programmierer, der meinen Vater in den Selbstmord getrieben hat.

Patuk, Karens – ähm ...«

Kurzes Schweigen. Sie hatten nie über das gesprochen, was Karen genau passiert war. Im Moment schien es auch nicht angebracht, oder vielleicht war es nie angebracht. Trotzdem war allen klar gewesen, dass dieser Patuk zu Recht auf der Liste stand, dass kein Zweifel daran bestand, dass es gute Gründe dafür gab.

»Karens Ex-Freund«, sagte Hannah und fuhr schnell fort: »Peters Mutter, der Russe,

Sergej, der Mann, der Peter – ähm –

Wehgetan hat.«

Eine seltsame Schüchternheit war da vorhanden bei allen Themen, die eine Körperlichkeit behandelten. Das Gebiet, das jeden von ihnen im Moment verunsicherte, ein fremdes und gefährliches, vielleicht verbotenes Land. Sie waren noch Kinder. Die Körper in einem Zwischenreich, die Gefühle nicht erwachsen. Sie waren Kinder, die auf dem Dach eines hässlichen Gebäudes saßen, auf die bekannte, unendlich langweilige Stadt blickten und Angst hatten vor dem Weggehen. Weg von allem hier. Das nicht schön, aber vertraut war. Die Angst glich jener, die man verspürt, bevor man an einem Gummiseil in einen Abgrund springt. In Sekunden ist das Gehirn panisch mit der Suche nach einem Ausweg beschäftigt.

Da war keiner.

**Vor der Pause**

Wenn man der beknackte Regisseur beknackter Dystopie-Filme wäre, könnte man den Blick senken und sagen: »Ein neues Zeitalter hat begonnen. Die Maschinen werden intelligent, und der Mensch baut sich um.« DNA-Optimierung war das Ding der Stunde. Wenn man Geld hatte. Hatte kaum jemand, aber wenn, dann sorgte man für die Vervollkommnung seiner künftigen Stammbaumäste. Es wurden sowieso kaum mehr Kinder auf sogenanntem natürlichem Weg gezeugt. In vitro, Sie verstehen, die Technik, die keine Gliedversteifung und kein agiles Sperma benötigt.

Nichts von all den schrecklichen Szenarien, die Dystopisten sich ausgedacht hatten, ist eingetreten. Keine riesigen Lager, keine brutale Diktatur. Die Entwicklung der Welt ist elegant. Leise.

Unauffällig.

Es war nicht gut gewesen.

Für die Gehirne der Menschen. Die wunderbare Digitalisierung. Wie verändert sich das Hirn im Offline-Modus, wenn das Dasein zunehmend virtuell stattfindet, die Musik in Clouds und Streaming-Diensten, die Filme, die Bücher, die Freunde, die Shops, das Sozialleben aus einer Benutzeroberfläche bestehen, die vielleicht nicht real ist. Was passiert denn dann in der 1.0-Welt mit der Feuchtausstattung, die man durch den Winter tragen muss, in einer Menschengeschwindigkeit, die so langsam ist. Wo das Online-Leben so eine gute Raserei beinhaltet. Irgendein Spacko kommentiert, was irgendein Star, der auch nur online existiert, sagt oder tut. Irgendein gefälschtes DeepFake-Video von irgendwas geht viral. Und – die Medien greifen es auf. Im Fernsehen, das man online sieht, in den Online-Zeitungen werden Twitter und Facebook-Meldungen und Filme von irgendwelchen Honks oder Bots zitiert. Irgendjemand hat etwas gepostet. Na super. Vollkommen logisch, dass die Menschen Politik langweilig finden und lieber für abgehalfterte Reality-Stars oder schlechte Komiker stimmen. Falls sie abstimmen. Denn in Ländern, wo das online passiert, sind es vielleicht Bots, die voten, oder Malware aus China. An den Bits und Bytes lässt sich nicht erkennen, ob wirklich ein Mensch den Knopf hinter einem Bildschirm eines Endgeräts gedrückt hat. Egal. Es ist alles egal geworden, weil es immer weniger gibt, das real stattfindet, das ein anderes Gefühl herstellt außer Gereiztheit. Die Menschen scheinen einen Hass auf ihr Dasein zu entwickeln, wenn es außerhalb des Netzes stattfindet. Demonstrationen zum Beispiel oder in eine Partei einzutreten, Mahnwachen, Widerstand – all das Zeug ist unattraktiv, mühsam, außerhalb macht man nur noch Aktionen, wenn sie Gewalt und Hass beinhalten, damit sie im Ansatz ein Online-Gefühl erzeugen. Sonst bleibt man besser im Netz. Da kann man noch so großartig politisch arbeiten. In Trollfabriken aktiv werden oder Videos faken oder Stimmen faken. Was macht es mit dem Menschen, wenn er einerseits nur noch glaubt, was online stattfindet, dem aber zutiefst misstraut. Ohne eine Ahnung zu haben.

Apropos.

Seit jeder sich in irgendeiner Form äußert, Teil der Öffentlichkeit wird, geliked wird, Freunde findet, die vielleicht Bots sind, ist die Gewissheit um die Wichtigkeit des Einzelnen in pathologische Größenordnungen gestiegen. Jeder hat das Gefühl, die Welt kreise um ihn. Seine Meinung ist wichtig, seine Bewertungen können Restaurants ruinieren, sein Kommentar demütigt Politiker, seine Krankheit ist die einmaligste, er hat das nachgesehen, der Mensch, er kann alles, der Mensch. Er hat Tutorials gesehen. Klimawandel: schon begriffen. CERN: alles klar. Magenoperationen: kann er selber. Komm mal her, Gertrud. Gertrud ist jetzt tot. Aber online lebt sie weiter. Second Life war der Probelauf. Milliarden halten sich in einer neuen Welt auf, deren Grundfunktionen sie noch weniger durchschauen als die der sogenannten Real... –

Sie wissen schon, das Ding da draußen. Milliarden haben keine Ahnung, wie ein Rechner funktioniert, Algorithmen schon gar nicht. Wie man sie manipulieren kann, was manipuliert wird, sie starren auf Pixel und vertrauen. Was ja eigentlich rührend ist. Das macht so wütend, so wütend, dass man im Netz das Gefühl hat, alles hinge von der eigenen bescheuerten Meinung ab. Und draußen, wenn man dann rumläuft in Zeitlupe mit seinem frierenden Körper, da bekommt man keinen Respekt für sein wichtiges Sein. Was macht es mit dem Menschen, wenn nichts mehr anfassbar ist, alles vielleicht Fake. Nichts real. Wird der Mensch dann selber zum Fake, der sich nur in die Realität zurückbefördern kann, indem er sich Chips in den Kortex schießt? Das Denken verkümmert, weil es zu anstrengend ist. Das Mitgefühl verdorrt, weil Erregung im Netz in Sekundenbruchteilen stattfindet. Die Frustration wächst, weil das Leben offline so langsam und langweilig ist. Das fucking Netz ist zur Leni Riefenstahl der Welt geworden. Ein Ort der Verblödung, Verhetzung, der Manipulation und der Frustration.

Es läuft also alles bestens. Zeit für die nächste Stufe.

**Pause.**

Während die Geschichte von Hannah, Don, Peter und Karen eine neue Dynamik bekommt, die aus dem Packen von Taschen, dem stillen Abschied von ihrer Kindheit und einer misslungenen Reise nach London besteht (der Bus nach Manchester hatte Verspätung. Es gab keinen Anschluss, die Kinder übernachteten in Manchester-Salford und setzten ihre Flucht am nächsten Tag fort).

Ein guter Zeitpunkt, über Beschleunigung zu sprechen, die abstrakt in der Welt stattfand und eine paradoxe Wirkung auf viele Menschen hatte. Sie fühlten, dass ihr Leben stagnierte. Oder rückwärtslief. Oder einfach in einer Schleife festhing. Oder einfach den Anschluss an die Außengeschwindigkeit nicht fand. Da mochte man sich einen sprachgesteuerten Computer in die Wohnung stellen oder einen Staubsaugroboter, der in den zehn Quadratmetern herumkroch – schneller wurde es einfach nicht, weil dem Verstand Grenzen gesetzt sind. Dass nichts in ihrem Dasein in eine glanzvolle prächtige Zukunft glitt, sondern alles anstrengender, unerfreulicher und hoffnungsloser. Wurde. Dienstleistungen standen nur noch einer Oberschicht der Bevölkerung zu, der Rest plagte sich mit Online-Reservierungen, sie checkten sich selber in Flugzeuge, in denen sie mit ihren Thrombose-Strümpfen eingeklemmt hockten, sie warteten in Warteschleifen an ihren Geräten, um eine Auskunft von einem Scheißroboter zu erhalten, sie wussten nicht mehr, wer sie warum regierte, wer die Welt beherrschte, sie verstanden Alphabet nicht und die Lieferdrohnen, die elektronischen Autos, die immer öfter seltsame Unfälle hatten, die Kopfschmerzen nicht, die aber verschwanden, wenn man seine Pillen nahm, sie hatten Angst um ihre Jobs, zu Recht. Die Fälle, da Menschen an Überarbeitung starben, häuften sich, die Fälle von Arbeitslosigkeit häuften sich, die Armut nahm zu, sie wurde radikaler, unmenschlicher, es war die Zeit der akuten Wohnungsnot in den Großstädten der Welt, die Zeit, in der Zeltlager in Industriebrachen entstanden, die Zeit der kompletten Überwachung, der Vermessung der Hirne, der Beobachtung, Registrierung, Auswertung des Menschen, seiner Einteilung in wert und unwert, des aufblühenden neuen Faschismus, denn die ratlosen Leute wollten Klarheit, bitte eine Klarheit. Sie verstanden die Entwicklungen nicht mehr. Die künstliche Intelligenz, die keiner je gesehen hatte, die doch aber den Alltag aller bestimmte, ihre Daten sammelte, sie durchsichtig machte. Die Verhaftungen oder das Anbringen von elektronischen Fußfesseln, das Eliminieren wegen Fehleinschätzungen der künstlichen Intelligenz häuften sich, das Bargeld wurde etappenweise abgeschafft, die Tiere und Insekten dito, die Überschwemmungen häuften sich, das Klima war unrettbar aus der Balance geraten, die Rohstoffe, die es benötigte, um all die großartigen Server und Rechner und Batterien herzustellen, nahmen ab, wird schon. Egal. Das war den Menschen wie zu allen Zeiten egal. Wichtig war, was sie betraf – in ihrem täglichen Leben, ihrem engen Umfeld. Das seltsam verlangsamt immer unerfreulicher und rauer wurde, während die Veränderung der Welt, falls noch nicht erwähnt, zu rasen begann.

## Die Beschleunigung also

»Das von Stanislaw Ulam und John von Neumann in den 1950ern diskutierte Konzept besagt, dass der sich exponentiell beschleunigende technische Fortschritt innerhalb einer begrenzten Zeitspanne auf eine technologische ›Singularität‹ zuläuft. Im Jahre 2014 entdeckte ich ein weit älteres, schönes, erstaunlich präzises Muster der exponentiellen Beschleunigung, das nicht nur vom technischen Fortschritt handelt, sondern bis zum Urknall zurückreicht: Die Geschichte der aus menschlicher Perspektive vielleicht wichtigsten Ereignisse scheint nahezulegen, dass

Der vom Menschen dominierte Teil der Historie

Ungefähr um das Jahr Omega = 2050 herum ›konvergieren‹ wird. (Ich bezeichne den Konvergenzpunkt gern mit ›Omega‹, weil Teilhard de Chardin schon vor hundert Jahren die nächste Stufe der Menschheit so bezeichnet hat und weil ›Omega‹ sich besser anhört als ›Singularität‹ – es klingt ein bisschen wie ›O mein Gott‹.) Die Fehlerbalken der meisten unten genannten Daten scheinen nach heutigem Wissen unter zehn Prozent zu liegen. Warum sich die Zeitspannen zwischen entscheidenden historischen Ereignissen immer wieder so schön viertelten, weiß ich nicht.«

Ω = ca. 2050

Ω – 13,8 Milliarden Jahre: Urknall

Ω – ¼ dieser Zeitspanne: Ω – 3,5 Mrd. Jahre:
erstes Leben auf der Erde

Ω – ¼ dieser Zeitspanne: Ω – 0,9 Mrd. Jahre:
erste tierartige, mobile Lebewesen

Ω – ¼ dieser Zeitspanne: Ω – 220 Mio. Jahre:
erste Säugetiere (unsere Vorfahren)

Ω – ¼ dieser Zeitspanne: Ω – 55 Mio. Jahre:
erste Primaten (unsere Vorfahren)

Ω – ¼ dieser Zeitspanne: Ω – 13 Mio. Jahre:
erste Hominiden (unsere Vorfahren)

Ω – ¼ dieser Zeitspanne: Ω – 3,5 Mio. Jahre:
erste Steinwerkzeuge (»technologische Dämmerung«)

Ω – ¼ dieser Zeitspanne: Ω – 800 000 Jahre:
Beherrschung des Feuers (nächster großer
technologischer Durchbruch)

Ω – ¼ dieser Zeitspanne: Ω – 210 000 Jahre:
erste anatomisch moderne Menschen (unsere Vorfahren)

Ω – ¼ dieser Zeitspanne: Ω – 50 000 Jahre:
erste verhaltensmäßig moderne Menschen
kolonisieren die Erde

Ω – ¼ dieser Zeitspanne: Ω – 13 000 Jahre:
neolithische Revolution, Ackerbau und Viehzucht

Ω – ¼ dieser Zeitspanne: Ω – 3300 Jahre:
Start der ersten Bevölkerungsexplosion in der Eisenzeit

Ω – ¼ dieser Zeitspanne: Ω – 800 Jahre:
Feuer und Eisen kombiniert: erste Schusswaffen und
Raketen (in China)

Ω – ¼ dieser Zeitspanne: Ω – 200 Jahre:
Einsetzen der zweiten Bevölkerungsexplosion während
der industriellen Revolution

Ω – ¼ dieser Zeitspanne: Ω – 50 Jahre:
Informationsrevolution, digitales Nervensystem umspannt
die Welt, WWW, Mobiltelefone für alle

Ω – ¼ dieser Zeitspanne: Ω – 12 Jahre:
billige Rechner rechnen wohl mehr als ein Menschenhirn –
künstliche Intelligenz auf menschlichem Niveau?

Ω – ¼ dieser Zeitspanne: Ω – 3 Jahre: ??

Ω – ¼ dieser Zeitspanne: Ω – 9 Monate: ????

Ω – ¼ dieser Zeitspanne: Ω – 2 Monate: ????????

Ω – ¼ dieser Zeitspanne: Ω – 2 Wochen: ????????????????

*(Eine vereinfachte Abhandlung nach Prof. P Schmidhuber,*
*Computer Scientist. AI-Developer)*

Es läuft gut
Für
**Die Menschheit**
Sie werden immer älter.
Die Leute. Warum auch nicht, da das Leben doch selbst in unterentwickelten Ländern, wie die westliche Welt sie nennt, angenehmer wird. Seit westliche Firmen den Leuten da endlich sauberes Wasser verkaufen und durch die Intervention von China blühende Landschaften in Pakistan, Uganda, Somalia und wie sie alle heißen errichten. Präzisionsfarminganlagen, die so groß sind wie Länder, Batteriefirmen, Solarparks bringen den Eingeborenen Arbeit, Wohlstand, Entwicklung und Endgeräte.

Und die Technik. OMG.

Die Technik heilt Krebs, macht Gelähmte gehen, Taube hören, sie versorgt Alte mit Roboterrobben zum Kuscheln und Pflegepersonal zum Liebhaben. Immer mehr ermüdende, krank machende Berufe verschwinden in die geöffneten Arme der künstlichen Intelligenz. Das Weltwissen ist im Netz verfügbar für jeden, Rechner sind zum Lebensmittel geworden, das zunehmend der gesamten Bevölkerung frei zur Verfügung steht. Es gibt so viele positive, beschwingende Aspekte in der Entwicklung, dass es nicht unwahrscheinlich scheint, dass unser Alltag bald wie in den leuchtenden Utopien aussehen könnte, mit lachenden Menschen, die, gut ausgebildet und mit wunderbaren Freiräumen zur Selbstverwirklichung ausgestattet, auf Grünflächen stehen und fliegenden Taxis nachwinken.

Die Abschaffung der Monarchie erfolgte so schnell wie die Öffnung der deutschen Mauer, die Ost und West geteilt hatte. Oder wie die Machtergreifung der Faschisten in Europa. Der Ausbruch der Enzephalitis in Afrika, die sich zur Epidemie auswächst. Diese Momente, die das Leben einiger fundamental verändern, die unvorstellbar schienen und doch nach einem Tag komplett aus der Schwarmintelligenz-Hardware gelöscht werden. Weil sie eben die meisten der acht Milliarden nicht betreffen.

Der neue König trat vor die Kameras. Er bekundete seinen Rücktritt, er war der modernste Angehörige der Königsfamilie und damit der unbeliebteste. Es folgte. Nichts. Erstaunlich. Da war immer geraunt worden, dass die Monarchie ein zentrales Fundament des Zusammenhalts

sei. Dem Menschen Fels im brandenden Meer, Halt in der Hoffnungslosigkeit. Da war gedacht worden, allein die Anwesenheit einiger Gesalbter sei wichtig, um Gott in das Leben der Untertanen zu tragen, und würde Revolutionen verhindern. Und dann erfolgten – keine Straßenschlachten zwischen Royalisten und Monarchie-Hassern. Alle zuckten die Schultern. Die Königsfamilie packte ihre Koffer. Die Queen hatte vor ihrem Ableben Modenschauen besucht. Sie hatte verzweifelt versucht, die Monarchie wieder hip zu machen. Was leider nicht funktionierte. Die zwei bürgerlichen Heiraten waren der Tiefpunkt, die Heirat mit einer Schwarzen war der Tropfen. Sie wissen schon. Der tief in der Genetik verwurzelte Hass auf alles Nicht-Pinkfarbene der königstreuen Bevölkerungsschichten hatte nicht mehr besänftigt werden können. Man kann sagen, eine nicht pinkfarbene Person hatte das Ende der Monarchie besiegelt. Der Palast wurde zu einem Museum des britischen Reiches umgewandelt. Teile des MI5 wurden einquartiert. Die ehemalige Königsfamilie zog sich, immerhin noch im Besitz ihres Milliardenvermögens, nach Schottland zurück.
Ein weiteres nervöses Zucken der Augenlider, und die Sache war vergessen ...
Die Gehirne der Weltbevölkerung. Sie wissen schon. Die Menschen, die ohne den Einfluss von Mobilgeräten aufgewachsen sind,
Sind tot.
Jedes Kind in der westlichen Welt verbringt mehr als fünf Stunden täglich an seinem Endgerät. Es checkt im Zehnminutentakt, also freundlich gerechnet, seine sozialen

Medien, Messenger und Chatforen. Das Suchtpotenzial einer gesamten Generation ist um 300 Prozent gestiegen, der Anteil von Gamma-Aminobuttersäure im Vergleich zu Glutamat und Glutamin im anterioren cingulären Kortex ist stark erhöht, wenn man die Werte der Toten zugrunde legt. Die dritte Generation von Suchtkranken, Angstgestörten, Depressiven, die nicht mehr in der Lage sind, sich länger als zwei Minuten auf ein Thema zu konzentrieren.

Oder eine Kreativität

Oder

Ein Mitgefühl zu entwickeln. Sie agieren motorisch verlangsamt und weisen eine signifikant reduzierte Gehirnleistung auf.

Was soll sein.


Später. Also jetzt.

Ist alles ruhig. Anders ruhig als in Rochdale.

Denkt

**Don**

Aufregender ruhig, denkt sie.

Es ist die Nacht in einer Großstadt, in der es nicht dunkel wird, keine Sterne zu sehen sind, die Stadt, in der man das Gefühl haben kann, nicht alleine zu sein, sondern überall Menschen vermutet, die einem Bekannte werden könnten. Oder Geliebte. Hinter irgendeinem Fenster kann der Mensch sitzen, der dein Leben verändern wird. So was hat Don früher nie gedacht. Sie kannte fast jeden hinter jedem der Fenster ihrer Heimatstadt, und von keinem wollte sie erwartet werden. Die Luft riecht nach altem Öl. Nach Benzin. Nach Teer, und irgendwo sind Frösche.

Während der Nachtwachen fühlt Don sich am richtigen Ort. In der perfekten Zeit. Erwachsen und – erregt. Die Sicherheit hängt von ihr ab. Für andere verantwortlich sein wirkt sich positiv auf das Belohnungszentrum aus. Ein Grund, warum Menschen immer noch Kinder herstellen. Falls sie dazu in der Lage sind, was immer seltener der Fall ist. Das Spermium, sie ahnen es.

Ruhe. Flirrende Ruhe, würde Don denken, wenn sie ein Volltrottel wäre. Wäre sie ferner ein Mensch, der immer barfuß läuft, um die Elektronen aus dem Boden aufzunehmen, würde sie sagen: »Ich heiße die Nacht willkommen, denn ich spüre diese tiefe Verbundenheit mit der Natur nur durch die Absenz des Lichts.«

Natur.

Nun ja.

In der – nennen wir es einfach – Umgebung, in der die – nennen wir es – Unterkunft der Kinder steht, ist nicht so viel davon übrig. Eine ehrliche Gegend des Anthropozäns weit im Osten Londons, wo es verwunschene Seen gibt, deren Oberfläche von grünen Schlieren bedeckt ist und auf der kleine Gasblasen ploppen. Irgendwas passiert da, tief in diesen Seen, die nach Schwefel riechen, sie liegen zwischen Industrieanlagen wie kleine Blutlachen, die aus gestorbenen Robotern austreten. An diesen Ort kommt keiner, der nicht muss. Außer ein paar Untoten und arbeitslosen Nachtwächtern, die, alten Gewohnheiten folgend, gelegentlich die leeren Lagerhäuser überprüfen, herrscht hier die größtmögliche Abwesenheit von Menschen. Vor einigen Jahren wären hier längst Bagger aufgefahren, die selbst in der unwirtlichsten Ecke der Stadt das Fundament für luxuriöse Hochhausbauten als Investment irgendwelcher Trottel, die Windeln tragen, weil sie stressbedingt die Kontrolle über ihre Schließmuskeln verloren haben, errichtet hätten. Doch die Bauaktivitäten haben nachgelassen. Zu viele Hochhäuser stehen seit Jahren leer. Dabei ist es jetzt so schön ruhig. Kontrolliert. Hier. Was waren das noch Zeiten, als das Land an Diktatoren, Fundamentalisten, Oligarchen und scheiß der Hund drauf wen verkauft wurde. Waren das Zeiten, als alle glaubten, es ginge immer so weiter. Mehr, größer, schneller, schöner, goldener. Reichtum und Exoskelette für alle.

Es ist so ruhig. Der Bach rauscht in gebührendem Abstand. Ein Autobahnknotenpunkt, auf dem elegante Elektrowagen im Stau stehen. Ein schöner Platz, zum Überleben. Jetzt ist alles in Ordnung.

*Nach den ersten drei etwas problematischen Wochen.*

Don hatte ihn sich euphorischer vorgestellt, den

Neustart

Dass sie ankämen am Busbahnhof, den Don in guter Erinnerung hatte, mit zwei Stück besoffenen Eltern.

Also, sie hatte gedacht, diesmal würde es anders. Dass sie ausgelassen durch die Straßen laufen und dass sich Sachen ergeben würden, hatte sie gedacht.

Vielleicht träfen sie interessante Jugendliche, die eine Schlafgelegenheit für die vier in einer – sagen wir – Villa hätten? Unklar, was die anderen Kinder sich vorgestellt hatten, was sie sich erträumt hatten vom ersten Tag in der Metropole. Keines redete über sogenannte Gefühle, die waren zu wenig konkret. Was sollte man da reden? Über ihre problematische Kindheit? Über ihr Misstrauen der

Welt gegenüber? Über das Grauen in der Nacht? Wenn sich der Boden auftat, in dem sie verschwanden. Für sein versautes Leben die Kindheit verantwortlich zu machen, war ein sinnloser Tick der untergehenden Bildungsbürger gewesen. Ü50-jährige Lehrerinnen, die in einer Verhaltenstherapie an den Verletzungen durch ihre Mutter arbeiteten und einen neuen Stammbaum mit lustig bunten Bildern, auf denen sie ihren Schmerz gemalt hatten, errichteten. WTF. Wenn der Untergang der Welt etwas Gutes hatte, dann den Zusammenbruch des Psychogewerbes. Es hatte einfach keiner mehr Geld für Familienaufstellungen und Kleenex-Boxen. Es gab kein Geld mehr für nicht funktionierende Mitglieder der Gesellschaft.

Dafür haben Männer wie
**Thomes Vater**
Gesorgt.
Thomes Vater blickt sich um. Er ist allein in der Bibliothek. Seine sogenannte Frau hängt mit irgendwelchen Russinnen im Dorchester, das irgendwelchen Arabern gehört. Und Thomes Vater kratzt sich an den Testikeln. Nun ja, »kratzt«. Er überprüft den Sitz seiner Männlichkeit. Alles da. Alles am Leben. Er steckt sich eine Zigarre an. Die Sache läuft. Der Austritt aus der EU ist vergessen. Aber nicht bei Thomes Vater, er erinnert sich gerne daran. Es war der erste Schritt der Umgestaltung, und noch immer muss er schmunzeln, ja, er denkt »schmunzeln«, wenn er den Mund leise verzieht, wenn er daran denkt, dass Bots dafür zur Verantwortung gezogen wurden. Damals hatte er noch keine Ahnung von Technik, nur von

Psychologie. Ein gespaltenes Volk ist ein lenkbares Volk. Es sucht nach Feinden und einem Führer. Voilà, dachte Thomes Vater. Hier bin ich. Thomes Vater war ein glühender Anhänger von Murray Rothbards Libertärem Manifest.

Genau.

Hier

Kommt


**Sir Ernest (Earl)**
*Gesundheitsprofil: Gicht, Inkontinenz, stark ausgeprägte Angstzustände, wenn er an sein Ende denkt*
*Hobbys: Jagd*
*Finanzieller Status: unklar über einer Milliarde*

Ins Spiel.

»Sir, wenn Sie Ihre Ideen kurz formulieren wollten?«

»Ja. Sehr gerne. Also. Sehen Sie. Die Privatisierung von Armee und Polizei würde ich als Durchbruch werten. Ein Unding, das Gewaltmonopol in den Händen eines wankelmütigen Staatsapparates zu wissen. Es gehört unter die Kontrolle eines souveränen unparteiischen Boards von Menschen, denen Ordnung und Stabilität im Land wichtig sind. Ich bin konservativ in einem guten Sinne.«

Sagt der Earl.

Er versteht darunter seine Sehnsucht nach einem Großbritannien, das ausschließlich in BBC-Serien existiert.

»In meiner Kindheit«, sagt der Earl, »war die Sache

relativ klar umrissen. Es gab die Highlands, Cornwall et cetera, da war man in den Ferien auf dem Landgut, und dann roch es nach Gras. Der Hengst weidete auf taufeuchter Wiese. Der englische Hengst. In den Städten waren das Leben geordnet und die Strukturen bewährt. Es herrschte eine ruhige, freundliche Atmosphäre. Die Menschen, die es durch Tradition und ihrer Hände Arbeit zu Wohlstand gebracht hatten, mischten sich nicht mit den einfachen, arbeitsamen Mitbürgern. Der normale Engländer wandelte im Hyde Park, hielt sich sauber und respektierte die Staatsordnung. Frau und Mann kannten ihren Platz im Fundament des Staatswesens. Die Frau: innen. Der Mann: außen. Jeder wichtig. Jeder seinen Veranlagungen folgend. Gebären, behüten. Jagen, erobern. Weich und hart. Keine Fragen. Keine Missverständnisse. Es war eine angenehme Aufgeräumtheit im Land vorhanden, die sich in blühender Dividende niederschlug und Großbritannien zu einem der mächtigsten Imperien werden ließ.«

Sir Ernest sehnt sich nach einer Zeit, in der Worte wie Moral, Treue, Stolz vorkamen. Er wünscht sich eine aufgeräumte Überschaubarkeit und Sauberkeit, die er nicht mehr gegeben sieht. Schaut er um sich, dann blickt er in einen Abgrund aus Schmutz, er sieht Dreck auf den Straßen, Verfall in den Gesichtern, Menschen am Straßenrand, Frauen, die aggressiv und unweiblich sind, Männer in lächerlicher Frauenkleidung. Er sieht keine geschlossene königstreue Einheit der Briten mehr, sondern zersplitterte Gruppierungen aus Einwanderern, Feministinnen, Schwarzen und weißen Nazis. Niemand kann ihm erzählen, dass ein Mensch in dieser Orientierungslosigkeit glücklich ist. »Wenn einem Menschen«, fährt der Earl fort, »der Erwerb von Produkten der einzige Parameter gelungener Lebensführung ist, dann bricht das System Mensch beim Nichterwerb von Waren zusammmen. Der Mensch. Ich halte hier kurz inne. Und meine, der Mensch, der uns überantwortet wurde, der Mensch, der nach Führung ruft und Regeln, nach einer regulierenden, Einhalt gebietenden Hand, braucht ein Geländer, um sich daran festzuhalten auf dem beängstigenden Weg seines kurzen Lebens.« Sagt der Earl.

»Sehen Sie sich China an. Ein Land mit Regeln, harten Gesetzen, ja, Todesstrafe ist dort kein Fremdwort. Die Todesstrafe für den Missbrauch von Kindern, für Akte des Terrors und für Landesverrat. Ja. Daran arbeite ich, dafür gebe ich meine Kraft, um mein Land wieder zu einem Ort der hier geborenen Nachfahren großer Engländer zu machen. Ich bin wütend. Das ist mein Land. Hört ihr, Idioten, die ihr ohne jeden Respekt an die Grundfesten unserer Geschichte uriniert! Die ihr sie zumüllt mit falschen Ideen und schmutzigen Fantasien. Ohne jede Achtung vor den Leistungen unserer Leute.

Zeit für einen Neustart!«

Hatte auch

**Peter**

Gedacht,

Als

Die Kinder

Angekommen waren vor drei Wochen,

Nach einer beunruhigenden Fahrt, auf der viele Feuer zu

beobachten gewesen sind. Zeltlager auf den Freiflächen verlassener Industriebrachen, auf toten Äckern.

Habe ich echt »Neustart« gedacht, hatte Peter gedacht, dieses dämliche esoterische Nullwort, das Menschen verwenden, um sich einzubilden, sie hätten irgendetwas in der Hand. Als seien sie nicht nur Schafe, die ihren vierbeinigen Kameraden einzig durch ihre Greifwerkzeuge überlegen sind.

In London angekommen, sah es nicht besser aus. Was war denn nur los? Ein Krieg, und keiner hatte in Rochdale Bescheid gegeben? Der Verkehr stand, Menschen drängten sich durch die schmalen Lücken zwischen den Wagen, es sah nach einer Demonstration aus auf der Straße vor dem Terminal. Aber. Es handelte sich nur um den Feierabendverkehr. Das Tempo war verwirrend, gemessen an der Geschwindigkeit der Menschen zu Hause, die sich gefühlt nur kriechend vorwärtsbewegt hatten. Hier wurde gerannt, um zu zeigen, dass man noch mithalten konnte. Den Kiefer fest zusammengepresst, die Augen auch, sie waren immer entzündet. Zeigen, dass man über aberwitzige Konsumkräfte verfügt. »Ich kauf den Scheiß. Sagt mir nur, welchen. Ich kauf das alles.« Nach der Arbeit – oder den Arbeiten, wie man, dem Mehrjobsystem gerecht werden wollend, sagen musste, kauften die Arbeits- oder Beschäftigungsnehmer Londons in automatisierten Läden – »Wir nehmen auch Bitcoins!« – ein. Die Produkte praktisch für die alleinstehenden Menschen in Pappschalen abgepackt. Der Umwelt zuliebe. Der Herd im smarten Zuhause, was acht Quadratmeter in irgendeinem Hinterhof bedeutete, wurde per App vorgeheizt, der Ofen dito. Das Licht angemacht, die Fahrkarte gelöst. Ein großes Hurra der Digitalisierung, die dem Menschen Zeit schenkte, um noch einen vierten Job anzunehmen. Um noch ein Gerät zu kaufen, das ihm im Anschluss noch mehr Zeit schenkte. Also. Nachdem sie irgendeinen Scheiß in Plastikschachteln gekauft hatten und sich fortschrittlich fühlten – »Ich bin fucking Teil der industriellen Revolution 4.0 dank in Plastik verpackter vorgegarter Scheißnudeln!« –, rannten die meisten zu den Bussen, die sie in ihr Hinterhofloch bringen würden. Von großen Bildschirmen, die an allen Ecken angebracht waren, kamen die Nachrichten. Es passierten weniger Unfälle, seit die Menschen nicht mehr pausenlos auf ihre Endgeräte starren mussten, um ihre überreizten Synapsen zu beschäftigen. Momente des Nichtbeschäftigtseins, Momente ohne Informationen wurden vom Hirn als vertane Zeit gewertet und mit kleinen depressiven Schüben bestraft. Momente ohne Information, die die Erregungskurve oben hielten, denn Erregung wurde mit Lebendigkeit verwechselt. Die Menschen starrten kurz. Rannten weiter. Hielten wieder ein, kamen zurück. Double Take. Die Meldung auf den Flatscreens im Dauerloop.

Da passierte etwas Großes. Wie um die Ankunft von Peter, Don, Hannah und Karen gebührend zu feiern, wie um das Datum ihres »Neustarts« im kollektiven Gedächtnis zu zementieren.

Eine dieser mütterlichen, betonblond frisierten Ansagerinnen, die einzige Sorte Frau, die auf der Insel eine Existenzberechtigung zu haben schien, verkündete den

Beschluss der Regierung, der am Vorabend – »Ja, genau gestern Nacht« – gefällt worden war.

Ab sofort

Würde

Jede Bürgerin, jeder Bürger des Landes

Mit einem gültigen britischen Pass

Ein Grundeinkommen,

Das an keinerlei Bedingungen geknüpft war,

Erhalten.

Die Passanten vor den Bildschirmen waren erstarrt. Man konnte sehen, wie die Worte in ihre Ohren drangen und sich von da den mühsamen Weg in ihr Gehirn bahnten, im Wernicke-Areal im hinteren oberen Teil des linken Temporal- oder Schläfenlappens ankamen. Das dauert seine Zeit. Aber dann. Brach die Erkenntnis mit einem kollektiven Schrei aus Hunderten

Menschen.

Sie lagen sich, im Rahmen ihrer britischen Kontaktscheu, in den Armen. Kohle. Es gab Kohle für lau! Mehrfach wurde betont, dass Großbritannien damit eines der ersten Länder der Welt sei, das sich den Herausforderungen der Zukunft stellte und so weiter. Mit dem Grundeinkommen würden Sozialhilfe, Rente, Krankentagegeld und Invalidenzahlungen entfallen.

Der kollektive Mund stand offen. Diese Maßnahme, so hieß es weiter, würde eine aufwendige Erfassung aller Einwohner erforderlich machen, die BürgerInnen sollten sich im Laufe der nächsten Tage zur Registrierung ihrer Ansprüche auf den Meldeämtern einfinden. Und den Personalausweis nicht vergessen. Und leckt mich am Arsch, dachte

## Don

Das betrifft uns nicht. Wir sind keine Bürger, sondern geflohene Kinder. Unterdessen

War das, was bei ihrer Ankunft einer Demonstration glich, zu einem Aufstand geworden. Als ob das Geld, das der Staat an die Bürger verschenkte, nur an die Schnellsten verteilt würde, waren alle am Durchdrehen vor Gier. Taxis wurden gestoppt. Menschen rannten, fielen, stolperten über Gefallene, und überall lagen diese dubiosen vereinzelten Schuhe auf der Straße. Peter bekam Angst. Es war angezeigt, den Schauplatz des Irrsinns zu verlassen. Die Kinder hatten ihre Taschen genommen und sich durch die Erregtheit gedrängt. Sie brauchten eine Viertelstunde, um sich hundert Meter vom Victoria-Terminal in ein Viertel der Reichen zu schieben. Erstaunlich der Kontrast zwischen den Elenden am Straßenrand, den gehetzten Bürgern, den Obdachlosen zu der eleganten Wohnsituation. Die Bevölkerung hielt sich scheinbar an die Trennung der Klassen. Schiffsähnliche große Wohnhäuser, aus deren Fenstern goldenes Licht schien, betrachteten einen ansehnlichen Park, der für eine erste Nacht, in der nicht einmal Nieselregen herunterging, geschaffen schien. Die vier saßen kaum, als zwei Sicherheitsbeamte mit einem Hund, der vermutlich mechanisch war, auftauchten. Sie erklärten, dass dies kein öffentlicher Park sei. Weil es keine öffentlichen Parks gibt. Also es gibt Parks, die die Öffentlichkeit bedingt nutzen darf. Alle Grün- und Freiflächen, alle Plätze der Stadt befanden sich im Besitz von irgendwem. Russen, Arabern, Syndikaten, und es obliegt den Eigentümern, die Regeln festzulegen.

Nun

*Das neue Leben*
Begann mit einer sehr verzögerten Euphorie.

Die Fast-noch-Kinder von Eltern undefinierbarer Ethnien schliefen in der ersten Wochen auf der Straße vor dem Bentley-Shop, in einer Jugendherberge, in einem besetzten Haus und in Bürogebäuden, in die sie sich einschließen ließen. Die Bürogebäude waren die besten Schlafstätten, sie waren beheizt. In den Nächten in Bürohochhäusern hatten die Kinder eine Sehnsucht nach einem geregelten Leben bekommen. In den Nächten im Hochhaus erstellten sie Pläne. »Wir sollten uns, bevor wir sesshaft werden, erst einmal mit der Stadt vertraut machen.« Sagte Don in diesen Tagen. Die anderen stimmten zu.

Also machten sich die Kinder
Mit der Stadt vertraut.

Die Innenstadtbezirke schienen ausschließlich von Chinesen, Russen und Arabern bewohnt zu werden. Die man nur hinter den Scheiben goldfarbener Autos mit fünf vergoldeten Auspuffrohren sehen konnte. Die Innenstadtbewohner bestanden auf ihren eigentlich verbotenen benzinmotorgetriebenen Fahrzeugen, die Ordnungskräfte drückten da ein Auge zu. Sie wussten, wem die Stadt zum großen Teil gehörte. Die Reichen standen also in ihren goldenen Schüsseln im Stau, die Elektrofahrzeuge dito, und auch die kleinen selbst fahrenden Vehikel standen.

Das Recht auf Individualverkehr wollte sich keiner nehmen lassen. So ein Auto war doch Freiheit, wo es sonst kaum mehr Freiheit gab. So ein Auto, mit dem konnte man herumfahren, theoretisch.

Die Kinder begannen die vertrauensbildende Stadterforschung in der City of London. Knapp drei Quadratkilometer groß, knapp 8000 Bewohner. Seit 886 mit eigenen Gesetzen. In der Temple Church verkehren nur Reptiloide.

Sonst war nicht viel los. Weiße Männer mit Anzügen, die sich so ähnlich sahen, dass man dachte, es wäre sinnvoller, sie alle zu komprimieren und einen Mann daraus zu formen. Wozu der dann gut sein soll, war jedoch auch unklar.

Die Innenstadtbezirke schienen außer für reiche Idioten in goldenen Autos nur für Touristen gebaut. Chinesische Individualreisende, die in authentischen Läden Marmelade im Wert kleiner Goldketten kauften. Ältere Fotomodelle, die russische Männer geheiratet hatten und nun mit Weidenkörben in Bioläden Superfood kauften, noch ein wenig unsicher auf den Beinen wegen der operativen Bauchnabel- und Vagina-Anpassung. An die Vorgaben. Sie wissen schon.

Es gab im gesamten Innenstadtbereich, in Nottingham und Chelsea und Mayfair und Kensington keine Kinder. Die waren vermutlich in Internate ausgelagert worden oder tot. Die Blicke, die Hannah, Peter, Don und Karen folgten, konnten ohne Weiteres als Gier ausgelegt werden. »Vielleicht saugen sie Kinder hier aus«, sagte Hannah. »Wir sollten verschwinden.«

Wie überall in Europa wurde das Straßenbild erbärmlich, sobald man das Zentrum verließ. Keine Bäume, keine Limousinen, kein Gold. Roter, ehrlicher Backstein, organische Cafés, Fitnessbuden. Für eine lebenslustige Weltmetropole sahen diese, sagen wir, »Gegenden« deprimierend aus. Aus Garagen und Schuppen waren Wohnungen geworden, in verzogenen Fenstern waren Schilder angebracht. Überall wurden Mitbewohner gesucht oder Sofaschlafplätze angeboten. Die Mieten,
Sie ahnen es.

*In den Vierteln*

Jenseits der geputzten weißen Villen, der teuren Kaufhäuser, der entzückenden Privatparks klang der Orgasmus der Regierungsmitteilung nach. Vor den Einwohnermeldeämtern hatten sich lange Schlangen gebildet. Die Wartenden strahlten Zuversicht, Hoffnung und Angst aus. Vielleicht wäre das tolle Grundeinkommen aufgebraucht, bevor sie an die Reihe kämen? In den Ämtern wurde die Bevölkerung an langen, provisorisch aufgestellten Tischen abgefertigt. Der Kunde blickte in eine Kamera. Das Gesicht wurde an die Datenbank übermittelt, in Sekundenbruchteilen ein Chip mit den Daten des Betreffenden geladen. Geräte-IDs, biometrische Passangaben, Konten, Adresse, Krankheitsakte, Strafregister, sexuelle Vorlieben, Freundeskreis, Familie, soziale Auffälligkeiten, Vorstrafen. An Infoständen klärte geschultes Personal über die Einsatzmöglichkeiten der sensationellen neuen Technik auf. Sie sprachen weniger von den persönlichen Informationen, die nun sogar erfassbar waren, wenn eine Zielperson sich außerhalb des Einzugsbereichs einer biometrischen Gesichtserkennung aufhielt und ohne Handy und Personalausweis unterwegs war. Das Personal pries vor allem die Vereinfachung des bargeldlosen Zahlungsverkehrs und die einfache Nutzung des öffentlichen Transportwesens an. »Und sehen Sie, Sie benötigen weder Kreditkarten noch Versicherungskarten, Sie haben all Ihre Passwörter an einer Stelle und können Ihr smartes Home mit diesem Chip steuern.«

»Welches smarte Home«, mochte der eine oder andere fragen. »Dazu später«, würde das Infopersonal mitteilen. Die registrierten BürgerInnen verließen die Meldestelle mit einer großen Beschwingtheit. Endlich! Schienen sie zu denken. Endlich würde es sich einlösen. Der Traum von Fortschritt und Zukunft. Endlich würde es wieder bergauf gehen,

Fühlte

Die junge

**Kommunikationsberaterin**

*Gesundheitszustand: zwei Abtreibungen*

*Deformationen: Fußpilz*

*Sexuelle Orientierung: Tinder*

*Politische Einordbarkeit: linkes Spektrum, konsumkritisch*

Also die theoretische Kommunikationsberaterin. Im Moment wurde da nicht kommuniziert. Schon gar nicht von ihr.

Sie hatte keine Ahnung gehabt, was sie werden sollte, wie die meisten in ihrer Klasse. Studierte sie halt was, das freundlich klang. Irgendwas mit Menschen eben. Mit Menschen reden klang freundlich. Die Kommunikationsberaterin wollte sich nicht aussetzen. Sie wollte nicht gehasst werden, keine Shitstorms bekommen, nicht vorangehen, nicht unbeliebt sein. Na, wie aufregend.

Das Studium brachte ihr nichts Wesentliches bei. Linguistik, Framing, moderne Medien, um mal nur drei Nullbegriffe zu nennen. Im Anschluss hatte sie ein Praktikum bei einem Start-up bekommen, das einen neuen Messenger-Dienst lancierte. So etwas wie WhatsApp. Snapchat, Instagram. Früher. Nur bedienungsunfreundlicher. Verbunden mit einem externen Gedankenlesegerät, das gedachte Sätze direkt in den Messenger eingeben. Sollte. Klappte nicht. Kam nur Murks raus. Die Kommunikationsberaterin verdiente das Geld für ihr WG-Zimmer und ihre Spaghetti in einer Bar in Soho und arbeitete am Tag zehn Stunden für sich, für die Optimierung ihres Portfolios, also unentgeltlich bei dem Start-up. Das nach einem halben Jahr pleiteging. Die Kommunikationsberaterin fand im Anschluss noch Praktika bei zehn jungen, aufstrebenden IT-Firmen, die irgendeinen Scheiß entwickelten und davon träumten, groß rauszukommen. Zwei zahlten sogar ein Gehalt. Also. Fast ein Gehalt. Die Kommunikationswissenschaftlerin war genderfluid und polyamorös. Whatever – sie war sich immer klar darüber gewesen, besonders zu sein. Sie glaubte an die Gleichberechtigung aller. Respektierte Religionen, sexuelle Vorlieben, geschlechtliche Selbstzuschreibung. Es war ihr nicht egal, was andere lebten. Sie betonte, dass es ihr egal war. Die Kommunikationsberaterin war gegen den Brexit gewesen, ihre Arme waren mit Tattoos so überfüllt, dass sie wirkten wie schwarze Prothesen. Ihr erklärter Feind war der Neoliberalismus. Von dem sie, ganz unter uns, nicht genau wusste, was sich dahinter verbarg, außer der Verteuerung des Wohnraums und der angespannten gesellschaftlichen Gesamtsituation. Amazon zum Beispiel. Alter. Amazon. Die Kommunikationsberaterin bestellte, als sie noch Geld hatte, natürlich Bücher bei Amazon, aber kritisch. Wer hatte schon die Zeit und so weiter. Und wenn Adidas eine neue Capsule Collection von einem Grime-Star in die Läden brachte, campierte sie vor dem Geschäft. Sie war eine ganz normale, sich selbst überschätzende Flachpfeife, die man in ihrer Ratlosigkeit mit Rührung betrachten konnte. Von Geburt an wurde ihr die Heiligkeit des Individualismus gepredigt, um ihr Capsule-Turnschuhe zu verkaufen, und nun wurde da nichts von den Versprechungen eingelöst. Kein Preis für genderfluides Leben, keine Urkunde für die Verwendung 78 unterschiedlicher Social-Media-Accounts mit der Markierung von 78 möglichen Geschlechtern. Aber

Aus dem niedlich verwuschelten Experimentierstadium der Jugend gelangte sie in ein Alter, in dem ihre Lebensweise zu riechen begann, und plötzlich häuften sich unangenehme Zufälle. Schockmomente, da die Kommunikationsberaterin fast körperlich die Abwärtsbewegung ihres Lebens spürte. Es begann an dem Tag, als sie ihren Chip erhielt. Mit einer Art Scanner hatte die Stadtangestellte flüchtig ihren Kopf durchleuchtet

**MI5 Piet**

»Das war der IQ-Test, du Pflaume.

Und der war für dich nicht berauschend«

Und die

**Kommunikationsberaterin**

Verlor ihren letzten Job vor einigen Wochen. Sie war So-cial-Media-Fachkraft bei einem großen Immobilienbe-wirtschafter. Gewesen. Eine Firma, die sich vornehm-lich damit befasste, Sozialwohnungen in Privateigentum umzuwandeln. Die Kommunikationsberaterin fand mit ihrem Äußeren, dem Geschlechterfluiden, nicht unbe-dingt das Wohlwollen der überwiegend konservativen männlichen Belegschaft. Nach einer Woche kursierte im hausinternen Mailverteiler ein Film, der dank einer neuen Software täuschend echt wirkte. Das Gesicht der Kommunikationsberaterin und ihre Stimme waren in einem zoophilen Porno verwendet worden. Stichwort: Hengste. All die falschen Nachrichten, Bilder, Videos, die die sozialen Medien zu einem Schlachtfeld machten, hin-terließen trotz besseren Wissens der Betrachter immer einen Verdacht. Man wusste es besser, aber konnte nicht doch etwas dran sein? Und hatte die Kommunikationsbe-raterin nicht eine Spur zu lange in einem Pferdekalender geblättert? Sah sie den Bürohund nicht mit einem un-zweifelhaften Verlangen an?

Sie wurde dann also entlassen. Und fand im Anschluss, der angespannten wirtschaftlichen Situation sei Dank, nichts Neues. Weder bei einem etablierten Unternehmen noch bei einem Start-up. Nichts. Nicht einmal einer der

Ein-Pfund-Jobs stand für sie bereit, und die Kommunikationsberaterin zog von einer WG zur nächsten, aus der sie nach kurzer Zeit immer wieder verschwinden musste, weil immer irgendjemand kam, der mehr zahlen konnte. Es war, als flössen die Wochen und Monate zu einem Tag zusammen, der immer daraus bestand, dass die Kommunikationsberaterin in irgendwelchen Wohnungen stand, gleichgültig von den Inhabern begrüßt wurde und dann in einem dunklen Zimmer lag. Und Angst hatte, auf die Straße zu gehen. Denn unterdessen wurde die Kommunikationsberaterin einmal in der Woche, wenn sie mit ihrem unklaren Äußeren draußen war, zusammengeschlagen. Und dabei von irgendwem gefilmt. Demütigung war eine starke und immer wirkungsvolle Waffe. Sie hockte in ihrem Zimmer. Sah in den Hof. Im Fenster gegenüber ein Schatten. Morgen würde sie sich registrieren lassen, und dann hätte sie ein Grundeinkommen. Dann würde alles gut werden.

Und es regnete nicht.

»Sie sind irre geworden.«

Sagte

**Don**

Erstaunt betrachteten die Kinder die Begeisterung der Eingeborenen. Menschen mit verschlissener Kleidung, schlechten Zähnen, aufgedunsenen Gesichtern, von Alkohol gezeichnetem Blick tanzten geradezu ausgelassen in die Nacht. Sie hatten wieder einen Glauben an ihre Regierung. Einen Stolz auf ihr Land, Stolz, Brite zu sein. Stolz, Teil eines weltweiten Reiches zu sein. Das großartige Land, das ihnen ein Einkommen schenkte. »Geht scheißen.« Dachte Don. Laut. Die Stimmung ließ sich am besten mit jener vergleichen, die zum ersten Mal ins Freie gelassene Laboraffen empfinden. Eine komplett übertriebene Heiterkeit herrschte auf den Straßen. Von irgendwoher war dieses silberne Konfetti gekommen, das jetzt die Straßen bedeckte. Auf den übergroßen Bildschirmen an allen Ecken wurden spontane Grundeinkommenspartys gezeigt und Interviews mit glücklichen Bürgern. Diverse PolitikerInnen lobten anerkennend die Entscheidung zu diesem wichtigen Schritt für die soziale Gerechtigkeit im Land. »Wir sind unter Vollidioten gelandet«, sagte Don. »Ich habe zwar keine Ahnung, was genau hier passiert, aber es soll irgendwie ohne uns stattfinden.« Hannah nickte. Keiner der vier war wirklich das, was man unter einem IT-Nerd verstand. Sie wussten nur, dass es für sie angezeigt war unterzutauchen, wenn sie nicht in Pflegeeinrichtungen verbracht werden wollten. Sie wussten, dass sie als Kinder keine Menschenrechte hatten. Wussten, dass auch Erwachsene keine Menschenrechte hatten und dass die Idee, sich wie ein Haustier einen Chip unter die Haut schieben zu lassen, befremdlich war. Mit offenen Mündern standen die vier da, betrachteten die irre Großstadtbevölkerung und den Einbruch der Dunkelheit.

Auf ihrem weiteren Weg durch Gegenden Londons, in die sich nie ein entzückter chinesischer Tourist verirren würde und wo kein Millimeter Ästhetik vorhanden war, auf dem das Auge erfreut ruhen könnte, standen Mülltonnen vor den Häusern, hinter deren zugenagelten Fenstern Menschen wohnten. »Da sieh nur, eine Versammlung Untoter.« Methadonausgabestelle, vermutete

## Karen

Als sie die lange Schlange von schwankenden Gestalten sahen. Es handelte sich aber um eine Blutplasmabank. Zwanzig Pfund Aufwandsentschädigung. Der Laden brummte. Blut spenden, letzte Idee der Leute, bevor sie sich aufhängen. Junkies, Alkoholiker mit Leberzirrhose und mit Ausschlag Übersäte, die dringend die Schweizer Blutplasma-Industrie unterstützen wollten und die zu bedröhnt waren, um die Sache mit dem Grundeinkommen verstanden zu haben, standen schwankend an, um sich täglich ein paar Liter Blut abnehmen zu lassen.

*In den ersten drei Wochen,*
In denen die vier versuchten, London zu verstehen und ihren Platz in der Stadt zu finden, hatte jeder für sich mit seiner Enttäuschung zu tun. Keiner sagte: »Ich bin total enttäuscht.« Jeder dachte, es ginge ihm allein so. Jeder versuchte, besonders viele gute Scherze zu machen und kindgerecht unternehmungslustig zu wirken. Was hätte es genützt, zu sagen:
»Diese Stadt wirkt auf seltsame Art kalt. Ich kann es nicht besser erklären, außer dass ich hier permanent friere. Überall, wo wir uns aufhalten, scheinen die Fenster nicht zu schließen, und der Regen ist spitz, als wäre er gefroren. Immer dieser kleine schneidende Wind, na ihr wisst schon. Die Kälte hat auch mit der Unnahbarkeit der Gebäude zu tun. Die wirken wie Schiffe. In den Gebäuden gibt es immerzu helles Licht, damit man die Menschen sehr gut vor ihren Bibliotheken erkennen kann. Das sind aufgeklebte Buchrücken, denn reale Bücher riechen so

muffig. Die Kälte hat mit den Gesichtern der Leute zu tun, die durch einen sehen. Die alle zu wissen scheinen, was sie tun.«

Der

## Programmierer
*Kaufverhalten: Sneakers, Pizza, Drogen (weich)*
*Politische Orientierung: nationalistisch, quasi*
*Freundeskreis: nope*
*Streamingverhalten: Zombieapokalypse*
*Games: Waffen-SS versus Werwolf-Shooting*

Weiß, was er tut, oder? »Ja, genau. Ich studiere hier gerade einen faszinierenden Bericht, unfassbar gut. Also. Sehen Sie! Was sehen Sie? LED-Lampen, oder? Aber wissen Sie, dass Informationen über – na, ich sag mal plump – Wellen übertragen werden? Die Frequenz spielt dabei eine wichtige Rolle. Die Frequenz von Licht also ist – unfassbar. Wissen Sie, wie viele Informationen man da durch Raum und Zeit ballern kann? LED-Birnen können als Kommunikations-Device verwendet werden. Eine LED kann Übertragungsraten von 8 Gbit pro Sekunde erreichen:

Das ist etwa 160-mal mehr als die 50 Mbit pro Sekunde, die eine Privatperson per Wifi für das Fernsehen bekommt. Eine der CERN-Leitungen hat 100 Gbit/s, das ist gigantisch, aber nur zwölfmal so viel.

Dieser LED-Scheiß reicht, ja, das langt für ein Vielfaches

der Überwachungskapazität Chinas, und zwar auf der ganzen Welt. Durch Kombination von einigen Tausend LEDs kann man also noch viel größere Übertragungsraten erreichen, ganz ohne Kabel! Stellen Sie sich vor –

Sie ziehen all die Daten von den Chips, aus dem IoT

Mit seinen vernetzten Mini-Sensoren, plus Smartphones, und bedenken wir, die Datenmengen verdoppeln sich alle zwölf Monate, in Zukunft alle 12 Stunden. Diese Datenmengen müssen irgendwie transportiert werden.

Haben Sie schon die neuen 5G-Masten gesehen? Monumental, nicht wahr? In vielen Ländern wurden extra die erlaubten Strahlengrenzwerte erhöht. Fällt mir da unzusammenhängend ein.

Als Nächstes kommen künstliche LED-Sonnen ins Spiel – eine neuartige Form von Satelliten, die man › Sun Simulator‹ nennt, weil sie grelles Licht ausstrahlen, aber es geht hier wohl nicht um Helligkeit, sondern um Kommunikation, die in den Lichtwellen versteckt ist ... Und die vom All aus agiert. Etwas laxere Datenschutzgesetze da oben, Sie verstehen. Vom All geht es dann weiter zu Quantencomputern, mit denen die AI ein superintelligentes weltumspannendes Überwachungs- und Steuerungssystem betreibt.«

Die deutsche Autoindustrie investiert übrigens in Quantencomputer. Die Deutschen halt.

Das nur am Rande.

Der Programmierer hatte sich über Nazis noch nie Gedanken gemacht. Außer bei seinen Games. Da ballerte er sie um. Aber sonst – sie waren ihm egal. Vielleicht verstand er sogar ihren Drang nach einer aufgeräumten Welt ...

Das ist doch alles ganz schön sensationell.
Nur


**Ma Wei**
*Keine Angaben*

Findet die LED-Nummer relativ lame.
Er ist nicht sehr schnell zu begeistern, denn er
Ist so alt, dass er die dreijährige Schwierigkeitsperiode erlebt hat. Man raunte später, dass damals ungefähr 40 Millionen verhungert sind, was vermutlich Propaganda war.
Ma Wei war damals zehn, und er hatte die Geschichten
von anderen Schwierigkeitsperioden gehört. Man drohte
Kindern damit. Man sagte Kindern: »Wenn du nicht dis-
zipliniert bist, wirst du verhungern.« Nichts fürchteten
die Menschen mehr als eine neue Schwierigkeitsperiode.
Und als sie eintrat, dachten die jungen Leute an einen
vorübergehenden Umstand. Kaum einer hatte Vorräte,
es herrschte eine Dürre, und der aufstrebende Staat befand sich in einer Umstrukturierung. Das bedeutete, dass
die Bauern, denen vorher Land gehörte, nun Teil einer
großen Familie ohne Land geworden waren. Ma Wei
erinnerte sich an Hunger. Wann immer er sich an den
Hunger erinnerte, stach es ihn im Leibesinneren in der
Art, wie es Menschen kennen, die einen Schock erleben.
Eine Amputation ohne Betäubung. Oder ein Eindringen
rektaler Art, bei dem Darm aus ihnen gerissen wird. Der
Rest der Erinnerung endete an dem Punkt, an dem er Kot

aß. An dem Verstorbene verzehrt wurden. Er endete in Scham. Ewiger Scham und dem Gefühl, alles erreichen zu können, weil er überlebt hatte. Als Einziger der Familie. Ma Wei fand die meisten Menschen aus den westlichen Ländern nicht unangenehm. Sondern einfach nur – lächerlich.

Aber

**Der Programmierer**

Weiß, was er tut.

»Was ich tue«,

Sagt sich der Programmierer oft, »ist wichtig für die Menschheit.«

## EX 2279

```
++++++++++[>+>+++>+++++++>++++++++++
<<<<-]>>>>++++++++++++++++.
-------------------.
++++++++++++++++++++.
-------------------.
<++++++++++++++.>+++.---.
<-------------------.>+++.+.+++.
---------.++++++++++++++.
-------------.+++++++++.
```

Und

*Willkommen im Holyroodhouse.*

»Schauen Sie nur, wie nett es hier ist.« Sagt

**Don**

Zu sich. Nachts, wenn sie Wache hat, redet sie gerne mit sich. Nachts, wenn sie ein imaginäres Feuer bewacht.

Käme eine Sozialarbeiterin, eine der alleinstehenden Frauen um die vierzig mit guten Absichten und miserablen Frisuren, zu Besuch, würde sie sagen: »Das ist ja entzückend.« Wie in einem Kinderferienheim. »Wissen Sie, ich war früher einmal in einem. Hach, Bath – was habe ich mich da sehr wohlgefühlt.« Und dann würde sie Don ansehen, als wären sie, die Angehörige der weißen, ehemaligen Mittelschicht, und Don, Nachkommin von diversen Gastarbeitergenerationen, durch ihre Jugenderinnerungen, die garantiert mit schlechtem Sex zu tun hatten, Kameradinnen. Als wüsste sie, was hier los ist. Als würde ihr schlagartig eine Pigmentierung wachsen, die sie aus ihrem pinken Dasein erlösen und ihr einen annehmlichen Körperbau bescheren würde. »Ich habe viele ausländische Freunde«, würde sie sagen, weil sie nicht wüsste, in welche Schattierung von Nicht-Weiß sie Don einordnen sollte. Und die Sozialarbeiterin würde lauern, als ob sie ein Lob dafür erwartete, als ob sie mitteilen wollte, dass sie in der Not auch Erbrochenes äße. Dann würde sie erwartungsvoll die Fabrikhalle betreten. Bilder im Kopf. Wenn man irgendjemandem sagen wollte – »Wissen Sie, wir wohnen in einer verwahrlosten Kinder-Kommune in einer alten Fabrik« – dann stellen sich doch Bilder aus US-Filmen ein. Große Fenster, Dielen, Kaminfeuer, Kaschmirdecken und Hunde. Nicht etwas, das aussieht wie eine Kunstinstallation, die eine St.-Andrews-Studentin kritisch geschaffen hat, um sich mit sozialen Problemen auseinanderzusetzen. So, so, würde die Sozialarbeiterin ratlos murmeln und Mühe haben, ihren Ekel zu verbergen. Bei allen Bemühungen der Kinder, den Ort zu einem Zuhause werden zu lassen, wirkte er wohl auf außenstehende Erwachsene ein wenig. Angestoßen. Es roch feucht und nach schlecht gewaschenen Kindern, überall lagen und hingen alte Kleider, Konserven, Spaghetti klebten in Töpfen, zerbrochene Fenster, Drogen. Na ja, Drogen nicht. Die Sozialarbeiterin hielte in Folge die Matratzen am Boden in der Dämmerung für Betten und die Kerzen für einen romantischen Spleen, und nicht dem Umstand geschuldet, dass die Kinder nur sehr kalkuliert Strom stahlen. Und die Sonnenkollektoren – nun ja. Es regnete halt viel. Und war dabei heiß. Und sehr kalt. In irrem Wechsel. Seltsames Wetter, dem Abreißen des Golfstroms geschuldet. Aber –

»Sehen die Kleinen nicht reizend aus? Wie sie sich an ihre Kissen klammern«, würde sie sagen und eines der Kinder streicheln, was ihr daraufhin in die Hand beißen würde. »Hoppla«, würde sie sagen. Und auf ihren freigelegten Handknochen blicken. »Wie ein Segelboot, nicht wahr, dieser Knochen«, würde Don sagen und den Knochen anlächeln.

Die Kinder lagen entspannt, beruhigt vom Geräusch des Baches draußen, den Zweigen, die an die Fenster schlugen, also an die Fenster, die noch Glas aufwiesen und die Don nicht mit Brettern verschlossen hatte. »Etwas frisch ist es«, würde die Sozialarbeiterin sagen, und Don würde ihr erklären, dass es sehr gesund sei, bei feuchten null Grad Außentemperatur ohne Heizung zu schlafen.

»Und – das sind keine echten Waffen, oder?«

»Nein«, würde Don antworten und den automatischen Maschinengewehren zuzwinkern, »nein, die haben wir uns gebastelt. Wissen Sie, Basteln beruhigt. Wir haben alle unsere psychologischen Schutzzonen, die den Betroffenen das Gefühl geben, eine Krankheit zu haben, auf die man sein Nichtfunktionieren in gesellschaftlichen Volltrottel-Kontexten schieben kann.«

»Und was macht ihr, wenn ihr einen Arzt braucht, seid ihr unregistriert am Arsch?«, würde die wackere Vierzig-plus-Frau mit energischen Waden und roten Wangen, abends ein Schlückchen Likör, Sie ahnen es, fragen und sich überlegen, ob sie gerade mit Tuberkulosebakterien angereicherte Luft atmete. »Ja, richtig, Zugang zu Ärzten hat man nur, wenn man gechippt ist. Aber es gibt ja Tutorials für alles im Internetz. Wir brauchen den Staat nicht«, würde Don sagen,

»Darum hocken wir hier, darum haben wir Waffen, darum bauen wir draußen Kartoffeln an und diverses Zeug, das nach der Reifung schmecken wird wie Kartoffeln. Und das bisschen Tuberkulose – das hat doch jeder.«

Aber

Es gab keine Sozialarbeiterinnen mehr. Die letzte eierte damals durch Rochdale, als liefe sie ständig gegen einen Sturm an. Sie sah verloren aus. Irgendwie zerrupft und deprimiert, weil sie ihre Neigung zur Weltrettung nicht ausleben konnte. Es gab nicht einmal mehr Geld für die Box-Clubs für die Jungen im Viertel. Ein Angebot, das gerne angenommen wurde. Wer wollte schon nicht lieber ein gut trainierter Verbrecher sein? Die Sozialarbeiterin hatte ratlos am Tisch in Dons Küche gesessen, den Schimmelbefall über dem Fenster und die Mutter betrachtet, die sich zu dem Anlass mit dem schmutzigen

Nachthemd aus dem Bett bewegt hatte. Durch die offene Schlafzimmertür war der Metalleimer zu sehen und zu riechen gewesen, in den Dons Mutter ausschied. Frag nicht. Die Sozialarbeiterin hatte hektische Flecken bekommen und gesagt: »Ich wünsche Ihnen, also«, sie hatte sich erhoben, »alles Gute, nicht wahr. Ich muss dann mal.« Sie war aufgesprungen, über ihre unförmige Tasche, in der sie Formulare für die Essensausgabe hatte, gestolpert, und weg war sie. Nun,

*Drei Wochen nach ihrer Ankunft*

Denkt

**Don**

An ihre Familie.

Die vermutlich immer noch im Zimmer des Obdachlosenheims auf den Doppelstockbetten hockt. Mumifiziert. Und die Sozialarbeiterin war sicher in den Staatsdienst gewechselt. Der Ort, an dem Frauen mittleren Alters, die ausreichend von ihren linken Ideen enttäuscht waren, immer ein Zuhause fanden.

Am Himmel nähert sich mit dem typischen Rasenmähergeräusch eine Drohne. Don verschmilzt mit dem Boden. Private Drohnen waren mittlerweile verboten. Wenn man die kleinen Kameraden heute am Himmel entdeckt, kann davon ausgegangen werden, dass es sich um staatliche Überwachungsflüge handelt. Drohnen. Ja nun. Don erhebt sich und würde gerne eine Zigarre rauchen. Einfach nur wegen des Bildes. Und mit einem Stock in einem Lagerfeuer herumstochern. Don mag die Nacht. Sie mag es, in der Nacht alleine zu sein, nicht tun zu müssen, als wisse sie Bescheid. Sie mag die Nacht und die Idee, dass

da in der Stadt Millionen Menschen liegen, die von Erlösung träumen.
Wie der

**Carl**
*Gesundheitszustand: Risikogruppe Bluthochdruck*
*Politisches Verhalten: konservativ*
*Manipulationsmöglichkeiten: leicht empfänglich für*
*rechtsextreme Propaganda*
*Sexuelle Orientierung: Pornos*

Der auf dem Bau als Vorarbeiter gearbeitet hat. Bis er
durch einen Polacken ersetzt wurde. Darum war er gegen
den Islam. Und gegen all die Scheiße. Zu der Carl eine
Theorie hatte. Seiner Meinung nach waren die Schieflage,
der mangelnde Respekt, die Armut, die Veränderung als
Grundrauschen in der berufstätigen Frau begründet. Logisch war doch, dass die neue Generation von Müttern er-
zogen worden war, die lieber arbeiten gingen, als sich um
die Erziehung der Heranwachsenden, na, sag schon – Kinder zu kümmern. Carl hatte keine Frau. Er war krank. Er
hatte eine verfickte Krankheit, deren Namen er sich nicht
merken konnte und die eigentlich beim Stand der heutigen Wissenschaft innerhalb kürzester Zeit mit einer ein-
wöchigen Tablettenkur auskuriert werden. Könnte. Was
aber nicht erfolgte, weil es einträglicher war, Carls lebens-
langen Verfall medikamentös zu unterstützen. Also
Kein Job mehr wegen der Krankheit und den Polacken.

Und nun. Keine Ahnung. Fotzen. Sie verlangten seit Neuestem, dass der Mann sich sterilisieren lassen sollte, weil
die Pille Nebenwirkungen hatte. Zum Beispiel, dass die
Weiber mit der Pille keine Lust auf Sex hatten und Krebs
bekamen – »Strafe Gottes«, murmelte Carl und dachte,
dass genau so ein Irrsinn die Welt zum Untergang bringen würde. Frauen, die fickend durch die Gegend zogen,
und Männer, die nicht mehr abspritzen sollten. Durch
sein nächtliches Knirschen hatte der Carl drei Backenzähne verloren, er hatte sie auch in seinem Stuhl nicht
wiedergefunden.

Der Carl.

Trank seit einem Jahr gerne Milch. Seit er einen Bericht
darüber gesehen hatte, wie Babykühe nach zwei Tagen
von der Kuhmutter getrennt wurden. Beide Seiten schrien.
Weinten sogar. Meistens wurden die Babykühe dann zu
Fleisch gemacht. Was wiederum von der Kuhmutter mit
Tränen und Schreien bedacht wurde. Seitdem trank Carl
schmunzelnd Milch. Er saß oft nachts in seiner Küche
vor einem Glas Milch, und er ahnte, dass es nicht mehr
lange seine Küche sein würde. Tief im Süden der Stadt,
wo Carl wohnte, waren auch schon die Flat-White-mit-
Sojamilch-Cafés angekommen, die immer ein Zeichen
des Wandels waren. Also Wandel, nicht wahr. Da würden
die Straßen neu asphaltiert werden und Zara-Stores anstelle der sudanesischen Gemüsehändler eröffnen. Und
dann: Auf Wiedersehen! Der Carl saß in seiner Küche
und sah auf den Hof, und da brannte ein Licht. In der
Wohnung gegenüber lebten junge, urbane Menschen unklarer Geschlechtszugehörigkeit mit blau gefärbten Haa-

ren. Die Arschlöcher. Und der Carl saß in seiner Küche, weil schlafen wollte er nicht, so viele Zähne waren da ja nicht mehr übrig, und es war kalt, von den Füßen hoch, und es war unbehaglich oder es roch so, und im Kühlschrank war nichts außer Mayonnaise, und aus der Wand wuchs nichts, da tat sich nichts auf, in dem er verschwinden könnte, und dann stünde er auf einer Waldlichtung und würde tief durchatmen, und alles begänne von vorne, jetzt wurde heruntergezählt, und nachts zählte der Carl, und es waren noch zehn Jahre, dann wäre er Rentner, und weitere zehn, dann wäre er tot. Seine Brust hing und die Eier dito, und eine Frau würde er nicht mehr finden. Sie würden ihn irgendwo aufsammeln an den imaginären Mauern der Stadt. Was sitzt die verdammte Schwuchtelmongoperson da drüben bei Licht. Licht, wegen dem er nicht in eine Ruhe findet. Die Person, wegen der er nicht zur Ruhe findet. Die Frau in Homoklamotten.

Oder andersrum. Dass sie sich an keine Ordnung halten können. Eine Unruhe und eine Unordnung mit ihren sexuellen Aussagen in die Welt tragen müssen. »So, pass mal auf. Das Ding sitzt am Küchentisch mit Blut im Gesicht. Ich zeig dir mal, was Blut ist.« Sagt der Carl. Und geht los. Er wird der Kommunikationsberaterin mal zeigen, was eine Harke ist.

Es

Hatte sich gelohnt.

Für die

**Kinder**

Das lange Suchen. Das Herumlaufen in den Vierteln der Stadt, ohne das sie diese sinnlose Gegend nie gefunden hätten. Als sie schon dachten, sie würden nirgendwo einen Ort finden, der nicht mit einem leeren Neubau bedacht worden war, hatten sie die letzte U-Bahn auf ihrer Liste bis zum Endpunkt genommen. Waren über alte Gleise und an Tümpeln vorbeigelaufen durch eine Gegend, die für ironische Dystopie-Fotoshootings gemacht schien. Dystopie war das Ding der letzten Jahre gewesen. Alle hatten so eine tüchtige Endzeitangst. Angstgesetze wurden in Tagen verabschiedet. Gesetze gegen: Vermummung, Versammlung, Verhüllung, Hate Speech. Internetblockadengesetze, Kontoeinfrierungsgesetze. Aber all die liebevollen Versuche der Regierung, die Bevölkerung zu beruhigen, sie zu schützen, hatten nicht geholfen. Wie Ameisen, die aus ihrem Weiler, oder Stock, oder Bau, oder wie der Scheiß bei Ameisen hieß, gejagt wurden, waren die Menschen in Todesangst herumgerannt und hatten sich so gefürchtet. Vor multiresistenten Keimen, der Scharia, der Verweiblichung, dem Aufgeben alter Gewohnheiten, der Armut und nun – lebten sie immer noch. Die Angst klang noch in den Zellen der westlichen Bevölkerung nach, aber war schon halb vergessen. Es gab ein – Grundeinkommen. Alles würde gut werden. Der Meeresspiegel stieg weiter, die Eisberge schmolzen, die Rohstoffe wurden weniger, als sei nie etwas geschehen, waren alle zu ihrer Religion zurückgekehrt. Dem Einkaufen.

Auf jeden Fall war in der

Gegend, in die die Kinder auf ihrem letzten Stadterkundungsausflug gelangt waren, nichts. Außer den erwähnten giftig wirkenden Tümpeln, einigen alten Lagerhäusern, Schrottplätzen und Autobahnzubringern. Die Gruppe hatte einige leer stehende Gebäude besichtigt, alte Fabriken mit Löchern im Boden, mit Rattennestern in den Ecken oder mit zugigem, miserablem Karma. Und dann hatten sie die Halle gefunden.

»Holyroodhouse«, flüsterte

**Karen**

Beeindruckt. Tatsächlich hatte sich ein leichter Nebel über der Brache gebildet, die Konturen der Fabrikhalle wurden eins mit dem Himmel und der Welt, und das Gebäude wirkte wie ein Aquarellmotiv aus dem Hochland. Don öffnete die Tür, die nicht einmal quietschte. »Beachten Sie bitte die Sonnensituation dieses architektonischen Kleinodes. Bei dem Fußboden haben wir viel Wert auf die Verwendung von Edelhölzern aus biologischem Anbau gelegt. Wichtig ist der kleine und dennoch Heimeligkeit erzeugende Bach vor dem Objekt, das sich in jedem Portfolio glänzend ausnehmen würde«, sagte Don in dem alten Lagerhaus für irgendwas, bei dessen Anblick alle sofort wussten, dass sie angekommen waren. Ein Flachdachbau mit fast intakten Fenstern, dichten Wänden und einer wunderbaren Aussicht auf – nichts. Das war der Tag, an dem die vier ihr neues Zuhause gefunden hatten. Eine Top-Immobilie. Außerhalb des Gentrifizierungsgürtels. Also: eine richtige Scheißgegend. Die Finanzquellen der Anleger versiegten ungefähr fünf Kilometer vom Standort von Holyroodhouse entfernt.

*Und nun*

Geht die Sonne auf. Im Rahmen ihrer britischen Möglichkeiten und in Anbetracht des Umstandes, dass Winter ist. Sagen wir, die Sonne zwingt sich, die Umgebung unzureichend auszuleuchten.

Es wird hellgrau statt dunkelgrau.

Die anderen schlafen noch. Es ist kalt in der Halle. Musik an. Der Vorteil des Lebens ohne Erziehungsberechtigte: Musik hören. Den ganzen Tag. Grime hören, ohne die Videos zu sehen, die Stars an der Stimme erkennen – Kozzie klingt immer wie eine Blechbüchse, die von wütenden Kindern über ein Feld gekickt wird, Ruff Sqwad wie Helden, Stefflon Don klingt, als ob sie vor nichts Angst hat, Abra Cadabra, der singt, als wäre er zwei Meter groß, mit dieser tiefen, runden Stimme, in der man sich aufgehoben fühlen kann. Diese Stimme, die die Kehlköpfe Millionen weißer Männer ruiniert hat, weil sie ihre Tonlage nach unten pressten, bis sie klangen wie sprechende Ken-Puppen. Egal. Tausend Acts, tausend Jungs, die vermummt auf Garagen hocken und so gerne gefährlich für die Welt wären. Die sich langweilten. Die die Welt verändern wollen. Aber die hat ihren eigenen Plan. Sie beobachtet diese durch den dummen Zufall der Feuerentdeckung zu wichtig gewordenen Menschen, die nicht mit ihrer Spitzenposition umgehen können, weil sie einfach zu dumm dazu sind. Vielleicht ist die Erde der Gott, den alle so ersehnen, und sie würde den Menschen Frieden schenken, eine Pause von all dem Sich-Entwickeln und Wachsen und Versauen, was möglich ist. Sie würde einfach den Meeresspiegel um zwanzig Zentimeter anheben, dazu ein paar Vulkane ausbrechen lassen und sich in einer nassen Eiszeit von den Volltrotteln befreien.

Nun gut.

Don geht in die Küche, sie haben eine Küche, also einen Herd und einen Tisch, um sich einen Kaffee zu machen. Den keines der Kinder mag, aber er gehört zum Erwachsensein dazu. Das Erwachsensein. Das sich in der Vorstellung besser angefühlt hat. Sie sind davon ausgegangen, dass sie alle auf einmal wüssten, was zu tun wäre. Was absurd ist, denn auch Erwachsene sind meist nur gewachsene Kinder, die meinen, wenn sie sich unbeholfen in beige Kleidung hüllen und mit Kristallgläsern zuprosten und Wein im Mund rollen, komme so ein Erwachsenenwissen über sie.

Sie sind keine Erwachsenen. Nur kleine Verbrecher.

»Möchtest du erzählen

## Hannah

Wie ihr zu Geld kommt?«

»Gerne. Die Sache geht so.

Du suchst dir einen alleinstehenden, mittelprächtigen, mittelalten, wohlhabend wirkenden Mann aus. Du sprichst ihn an: ›Guten Tag, ich bin neu in der Stadt und auf der Suche nach einem guten Swinger Club. Nicht dass Sie wirken, als würden

Sie solche Orte besuchen, aber –‹

Die Männer sind hochgradig interessiert. Immer. Einer Erinnerung an ihre frühere Potenz geschuldet. Flachköpfe.

Manchmal, wenn sie sehr zugeknöpft wirken, frage ich auch einfach nur nach einer guten Bar, wo man spät hingehen kann. Nach einem kurzen Gespräch kommen alle mit mir, in einen zweifelhaften Laden, sie fangen an, an mir herumzufummeln, werden nachlässig – Don filmt das.«

## Don

Ergänzt. »Ja genau, ich filme das, dann trete ich offiziell auf, wir zeigen dem Vogel den Film und fragen ihn höflich nach seinem PIN-Code und seiner Kreditkarte. Danach bleiben meistens einige Stunden, in denen wir die Konten erleichtern und in auserwählt guten Läden einkaufen können.

Es wird gerade flächendeckend auf bargeldlose Bezahlverfahren umgestellt. Wenn diese Methode nicht mehr funktioniert, wird uns etwas anderes einfallen.«

Irgendwas fällt ihnen immer ein.

Das ist das Positive an einer Kindheit, in der keine Eltern Mozart zum Abendessen aufgelegt haben, der Vater nicht tadelnd sagte: »Halte dich gerade, Benedict.«

Der Vorteil, wenn man ohne die Einschränkungen einer sogenannten Erziehung aufwächst, ohne die aktive Vermittlung von Moralbegriffen und ohne jedes antrainierte Gefühl für Recht und Unrecht.

Kinder, die in ausufernden Elektro-SUVs in die Schule gebracht und später dann zum Reiten gefahren wurden oder zum Ballettunterricht, die abends Geschichten aus den gesammelten Werken Ovids vorgelesen bekamen und für die das größte vorstellbare Unglück die mögliche Scheidung der Eltern scheint, wachsen mit dem Bewusstsein auf, dass die Welt eine Bedrohung ist und sie sich nur mit Hilfe der Polizei davor schützen können. Solche Kinder würden ratlos vor der kalten Heizung stehen im Fall einer Pulsbombenzündung und im Atomschutzbunker als Erste von den anderen gefressen werden.

Da lobt man sich eine Kindheit in absoluter Einsamkeit. Eine Furchtlosigkeit umgibt die vier, die gelernt haben, dass es immer schlimmer werden kann, und die darum nichts fürchten. Keine Panik bei Stromausfall oder Hochwasser, kein Weinen, wenn keine Nahrung vorhanden ist, die vier glauben nicht an das System. Sie glauben nicht an das fucking System und vertrauen nur sich. Personen, die eine Kindheit ohne Liebe in Armut und umgeben von Brutalität überlebt haben, erwarteten keine Geschenke.

Sie kommen durch.

Und

Don

Ist zufrieden.

Die Halle sieht jetzt fast

Also –

Wenn Sonnenlicht durch die Bleiglasfenster fallen würde, könnte es romantisch sein. Die Kinder haben ihre Matratzen erstaunlich dicht zusammengeschoben. Sie hätten die Möglichkeit auf enorme Privacy gehabt in diesem fast 400 Quadratmeter großen Raum, nun liegen sie eng zusammen um einen Fernseher, vereinzelt stehen unbeteiligte Grünpflanzen herum. Ein aus Ziegeln und Platte selbst gebauter Tisch, Schemel.

Nachdem sie die Halle zu ihrer Halle erklärt hatten, waren die Kinder, die keine Kinder mehr sind, sondern Erwachsene, die Kaffee trinken, mit großer Planungsfreude an die Einrichtung ihres Lebens gegangen. Die Arche ist jetzt sehr gut ausgerüstet. Eine der ersten Geldspenden eines freundlichen Mittvierzigers hatte die Solarpaneele auf dem Dach finanziert,

In einem unbeholfen angelegten Garten würden eventuell – Kartoffeln, Kohl, Möhren und all der Scheiß, den keiner essen will, wachsen. Stickstoffdünger – Sie wissen schon, das Zaubermittel, das die Weltbevölkerung vertausendfachte. Für ein paar Wochen waren sie beschäftigt, Geld besorgen, einkaufen, die Ware in Bahn und Bus transportieren, herumschieben, innere Deckchen auf die Möbel legen, und nun sieht es in und vor der Halle aus wie bei geisteskranken, nudistischen Selbstversorgern.

*Nachdem ihr Leben*
So weit eingerichtet ist, um angenehm darin herumhängen zu können, haben sie mit der Suche nach den Personen auf ihrer inzwischen erweiterten Todesliste begonnen, um ihren Tagen eine Struktur zu geben. Jeder der Idioten hat Fotos seiner Umgebung und seiner Bekannten auf irgendeiner blöden Social-Media-Site gepostet. Jeder der Idioten hat eine Website mit dazugehörigem Impressum, mit IP-Adresse. Jeder außer Thome. Der hat eine Anmeldung in einem Internat, unterzeichnet von seinem Vater – Politiker. Mahlzeit. Die Resultate zusammenzustellen, erfordert einige Stunden. Ein paar Stunden des Abschieds, in denen sie noch Waffen bestellen, laute Musik hören, hektisch die neuesten Tracks ansehen,
*Und dann*
Schließen sie die Rechner, die Smartphones, ein zartes

Streicheln, und jedes der Kinder legt seine Geräte in einen Müllsack. Die smarten Uhren, Tracker, Pads, das Zeug.

Mehr einem Instinkt als fundiertem Wissen folgend, haben sich die Kinder entschieden, ihre mobilen Geräte zu vergraben. Unter einer alten Scheune. In gutem Abstand. Sie stehen kurz erstarrt um das Grab und treten dann schweigend den Rückweg an. Jedem ist, als habe es ein Körperteil beerdigt. Und es regnet nicht einmal an jenem Tag. Der unendlich leer vor den Kindern liegt. Keine Mails, kein Google Street View, kein Tor-Browser, kein Instagram, Twitter, Snapchat, kein Onlineshopping, niemanden stalken, besonders niemanden stalken. Keine Filme, keine Musik, kein Kontakt zur Welt. Bereits nach zehn Minuten zeigen sich die ersten Entzugserscheinungen. Hannahs Hand beginnt zu zittern, Peter schwitzt sehr stark.

*I represent for the jobless, that have been made*
*redundant*
*That have got four kids and don't know how to fund em'*
*Ever since the wife and her husband*
*Both lost their jobs at the office in london*
*Now they feel financially trapped*
*Now they're locked with rats in a dindgy old dungeon*

Devlin vom Plattenspieler. In einer Endlosschleife die nächsten Tage. Der kalte Entzug – keine Neuigkeiten nach dem Aufwachen, die sozialen Netzwerke nicht nach Fotos durchsuchen zwischendurch, kein Wetterbericht, keine Suche nach den Namen irgendwelcher Nasen und keine Musik. Keine. Neue Musik. Es scheint, als wären die Tage plötzlich zu lang. Don beginnt, draußen Bäume zu umarmen. Aber da sind keine Bäume. Der Entzug treibt Hannah dazu, ohne nachzudenken, die Hand zu ziehen, als ob ein Telefon darin stecken würde, und sich im Anschluss in die Hand zu beißen. Karen starrt mit aufgerissenen Augen an die Decke und kratzt sich ab und zu, und Peter wackelt mit seinem Oberkörper. Die Geräte waren Zuhause, Gehirn, Selbstbewusstsein und Lebensinhalt. Gewesen. Nun ist da nichts mehr. Don verteilt in den ersten Tagen kleine Dosen von Heroin (Victoria Station), um die Gruppe ruhigzustellen.

*Nach einer Woche versucht*

## Hannah

Bei Spaziergängen, zu einer Ruhe zu gelangen. Sie ist in den letzten Wochen gewachsen und stolpert jetzt dauernd über ihre Gliedmaßen, mit deren Länge sie noch nicht vertraut ist.

Spazieren gehen ist komplett unsinnig, wenn es nicht mit dem Betrachten von Schaufenstern zu tun hat. Wenn es nicht mit dem darauffolgenden Erwerb von Produkten zu tun hat. Eine unmodernere Beschäftigung ist kaum vorstellbar. Die Zeiten, in denen Familien an Sonntagen freihatten und durch diverse Wälder latschten mit dem Ziel, in irgendeiner gastronomischen Einrichtung zusammen mit anderen Familien oder Einzelpersonen Getränke zu konsumieren oder Kuchenstücke, glücklich, dass endlich wieder etwas anderes passiert, als mit sich und Bäumen zu sein, war seit Langem vorbei. Es gab für moderne Fa-

milien keine Sonntage mehr, in der Zeit für solche sinnlosen Aktionen gewesen wäre. Da musste immer etwas
gearbeitet werden. Entweder im Dienstleistungsgewerbe
oder in Vorbereitung auf einen erfüllenden Arbeitsmon-
tag. Die Einzigen, die Zeit für Spaziergänge haben, sind
die Arbeitslosen.

Die Arbeitslosen.

Die Arbeitslosen sind der Ausschuss des Ameisenstaa-
tes, schon wieder Ameisen, haben Sie kein anderes Bild?
Nein, also was würden die Ameisen mit Ameisen machen, die in diesem Bau hocken und den Tag lang rauchen und sich die Hoden kratzen. Eine Arbeitslosigkeit
ist im menschlichen Leben doch nicht vorgesehen, es sei
denn, man gehört der Oberschicht an, und dann muss
man repräsentieren. Die Oberschicht repräsentieren. Die
Werte und die Tradition. Ein Vorbild sein, dem tätigen
Menschen vorleben, wie blöd man aussehen kann in dieser Untätigkeit. Die unweigerlich zum Golfen führt oder
in den Alkoholismus.

Apropos, denkt Hannah, die Geschichte der Menschheit
ist eine Abfolge ständiger Verachtung, Abwertung und
Grausamkeit. Am einfachsten zu hassen sind Tiere. Tiere,
sagt der Mensch, haben keine Gefühle und sind dumm,
sie sind Dinger. Die Tiere werden verzehrt.

Kinder sind keine Menschen. Wenn sie nicht arbeiten
können, kann man sie verbrühen, in Keller sperren, an
Heizungen ketten oder aussetzen. Oder sie töten, bevor
man sich selber umbringt. Frauen kann man vergewaltigen, mit Säure übergießen, verbrennen, man kann Be-
senstiele in sie rammen, man kann sie kaufen und ficken

und auf sie urinieren, man kann sie einsperren, man kann ihnen vorschreiben, was sie tragen sollen, wann und wie sie zu gebären haben, wenn sie nicht gebären, kann man sie mit Steinen bewerfen, bis sie tot sind. Andere Menschen, deren Haut sich von der eigenen unterscheidet, sind keine Menschen, es sind Gegenstände, die man verachten kann, die dumm sind (siehe Tiere). Und wenn sie sich ähneln, die Menschen, von Status und Geschlecht und Hautfarbe und Einkommen, dann hassen sie sich, weil sie Nachbarn sind, weil sie den anderen für dümmer halten, für unwerter erachten. So, mach da mal was, mach was mit diesen Leuten, in die das Verfallsdatum von Geburt an eingebaut ist.

Wer will da schon herumlaufen in den Nachbarschaften solcher Existenzen.

Die anderen, die richtigen Menschen mit den diversen Beschäftigungsverträgen, die nicht irgendwo auf Sofas klebend dem Tod entgegenfiebern, werden wahnsinnig beim sogenannten Spazieren. Der auf Geschwindigkeit abgerichtete Körper erzeugt Stresshormone. Das hält keiner mehr aus mit seinen überstrapazierten Muskeln, mit den ausgeleierten Synapsen, die trainiert wurden, um nur noch kurze Infoüberschriften zu verdauen in Sekunden.

Denkt

Hannah.

Was man eben so anstellt mit seinem Kopf, wenn die Fingerkuppen brennen vor Sehnsucht nach Tastaturberührungen. Meine Güte – wie sieht das hier eigentlich aus. Hannah ist seit einer Viertelstunde unterwegs, und die

Umgebung gleicht dem. Was sie sich unter der Mondoberfläche vorstellt.

Die Benutzeroberfläche ist defekt: Hier sehen Sie die Reste des ehemaligen Fortschritts. Das ist das Alberne an der Erde, dass wegen ihrer Anziehungskraft alles, was man auf sie stellt, bleibt: Fabrikhallenskelette, verrostete alte Zäune, Plastikabfall, undefinierbarer Eisenschrott, Flüssigkeiten, die Tümpel grün färben. Ein alter Pharmabetrieb oder eine Brauerei? Oder eine Forellenzuchtanstalt? Hannah war noch nie so weit gelaufen. Hinter der ehemaligen Forellenzuchtanstalt steht wieder eine alte Fabrik. Und in der brennt
Licht.

**Die Freunde**
(Ben, Kemal, Pavel, Maggy, Rachel)
*Mentale Einschränkung: diverse Zwangsstörungen*
*Krankheitsbild: Schuppenflechte, Sonnenallergie,*
*Hobbys: schlechte Ernährung, Gamen, ähm –*
*nichts weiter*
*Technische Kenntnisse: befriedigend*
*Abneigungen: Marvel-Hater, Faschisten, die da oben*

haben Glück gehabt. Als ihr alter Clubraum im Boden versunken war, hatten sie geschlafen. Jeder. Irgendwo zu Hause bei seinen Eltern.

Der alte Clubraum befand sich im Keller eines Hauses in Tower Hamlets. Das Haus ist nun weg. Die Sache hat sich folgendermaßen zugetragen: Chinesische Investoren hatten die Abbaurechte an schottischem Erdöl und Erdgas aufgekauft. Um die Rohstoffe abzutransportieren, wurde eine unterirdische Röhre gebaut. Die Chinesen hatten die Pläne von Elon Musks Hyperloop ein wenig angepasst. An was. Wussten nur sie. In Sekunden sollten Gas, Erdöl und Passagiere vom Norden zum neu erbauten Hafen von Canvey Island befördert werden. So weit die Idee, bis an jenem Donnerstag gegen zwölf Uhr fünfzehn beachtliche Teile der Tunnelkonstruktion zusammenbrachen. Dreiundzwanzig Menschen kamen ums Leben – ungefähr. 200 Gebäude wurden in die Tiefe gerissen. Was finanziell ein überschaubarer Schaden war, denn die Trasse verlief größtenteils unter Sozialsiedlungen. So weit zum verschwundenen Hackerspace der jugendlichen jungen Menschen, die sich in Ermangelung von Bekannten im 1.0-Leben »Die Freunde« nennen. Die Freunde haben Mitgliederstatuten festgelegt und viel geredet und dabei zu Boden gesehen, um ihren Zuschreibungen als von Asperger betroffen Nerds gerecht zu werden. Sie haben sich über Programmiersprachen, ihre Geräte, Server, Racks, Kryptografie und Lötkolben ausgetauscht, und sie waren so aufgeregt oder sind es immer noch, dass da Menschen sind wie sie. Außenseiter, die sich Kraft ihres Außenseitertums dazu berufen fühlen, für alle Außenseiter zu kämpfen. Sie haben eine Aufgabe gefunden, die größer ist als sie. Die jungen Leute, die stottern, die anderen nicht in die Augen sehen können, die keinen Kontakt zu Artfremden haben, weil keiner hier eine Ahnung hat, worüber die anderen Menschen sich unterhalten. Über die 20 Millionen

IP-Adressen, die von der Regierung innerhalb der letzten Monate gesperrt worden sind. »WTF ist eine IP-Adresse«, würden sie fragen, die Normalen, und leer schauen.

Die Freunde. Die jetzt in einer alten Fabrik hocken und den Zusammenbruch des Finanzsystems feiern, denn würde sich das Land nicht in einer Umstrukturierung der Märkte befinden, wäre das Gebiet hier schon längst mit Eigentumswohnungen und Bio-Cafés und Yoga-Spaces zugebaut worden. Sie hatten den Ort damals durch eine gezielte Suche gefunden. Ganz wie die Klimamission GRACE, die angeblich die Schwerefelder der Erde vermessen, hauptsächlich aber nach verschwindenden Wasservorräten Ausschau gehalten hat, damit im Anschluss Armeen der westlichen Welt in die Orte der südlichen Welt gesendet werden und vorsorglich gegen das Fluchtverhalten von Menschen in wasserlosen Gegenden Stellung beziehen konnten. Genauso hatten die Freunde die Cloud der beliebtesten Fitness-Tracking-App nach interessanten Daten durchsucht. Und diese Perle am Stadtrand gefunden. Hier joggte keine Sau. Keine Wärmeballung, keine Funknetze. Das heißt: Hier gab es keine Überwachungskameras. Das heißt: Hier war nichts. Keine Tiere, keine Drohnen. Keine mit Roboterhunden verbundenen Drohnen. Gute Gegend.

**MI5 Piet**
Verschluckt sich am Spätburgunder.

**Die Freunde**
Sind jetzt seit zwei Tagen damit beschäftigt, ihre Infra-

struktur wiederaufzubauen. Strom klauen, Server, Netz, Strippen und so weiter, all den Scheiß, den man so benötigt, um in der virtuellen Welt einen Platz auf der Sonnenseite zu haben. So, jetzt steht einmal auf und sagt, wer ihr seid!

Da ist Ben, er ist bereits achtzehn und versorgt die Gruppe mit Geld. Er prüft Unternehmens-IT auf Schwachstellen. Und versucht in der freien Zeit, ein dezentralisiertes Netz zu entwickeln. Was ihm vermutlich in 50 Jahren gelingen wird. Na ja. Oder doch nicht, denn er hat keine Millionen zur Verfügung, um ein Rudel Top-Programmierer an die Aufgabe zu setzen. Er hat keine Millionen zur Verfügung, weil niemand, der Millionen zur Verfügung hat, an einem neuen Internet interessiert ist. Das alte arbeitet hervorragend.

Da ist Maggy, die sehr jung ist und mit Menschen Probleme hat. Also, die Menschen haben Probleme mit ihr, denn Maggy ist zu dick und zu männlich, um den sozialen Verabredungen zu entsprechen, die darüber bestimmt haben, wie ein junges Mädchen auszusehen hat. Rachel, da in der Ecke mit dem Bärenohren-Plüsch-Overall, ist erst vierzehn und redet nicht gerne. Reden langweilt sie. Sie ist auch nicht so gut darin. Sie hat ständig kalte Finger, an denen sie kaut, und starrt ins Netz – da ist es warm.

Da sind Kemal und Pavel. Kinder von irgendwelchen Einwanderern, die in letzter Zeit gehasst werden, und zwar zu Recht, und zwar, weil sie Schuld an der Klimaerwärmung sind. Und der Privatisierung. Und der Steuerhinterziehung durch Konten auf den Cayman Islands.

Das sind: die Freunde.

Die Wut auf die Gesellschaft haben und nicht wissen, wen sie damit meinen. Die von Anarchie reden und nicht wissen, was das sein soll. Die sich nach Aktionen sehnen und Dinge im Netz meinen. Sie sind die Guten. Was auch immer meint. Es gibt die anderen, die Bösen.

Jeder hier hatte logisch klingende Erklärungen, den Zustand der Welt betreffend. Der Vatikan, die Geheimdienste, die Koch-Brüder, falls sie noch leben, sonst eben die Leute, die die Koch-Brüder darstellen, ein Zusammenschluss von Marktliberalen und alten Nazis – irgendwer ist schuld. Irgendwer will die Weltmacht. Ihr Verstand duldet keine chaotischen Zustände und erst recht keine Zufälle. Die Freunde hier suchen nach einem Halt in einer Parallelwelt, weil die reale Welt doch kaum zu ertragen ist, wenn man etwas zu viel Verstand hat und doch zu wenig, um sich direkt die Lampe auszublasen. Die Welt retten. Sich damit meinen.

Ben hat die Theorie, dass die ganze Aufregung – die Terroranschläge, das Aufeinanderhetzen der Bevölkerung, die Nazis, der Fremdenhass, die Unruhe – nur ein Ablenkungsmanöver war, um na ja, irgendwas. Immer wenn er die Antwort auf die große Frage nach dem Warum fast fassen kann, wird er abgelenkt. Durch irgendeine Bridge, die er legen muss, oder eine neue Information irgendwelcher Hacker darüber, dass man jetzt auch einfach durch den Stromkreis in Computersysteme eindringen kann oder durch Thermostate von Aquarien. Es scheint, als hackten sie hier gegen Beton an. Sozusagen. Mit ein paar Verschlüsselungen gegen fast alle Regierungen der Welt, alle Geheimdienste.

»Süß.« Sagt Hannah, als sie all die blinkenden Geräte und die kleinen, grob zusammengelöteten Roboter sieht. Sie war dem Licht gefolgt, in die Fabrik gegangen, einen Nachbarschaftsbesuch machen, sozusagen. Das Misstrauen der Freunde gegen Hannah dauert nur ein paar Sekunden. Bis sie merken, dass Hannah nicht die intellektuelle Kapazität für einen Spionage-Job aufweist. Dass sie eine Userin ist. Damit ist das Interesse der Gruppe auch schon wieder erloschen, die Aufmerksamkeitsspanne über Gebühr gedehnt. Weiter geht es mit dem Starren in die Rechner.

Die Freunde hatten irgendwann an ihren Sieg geglaubt. Daran, dass sie immer mehr würden. Die neue coole Jugendbewegung. Dabei hatten sie nicht bedacht, dass Nerds keine erotische Kleidung tragen und die Masse keine Ahnung von Technik und Politik hat. Dazu kann man nicht tanzen. Die Freunde sind weniger geworden statt mehr. Immer öfter verschwinden ihre Leute. In Gefängnissen oder Nervenheilanstalten. Zu viele Informationen sind nicht gut für menschliche Hirne. Sie wissen, dass dieses sogenannte Internet nicht nur ein Ort ist, in dem Leute Katzenpornos betrachten und Reiseschnäppchen suchen. Sie wissen, dass im Netz alles ist. Die Stromversorgung, die Verkehrsregelung, die Börse, der Welthandel, die Züge, das Leben. Und dass alles Leben endet, wenn Systeme angegriffen werden. Oder keine Rohstoffe für den Bau von Rechnern mehr zur Verfügung stehen. Sie wissen, dass es Kriege um diese Rohstoffe gibt. Dass sie Kriege gegen den Terror heißen. Sie wissen, dass Menschen manipuliert werden in diesem Internet, dass sie überwacht werden. In jeder Sekunde. Dass ihre Stimmen und Körper und Mails gefälscht werden, dass es zu Anklagen kommt und zur Beseitigung von Querulanten. Es ist ernst. Das war es immer, aber früher war es nicht lebensbedrohlich. Als sie gegen die Geheimdienste kämpften. Sie hatten super Aktionen gemacht und sich danach im Netz gefeiert. Die Datenbank des Staatsschutzes geleakt, die Fingerabdruckscanner eines Smartphone-Herstellers gehackt, nachgewiesen, dass alle fünf Minuten ein Zugriff und eine Inhaftierung aufgrund von Algorithmenfehlern stattfanden. Na ja, und so weiter. Sie hatten gedacht, sie seien die neue Revolution. Und nun.

Sitzen sie hier. In dieser scheiß Fabrik. Und wissen nicht weiter.

Es hat sich kaum einer für ihre Revolution interessiert. Was Menschen nicht begreifen, interessiert sie nicht. Sie interessieren sich für Terror. Darum finden in regelmäßigen Abständen Angriffe irgendwelcher Fundamentalisten statt. Gerne lassen sich die Leute im Anschluss an solche Aktionen röntgen, nackt ausziehen und filmen, bevor sie ein Flugzeug besteigen. Keiner hat doch etwas zu verbergen. Die Freunde. Haben die Massen nicht mobilisiert,

Keine Botarmee in den Kampf um die Brexit-Abstimmung geschickt, sie hatten nicht manipuliert, keine falschen Berichte verteilt, keine falschen Social-Media-Accounts angelegt, kein Mikrotargeting betrieben, weil sie an das Gute glaubten oder an das, was sie für das Gute hielten. Und nun sitzen sie in den Trümmern, also in einer Ruine, und wissen nicht, ob sie erstarren oder kämpfen sollen, und wenn ja, wie. Die meisten, die sie kennen, haben sich ergeben, sich angepasst, die nationalistische Revolution beobachtend, die gerade in der westlichen Welt stattfindet. Fast jeder kleine Staat hat sich seine rechtskonservative Regierung mit mehr oder weniger zaghaft faschistoiden Regierungsprogrammen zurechtgewählt. In fast allen westlichen Ländern sind es die Männer, die dieser Revolution zum Sieg verhelfen.

»So«, sagt Ben, »die Server laufen wieder.«

Die Freunde sind eine der zwei Untergrundbewegungen junger Leute, die es zu diesem Zeitpunkt der Geschichte noch gibt. Bis vor einigen Jahren gab es noch anarchistische Jugendliche, die demonstrierten oder Grundstücke besetzten, die auszogen, um Faschisten zu jagen, die ihre Gesichter verhüllten und glaubten, sie könnten England zu einer Freistadt Christiania umbauen, einem rechtsfreien Raum, in dem heitere junge Hippies sitzen und veganen Brei essen. Die Aufrüstung der Polizei und die Ausstattung mit Maschinengewehren hatten dem ein Ende gesetzt. Hausbesetzer wurden teilweise mit Granaten aus den Unterkünften gejagt, einige Kinder verloren Gliedmaßen. Eine Demonstration wurde mit gepanzerten Wagen und scharfer Munition beendet. Danach war Ruhe. Seitdem gibt es nur noch ein paar Jugendliche, die sich nicht dem System untergeordnet haben. Nur noch ein paar, die nicht denken, in der besten aller Zeiten zu leben. Die wenigen Querulanten, die noch rappen oder hacken, werden auch bald ihren Platz in der Gemeinschaft finden. Und das ist gut für sie. Nur angepasst kann man schließlich an den Erfolgen einer Gesellschaft teilhaben.

Egal.

Die meisten, die sich hier im Raum aufhalten, sind unbeliebt. Gewesen. Weil sie den Standards der heutigen Menschennormatierungen nicht genügen. Weil sie zu laut, zu leise, zu groß, zu klein, zu dick, zu dünn sind. Sich zu schnell oder zu langsam bewegen, zu schwul oder zu nichtsexuell, zu unsportlich oder zu nervös sind. Einsam waren alle. Sind es immer noch, wenn sie die geschützte Werkstätte verlassen und mit schlechten Augen auf die Umgebung außerhalb des Netzes starren. Die meisten wollen die Welt retten. Ein paar wollen einfach nur angeben. Und alle ahnen, dass sie nichts erreichen werden. Die Übermacht ist zu groß geworden, oder sagen wir, sie begreifen allmählich, gegen wen sie kämpfen –

Gegen Geheimdienste, Staaten, Milliardenunternehmen, Rechtsradikale, Nationalisten, Spinner, Verschwörungstheoretiker und Mörder. Wo fängt man da an? Kaum haben sie ein Nazi-Netzwerk erledigt, wachsen Tausende von Bots nach. Ein paar Überwachungskameras ausgeschaltet, und schon stehen da wie durch ein Wunder neue Laternen mit biometrischen Erkennungssystemen, die sogar die Autobahnen mit ihrer Anwesenheit erfreuen.

Die Gruppe wendet sich Hannah zu, um im Rahmen ihrer Möglichkeiten gastfreundlich zu sein.

Sie machen Tee, setzen sich zusammen, und Hannah erzählt von den anderen, von den vergrabenen Endgeräten.

Die kleine Gruppe in einem Raum, in dem in der Mitte der Fußboden ein gewaltiges Loch aufweist, ist froh, nicht alleine zu sein in einer seltsamen Welt. In der gerade aus einem Rechner die Nachrichten verlesen werden.

Da ist

**Thomes Vater**

Der zum Volk spricht:

»Die Wiedereinführung der Todesstrafe auf Kapitalver-
brechen und Landesfriedensbruch ist eine wirkungsvolle
Maßnahme zum Schutz und zur Stärkung der Demokratie. Wir haben bemerkt, dass selbst die volle Ausreizung
des Strafrechts in einigen Fällen, zum Beispiel dem des
Terrorismus, keine eindeutig abschreckende Wirkung
zeigt. In der Bekämpfung des Terrorismus müssen daher
neben der lückenlosen Überwachung potenzieller Terroristen auch drastischere Strafen verhängt werden dürfen.
Mehr und mehr gehen die Terroristen dazu über, nicht
mehr als Selbstmordattentäter zu agieren. Terrorattentate mit Fahrzeugen, Messern, Giftgas werden von den
Straftätern überlebt, was andere Terroristen ermutigt.
Darum haben wir uns entschieden, mit einer mutigen
und entschlossenen Aktion ein unmissverständliches Si-
gnal auszusenden.

Jubel

Klatschen

Begeisterung.

Neuer Tag. Neuer Ort.

Zurück zu

**Hannah, Karen, Don und Peter**

Deren Überwachungskameraverwirrungs-Make-up, manchmal nehmen sie auch Gaffa Tape, im Gesicht aussieht
wie Kriegsbemalung. Sie ziehen in den Krieg mit ihren
Armee-Klamotten, den Overalls, den Stiefeln, den aggressiven Schritten. Sie genießen, dass die Passanten

ihnen aus dem Weg gehen, sie rempeln, sie treten, sie machen Angst, das ist Musik, das ist Macht. Sie hören Little Simz. Im tragbaren Discplayer. Herrlich retro. Don reißt einem eierschalenfarbenen Mann sein Handy aus der Hand und lässt es elegant auf den Boden fallen, eine Wohltat, dieses Gefühl, eine beeindruckende Armee zu sein.

Und so weiter.

Am Observationspunkt angelangt, setzen sich die vier auf eine Treppe. Sie wirken wie der Cast zu einem Musikvideo, in dem sie die verschiedenen Bestandteile der unglaublich interessanten und multikulturellen Jugend verkörpern. Keines der Kinder glaubt an ihre Mission. Keines hat ein überbordendes Rachegefühl. Die Vergangenheit ist so weit entfernt, dass sie wirkt wie gelbe, alte Fotos. Als es noch Fotos gab. Als es noch ein Gefühl der Rachsucht gab. Verschwommen ist die Erinnerung an die Erregung – damals, auf dem Dach des Obdachlosenheimes, der Schwur und die Motivation. Sie hatten sich vorgestellt, dass sie eine Aufgabe bräuchten in ihrem neuen Leben, und merken nun, dass dieses neue Leben Aufgabe genug ist. Dass es ausreichend interessant ist, die Veränderung der Welt zu begreifen und die des eigenen Körpers. Aber. Die Kinder sind Menschen, und Menschen reden nicht über wichtige Dinge. Das Gespräch könnte kurz sein und alles, was später folgen würde, in eine neue Richtung bewegen. »Hey, es ist doch Quatsch, dieses Räuber-und-Gendarm-Spielen«, könnte eines sagen, die anderen könnten nicken, dann würden sie heimgehen und einen Bunker anlegen oder den Bau einer Arche erwägen. Die Übersiedelung nach Island, um dem Untergang Europas nicht live beiwohnen zu müssen. Aber sie reden nicht. Und sitzen am Observationsziel angelangt.

*Noch vor zwei Nächten*

Hatte Hannah bei den Hackern, den Freunden, den neuen Bekannten,

Mehr Informationen zu ihren Opfern erhalten, die sie nun in der Liste notiert hat.

*Walter, Ex-Freund von Dons Mutter und*
*Sadistischer Versager,*
*Lebt in einem der Smart Homes am Stadtrand.*

Schön blöd. Ein kleiner Hack in die Steuerung der Heizung, und schon hat man Zugriff zum Netzwerk und den privaten, versteckten Dokumenten. Hatte sie von den Hackern erfahren,

*Walter ist verheiratet, sexsüchtig und hat sich im Fernstudium zum Religionslehrer ausbilden lassen. Adresse unten.*

*Dr. Brown, der Arzt, der den Tod von Hannahs Mutter zu verantworten hat, betreibt eine Privatpraxis in einem Kellergeschoss, Adresse unten, in der er Abtreibungen und Schönheits-OPs am Rande des Wahnsinns durchführt. Wohnt in einem Zimmer zur Untermiete (Adresse unten) und missbraucht mitunter betäubte Patientinnen. Fußpilz.*

*Thome, Entwickler von Island of Dreams,*

*Häufiger Besuch von Gay-Porn-Sites. Zu 99 Prozent homosexuell. Kein Coming-out. Vater plant, das Premierministeramt zu übernehmen. Das nur am Rande. Wohnt in einer Villa am Holland Park, Adresse unten. Arbeitet im Silicon Roundabout, Versager.*

*Patuk, Karens, ähm,*

*Besitzt fast bankrotten Schneiderladen in der Savile Row (Adresse unten)*

*Wohnt in Luton (Adresse unten)*

*Hochgradig frustriert. Keine Sexualität, also Impotenz, auffällige Häufigkeit im Besuch von islamistischen/Daesh-/Foltervideo-/Nuklearterrorismus-Sites*

*Geldproblem, alleinstehend, frustriert.*

*Peters Mutter*

*Der Russe,*

*Villa am Regent's Park (Adresse unten), betreiben Kinderprostitution*

*Sie besucht Fitnessclub (Adresse unten)*

*Liefertag des Whole Food, smarte Wohnung ohne Passworte, hahaha.*

*Sergej, Leiter einer Wehrsportgruppe, rechtsradikal.*

*Minizimmer Osten, in der Campell Rd (Adresse unten)*

*Macht Überlebenstraining in diversen Parks ohne Überwachungskameras.*

## Peter

Vergleicht die Adressen. Hier sitzen sie richtig. Hier verkehrt seine Mutter, laut ihrem Log-in, an vier Tagen in der Woche im Fitnessstudio. Heute ist einer davon. Aber seine Mutter ist nicht zu sehen.

Aus der Ferne sind Sprechchöre zu hören. Eine Demonstration? Wogegen bloß? Die haben doch alles, die Leute. Das Wetter ist, nun ja, ein Wetter eben. Sie bekommen Geld, haben keine ernsthaften Seuchen, sterben nicht kurz nach der Geburt, ihre Äcker werden nicht von Heuschrecken geplündert, denn da sind keine Äcker. Wissenschaftler haben ein Bakterium modifiziert, das Plastik frisst. Die Weltmeere sind also vielleicht gerettet. Gut, sie sind dann bakterienverseucht. Aber ist das sinnvoll? Gegen Bakterien zu demonstrieren? Apropos – wo ist seine verdammte Mutter, und wie reagiert man auf sie? Peter beginnt sich hin und her zu wiegen. Immer wenn Peter in Zustände gerät, ist es an Don, ihn zu beruhigen. »Wir sitzen hier und planen und machen uns Gedanken über unser Leben, weil wir denken, es wäre total wichtig, weil jeder Mensch denkt, genau er würde die Welt durch sich bereichern oder überhaupt erst bestehen lassen. Und dann kommt ein Meteorit, und die Erde ist in einer Sekunde weg. Oder ein Vulkanausbruch, der den Himmel für immer verdunkelt, das Klima auf minus zehn Grad absenkt und so weiter. Sag ich nur mal so«, sagt Don. Und Peter beruhigt sich. »Wir haben die Macht zu gar nichts«, sagt Don.

»Amen«, sagt Hannah. Die vier starren wieder auf den Eingang des Bulgari Hotels. Eine überaus langweilige Straße voller viktorianischer Rotklinkerbauten und zurechttrainierter reicher Frauen. Die Sorte, die nur dafür zu leben scheint, die Erwartungen von Männern zu erfüllen, kennen die Kinder aus Rochdale nicht. Sie wirken wie aus dem 3-D-Drucker. Ohne etwas Störendes. Ohne Poren und Fett, ohne Cellulitis und Hirn. Sie waren früher vielleicht Influencerinnen oder Models. Sie hatten gedacht, sie könnten die Abkürzung nehmen. Sich enthaaren und formen und zur Belohnung stünde ein prächtiges Leben für sie bereit. Steht nicht, ihr prächtiges Leben besteht aus Dienstleistung und Angst. Die Angst, gegen die neuen Sexroboter zu verlieren, steht in ihren ober- und unterlidgestrafften Augen. Vermutlich ist es hilfreich, den Verfall als einzige Bedrohung seines Lebens zu fürchten. Es macht so schön dumm. Apropos, es riecht fast nach Frühling. Die Stechpalmen in den gusseisernen Töpfen vor den Eingängen der Häuser, in denen ausschließlich Millionäre wohnen, die aber gerade woanders sind, rasseln leise. Spatzen entäußern sich dazu. Spatzengeräusche in der Großstadt, die im Menschen immer eine unbestimmte Sehnsucht erzeugen. Vielleicht nach blühenden Landschaften und seriösen Singvögeln. Karen liest in einem Buch über Viren, Hannah und Don haben die Augen geschlossen und die Köpfe aneinandergelegt. Und Peter starrt den Eingang an. »Die machen das echt, mit den Bodycams«, sagt Peter. Und zeigt auf einen großen Mann, der eine kleine Kamera an seiner Kappe befestigt hat.

**Der Bodycam-Mann**
*Ethnie: weiß*
*Politische Orientierung: Querulant*
*Sexuelle Orientierung: asexuell*
*Freunde: na ja*

Hat sich sein Equipment gestern im neu eröffneten Büro für Bürgerpunkte abgeholt.

**Thomes Vater**
Hatte vor einigen Tagen zum Volk gesprochen:

»Kommen wir zu einer brillanten Zusatzfunktion der Chips, die sich in Ihrem Handgelenk befinden. Seit letzter Woche läuft die Aktion: ›Soziale Punkte für ein gutes Leben‹. Ab jetzt können Sie Ihr Grundeinkommen durch besonders umweltschonendes, soziales Verhalten aufstocken. Sie können Energiekosten durch sparsames Heizen und Duschen senken, Ihre Kassenprämien durch vernünftige Ernährung und ausreichend Sport. Sie können eine Anzahl attraktiver Vergünstigungen im Transportsystem oder bei Ferienreisen erwirtschaften, indem Sie sich gemeinschaftlich engagieren. Natürlich ist das neue Angebot vollkommen freiwillig.«

Dann wendete sich Thomes Vater von der Kamera ab. Er spürte das Entstehen eines Lachanfalls in sich.

Und auch der

**Der Bodycam-Mann**

Schmunzelt. Gerade. Das Punktesystem läuft jetzt seit einer Woche.

Und hat doch schon fast die Hälfte der Bewohner der Insel sozusagen überzeugt. Allein die Abholung des Equipments (Impulsgeber und Bodycam) schlägt mit drei Punkten zu Buche. Der Einsatz der Bodycam mit fünf Punkten im Monat. So.

Die Bodycam sieht einfach aus wie eine Brille. Google Glass, der große Flop vor Intel Glass und Amazon Glass. Body Glass erlaubt einen lückenlosen Rückschluss auf das soziale Verhalten seiner Träger. Keine Schlägereien, kein Überqueren der Straße bei rotem Licht, freundliches Grüßen, Akzeptanz in der Nachbarschaft.

Moment

**Der Programmierer**

Fügt an: »Und vor allem die Aufzeichnung der Bereiche, die mit den herkömmlichen Überwachungstools nicht abgedeckt werden. Also der Alkoholkonsum, die auffällig häufige Verwendung von Schimpfworten, rassistische Äußerungen, das anhaltende Kratzen an Körperstellen, das Lügen, asoziales Verhalten in Kellerräumen.«
Und

**Der Bodycam-Mann**

ist begeistert über die neuen Möglichkeiten, sein Verhalten zu Bargeld zu machen. Sein Verhalten, das immer vorbildlich war und es bis heute ist. Er hat sich einen Fehltritt erlaubt, zum Glück vor Einführung des Belohnungssystems. Einen Fehltritt, den er bis heute nicht als solchen begreifen kann.

Der Bodycam-Mann ist forensischer Architekt. Gewesen. Mithilfe von 3-D-Modellen und VR-Animationen ermittelte er die Ursachen von Konstruktions- und Brandschänden. In den letzten Jahren war es vermehrt zu Bränden in Sozialgebäuden gekommen. Brutalistische Blocks mit 267 Wohneinheiten Minimum, Hochhäuser mit 400 Einheiten brannten einfach so ab.

Der Bodycam-Mann fand heraus, dass alle Anzeichen sehr deutlich für Brandstiftung sprachen. Da in Folge die Gebäude stets abgerissen wurden und man anschließend Wohneigentum errichtete, lag es nahe, sich die Eigentümerverhältnisse genauer anzusehen.

Der Bodycam-Mann fand bei seinen Nachforschungen zum Beispiel eine Immobilienfirma, die 357 Sozialgebäude auf der Insel erworben hatte. Von denen waren 43 durch Feuer und 21 durch eingestürzte tragende Mauern oder Dächer unbewohnbar geworden. Ist doch, na ja, ein Zufall, dachte sich der Bodycam-Mann, und es stellte sich heraus, dass dem seitens der Eigentümer einige Einsparungen vorausgegangen waren. Der Bodycam-Mann schrieb an das Sozialdepartment, an die Bauaufsicht, ans Oberhaus, an die Premierministerin, an den Bürgermeister – und verlor daraufhin seine Anstellung.

Heute, in seinem neuen Leben, joggt er jeden Morgen und betrachtet die leer stehenden Luxusimmobilien, die gelangweilt in der Gegend stehen.

Apropos. Seine neue Businessidee war ihm beim Anblick seiner Wohnsituation gekommen. Dazu muss man wissen, dass er in einer Röhre lebt. Die Wohnröhren waren ein Projekt gegen die Wohnungsnot, das er während seines Studiums mitbetreut hatte. In alten Betonröhren war auf neun Quadratmetern untergebracht, was ein Mensch zum Leben benötigte: Miniküche, Dusche, Bett. An den Längsseiten Plexiglas. Am Anfang wurden die Röhren nur unter Autobahnbrücken und am Rande von Industriegebieten aufgestellt. Später wurden sie – bis zu 20 Meter hoch gestapelt – auf finanziell uninteressanten Flächen platziert. Die Röhre des Bodycam-Mannes stand neben der Abwasseraufbereitung. Nachts glich sein Zuhause von außen einem Bienenstock. In jeder Wabe lag ein.

Nun ja, ein Mensch, nicht wahr.

Eines Abends, als er von außen all die einsamen Menschen in ihren Röhren betrachtete, kam ihm die neue Geschäftsidee, und er wurde Anfasser.

Es ist doch so:

Die meisten Menschen werden nicht mehr berührt. Sie haben nicht mehr mit Menschen zu tun, die Menschen, und was der Umstand dem Einzelnen an Frieden schenkt, wirkt sich doch andererseits negativ auf den Körper aus. Sie buchen online, checken online ein, kaufen in vollautomatischen Läden, reden mit Service-Bots, bekommen ihr Essen von Lieferdrohnen, die Post vom Postroboter, die Leute. Alles lustig. Macht aber traurig und einsam im eigenen Leib. Leib kann der Bodycam-Mann. Er ist außerordentlich körperlich. Er gleicht einer zwei Meter großen, rot behaarten Biene. Er riecht nach Vanille. Und sein Geschäft läuft. Gerade kommt er aus einem Großraumbüro, in dem er einmal pro Woche arbeitet. Die Belegschaft, IT-Leute der unteren Ebene, haben zusammengelegt, um ihn zu zahlen. Jeder bekommt seine fünf Minuten Körperkontakt. Für viele der einzige in der Woche, den sie erleben.

Der Bodycam-Mann umarmt, drückt, streichelt. Die Kunst ist, dass seine Körperlichkeit ohne jede sexuelle Konnotation erfolgt. Die verspannten Engländer werden für einen Moment weich in seinen Armen. Viele weinen. Und funktionieren danach wieder hervorragend. So. Tür auf, hier ist sein Studio. Eine kleine Kuscheleinheit ist schon für zehn Pfund zu haben, eine ausgiebige Session kostet 50 Pfund. Er arbeitet ohne Pause. Weinende Oligarchengattinnen krümmen sich unter seiner Hand auf der Matratze, Banker, die aufgrund des Dauerstresses ihre Backenzähne zu schwarzen Stümpfen gerieben haben, kringeln sich in seinem Arm schluchzend zusammen. Wenn es um das Sammeln von Pluspunkten geht, ist der Beruf des Bodycam-Mannes perfekt geeignet. Fast jeder Kunde gibt ihm eine gute Bewertung. Direkt mit dem Mobiltelefon. In der Punkte-App. Leck mich am Arsch. Online kann man den öffentlichen Punktestand aller Bürger abfragen. Hat man eine gewisse Anzahl Pluspunkte, bedeutet das geldwerten Vorteil, der dem Grundeinkommen zugerechnet wird. Hat man null Punkte oder gar Minuspunkte, ist mit einem Shitstorm zu rechnen, der aber gesitteter stattfindet als früher, also vor der Punktezeit. Keiner fordert einen anderen mehr auf, »sich zu vergasen«, Frauen werden nicht mehr als »Fotzen«, »Schlampen«, »Nutten, denen man das Hirn aus dem Leib ficken sollte«, bezeichnet, denn für verbale Entgleisungen gibt es Minuspunkte. Der leise verachtende Tadel der anderen ist indes fast schmerzhafter als die früheren Hasspöbeleien, an die sich die Menschen gewöhnt hatten. Von Lob oder Tadel der Schwarmintelligenz abgesehen sind die Punktezahlen auch für Vermieter, Banken, Versicherungen und potenzielle Geschlechtspartner interessant. Beziehungsweise nicht interessant. Jede Woche wird der »Verlierer der Woche« ermittelt, der ganz weit oben im negativen Ranking steht. Die Verlierer, die auf der Startseite der Karma-Point-Homepage erscheinen, werden in den darauf kommenden Wochen online begleitet: Beim Verlust ihrer sozialen Kontakte (man meidet Verlierer), beim Verlust ihrer Wohnung, ihrer Jobs, ihrer Heizung, ihres Wassers. Die gesellschaftliche Genugtuung erreicht ihren Höhepunkt, wenn so ein Unmensch am Ende der öffentlichen Observation am Straßenrand hockt. Mithin werden sie auch zusammengeschlagen, die Punkteversager. Das Zusammenschlagen von Punkteversagern führt zu keinem Punktabzug.

Einmal in der Woche schaltet der Bodycam-Mann seine Bodycam aus. Am Freitag. Nach seinem letzten Klienten. Schreibt er wieder Eingaben. Gesuche. Beschwerdebriefe. Um auf die Verbindung von Brandstiftung, unrechtmäßiger Bereicherung, Betrug und Mord der Immobilienfirma aufmerksam zu machen. Er legt die Verbindung zur Regierung und dem Sozialdepartment dar. Er gibt nicht auf.

Gut, dass wir durchgehalten haben –

»Da ist sie«, sagt Peter und zeigt auf

Seine, also sozusagen

## Peters Mutter

Die in einer Gruppe von Frauen vor dem Hotel steht. Sie tauschen vielleicht noch die Daten irgendwelcher Designer-Verkaufsshows oder die Erfolge neuer Schönheitseingriffe aus und ähneln sich in einem befremdlichen Ausmaß. Alle sind schlank und haben fast identische Gesichtsbestandteile. Gerade Nase, hohe Wangenknochen mit einem natürlichen Glanz und volle, aber nicht unnatürlich wirkende Lippen. Harter Job für die biometrische Fünf-Faktoren-Gesichtserkennung. Der Aufbau der Gesichter erfolgte beim Chirurgen nach den Erkenntnissen der optimalen »berechenbaren Schönheit«, die mit den Abständen der Elemente im Gesicht zueinander und ihrer symmetrischen Anordnung zu tun hat. Und so was kommt dann dabei heraus. Die Beine der Frauen sind schlank, die Brüste fest. Fickpuppen. Die denken, sie würden Männer beherrschen. Sie für ein wenig Sex und vorgespielte Liebe ausnehmen. Was sie nicht wissen, ist, dass Männern die Ideen von Frauen vollkommen egal sind. Sie schätzen das Gefühl, Frauen gekauft zu haben, sie abhängig zu sehen, sie mögen das Wissen um ihre finanzielle Abhängigkeit, ihre Gier. So lassen sie ihn in Ruhe und fordern keine Gefühle ein, die der gemeine Oligarch, wenn überhaupt, nur für Menschen aufbringt, die aus ihm entstanden sind.

Die Orte, an denen diese Frauen verkehren, haben immer mit Chrom und livrierten Türstehern zu tun. Sie haben immer mit der Zurschaustellung von Geld zu tun, die doch bitte mal eine Euphorie erzeugen soll. Tut sie nicht. Egal. Die Lebensgestaltungsmittel der Reichen sind in anderer Art ähnlich deprimierend wie das Leben der Armen. Es scheint, als ob Menschen mit einem Besitz von – sagen wir – zehn Millionen in eine umzäunte Einrichtung müssten, in der sie lernen, sich einheitlich zu kleiden, und wie ihre Wohnungen auszusehen haben.

Die Wohnungen. In vermeintlicher Nachahmung des Königshauses gestaltet, nicht wissend, dass der König im Exil seine Tage mit undichten Fenstern und, den Hunden geschuldet, verschlissenen Teppichen verbringt.

Da sind also die schweren Vorhänge, die vollkommen sinnlos im Raum hängen mit diesen Troddeln. Diese Scheißtroddeln, die man immer zwanghaft in Körperöffnungen stopfen möchte. In die Körperöffnungen seiner Eltern. Auch wenn die schon tot sind. Ferner unverzichtbar: ein Inneneinrichter, der große Margen alter Stiche aufkauft und sie in ebenfalls große Margen antiker (laut Verkäufer) Rahmen packt. Petersburger Hängung gibt dem Raum ein augenzwinkerndes Flair. Inneneinrichter ist einer der krisensicheren Berufe. Die Einrichtungs-Apps können nie in so einem absurden Maße geschmacklich danebenliegen wie reale Menschen. Es muss in der Wohnung auch im Jahrzehnt des Untergangs mit Gold gearbeitet werden. Gold, unvergängliche Grabbeigabe auf der Reise ins nächste Leben. Wenn das nur bald kommen möchte. Der dauernde Stress ist nicht gut für die Nerven. Peters Mutter hat ständig Angst. Aufzufliegen. Ausgetauscht zu werden. Zurückzumüssen. Wohin nur?

Die Oligarchenfreundingeschichte von Peters Mutter zeichnet sich durch eine ermüdende Trivialität und demütigende Abhängigkeit aus. Sie besteht aus Blowjobs nach dem Aufwachen, die Peters Mutter am Russen durchführt. sieht kurz in seine leicht heraustretenden Augen, ru dann an seinem definierten, rasierten Körper hinab, et tief durch und steckt sich seine Genitalien in ihren M nenraum, in dem über Nacht ein schlechter Geschmack standen ist. Sie hat gelesen, dass es laut Jerry Hall das Ge nis einer langen Beziehung ist, dem Mann permanent e n zu blasen. Sie stehen einfach drauf. Peters Mutter mach en Job. Lutscht das Glied. Lacht perlend. Wirft den Kopf engleich in den Nacken. Ihr Sexleben hat mit Kot- und spielen zu tun. Mit Piercings, Windeln, die der Russe träg ber das Haus ist prima.

Es ist eine schöne Villa. Peters Mutter trainiert, hält sich in Form, quietscht begeistert über die Versace-Kleider, die der Russe ihr kauft. Und die leise Verachtung, mit der er sie betrachtet. Sie trägt Größe 32/34. Das ist, nun, das ist keine 30. Der alte Idiot hat vergessen, dass man mit Cup-D-Plastikbrüsten einfach nicht in eine verfickte 30 passt. Peters Mutter. Quietscht begeistert über die Scherze des Russen. Die meist mit der Demütigung des Personals oder abfälligen Bemerkungen über Polen zu tun haben. Sie denkt: Ich kriege dich. Sie denkt nicht. An ihren Sohn.

Außer, sie zwingt sich dazu. Meistens zwingt sie sich vor ihrem dreiteiligen Spiegel in ihrem Ankleidezimmer, an ihr Kind zu denken. Der Anblick ihres schönen, schmerzverzerrten Gesichtes bringt sie dann mitunter in eine Stimmung, die mit Selbstmitleid zu tun hat. Dann weint sie. Die wenigen Momente, in denen sie ein Gefühl für ihr – na, sag schon – Kind empfunden hatte, liegen sehr weit zurück. Irgendwann vor Peters drittem Geburtstag, bevor er begann, komisch zu werden, und bevor sie realisierte, dass es nur etwas gab, das schlimmer war, als in einem Nest in Polen zu leben. Das war, mit einem bescheuerten Kind in Polen zu leben. Peters Mutter war so arm gewesen, dass sie es nun für ihr Recht hielt, reich zu sein. Wenn das meint, täglich ein paar Minuten eine Fleischwurst zu lutschen, bitte. Sie ist die perfekte Geliebte. Gut gelaunt, immer offen für Drogenexperimente. Reizend ████ den Kollegen ihres Russen, eine perfekte Gastge████. Sie hatte sich, wie erwähnt, die Brust, Und d████ppen vergrößern lassen. Jeder Zentimeter an ihr ist ████ff und gepflegt. Der Geschmack der Russen ist se████rzehnten unverändert altmodisch. Triple-A-

Frauen haben auszusehen wie 2017er Influencer-Nutten. In Europa ist dieser Look ein wenig peinlich antiquiert und verrät immer die Herkunft aus einem Entwicklungsland. Oder was die Engländer dafür halten.

»Zeig mir ›Shit happens‹«, sagt Peters Mutter zu ihrem Amazon-Echo-Scheißgerät. Auf dem Flachbildschirm erscheint die letzte Sendung der total beliebten BBC-Show. Seit die BBC privatisiert wurde, laufen anstelle der unglaublich öden Gartenshows Programme, die bei den Zuschauern auf wirklich großes Interesse stoßen. »Shit happens« ist so eine Show. Die Leute sind verrückt danach. Es geht um die größtmögliche Demütigung, die man einem Menschen angedeihen lassen kann. Freunde und Familienmitglieder schlagen der BBC Kandidaten vor, die Algorithmen erledigen den Rest. Durchsuchen das Netz, erstellen ein Profil und treffen den Kandidaten da, wo es ihm am meisten wehtut. Sie nehmen Mütter gefangen und isolieren sie von ihren Neugeborenen. Zeigen Ehefrauen Aufnahmen aus dem Bordell. Zeigen Butt-Plugs in Lehrerhintern. Menschen, die vor dem Computer zu Katzenvideos wichsen. Apropos. Peters Mutter ist undemütigbar.

Sie ist die, die früher Möbel verheizt hat, um es warm zu haben. Die mit dem Nachbarn, der seine Holzplanken am Boden gelöst und in den Zwischenraum darunter geschissen hat, sie ist die, die in einem harten Winter Fallen im Wald aufgestellt und teilweise fragwürdiges Wild verzehrt hat. Sie ist die, die von Nazi-Alkoholikern zusammengeschlagen wurde. Was soll ihr ein kleiner, ganzkörperrasierter Russe noch zufügen? Sie lässt sich von ihm

am Gesäß in Restaurants schieben, lächelt, wenn er sie seinen Bekannten als »meine Nutte« vorstellt. Denkt an Polen, dem sie entkommen ist, während er sie gedankenlos fickt, und denkt an die Lächerlichkeit der Menschen. Unter all den teuren Maßanzügen, unter den Tischmanieren, dem ritualisierten Geschwätz, unter all ihrer angenommenen Wichtigkeit und Unersetzbarkeit tragen sie ihre Geschlechtsteile. Egal ob da draußen für einige ein neues Zeitalter begonnen hat, was bleibt, ist der Mensch mit seinen Testikeln, Gesäßritzen, Löchern – in Seidenunterwäsche gehüllt, auf Klobrillen gesetzt, in die Hand genommen, gewogen, immer bereit, immer auf der Lauer, um etwas zu unternehmen. Wenn Peters Mutter niedergeschlagen ist, wenn sie das Gefühl hat in seltenen Sekunden, dass all das, was sie jetzt lebt, dieser unendliche Stress, gut auszusehen, gut zu vögeln, zu nichts führt, weil sie keine Freude an ihrem Haus hat, ihren Kleidern, der Aussicht auf den Park, weil sie niemanden hat, mit dem sie das teilen kann, dann stellt sie sich all die Menschen, denen sie in den teuren Boutiquen und Clubs begegnet, als große, stinkende Geschlechtsteile vor.
Und dann geht es.
Unterdessen haben

**Die Kinder**

Peters Mutter verfolgt, die Wohnadresse stimmt also mit den Angaben der Hacker überein. Die erste Zielperson kann beobachtet werden.
Um im richtigen Moment zuzuschlagen
Apropos
Nachdem

## Carl

Seine dämliche Nachbarin erschlagen hatte. Na ja, erschlagen. Er hatte geklingelt, eine verheulte Frau hat die Tür geöffnet. Eigentlich eine ganz normale, junge, dämliche Frau, wie er kurz überrascht gemerkt hatte. Also, da stand keine Scheißtranse oder so, aber es gab da kein Zurück mehr. Er schlug sie mit der Faust. Stieß sie mit den Füßen in ihr Zimmer, dann biss er ihr den Kehlkopf raus und sprang auf ihren Körper. Ja, also die Frau war dann tot, und Minuten später kam schon eine Abteilung der Privatpolizei, um den Carl zu inhaftieren. Eine der Überwachungskameras von draußen hatte das Spektakel aufgenommen. Und noch einmal sollte an dieser Stelle die Dankbarkeit der Bevölkerung zum Ausdruck gebracht werden. Die Zeit, in der junge Frauen Treppen hinuntergestoßen, alte Frauen ausgeraubt, ehrbare Bürger von Ausländerbanden zusammengeschlagen worden sind, ist dem unermüdlichen Ausbau der Sicherheitssysteme sei Dank vorüber. Das heutige Ausbleiben von Aggression im öffentlichen Raum spricht Bände. Welche Bände? Egal.

Nun sitzt der Carl hier, und draußen vor seiner Zelle laufen die Vorbereitungen auf das Ereignis. Er wird der erste Klient sein, der in den Genuss der Erziehungsmaßnahme kommt, die sich die Bürger so gewünscht haben. Die Volksabstimmung war klar gewesen. 80 Prozent wollten die Todesstrafe, und alle dachten an ihr eigenes Feindbild dabei. Kinderficker, Frauenmörder oder einfach nur irgendwie andere.

Carl begreift alles noch nicht. Weder den Abend des Mordes, noch dass er gleich sterben wird. Er begreift nur seine

Angst. Die seinen Körper mit Stresshormonen flutet, ein eiskaltes Gefühl. Er will doch leben, egal und vergessen die depressiven Abende in seiner Wohnung. Carl denkt an Frühling, Vögel, Essen, und das soll es jetzt nicht mehr geben, nie mehr spazieren gehen, nie mehr –
Und
Jetzt öffnet sich die Tür. Zwei elegant uniformierte Damen führen ihn nach draußen. Carl fühlt seine Beine nicht mehr.
In einem mit diversen Kameras ausgestatteten und gut ausgeleuchteten Raum sitzen diverse Angehörige der Staatsmacht. Es wäre auch Raum für Angehörige, aber.
Ein Richter ist da, ein Arzt, ein Plexiglasraum, luftdicht abgeschlossen. In den wird der Carl geführt. Jetzt verliert er die Kontrolle über seine Blase. Jetzt sitzt er am Boden und winselt. Die Kameras übertragen das.
Auf alle Bildschirme in der Stadt und auf BBC.

Peters Mutter sieht die Übertragung der Hinrichtung ungenau, denn sie küsst
**Den Russen**
Der Russe wischt sie weg wie einen Essensrest. Er sieht fern. Gas wird in die Glaskammer gefüllt. Sarin vielleicht, wer weiß das schon. Der Todeskampf geht schnell und hat mit Zuckungen und Schaum vor dem Mund zu tun.
Eine Kamerafahrt an der Leiche entlang, die verkrümmt am Boden liegt. Fertig ist die erste Hinrichtung. Das werden sich die Menschen merken. So.
Der Russe trainiert weiter. Wenn er trainiert, kann er seine Wut vergessen. Er ist ein wütender Mann. Er sagt

von sich: »Ich bin ein aggressiver Mann.« Er ist kein großer Mann. Und ein kleiner Mann hat die evolutionäre
Arschkarte gezogen. Ein kleiner Mann muss reich werden, Macht haben, er muss immer über die Option verfügen, im Falle von Missachtung töten lassen zu können.
Der Russe hatte sich, der fatalen Mischung aus Minderwertigkeit und Größenwahn geschuldet, unantastbar gefühlt. Wie viele reiche Männer war er sich sicher, als Einziger die Situation zu durchblicken. Welche Situation?
Egal. Jede. Dann tauchte im Netz eine Sprachmitteilung
auf, in der er zu einem Sturz der Regierung aufgerufen
hatte. Ihm war klar, dass es ein Lyrebird-Fake war. Seine
Stimme wurde von einem sehr intelligenten Programm
gefälscht. Das war damals eine neue Technik, die sich irgendein Horst ausgedacht hatte. Er wusste weiter, dass es
möglich sein musste, die Fälschung nachzuweisen, aber
nicht, wenn man in Untersuchungshaft saß.
Nun wohnt er also in dieser nebligen Gegend in einer auf-
geblasenen Bude und ist
Unter den Reichen hier Unterschicht. Der Russe hatte
sein auf den Cayman Islands und in Patagonien geparktes
Restvermögen in diese Immobilie am Regent's Park und
in ein Sex-Unternehmen investiert. Fertig.
Der Russe sieht im privaten Trainingsraum zu Peters Mutter, die sich an einem Rudergerät abarbeitet. Der Russe
tritt neben sie. Peters Mutter betrachtet sein Gesicht mit
den schmalen Lippen und den herausquellenden Augen.
»Was für ein hässlicher Frosch«, denkt sie. »Du musst auf
deinen Taillenumfang achten«, sagt der Russe. »Trägst
du deinen Fitnesstracker eigentlich nicht mehr?«

Der Russe begreift sich als Nerd. Als Checker. Als neuen Menschen. Seine Wohnung ist smart. Er hat die verdammt smarteste Wohnung in ganz London. Nicht Open Source Slash Raspberry Pi smart, sondern einfach usersmart. Schon bevor die Schafe sich einen Chip implantieren ließen, hatte der Russe einen. Damit öffnet er seine Wohnung, sein Auto, seinen Safe. Damit öffnet er das Schloss vor der Möse seiner Polackin, die er absichert, wenn er nicht anwesend ist. Kleiner Scherz. Der Russe ist angeekelt von seinen Gefühlen für Peters Mutter. Er hofft darauf, dass sich die Hormone beruhigen, die ihn zu einem Vollidioten werden lassen, sowie diese Frau in seiner Nähe ist. Wenn sie nicht in seiner Nähe ist, vermisst er sie. Ein unbekanntes Gefühl. Hormone eben. Der Russe in seiner Verachtung für seine Hormone behandelt Peters Mutter noch schlechter als seine Angestellten. Die Menschen und ihre Gefühle. Ein Chaos.

Der Russe besitzt einen Kühlschrank, der sich selber nachfüllt, mithilfe der Vernetzung zum Whole-Food-Department, das die Waren augenblicklich liefert. Die gesamte Haustechnik läuft über eine Sprachsteuerung, die Rollladen, die Temperatur, die Musik, das Licht, die Waschmaschine, der Russe hat den ersten Tesla der Stadt gehabt, und nun hat er das erste selbst fahrende Auto. Der Russe liebt Technik, er liebt das Gefühl, irgendetwas zu beherrschen. Der Russe plant mit Fachleuten die Transplantation seines Gehirns auf einen Chip. Der Russe hat nie begriffen, dass er sterben wird. Aber diesen Tick teilt er mit vielen.

Sterben

Weiß

**Der Programmierer**

Ist was für Verlierer. Alter.

Ist das geil.

Der Programmierer starrt auf das in Hunderte kleine Screens unterteilte Bildschirmwunder. Er hat die AI, die er programmiert hat, auf interessante optische Schlüssel-reize angesetzt. Stichwort »Waffen«, Stichwort »Sex«, Stichwort »Gewaltdelikte«.

Seine kleine Räuberbande, seine Codes, die Erweiterung seines Ichs, die jetzt wie Tentakel die Welt statt seiner durchforsten.

Und noch nicht vollkommen sauber arbeitet. Ein Haufen langweiliger Scheiße wird da durch die Bodycam-Brille der Delinquenten übertragen. Ein Mann, der aussieht wie eine große Biene – der Abgleich mit der Datenbank ergibt, dass es ein ehemaliger Brandursachenermittler ist, der sich außer durch Querulantentum durch nichts auszeichnet –, hat eine Frau im Arm. Eine der operierten Oligarchentussis, die sich weinend in die Arme der Biene schmiegt. Ach je, die Leute. Flachpfeifen.

Die Oligarchenbraut

Schluchzt

Denn

**Peters Mutter**

Ist die Sehnsucht nach Umarmungen unangenehm. Kaum legt der Mann, der aussieht wie eine Biene, seine Arme um sie, beginnt sie zu weinen. Sie weint 20 Minuten und kann nicht sagen, warum. Oder worum. Sie kennt keine bessere Version ihrer selbst, die sie vermissen könnte.

Der Anfang. Der aus Erregung bestanden hatte. Das 400-Quadratmeter-Haus am Park Square East mit Blick auf den Regent's Park, Angestellte, die mit Staubwedeln die Buchsbäume vor den Eingängen der Häuser reinigten, und Peters Mutter, die dachte: Hut ab, hier hat der Buchsbaumzünsler keine Chance. Peters Mutter gab dem Russen euphorische Blowjobs, er fickte sie in jedem Zimmer, auf jedem Möbelstück, er fickte sie so, wie sie es von Männern gewöhnt war. Wie ein Hamster. Sie fuhren in seinem Tesla Cabriolet. Sie kauften ein, sie gingen essen. Zum Chirurgen. Das war eine aufregende Zeit.

Unterdessen ist sie – einsam. Sie hat sich an die Angestellten gewöhnt, an die Wohnung, an den reizenden privaten Park mit seinem Wachpersonal. Sie hat sich an die Tage bei Harrods und Selfridges gewöhnt, an das Wohlgefühl hinter den Seidenvorhängen, an die Termine bei der Kosmetikerin, der Pediküre und der Maniküre, sie hat sich daran gewöhnt, angestarrt zu werden, und an die Kinder im ersten Stock des Hauses.

Die sie jetzt seit einer Woche nicht mehr gesehen hat.

Wegen der Ansteckungsgefahr.

Ist Obacht gegeben.

Und

**Don**

Betrachtet die Berichterstattung auf dem Bildschirm am Westminster Palace. Reporterin mit Mundschutz. Die Reporterin steht erst vor dem Eingang eines Krankenhauses. Ihre Stimme ist zu hoch. »Meine Damen und Herren, ich

befinde mich hier vor dem Eingang des St Mary's Hospital. Hinter mir sehen Sie –
Krankenwagen, die im quasi« – sag schon – »Sekundentakt eintreffen. Das ist bei allem gegebenen Ernst auch Anlass zur Freude über unsere funktionierende, ja,
Jetzt gehen wir mal in das Gebäude ...« (Reporterin mit zu hoher Stimme geht in das Gebäude). »Ach Gottchen, das sieht ja aus wie in der Dritten Welt, als es die noch gab.« Als die Dritte Welt noch irgendwo weit im Süden war. Als die Dritte Welt nicht in den chinesischen Kolonien befindlich war. Und als Symbolbild sehen Sie hier den Europäer, weiß, na ja, gelb. Sterbend, am Boden. Überall liegen Patienten am Boden, die Gänge überfüllt, das Personal in Raumfahrtanzüge gekleidet und so weiter. Die Reporterin muss sich sammeln, sie ist sichtlich betroffen. »Da sterben Kinder«, schreit sie fast. Und beugt sich über ein sterbendes Kind. Sie fasst sich – schwankend, aber doch verankert in ihrer Aufgabe. »Frau Doktor, eine Sekunde.« Die Reporterin springt eine übernächtigte Assistenzärztin in einem Schutzanzug an. »Die Menschen sterben, da sterben Kinder. Was unternehmen Sie, was unternimmt die Regierung?« Die Ärztin antwortet, durch ihren Mundschutz gepresst klingend: »Nichts. Nichts unternehmen wir. Wir erleichtern ihnen das Sterben, den Leuten. Wir amputieren verfaulte Gliedmaßen. Aber. Multiresistent bedeutet multiresistent.«
Das Auftreten multiresistenter Keime hat sprunghaft zugenommen, sozusagen. Öffentliche Gewässer sind stark belastet, was daran liegen kann, dass die Abwässer aus Krankenhäusern direkt in die Themse und andere öffentliche

Gewässer geleitet werden. Oder an anderen Ursachen. Mit Antibiotika vollgestopften Tieren, Antibiotika in der Milch, im Grundwasser. Und nun. Masern, Lungenentzündung, Kiefervereiterung, Norovirus, Grippe, Wundinfektionen. Alles endet tödlich. Besonders die Alten, Armen, Schwachen, die Kinder, da sterben Kinder. Vornehmlich sterben Arme. Passanten hetzen mit Mundschutz über die Straßen, die meisten tragen Handschuhe. Die Keimgeschichte wird in zwei Tagen aus den Medien verschwunden sein, die Armen und Alten und die Kinder, die Kinder werden weiter vermehrt sterben, aber es wird keinen mehr interessieren, die Aufmerksamkeitsspanne, Sie wissen schon.

Und wieder ein Krankenwagen mit Blaulicht, der

Don

Die Sicht versperrt. Sie beobachtet das Geschehen am Westminster Palace seit vier Stunden.

Das Oberhaus. Oder unter Kennern: Die sehr ehrenwerten geistlichen und weltlichen Lords des Vereinigten Königreichs von Großbritannien und Nordirland. Ein Drittel der Mumien, die über die Zukunft des Landes bestimmen, ist über 70. Die Hälfte der ehrenwerten Politiker wohnt in London. Keine Pointe. Unwahrscheinlich, dass die gebrechlichen Herrschaften mit Körbchen durch die stillgelegten Industriebrachen in Leeds und Birmingham stromern, um Kontakt mit einfachen, herzensguten Asozialen zu pflegen. Der gemeine Lord bewegt sich vom Westminster zu seinem Club in Mayfair, zu seiner Wohnung in Hampstead oder Kensington. Am Wochenende geht es in die Highlands, um mit zitternder Hand ein paar Viecher umzulegen.

Don langweilt sich. Westminster ist eine der traurigsten Gegenden in London. Im Minutentakt offene Stadtrundfahrtbusse, dann wird fotografiert, warum, weiß keiner, macht man so. Die Brücke nicht vergessen. Schön gruselig. Die Brücke, auf der früher immer wieder Autos in Touristengruppen rasten, früher die Körper der Menschen ins Wasser schleuderten, zermalmt liegen ließen. Oder jemand mit Machete oder Messer drehte durch – was ja seit einiger Zeit einfach nicht mehr stattfindet. Da finden keine Terrorattentate mehr statt. Die Touristen sehen die Welt als Handyfotomotiv. Also nicht. Hurra, mir geht es ja noch golden! Ich kann mit Easyjet für zehn Pfund von Prag nach London fliegen, mich über diese beschissene Brücke schieben. Fotos mit dem Handy machen, dann in einer Jugendherberge schlafen, mir Bettwanzen einfangen und morgen wieder in meine großartige europäische Stadt fliegen, in der es mir genauso geht wie den Leuten hier, die mit Easyjet aus London kommen und sich sozusagen eine Auszeit von ihren vielen Jobs nehmen. Das ist die Situation.

Don wartet auf Thomes Vater. Die Beobachtung von Thomes Umfeld findet statt, um für eine angemessen erniedrigende Bestrafung zu sorgen. So machen sie es mit allen Opfern. Die Schwachstellen herausfinden. Und sie benutzen. Um den Idioten einen unvergesslichen Moment zu schenken. Er muss irgendwann kommen und wird heimgehen, denn er ist ein alter Mann. Don kann sich nicht vorstellen, so alt zu werden. In ihrer Welt ist mit vierzig alles gelaufen. Vierzig ist das Älteste, was sich Don vorstellen kann. Es muss schrecklich sein. Es muss sein wie tot. Wie hier stehen und starren.

Es rührt sich nichts. Die Privatpolizei steht vor dem Eingang zum Westminster Palace. Sie langweilen sich genauso wie Don auf der anderen Straßenseite. Die beiden müssen nach ihrer Schicht zum Training gehen. Don kennt sich mit Steroiden aus. Sie hat alles darüber im Netz gesehen. Die beiden Männer sind gut zwei Meter groß und wiegen bestimmt 180 Kilo. Pro Stück. Vermutlich fühlen sie sich unverletzbar. Die armen Irren. Ein gut gesetzter Schuss und ein Haufen toten Muskelgewebes liegt auf der Straße. Die Touristen wären begeistert.

Don starrt den Westminster Palace an. Ihr würden jetzt 36 Orte einfallen, wo sie lieber wäre. Bei Hannah wäre der erste Ort. Auf der Matratze zu Hause. Diverse Orte in warmen Regionen, deren Vorstellung aber schnell langweilig wird, weil Don keine Ahnung hat, wie sich so ein Ort anfühlt. Wie er riecht und was man da macht. Don kann nicht wissen, dass kaum einer jener sogenannten Urlauber, die früher die Welt zu einem überfüllten Ort hatten werden lassen, dass keiner von denen weiß, was er in einem Urlaub machen soll. In dem immer ein Unwohlsein, sich in fremder Umgebung zu befinden, anwesend ist. Wie lange kann man an einem vollen Strand liegen und sich über Märkte schieben, wie viele T-Shirts kann man kaufen?

Da sind wir wieder bei den Flachköpfen angekommen, die vor dem Westminster Palace stehen und darauf hoffen, dass Lady Di aus dem Gebäude kommt. Manche betrachten Don und machen auch von ihr ein Foto in ihrer verzweifelten Suche nach interessanten Motiven. Don, wir erinnern uns: Kriegsbemalung, zu großer Overall, über den sie eine B3-Fliegerjacke der US Army Airforce gelegt hat. Don liebt die sanfte paramilitärische Aussage des Outfits. Ihr gefällt, dass die Kleidung keinen Rückschluss auf ihr Geschlecht zulässt. Don hat immer noch das Gefühl, ein Mann zu sein, wobei sie sich manchmal fragt, woran sie dieses Gefühl eigentlich festmacht. Meistens fühlt Don sich wie – nichts. Unscheinbar, zu klein, nicht besonders intelligent und nicht überbordend stark. Manchmal sieht sie sich von oben und fragt sich, ob es allen genauso geht. Dass sie sich eigentlich schämen für die Bedeutung der Aussage, die jede ihrer Bewegungen macht. Don hat das große Buch der Anatomie ausgeliehen. Fasziniert und angeekelt studiert, was vom Menschen übrig bleibt. Wasserleichen, autoerotische Unfälle mit Todesfolge, verweste Leichen, aufgeblähte Leichen. Jetzt kann sie keinen Passanten mehr betrachten, ohne ihn sich verwest vorzustellen. Das ist, was bleibt. Von all den wichtigen Menschen, die jetzt mit ihrem Mundschutz durch die Straßen laufen und Angst haben, dass es sie erwischt. Wie auf Stichwort betritt Thomes Vater die Szene. Der alte Trottel steht auf dem Bürgersteig, er reckt sich der nicht scheinenden Sonne entgegen. Seine Wimpern sind so seltsam verklebt wie die Wimpern auf Leichenfotos. Bei denen Don sich immer fragte: »Fuck, warum verkleben die Wimpern, wenn man stirbt, Und warum liegt da immer ein Schuh im Bild?« Und Was für ein ungewöhnlich schönes Wetter ...

**Thomes Vater**

Atmet durch. Hervorragender Tag. Kaiserwetterchen. Denkt er. Der rüstige Ein-Meter-neunzig-Mann im Vollbesitz seines prächtigen Haares, das ein wenig urinfarben geworden ist, mit rosiger, nahezu faltenfreier Gesichtshaut und einem sehr kleinen Penis, streicht sich kurz über die Weste seines dreiteiligen Maßanzuges. Ein guter Tag liegt hinter ihm.

Thomes Vater hat das Oberhaus von einer neuen Strategie überzeugen können. Grob gesagt, hing sie mit dem Punktesystem, das er Karma Points getauft hat, und der Beschneidung der Zugangsrechte von Bevölkerungsgruppen zu Grundnahrungsmitteln und der medizinischen Versorgung zusammen. Die Aussicht darauf, dass seine Vorstellung einer gerechten Welt noch im Verlauf seines Lebens verwirklicht wird, bringt ihn in Schlenderlaune. Thomes Vater entscheidet sich für den einstündigen Spaziergang durch den Hyde Park zu seiner Villa. Sein Hyde Park. Seine Villa. Sein Triumph. Thomes Vater zitiert gerne Randolph Hencken. »Die Demokratie ist eine veraltete Technologie. Sie hat Reichtum, Gesundheit und Glück für Milliarden Menschen auf der ganzen Welt gebracht. Aber jetzt wollen wir etwas Neues ausprobieren.«

Thomes Vater ist ein großer Verehrer von Richard Thaler. Die beiden Wollköpfe teilen die Verachtung des irrationalen, komplett verblödeten Schwarms. Thaler ist Mitbegründer des Nudgings, einer Gehirnwäsche-Methode, die mit Framing und Umformulierung eigentlich eine intelligente manipulative Art des Lügens meinte. Dafür hatte er einen Nobelpreis von alten Männern verliehen bekommen, die später durch Sexskandale und Bestechlichkeit auffallen sollten. Nun wurde die Masse schon immer von den führenden Köpfen eines Landes manipuliert. Nehmen wir nur das Wetter. Alles, was kalt war, wurde seit Jahren als negativer Ausnahmezustand geschildert. Der dauernde Frühling, die sommerliche Hitze als Normalzustand. Das nahm dem Volk die Angst vor der Veränderung des Klimas. Das System der Verblödung hatte jetzt nur einfach einen Namen und einen Nobelpreis. Thaler war der geistige Vater der Zerschlagung der EU. An die glaubt Thomes Vater wirklich nicht. Die EU war im Kern selbst ihm als Neoliberalen zu viel. Zu dumpf die Idee der Kontrolle dahinter. Zu klar, dass sie nur dem Ziel dient, Deutschland, dieses immer noch besetzte Land, wieder zu einer Supermacht werden zu lassen. Thaler übrigens hatte Thomes Vater zu der Idee der Karmapunkte inspiriert. Beim Wort »inspiriert« spitzt Thomes Vater den Mund. Anreize, Kontrolle, die Abschaffung des Bargelds, Spaltung der Gesellschaft, Totalüberwachung, Aufrüstung der Privatpolizei. Thomes Vater will mehr. Mehr zu wollen gibt ihm ein Gefühl der Unendlichkeit. Die Basis unter dem Mehr-Wollen ist vulgäre Gier und der Drang zum Bewahren, den die meisten Wohlhabenden haben.

Thomes Vater hat diesen Plan. Den er mit ein paar Kollegen im Club beschlossen hat. Mann, waren sie besoffen gewesen. Der Earl of Caugingham urinierte in den Schirmständer. Den er mit einem Kellner verwechselt hatte. »Man müsste das Land regieren«, hatte Thomes Vater gesagt. »Das machen wir doch schon«, erwiderte der Earl of egal. »Richtig regieren«, sagte Thomes Vater. Der Earl packte sein Glied in die Hose, die er nicht schloss.

»Man muss Großbritannien wieder zu einem Ort der Tradition machen, von Dreck befreien«, sagte Thomes Vater und betrachtete die offene Hose seines Kollegen und die weiße Wurst, die aus dem Dunkel zu winken schien.

In jener Nacht vor Jahren entstand ein Plan, der auch am Morgen noch Bestand hatte. Man muss erneut die Angst der Menschen mobilisieren. Denkt Thomes Vater. Wieder Harris Media, ein PR-Dreckschleuderunternehmen aus den USA, engagieren, um der Angst ein Gesicht zu geben, ein paar Zeitungen kaufen, ein paar Netzmanipulatoren anheuern und seine Freunde anrufen. Die Freunde in der Wirtschaft, in der Regierung, bei den Medien. Der Inhalt der Kampagne ist einfach genial und nur eine etwas optimierte Wiederholung der Brexit-Nummer, Grundlage: die Angst. Die Angst der Leute zu sterben ist neben dem Wunsch nach Geschlechtsverkehr ihr stärkster Triggerpunkt, wie Idioten sagen würden. Es gibt nichts, was sich nicht über eine geschickte Aktivierung der Angst verkaufen ließe. Thomes Vater muss nur noch eine Idee haben, wen er nach den Muslimen als Angstverstärker nutzen kann. Denn so blöd sind nicht einmal die, nun, die Leute, dass sie nicht wüssten, dass der Ausstieg aus der EU zwar erfolgt ist, aber die Ausländer immer noch da sind. Die haben einen britischen Pass. Die Erkenntnis, dass mindestens 80 Prozent der Bevölkerung blöd wie Rhabarber sind, scheint drastisch. Trifft aber zu, weiß der Earl. Und er weiß, wie man sie für sich gewinnt, die schweigende Mehrheit, wie man sie entfesselt. Eine linke, laute Minderheit hatte über Jahrzehnte die Mehrheit zur Zivilisation genötigt. Die Geißel der politischen Korrektheit eingeführt, Fremde annehmen wie sich selber und so weiter. Dabei reicht die Empathie des Menschen nicht über sich selbst hinaus, und selbst das ist meist nicht von Erfolg gekrönt. Und dann sollten die Leute, der neuen Offenheit geschuldet, Homo-Ehen bejubeln, Frauen Kinder abtreiben lassen, den eigenen Müll sortieren, die Ausscheidungen wassersparend nur einmal in der Woche runterspülen, und als Gegenleistung für seine Bemühungen bekam der Mensch: nichts. Genauer gesagt: weniger für sein Geld, weniger Geld und am Ende die totale Gewissheit, dass Arbeit nicht ausreicht, um ein Leben zu finanzieren, wenn die Arbeit nicht mit dem Programmieren, der Biotechnik, der Forschung, der Rüstung oder der Pharmaindustrie zu tun hatte, sondern so ein nicht mehr benötigter 1.0-Kram war.

Die Leute.

Thomes Vater wird einundsiebzig. Ein Umstand, den er mithilfe seiner neuen Frau nicht vergisst. Die Birke im Wald seiner inneren Todesahnung. Er kommt nicht auf die Idee, seinen Körper neben dem ihren zu sehen und sich zu fragen, was sie daran reizt, über seine mit Altersflecken übersäte Haut zu kosen. Er ist ein Mann, er fragt sich nicht, warum eine Frau Gefallen an ihm finden sollte. Er geht davon aus, dass sein Mannsein Argument genug ist, und dennoch fragt er sich im Zusammensein mit der Russin mithin, was sie eigentlich verbindet, ihn und die Frau, die seine Enkelin hätte sein können.

Thomes Vater hustet angewidert, auf einer Bank schläft ein Obdachloser. Die Stadt ist voll mit ihnen, fast störender noch als die Muslime. Thomes Vater hält inne. Er hat eine Idee. Er ist sprachlos, sein Herzschlag verdoppelt sich. Fast rennt er nach Hause. Biegt in den Eingang der Privatstraße, in der sein Familiensitz liegt. Als er an seinem Schreibtisch sitzt, skizziert er erregt die Kampagne, die ihm gerade eingefallen ist. Unten hört er die Haustür.

Sein Sohn.

Der einzige Misserfolg seines Lebens.

Das war nichts.

Sagt

**Don**

Am Feuer vor dem

Holyroodhouse.

Hannah macht Musik an. Auch so was. Auch so ein Menschending, alles zuzukleistern, jede Stille im Raum und im Hirn mit Geräuschen zu übertönen. Da ist doch ein Unterschied, ob man über einen Betonboden schlurft, um auf die mäßig saubere Toilette zu gehen und sich dann in der Küche eine saure Milch aus dem Kühlschrank zu holen und all die Menschengeräusche, die man erzeugt, zu hören in ihrer Albernheit, die einem klarmacht, dass man nichts ist außer einem Organismus, der gefüttert werden muss. Oder ob man sein Leben durch Musik zu einem Track werden lässt.

Weil wir gerade davon reden.

Die Kinder haben versucht, selber Musik zu machen. Endlich selber Grime-Star sein, ein Kollektiv, so Ruff Sqwad 3.0. Also

Kapuzen über das Gesicht, im Hintergrund das Intro zu einem Lady Leshurr-Track,

Alle wippen im Takt. Don begann den Text vorzulesen, den sie früher in ihrem Mobiltelefon gehabt hätte und nun, nun steht sie da mit Zetteln und ihrer Handschrift, die sie kaum lesen kann, weil doch keiner mehr von Hand schreibt und

*Wenn du Hass willst,*
*kannst du ihn haben,*
*ich seh dich an und du mich nicht.*
*Wenn du denkst, wir können sterben,*
*denk ich mal, du begreifst es nicht.*
*Das ist der Untergang der Leute,*
*der jetzt schon viel zu lange geht,*
*das ist die Welt der lebend Toten.*

An der Stelle, da brach Don den Versuch, also sozusagen – ihre Karriere – ab. Sie hatte sich plötzlich selbst gesehen und gehört, gewissermaßen, und das war so irre peinlich. Die anderen hörten auf, sich ungeschickt zu bewegen. »Das wird nichts, oder?«, hatte Hannah festgestellt. »Irgendwie will ich mich nicht entäußern«, sagte Karen. »Vielleicht müssen wir nur etwas mehr üben?«, sagte Don zu sich und wusste: Nein. Hannah und Peter waren bereits in der Küche, schweigend begannen sie, das Abendessen zu schälen. Was man so schält halt. Statt Furcht einflößende Gangster-Rapper zu sein, standen sie eben in einer vergammelten selbst gebauten Küche und schälten Proletengemüse. Don war enttäuscht von sich. Von dem Tag, von dem sie geglaubt hatte, später in Interviews zu berichten. Als dieser Moment. In dem etwas

Magisches passiert war. Aber. Da ist kein Brennen, nichts, das aus ihnen brechen wollte.

»Schade«, sagt Don also nun vor dem Haus am Feuer. »Da werden wir wohl einfach weiter kriminell bleiben.« Die anderen nicken. Dann eben keine Karriere. Dann eben ins Feuer starren, in den Himmel starren und versuchen zu begreifen, dass sie nichts sind. Ein paar Punkte, die auf einem kleinen Planeten durch die Unendlichkeit eiern.

### Der Mars
Den man nicht sieht. Aber da oben links steht er. Und bald kommen die Menschen. Hurra, Menschen.
Viel Vergnügen. Und

### Ben
*Wir erinnern uns, einer der Freunde,*
Einer der Nerds, der sitzt vor seinem Rechner im neuen Hackerspace und schaut nach, was auf dem Mars geht. Lebenswelten gehen da. Eine überdachte Oase ist im Aufbau. Das wirft Fragen auf. Die Fragen sind: Wird der Überlebenswille über die Kauffreude siegen? Da sind keine Dior-Geschäfte, da verkehren keine elektrischen Limousinen, keine goldenen Feuerzeuge. Dafür gibt es Palmen, Seen, Pelikane. Warum sind da Pelikane? Es sieht auf jeden Fall schon sehr viel überzeugender aus als die kleinen Eier-Module, die für die Idioten geplant gewesen waren. Die Idee, eine Reality-Show mit armen Arschgeigen zu starten, die für die Milliardäre einen Probelauf durchführen sollen, ist gescheitert. Es fand sich nicht einmal weißer

Müll, der Lust hatte, bei Permafrost mit anderem weißem Müll ohne Rückfahrticket in Kratern herumzuwanken. Jetzt musste es eben ohne Probelauf gehen, jetzt musste es eben einen Weg zurück geben, jetzt musste die Luxusvariante ran. Damit die Leute, die maßgeblich zur Vernichtung der Erde beigetragen haben, einen neuen Planeten ruinieren können. Ein exklusiver Herrenclub. Was man hört, sollen sehr bald, also noch in den nächsten Wochen, die ersten Bewohner eintreffen. Musk wird dabei sein. Musk ist immer dabei. Das Bein beginnt zu zucken. Ben kann sich nicht mehr konzentrieren. Also, das konnte er noch nie lange, außer er nahm Ritalin, aber jetzt ist es ihm kaum mehr möglich, länger als zehn Minuten bei einem Thema zu bleiben. Sie können sich auf fucking nichts mehr konzentrieren. Vor drei Jahren hatten sie begonnen, das gesamte Netz neu aufzusetzen. In einer Rechner-zu-Rechner-Verbindung ohne zentralisierte Dienste. Peer-to-Peer. Eine echte Alternative zu Tor, das von Anfang an gegen mächtige Geheimdienste mit globaler Sicht nicht ganz gewappnet war. So, dann bau mal ein neues Internet mit ein paar fast noch minderjährigen Aktivistinnen. Mach das mal, wenn auf der anderen Seite hochgerüstete Geheimdienste, FBI, Homeland Security, Mossad und wie all die Brüder heißen, mit den teuersten Programmierern der Welt stehen. Mit Milliardenbudgets. Es scheint an manchen Tagen aussichtslos, das Netz zu retten. Eigentlich interessiert es auch kaum jemanden, die Menschen verstehen ja nicht einmal, wie ein Mobiltelefon funktioniert, vom Internet nicht zu reden. Man drückt auf etwas, und dann kann man ein Foto von sich ins Netz stellen. Geil.

Ben beginnt mit den Beinen zu zucken. Wie immer, wenn er die Idee hat, dass alles, was sie hier tun, nur dazu dient, sich nicht zu ergeben. Vergessen. Das geht gut im Netz. Damit ihr euch auflöst, ihr Idioten, damit ihr süchtig werdet, ohne Behandlungskosten zu verursachen. Ohne auf den Straßen herumzuliegen mit Einstichgeschwüren. Die nicht so Intelligenten verschwinden mit allem, was sie ausmacht, auch wenn es nicht viel ist, im Netz, unfähig geworden oder immer gewesen, längere Texte zu lesen, komplexe Informationen zu verstehen. Sie leben als Überschriften, im Takt der blinkenden Eilnachrichten. Die Klügeren werden wahnsinnig ob der Masse an zugänglichen Informationen. Ben und seine Freunde neigen zum Irrewerden. Sie neigen dazu, sich zu verlieren, zum Rechner zu werden. Der dauernde Strom der Informationen über Implantate und Metadaten, die in künstlicher DNA gespeichert werden, und die Ausfälle der AI und die multiresistenten Keime und die Verschwörungstheorien und die Bitcoins und Quantenrechner rinnt durch ihre Hirne, ohne Spuren zu hinterlassen. Sie wissen nicht, wohin das alles führt, haben aber das Gefühl, dass es nicht gut ausgehen kann, das Unterfangen der Digitalisierung jedes Bereiches, und das hat zur Folge, dass eben die Gliedmaßen zucken. Ben steht auf. Seit er denken kann, wollte er die Menschen retten, seine Freunde beschützen, alles, nur ein Mann wollte er nicht sein. Ben hatte eine tiefe, körperliche Abneigung dagegen, die vorgesehene Rolle als stumpfes Mitglied der Gesellschaft einzunehmen. Er wollte nicht saufen, an seinem Penis herumfingern, sich über alles hämisch äußern, was er nicht verstand, und er wollte vor allem kein fucking verwirrter Idiot sein. Bis vor Kurzem zeichneten sich die Männer, die er kannte, dadurch aus, dass sie Macht wollten und dass sie Menschen vor Bahnen schmissen. Jede Woche wurden ungefähr sieben Menschen vor einfahrende Züge gestoßen. Einfach, weil es ging. Jede Woche wurden Sanitäter zusammengeschlagen, Polizisten, Nachtschwestern. Das ist jetzt vorbei. Die Menschen haben sich beruhigt. Sie bekommen Fleißpunkte. Arschlöcher. Apropos, ein schöner Hackerspace ist hier entstanden – wie immer mit einem Sofa, an dem Pizzafett abgewischt werden kann, Servern, einem Kühlschrank mit Mate zum Wachbleiben und einigen Heizstrahlern. Die anderen sind in ihren Rechnern verschwunden, und Ben sagt: »Ich vertrete mir mal die Beine.« Er vertritt sich die Beine und läuft dem Vollmond entgegen, kleine Tümpel erzeugen fast romantische Geräusche mit dem Ploppen von Fäulnisgasen da, wo früher die Frösche waren. Immer wenn Ben ohne seine Geräte ist, wenn er mit sich ist, dann wird ihm in einem Maße elend, dass er sich kaum mehr bewegen kann. Was soll das, mit diesem Körper durch Landschaften zu laufen, mit sich zu sitzen und auf Wände zu sehen, und

Wie lange geht eigentlich so ein Leben?
**Karen**
Kann nur daran denken. Wie lange das alles noch gehen soll. Ungewöhnlich für eine Fünfzehnjährige, Angehörige der gnädigen Altersgruppe der Unendlichkeitsannehmer, nicht wahr?

Karen kauert in Sichtweite der Fabrik und ist sich zu viel. Die dünnen Arme um die dünnen Beine gewickelt, oben stehen weiße Haare in den Himmel. Karen sieht aus wie gerade gelandet. Von irgendwo, aus Musks Auto gefallen, der als Schrott im All herumeiert. Ihr Gesicht leuchtet, es ist ein Kindergesicht auf einem lang gezogenen Alienkörper. Karen schaukelt hin und her und sieht zum Feuer. Da sitzen die anderen, sie sind unendlich weit weg, auf einer Insel der Normalen. Sie hört ihr Lachen, leise Stimmen, sie versuchen zu rappen. Das wird wieder nichts. Karen versucht zu atmen, das geht auch nicht gut. Mindestens einmal am Tag gerät sie in einen Zustand. Inzwischen hat sie solche Angst vor dem Zustand, dass sie flach atmet und sich langsam bewegt, weil sie nicht weiß, wodurch der Zustand aktiviert wird. Er geht immer mit einem stechenden Schmerz im Bauchraum los. Als habe sie eine Operation überstanden, bei der ihr alle Innereien entnommen worden sind, und der Körper erinnere sich daran. Danach folgen Verzweiflung und Wut. Karen ist wütend. Wut ist ihr zweiter Vorname. Sie starrt in das Halbdunkel, das um Großstädte immer herrscht. Scheißgegend. Selbst für britische Verhältnisse ist die nähere Umgebung hier atemberaubend unattraktiv. Alte Fässer, alte Eisen- und Drahtzäune, Schotter, Metallabfall, Tümpel, die leeren Straßen – was ist nur los mit dieser Welt. Ist es denn nirgends schön. Oder warm. Gibt es denn nirgends Menschen in geordneten Verhältnissen? Menschen, die sich Schnittchen reichen und über den Kopf streichen? Karen weiß um die Macht der Endorphine. Sie hat sie erlebt. Der Hass füllt Karen nun so aus, dass sie aufstehen muss, weil sie sonst zu platzen glaubt. Karen weiß, dass die Ursache für ihr beschissenes Leben bei ihr selber zu suchen ist. Sie will keinem die Macht gönnen, ihr Schmerz zugefügt zu haben. Sie ist schuld. Sie war schwach an dem Tag, als sie ihren Brüdern gestattet hatte, sie zu schlagen und zu demütigen. An dem Tag, als sie sich verliebt hatte. Sie erinnert sich nicht an einzelne Personen, einzelne Situationen, sie erinnert sich an die Wut darauf, weiblich zu sein.

Eine Hand legt sich auf Karens Schulter.

Sie schreit. Schreit und kann nicht mehr aufhören damit.

Ihr Sackratten.

Ruft

**Hannah**

Und starrt die Nudeln an. Nudeln. Jeden Tag Nudeln. Junge Menschen, also fast noch Kinder, lieben Nudeln. Aber doch nicht jeden Tag. Jeden Tag Nudeln, bis das unerträgliche Grünzeug draußen fertig gewachsen ist. Bis sie wieder zu Geld gekommen sind, was zunehmend schwieriger wird, weil das Bargeld in fast allen Läden nicht mehr angenommen wird und Karten verschwinden. Ersetzt durch die praktischen Chips in der Hand. Immer mehr Läden funktionieren nur noch mit der Gesichtserkennung. Aber –

Es gibt Probleme.

Mit, wie sagen wir es,

Schwarzen. Die weißen Programmierer haben noch keine gut funktionierenden biometrischen Marker für schwarze Gesichter entwickelt. Die sind einfach zu – dunkel.

So, aber erst mal die Nudeln.

Noch zehn Minuten. Noch zehn Minuten in das Wasser starren. »Los, ihr Sackratten, kommt rein«, ruft Hannah, und müde kommen die anderen an den sogenannten Küchentisch. »Stellt euch vor, wir wären in einem Liebesfilm und das wäre das zweite Date, und dann käme es im Film immer zu der Szene, wo der Mann, um eine Nähe zu entwickeln, etwas aus seiner Kindheit erzählt, also: ›Damals war ich mit meinem Opa immer am Meer, und er zeigte mir, wie man Steine übers Wasser werfen kann.‹ Und sie nimmt dann seine Hand, weil sie total berührt von so viel männlicher Offenheit ist.«

»Ich habe keine Ahnung, ob ich Großeltern besitze«, sagt Hannah. Und noch eine Zange Nudeln auf den Teller, denn satt wird sie nicht. Satt wird keiner hier, sie essen und essen, aber der Hunger bleibt, der Körper wächst stündlich. Das Gehirn und die Gefühle bleiben hungrig. Das ist es also jetzt. Denkt Hannah. Da wird keiner kommen und ihr Leben zu etwas Außergewöhnlichem formen. Und das Begreifen, dass sie alles alleine machen muss, ist so unangenehm, dass sich Hannah am Herd abstützt. Sie sieht ihre Abstütz-Hände. Die Finger wie Spinnenbeine. Die Wahrheit, dass Hannah unfähig und unbegabt ist und dass sie noch eine Unendlichkeit mit dieser uninteressanten Person zusammenleben muss, verbessert ihre Laune nicht. Jetzt sind sie seit einigen Monaten hier in der Stadt, und nichts von den großartigen Bildern hat sich eingelöst. Sie haben sich eine Unterkunft gebaut, als ob sie im Garten ein Baumhaus errichten, keines der Kinder hatte doch ein Baumhaus gehabt. Da denkt keines

an Apfelbäume, keine Großmutter, keine Kindheitserin-
nerung, die nach Kuchen riecht. Ein Ort, der sicher ist,
an dem man sich um nichts sorgen muss, weil da jemand
ist, der einen beschützt.
Es geht weiter.

Denkt
**Peter**
Und starrt in die Privatstraße, ohne jede Regung, bis
alles, was er sieht, zu einem unscharfen Brei aus Weiß
und Grün verschwimmt. Er fragt sich, ob es möglich ist,
die Luft zu privatisieren. Peter hatte früher, was ja bei
einem sehr jungen Menschen süß ist, wenn er »früher«
denkt – also er hatte nichts gegen Menschen. Sie gingen
ihn nichts an. Sie konnten leben, wen interessierte das.
Unterdessen allerdings wächst in Peter eine Abneigung
gegen die meisten. Sie sind so unglaublich blöd.
Wer braucht diese Leute. Als ob sie um ihre Unverwert-
barkeit wüssten, stehen sie abends in den Pubs und betteln um Vergessen. Nur ein wenig Dunst und Alkohol,
und Nähe spüren, hatte Peter gedacht und auf Thome
gewartet in so einem Pub, in dem vornehmlich Männer
verkehrten. Hannah hatte mit den Hackern alle Informationen zu Thome gefunden. Ausbildung, Adresse, seinen
Lieblingspub und seine Vorliebe für junge Männer, wenn
man seinem Suchverlauf eine Bedeutung beimessen
mochte.
Als Thome eines Abends den stickigen Raum betrat, ging
alles sehr einfach. Peter starrte ihn so lange an, bis er zu
ihm kam.

Sie kommen immer, die Leute. Sie kommen wie Motten, sie wissen nicht, was sie von ihm wollen, vielleicht anfassen, vielleicht nur in seiner Nähe sein, wie das eben ist, mit Schönheit, sie macht die Leute wahnsinnig.

## Thome

Kann nicht mehr schlafen seit dem Abend, als er Peter angesprochen hat. Wenn er nicht schlafen kann, wiederholt er gedanklich jedes Wort, dass er zu Peter gesagt hat. Jedes Wort war dumm. Und er hat geschwitzt. Und auf der Toilette festgestellt, dass ihm seit dem Morgen Grünkohlchipsreste im Mundwinkel klebten.

Und nun

Steht

## Peter

Am Eingang zu der entzückenden Privatstraße am Holland Park. Da ist nachgesichert worden. Jetzt neu im Programm: der 1000-Volt-Zaun. Jetzt neu im Sortiment: die ständig kreisenden Quadrokopterdrohnen. Das Wachpersonal ist mit den neuesten Maschinengewehren ausgestattet und mit allen Befugnissen, sie einzusetzen. Die Lage spitzt sich zu, könnte man sagen. Im Netz tauchen immer öfter Geschichten über die Gefahr, die von Obdachlosen ausgeht, auf. Obdachlose und andere unregistrierte Vollversager als Überträger von multiresistenten Keimen. Oder so.

Dabei.

Wirkt alles so friedlich. Die reizend-nostalgischen Doppeldecker-Touristenbusse halten kurz an, und Idioten machen Fotos von dem, was sie für englische Normalität halten.

Der Abschaum, also die Leute, hat nur nach ausgiebigen Kontrollen Zutritt in die Innenbereiche und erledigt meist Arbeiten, für die sich Roboter zu schade sind. Unter den Betten wischen, Kartoffeln schälen, Erbrochenes beseitigen, die SM-Keller von Kot befreien, Drogen oder Prostituierte liefern. Die Villen in Thomes Privatstraße sind ausschließlich im Besitz seniler Oberschichtler, man ist hier stolz auf seine Degeneration, und Wohneigentum ist oft das Letzte, das ihnen geblieben ist. Die Krise, Sie wissen schon, irgendeine, die unglaublichen Fehlinvestitionen, Sie ahnen es, was halt passiert, wenn Männer, die sich für die Spitze der Nahrungskette halten, agieren. Peter lehnt an einem Baum, als ob er ein Fotoshooting hätte. Dabei hat er keine Ahnung von seiner Wirkung. Es wird nicht einfach werden für ihn mit diesem Äußeren, das in jedem, der ihm begegnet, etwas auslöst. Begierde, Hass, Neid, Ablehnung, Sehnsucht – alles, nur Unauffälligkeit wird ihm nie geschenkt werden. Die Wachen mustern Peter mit dem größtmöglichen Ekel der gefühlt Bessergestellten. Ob sie rätseln, welcher Minderheit er angehört? Blond, ja, schon klar, aber einer von uns ist der nicht.

Es sind stattliche weiße Männer, die Wachmänner. Bald schon werden sie von bewaffneten Drohnen und automatischen Polizisten ersetzt werden. Dann heißt es: »Willkommen in der Gosse, ihr Deppen!«

Auf der Privatstraße fahren kleine Golfwagen mit besoffenen Angehörigen der Oberschicht herum, die sich durch helle Haut, verwaschene Kaschmirpullover und den trüben Blick von Alkoholikern auszeichnen. Sie hassen die reichen Araber und Russen, sie hassen die Schwarzen, Braunen, Gelben, aber am meisten hassen sie die Armen. Sie hatten gedacht, wenn man die Arbeitsplätze der Unterschicht entfernte, den Dreck aus der Dritten Welt bezöge, den Rest des Landes an Ausländer verkaufte, würde sich die Sache von selbst erledigen. Dann würden die Armen einfach zusammen mit den leeren Fabriken, den lausigen, verfallenen Sozialwohnungen, den Ausschlägen, dem Fußball und dem Gestank verschwinden. Das ist nicht eingetreten. Sie leben immer noch. Wie Kakerlaken. Und sie werden mehr. Stündlich. Kommen mit Booten über das Meer gepaddelt, vermehren sich. Einer muss ja.

Die Wachen starren Peter immer noch an, aber ehe irgendetwas aus ihnen brechen kann, was mit Hass am besten zu beschreiben wäre, kommt Thome mit seinem Golfwägelchen. Seine Ohren scheinen wie die eines Hush Puppies hinter ihm herzuwehen.

Nervös, stark schwitzend, fährt er dann mit Peter an weißen Villen vorbei. Jede mindestens 30 Millionen wert. Falls durch eine Geiselnahme oder einen Flugzeugabsturz ein Geschlecht ausgelöscht wird und eine der Villen zum Verkauf steht, berät die Eigentümer-Versammlung, in Klammern männlich, denn Frauen besitzen nicht, über geeignete Käufer, in Klammern männlich. Akzeptiert werden nur Briten, deren Familienstammbaum über mindestens 15 Generationen zurückzuverfolgen ist.

»So, willkommen«, sagt Thome. Er unterdrückt sein blasiert nasales Eton-Slash-Oxford-Bullshit-Englisch, um sich Peters Niveau anzupassen. Er zwinkert. Hey, wir verstehen uns. Ich zwinkere auch für Tiere. Thome springt in seinen Räumen – es sind zwei mit einem angrenzenden Badezimmer, vermutlich 500 m² – herum, als hätte er gehörig einen in der Schüssel. Verliebte Männer neigen zu überbordender Zeigefreude. Familienfotos, Diplome, Sportgeräte. Sieh nur, schau her, was für gute Geräte ich angehäuft habe. Thome verliert vor Erregung fast das Gleichgewicht. Knapp an den Regency-Möbeln vorbei, ups, der runde Bibliothekstisch. Warum richten sich alle Reichen gleich ein, warum kleiden sie sich ähnlich, warum sehen sie so unglaublich verwaschen aus? Thomes Gliedmaßen sind unbeholfen am Rumpf angebracht, schlenkern bei jedem Atemzug. Sein Gesicht hat etwas Pferdeähnliches. Kein schöner Mensch. Aber eindeutig ein Angehöriger der Oberschicht. Der seine sexuelle Befriedigung daraus bezieht, kleine Jungs zu betrachten. Und nun, nun schwitzt er, und seine Augenlider zucken nervös. Er starrt Peter an und will irgendwas, und es ist ihm nicht klar, was das sein könnte. Er, der nicht homosexuell ist. Er mag halt einfach Frauen nicht. Thome will Peter nicht geschlechtlich besitzen. Er will, nun ja, einfach bei ihm sein, nicht wahr. Peter schweigt. »Sag doch auch mal was«, sagt Thome und versucht, sich ruhig neben Peter zu setzen. Er kann den Jungen kaum ansehen, ohne zu zittern. Peter hat diese unangenehme Schönheit, die Menschen in seiner Nähe zu Vollidioten macht. »Soll ich dir Geld geben?«, fragt Thome. Eine überraschende Wendung. Peter zuckt mit den Schultern. Er hat keine Ahnung, was der Mann von ihm will. Sein Auftrag ist es, viel über ihn herauszufinden, also bleibt er, hört zu, findet heraus. Peter fließt auf Thomes Sofa. Die Gliedmaßen liegen herum wie bei einem Windhund, das Hemd ist verrutscht und lässt Teile seines glatten Bauches sehen. Thome ist nicht mehr bei sich. Er möchte diese Schönheit mit einem Strohhalm aufsaugen. Peter sagt schließlich: »Warum eigentlich nicht.« Thome springt auf und holt seine Brieftasche. »Sind fünfhundert in Ordnung?«, fragt er. »Für was?« Peter sieht Thome an, direkt. »Anschauen, filmen, so was halt«, stottert Thome und reißt noch mehr Scheine aus seiner Börse. »Es sind die letzten Scheine, die ich habe«, sagt Thome, »ab nächster Woche werden alle Systeme auf bargeldlos umgeschaltet.«

»Danke«, sagt Peter und steckt das Geld sehr langsam in seine enge Hose. Er hat keine Ahnung, wo er all den Scheiß gesehen hat, in welchem Film oder Beitrag, er lächelt.

Das sind also diese Reichen. So leben sie, abgeschottet mit ihren hässlichen Gesichtern und ihren vollkommen verblödeten Möbeln. Peter ist nicht neidisch auf dieses Dasein, sein Leben ist spannender, intensiver, er hat Freunde, er muss sich keine Jungs kaufen, die er auf ein Sofa legt, um sie anzusehen. Na ja. Okay – Freunde. Das hat er auch in Filmen gesehen. Er hat drei Kinder, die immer anwesend sind.

Thome richtet die Kamera auf Peter, er bringt sich in eine gute Redeposition, Gesicht im Profil, das gibt mehr her. Kein Kinn. Okay. Dann halt ohne. Er probt eine Rede, er probt immer Reden, die er ins Netz stellen oder vor Tech-Journalisten halten will. Oder vor neuen Mitarbeitern. Oder vor niemandem. Vermutlich liebt er es einfach nur, sich reden zu hören. Draußen scheint die Sonne. Ein seltenes Ereignis, so eine Sonne zu sehen in dieser Stadt. Schöner wird es nicht davon. Aber rührend. Sofort haben die Menschen wieder eine Hoffnung. Hey, siehst du, die Sonne scheint, nach all den Wochen, gefühlten Jahren, scheint eine Sonne. Der Winter wird vorbeigehen, und dann wachsen Dinge aus dem Boden, und vielleicht wird es uns nun wieder besser gehen ... Das denken sie und springen ausgelassen über die gelben Wiesen des angrenzenden Holland Parks. Die Wetterveränderung wirkt sich nicht gut auf die Stimmung der Inselbewohner aus. Seit Längerem gibt es, optimistisch geschätzt, vielleicht einen Monat im Jahr Sonnenschein. Es scheint insgesamt kälter geworden zu sein, vermutlich, weil seit einiger Zeit das volle Geoengineering-Programm gezündet wird, wie Verschwörungsfreunde in Thomes Umfeld wissen. Sonnenstrahlen, die ins All zurückgeschleudert werden, Aerosole in der Atmosphäre. Das Wetter ist mild. Erträglich. Außer in Afrika. In Asien. In Südamerika. Australien. Aber da kennt kaum einer einen. Apropos –

»Kannst du dein Hemd ein wenig weiter öffnen?«, fragt Thome und zappelt seltsam. Aus unsichtbaren Boxen erklingt Schuberts *Winterreise*, die Thome gerne ironisch hört. Dieses deutsche Gejammer. Der Wald. Der Greif. Idioten. Man hätte sie endbesiegen sollen –

Denkt

**Thome**

Flüchtig

Ehe sich sein Verstand wieder trübt. Und er Peter anstarrt. Und nicht weiterweiß.

Aber es ist gut, nicht mehr allein zu sein, sie sind bei den

**Freunden**

Hannah, Don und Karen, sie unterhalten sozusagen eine gute nachbarschaftliche Beziehung und basteln gerade Masken aus Latex, die von biometrischen Kameras nicht. Und so weiter. Sieht schön doof aus. Die Freunde hocken an ihren Endgeräten, sie suchen nach einer Lösung, um die Macht der Chips zu umgehen, denn es wird bald unmöglich sein, ohne sie durchzukommen, wenn man noch in irgendeiner Art am gesellschaftlichen Leben teilnehmen möchte und nicht auf dem Acker hocken und Ratten grillen möchte. Der Tor-Browser ist gesperrt worden, die Seiten von diversen Aktivisten geblockt, als Nächstes wird irgendeine AI die Verschlüsselungen ihrer Mails aufbrechen. Bis es so weit ist, muss der definitive Schlag gegen das System erfolgt sein. Schlechte Karten, will man meinen, denn zehn Jahre lang waren weltweit mehr Menschen auf Demonstrationen gewesen als in den gesamten 50 Jahren zuvor. Millionen hatten gegen ihre gewählten Regierungen demonstriert, gegen den Abbau von allem Möglichen, gegen die Mietpreise, die sich fast wöchentlich verdoppelten, gegen die Privatisierung des letzten Bereiches des ehemals gesellschaftlichen Eigentums. Gegen alles hatten sie demonstriert, sie hatten sich nach neuen Führern gesehnt, hatten Nazis gewählt, die Ihnen versprochen hatten, dass. Nun, eigentlich gar nichts, und das war auch eingetreten. Jetzt ist Ruhe.

Die Kühlung rauscht leise. Die Tastaturen klicken, träge

Gespräche über die Revolution. »Ich bin für den bewaffneten Widerstand«, sagt Hannah und stellt sich etwas darunter vor, das mit Uniformen und Waffen zu tun hat. »Und wen willst du erschießen?«, fragt Pavel, der aus irgendeinem Land kommt, in dem sich die Bevölkerung gegenseitig in Bürgerkriegen ausgelöscht hat. Die Kinder überlegen sich, nach der Stürmung des Westminster Palace die City of London auszulöschen, den Silicon Roundabout, die Banken, Versicherungen, die Börsen, die Rohstoffhändler, was einem jungen Anarchisten eben so einfällt. Der bewaffnete Widerstand wird als unrealistisch abgelehnt. Für einen Cyberkrieg fehlt die Manpower. Eine Partei zu gründen dauert zu lange. »Es gibt nichts, was wir tun können.« Hannah sieht sich im Raum um. Das Licht flackert, und vielleicht sind das die letzten Menschen, die sie sehen wird, denkt sie. Wenn jetzt draußen so eine Flutwelle anrollt, Polarkappen und so weiter, dann wird sie mit diesen Kindern hier sterben. Was vielleicht nicht das schlechteste Schicksal wäre. »Vielleicht eine Revolution«, sagt Ben.

»Genau, ein biologischer Neuanfang.«

Es ist dieser Nachmittag, der auch Morgen sein kann, an dem Karens Idee geboren wird.

Die anderen hören Musik,

Und

## Hannah

Denkt an ihr früheres Leben. In dem es noch erwachsene Bezugspersonen gab. Nachbarn oder Lehrer, die stundenlange Vorträge über mittelmäßige Musik gehalten hatten.

Hannah hat nie verstanden, warum Männer nicht einfach Musik hören und die Klappe halten können, warum sie sich, wenn sie schon darüber nachdenken müssen, nicht darüber klar werden, dass Musik nur ein legitimes Mittel für Verklemmte ist, um Gefühle ausdrücken zu lassen. Nein, da muss gequatscht werden. Da muss jedes kleine Zucken einer plötzlich gefühlten Lebendigkeit überhöht werden. Die Beatles also, Liverpool, unsere weißen Genies, die Musik für weiße, junge Menschen neu erfunden hatten. Sting. Boah, Alter. Sting. Diese Bands als das vielgestaltigste, widersprüchlichste und großartigste popmusikalische Zeitdokument und so weiter, und dann landeten sie immer, immer auch bei Bob Dylan. Den größten weißen männlichen Poeten aller Zeiten, der mit Zeilen wie

»All die müden Pferde unter der Sonne –
Wieso meint man, ich hätte
Irgendeinen Ritt unternommen?
(Mmmmmmmmmmmm ...)«

Die Welt der Dichtung erschüttert hat.

Die müden Pferde, sind sie nicht eine Metapher für den weißen alten Mann? Der am Ende seines Lebens auf sein sogenanntes Werk schaut. Und was sieht er da? Nichts sieht er da. Das Leben hatte sie gefickt. Die alten Beatles-Fans. Sie fahren vermutlich Uber, bis die selbst fahrenden Autos ihnen auch diesen dünnen Lebensinhalt nehmen werden, sie fahren durch die Paki- und Araber-Viertel und spucken vor den Moscheen aus, als hätten sie noch nicht mitbekommen, dass der Hass auf Muslime out ist. Sie haben alles gegeben: Sie waren in der

Nazipartei und haben Schweineköpfe in Arabervierteln deponiert. Sie waren wütend, und das zu Recht, denn so ein alter Mann mit über vierzig spürt doch, dass für ihn nichts mehr stattfinden wird.

»Habt ihr noch ein paar Chips übrig?«, fragt Hannah, aus den Gedanken zurückgekehrt, in den Raum, in dem sich nichts verändert hat. Das Licht flackert nicht, die Musik ist nicht mehr zu hören, die Hacker reden über einen Plan, der mit Tunneln zu tun hat.

Und

## Maggy

*Sexualität: unklar*
*Gesundheitswerte: hat das Wachstum eingestellt*
*Soziale Medien: keine Benutzung*
*Kommunikation: verschlüsselt. Wir arbeiten dran*

Das Mädchen, das aussieht wie ein Junge, gibt ihr drei Chips. Woher auch immer sie kommen, sie bedeuten eine Weile einkaufen. U-Bahn fahren. In die Bibliothek gehen. Und ins Kino. Wenn man darauf steht.

Maggy sitzt neben Hannah auf dem schmutzigen Sofa. Sie hat den Trick mit den Chips oder, sagen wir, den Ortungs- und Überwachungsimplantaten, bei einer Beerdigung herausgefunden. Genauer, bei der Beerdigung ihrer Großmutter. Genauer, als ihre Großmutter, die erst 50 war, von Nazis zusammengeschlagen wurde, und das ging so. Maggy war mit ihrer Großmutter auf dem Weg zu einer Essensausgabe. Daraus wird ersichtlich, dass die finanziellen Möglichkeiten der beiden überschaubar waren. Maggys Mutter hatte sich vor einigen Jahren nach Indien verabschiedet. »Sei nicht so egoistisch«, hatte Maggys Mutter zu ihrer weinenden Tochter gesagt. »Ich muss diesen Weg jetzt für mich gehen, es wird auch für dich nützlich sein, später von meinen Erfahrungen lernen zu können.« Damit ging sie, und Maggy wohnt seitdem bei ihrer Großmutter in einer Anderthalbzimmerwohnung im Süden der Stadt. Sie wohnt nun in einer Kommune am Strand. Ist den gesamten Tag mit halluzinogenen Drogen vollgepumpt, was die Farben unglaublich erscheinen lässt, und das Meer erst, Alter. Das Meer. So eine geile Sache, und vor allem verschwindet die Realität.

Die ist

Dass die Kommune sich am Rand einer aufstrebenden indischen IT-Stadt befindet, deren Bewohner die schmutzigen Touristen verachten, die Drogen konsumieren, ficken und in die Büsche pinkeln. Maggys Mutter ist extrem unterernährt, von der Sonne lederartig gegerbt, und sie lacht viel. Auch die fünf Einheimischen an, die sie umringen, wie eine Puppe von einem zum anderen stoßen, bis sie hinfällt, dann mit einem Stein erschlagen. Nicht mal ficken wollen sie diese schmutzige Frau.

Aber zurück zur Großmutter und der Essensausgabe. Man könnte fast von einem Familienfluch sprechen, denn als Maggy und ihre Großmutter auf dem Weg zur Essensausgabe waren, wurden sie von ein paar Nazis umringt, die ihre Großmutter zu Boden stießen und dann mit ihren

Stiefeln traten. Das Ergebnis waren ein schwerer Hirn-schaden und ihr Ableben nach einigen Wochen im Koma.

Und es ist doch seltsam – dass zum einen die Todesstrafe wiedereingeführt wurde und Minuspunkte für Schlä-gereien, Nachbarschaftsstreit und sogar das Zeigen des Mittelfingers erteilt werden, Gewalt gegen Arme aber ohne jede Folge für den Angreifer bleibt. Doch zurück zum Thema. Bei der Beerdigung fiel Maggy auf, dass Ver-storbenen der Chip nicht entnommen wurde. Er wurde auch nicht entwertet oder gelöscht, nichts passierte, was an der Überforderung des IT-Personals liegen kann. Was bedeutete, dass nicht mehr zu tun ist, als Verstorbenen den Chip zu entnehmen, was relativ einfach ist, denn Tote sind für den Wertzuwachs uninteressant, was sich in der Bewachung der Verstorbenen äußert, in den lächerli-chen Schlössern der Leichenhallen, die man nicht einmal mit Überwachungskameras bedenkt.

Das Einzige, was man also benötigt, um an Chips zu kom-men, sind ein Cutter, Leichen und Geduld.

Und die hat

**Thome**

Nicht.

Für ihn ist es die beste Zeit des Lebens, die beste Zeit eigentlich seit Erfindung der Dampfmaschine. Gerade ist alles möglich. Jeder verdammte Bereich des Lebens wird neu erfunden. Von Leuten wie Thome.

Oder auch:

Die Ära der uninteressanten Männer hat begonnen.

Das Jahrzehnt oder – hey – das Jahrtausend, da endlich

die Kraft des Geistes wichtiger ist als banaler Ruhm als Rockstar oder Schauspieler. Models verkehren mit unansehnlichen Typen wie Ayers oder Spiegel. Appelbaum kann jede haben, die Mädchen onanieren zu digitalen 3-D-Starschnitten von Entwicklern. Welch ein Geschenk, dass die Welt gerade in kompletter Erneuerung befindlich ist. Befindlich ist – Thome liebt es, in seine Gedanken seltsame Worte einzustreuen. Er fühlt sich dann pfiffig, was übrigens auch so ein zu Unrecht vergessenes Wort ist. Heute. Die spannendste Zeit seit Erfindung der Dampfmaschine. Und Thome ist in der Mannschaft, was meint: Männer, was meint: Er ist einer der Männer, die den Wandel stattfinden lassen. Die von der Staatsgründung auf Hochseeflotten, der Marsbesiedlung und diversen Cyborg-Ideen zur Unsterblichkeit so einiges planen, was aber immer auch beinhaltet, nach der Umstrukturierung der Erde diese tunlichst flott zu verlassen. »Auf den Mars. Es geht auf den Mars«, ruft

Thome. Er hat sich in einen seltsamen Zustand schwereloser Euphorie geredet. Ohne wirklich daran beteiligt zu sein, hat er sein Glied aus der Hose geholt und zum Ausklingen seiner Gedanken onaniert. Peter ist aufgestanden, nimmt dem Zitternden das Handy aus der Hand. Sendet den Film an die Adresse seines Endgerätes, das fast außerhalb der Stadt unter einer Scheune ruht.

Es ist ruhig im Raum.

Die Stille
Hat das Gewicht eines Kohlensackes, den

**Herr M.**

*Finanzstatus: Leader*
*Gesundheitszustand: Topwerte*
*Mentaler Zustand: manisch-depressiv*
*Politische Neigung: egal*

Auf seiner Brust befindlich fühlt. Es ist schon wieder Zeit zum Aufstehen. Herrn M.s momentanes, also seit Monaten gleichförmiges Leben besteht aus einem Zusammenschnitt von Aufstehmomenten. »Ich bin glücklich, durch mein Leben zu gehen, ohne irgendetwas zu irgendjemandem zu sagen.« Der Leitspruch, den Herr M. von einem klugen Mann, weiß, tot, entlehnt hat, der sein Motto war, wirkt albern. Neben seinem Bett – keine Waffen. Waffen sind hier verboten, die Gefahr, die Glaskuppel zu ruinieren, ist zu groß. Wenn die Glaskuppel zerstört wäre, durch eine – sagen wir – Waffe, würde den Bewohnern nur wenig Zeit bleiben, um in den Schutzraum zu gelangen. Denn draußen ist. Na ja.

Herrn M., er ist, wie gesagt, ein kluger Kerl, der dazu beigetragen hat, dass die Menschen in Amerika wieder vermehrt aufeinander schießen, dass ein vulgärer Mensch mit einem IQ von 98 Präsident ist und die Nazis in Europa wieder fröhlich singend durch die Straßen wackeln. Er hat dazu beigetragen, dass man Juden wieder hassen darf und Arme verachten, er hat dazu beigetragen, dass der Staat weitgehend abgeschafft wurde. Hurra. Das ist erhebender als seine Modelleisenbahn, die er übrigens hier 1:1 wiederaufgebaut hat. Noch nicht 70 und die Welt aus den Angeln gehoben. Unsterblich gleichsam. Für die da unten.

Hier oben ist das egal. Da ist er nichts, da beobachtet er seine Vergänglichkeit. An den faltigen Knien sieht er sie, am Hodensack, der, wenn er über einer Frau kniet, bis fast auf die Matratze reicht. Der wirkliche Grund seiner Anwesenheit liegt in seiner Überinformiertheit begründet. Da sind zunehmend Blackouts zu erwarten, und die Rohstoffe für den Bau von Platinen und Halbleiterplatten sind fast aufgebraucht. Um mal so ein paar Argumente gegen die Erde anzuführen. Von zunehmenden Klimakatastrophen, Bürgerkriegen, Völkerwanderungen mal zu schweigen. Ja. Nun ist er hier. Mahlzeit. Auf dem Mars. Unter einer Kuppel. Mit einem Riesenkraftwerk, das die Atmosphäre künstlich versaut. Also. Er hatte sich das vorher genau überlegt. Seine Frau, die auf dem Landgut unten geblieben ist. Zum Beispiel. Hatte ihm gesagt, dass es kein Wasser gibt. Kein Problem, hatte Herr M. ihr erklärt. Da gibt es die Möglichkeit, Eiskometen aus ihrer Umlaufbahn umzulenken, was die Kleinigkeit von circa drei Millionen Tonnen Treibstoff benötigte, um einen Kometen um ca. 100 m/s in seiner Geschwindigkeit zu verändern. Man bräuchte wöchentlich also nur ca. 33 Millionen Kometen umzulenken. Nun gut. Unterdessen kommt das Wasser von der Erde. Gegen das fehlende Magnetfeld gibt es die wunderbare Kuppel – und die Atmosphäre. Der Mars hat praktisch keinen Treibhauseffekt und eine globale Mitteltemperatur von −63 Grad Celsius. Die Kackfabrik unter der Kuppel hat die Aufgabe, Treibhausgase freizusetzen. Aber man weiß noch nicht genau, was die Folgen des Gases sein werden. Chlorkohlenwasserstoffe bauen Ozon ab, also selbst wenn einmal eine Ozonschicht entsteht, ist der Mars durch den fehlenden UV-Schutz nicht einmal für Mikroorganismen attraktiv. Es wird auch ein Problem mit der Neigung der Planetenachse und Umlaufbahn geben. Und der Einfluss von Jupiter führt zu Schwankungen der Rotationsachse und Umlaufbahn mit Perioden von 51 000–2 Millionen Jahren. Herr M. denkt ununterbrochen über diese Probleme nach. Auch um sich von der neuen Lebensrealität abzulenken. Die darin besteht, dass eine Gruppe älterer Männer, im Moment sind es 50, mit ein paar Nutten unter einem Glasdach hockt und sich zu Tode langweilt. Gut, es gibt hervorragende Köche hier oben, Gemüse und Tiere werden in Gewächshäusern und Ställen angebaut, keiner muss darauf verzichten, intelligente Lebewesen zu verzehren.

Herr M. wacht jeden Morgen, nun oder – er wacht irgendwann im künstlichen warmen Licht auf. Er wäscht sich, er redet mit seiner Sprachassistentin, sie spielt ihm Frank Sinatra vor. Frank Sinatra. Er könnte ihn fressen vor Liebe. Das Gefühl, die körpergewordene Eleganz dieses großen Musikers verbunden mit weißer, überlegener Männlichkeit, die aus jeder seiner Zeilen dringt. Herr M. nimmt ein leichtes Frühstück ein und geht zum Golf. Querschläger können der Glaskuppel nichts anhaben. Beim Golf trifft er auf einige interessante Männer. Leider ist letzte Woche Ray Kurzweil gestorben. Er hat es bis zuletzt nicht geschafft, Bewusstsein zu digitalisieren. Dabei hatte er so darauf gehofft, in einem Chip weiterzuleben. Er ist verbittert gegangen. Nun ist er weg, sie haben ihn außerhalb der Kuppel bestatten lassen.

Es gibt viele Maschinen hier. Lustige Boston-Dynamic-Hunde, die eventuell auch töten können, falls Außerirdische, na Quatsch. Es glaubt hier keiner an Außerirdische. Herr M. spielt Golf, dann geht es in den Club, dann geht es in den Pool, abends im Restaurant ein wenig mit den Wissenschaftlern reden, die gerade versuchen, den anwesenden Herren mittels Klontechnik zu Nachwuchs zu verhelfen. Wenigstens ein bisschen weiterleben. Herr M. kann sich nicht vorstellen, dass all die hier versammelten IQ-Punkte mit ihrem Ableben einfach so verschwinden werden. Verscharrt auf dem Planeten, auf den ständig Meteoriten einprasseln. Es klingt wie Hagel. Es klingt wie zu Hause. Unten auf der Erde. Die Scheiße hier macht keinen Spaß. Wozu dient es, anderen überlegen zu sein, wenn die anderen nicht anwesend sind. Wenn seine Laune am Boden ist, ruft er die Nutte. Die Frauen wohnen in einem Space am Rande des Golffeldes. Eine Frau kommt mit einem kleinen Golfwägelchen. Als Herr M. sie sieht, wird ihm übel. Er hatte alle Frauen hier durch. Sie reizen ihn nicht mehr. Sie sind es nicht wert, Viagra zu schlucken und seine Gesundheit zu gefährden. Obwohl sie natürlich eine hochwertige Krankenstation mit den besten indischen Spezialisten hier haben. Warum indisch? Vollkommen egal. Es ist alles egal. Herr M. ist so unendlich gelangweilt, dass er beginnt, sich blutig zu kratzen. Bevor er ohne Schutzanzug aus der Kuppel auf die Marsoberfläche tritt.

Den Mars sieht man nicht

Von unten. Vom Stadtrand aus,

Da wo einmal Wölfe wohnten,

Bereitet

## Don

Das Essen vor.

»Kartoffeln?«, fragt Karen, die in der Lounge, also dem kleinen schlammigen Vorhof, den sie mit einer Lkw-Plane überdacht haben, mit den anderen sitzt. Natürlich Kartoffeln, am Feuer werden immer Kartoffeln gereicht. Im Halbdunkel, die Halle von innen gelb beleuchtet, wozu sie wohl früher gebraucht wurde? Irgendwann, als es noch eine Wirtschaft gab, die nicht im Netz stattfand. Vielleicht war hier ein Autoersatzteillager, oder es wurden Seile hergestellt, wer weiß das schon. Und wer braucht eigentlich noch Seile oder Draht oder Gießkannen oder Konservendosen? Da braucht doch keiner mehr reale Produkte, wo es doch kein reales Leben mehr gibt, sondern nur noch ein nervöses Warten auf Zustände. Die Kartoffeln rösten im Feuer. Die jungen Menschen betrachten sie dabei. Wie eine Gruppe Englischlehrer in Stonehenge.

*Down, down*
*Yellow and brown*
*The leaves are falling*
*Over the town.*

Schweigen. Das Feuer knistert nur unterbrochen vom Platzen der Kartoffelschalen. Nahrung anzubauen, ist so ein »The day after tomorrow«-Ding. Jugendliche in paramilitärischen Klamotten, ein wenig verdreckt und bewaffnet um ein Feuer im Nirgendwo versammelt wie in einem Cyberpunk-Comic von früher. Als junge Leute noch Zeit für sogenannte Jugendkultur hatten. »Noch jemand eine Kartoffel?«, fragt Don und unterbricht das Tinnitus-Geräusch der entfernten Großstadt, das nur von Hubschrauber-Rotatoren zerhackt wird.

Sie kommen schon wieder, denkt

## Roger

*Gesundheitszustand: Bluthochdruck, Wasserphobie*
*Konsumverhalten: nicht relevant*
*Sexualität: keine*
*Politische Beeinflussbarkeit: sehr empfänglich*

Der am Fluss sitzt. Am Fluss ist es gefährlich, aber so hat er ihn im Blick. Unter Kontrolle. So kann er reagieren. So ist die Angst erträglich. Die er seit der Flut hat. Obwohl – Angst beschreibt das Gefühl seiner elementaren Verunsicherung nicht zureichend. Roger hat seine menschengegebene Zuversicht verloren. Das Selbstverständnis des Daseins, das einen schützt im Alltäglichen. Roger rechnet in jeder Sekunde mit dem Schlimmsten. Seit dem Abend, als er noch ein kleines Haus am Meer hatte, oben im Norden. Der Abend, als er fernsah und auf einmal nasse Füße hatte, der Abend, an dem das Wasser langsam gestiegen war und alle Nachbarn auf der Straße standen, bis zu den Knöcheln, den Knien, den Oberschenkeln im Wasser, wird schon wieder abfließen. War es nicht. Dann kamen Helikopter. Seitdem beginnt er zu schreien, wenn er das Knattern der Rotatoren hört, seitdem bekommt er den Anblick seines Lebens, das im Wasser versank, nicht aus dem Kopf. Seit Jahren hatten die Bewohner seiner putzigen Stadt am Meer sich gewehrt. Waren mit Pappschildern nach London gezogen, hatten gegen den Emissionshandel protestiert, vor der Klimaerwärmung gewarnt, sie hatten zwar keine Ahnung, was das alles genau meinte und ob das wirklich schuld an der Veränderung ihrer Welt war, aber irgendwer musste doch schuld sein. All diese langweiligen, abstrakten Themen für die hauptsächlich ungefickte alte Weiber demonstrierten, die ihnen Lebenssinn gaben, ehe sie kompostiert wurden, hatten sich in Rogers Zellen gegraben. Und das Wissen, dass Menschen ihn und seine Heimat, sein Leben vernichtet hatten, einfach weil sie es konnten, war dem vergleichbar, was Menschen in einem Krieg erleben. Der Verlust des Vertrauens in sich. Und die Welt. Roger hockt also am Fluss. Er weiß, dass er nichts ist. Unbedeutend. Ohne Rechte. Ohne einen Sinn.

Von ferne Geräusche –

**Hannah**

Legt Musik auf.

Ein Hoch auf Retro-Plattenspieler. Nach wie vor gibt es täglich neue Rapper, in irgendwelchen Sozialblocks versucht irgendwer immer noch sein Glück als Grime-Star. Diese Bewegung, die zum Kommerz geworden ist. Der die Wut entnommen und durch Gucci ersetzt worden ist. Nie haben so viele Menschen versucht, eine Kunst zu machen, jetzt, mit dem alles möglich machenden Grundeinkommen. Das war doch gesagt worden, dass der Mensch im digitalen Zeitalter endlich von stumpfsinniger Arbeit befreit seinen kreativen Neigungen nachgehen kann. Jetzt hocken sie alle und montieren Zerstörer aus Streichhölzern zusammen oder drehen Pornos. Apropos, es gibt keine Vögel mehr. Entweder sind alle vor Langeweile gestorben. Oder sie haben die Insel verlassen, weil sie sich woanders mal ein wenig umschauen wollten. »Was haltet ihr davon, wenn ich das Grundwasser mit Viren verseuche?«, fragt Karen. Die Kinder versuchen, sich tot zu stellen. Sie haben Angst vor einem Karen-Vortrag. Es hilft nichts. Karen beginnt zu reden. Nur unzusammenhängende Sätze dringen in die Hirne der Anwesenden. »... man muss das natürlich wiederholen, wenn Mütter während der Schwangerschaft Trinkwasser ohne Viren getrunken haben, muss man die Aktion wiederholen«, sagt Karen gerade. Die Wirkung ist irreversibel, weil der Virus in den Hirnzellen verbleibt und diese sich nicht teilen.

Don täuscht einen Sekundenschlaf vor und berührt aus Versehen

Hannahs

Beine.

Hannah rückt vorsichtig ab, denn sie will nicht von Dons Extremitäten berührt werden. Das war ihr gestern Nacht klar geworden.

Als sie so einen Junge-Menschen-Ausflug in die Stadt gemacht hatten. Eine Grime-Party in Wimbledon. Zu dünn angezogen, damit man das jugendliche Fleisch gut sieht, zu hell, schlechte Musik aus den Lautsprechern, Pappbecher am Boden, Enttäuschung und zu viele frierende Jugendliche, die so sehr auf ein Wunder warten. Seit Ewigkeiten dasselbe. Junge Menschen mit Hormonen, die ihr Denken vernebeln, die sich heute nervös Bilder anderer junger Menschen in Dating-Apps zeigen, obwohl die anderen jungen Menschen zehn Meter neben ihnen stehen. Die große Hoffnung, dass die Lösung aller Fragen erfolgen möchte und sie aus ihren ungelenken Körpern in den Himmel fliehen können, wo etwas Wunderbares auf sie warten würde. »Fuck, sie ist zu dicht«, hatte Hannah gedacht, als Don zu dicht bei ihr stand, und auf einmal wurde ihr klar, was das bedeutete. Was all die Berührungen und Blicke von Don meinten. Dann wurde es dunkel und laut, und endlich fand er statt, dieser Moment des »Wir sind jung und genießen das Leben in einer absoluten Einheit von Körper, Jugend und Geilheit«-Gefühls. Auf den Gängen küssten sich Leute, im Gedränge fassten sie sich an, die Musik war, wie sie gerne wären. Angsterregend. Schnell und gefährlich. Und da stand Peter. Er stand da wie ein Leuchtturm. Sex. Fiel Hannah unzusammenhängend ein. Ein peinliches Wort, denn Sex war

Das Einzige, was den meisten Leuten als große Freiheit geblieben war. Die Freiheit, billigen Scheiß zu kaufen und zu ficken. Es wurde so viel Geschlechtsverkehr bei abnehmender Spermienqualität durchgeführt wie noch nie. Längst tot geglaubte Hobbys wie SM waren massenkompatibel geworden. Ein jeder saß und riss an seinen Genitalien, besuchte Swingerclubs und Darkrooms, riesige Sexpartys an allen Enden der Stadt.

Und nichts hatte sich geändert im Zusammenleben der wundervoll digitalisierten modernen Leute. Es gab keinen Punktabzug für überbordendes Sexualverhalten. Gleichsam wurde die sexuelle, wieselflinke Neugier mit Punkten belohnt. Man konnte sich sozusagen zu seinem nächsten Bonusurlaub bumsen.

Vor dem Grundeinkommen gab es immer größer werdende Gruppen frustrierter Männer, die sich in Incel-Gruppen im Netz fanden. Involuntarily celibate, kurz: Männer, die nicht fickbar sind. Und die nichts anderes tun, als ihre Weltanschauung auf der Vernichtung von Frauen aufzubauen. Ab und zu wurden aus den Hasseinträgen Taten. Dann lief einer der Unfickbaren mit einem Messer los und erstach Passantinnen, lief Amok in der Schule oder erwürgte eine Prostituierte. Aber das war nun vorbei.

Der Hass unterdrückt durch Pluspunkte, mit denen man in eine europäische Stadt fliegen konnte. Der Hass, der ein ganzes Jahrzehnt beherrscht hatte, war verschwunden.

Selbst im Club, in dem natürlich auch Überwachungskameras in jeder Ecke hingen, ging es friedlich zu.

Wie auch immer. Die großartige Nacht, in der ein Wunder hätte passieren können, endete damit, dass Hannah auf einem Klodeckel saß, von draußen Musik und Bässe, und dass sie sich alleine fühlte, wie immer.

Hannahs Kopfhaut scheint durch die Haare, sie schneidet sie immer so kurz, dass sie sich manchmal mit der Schere verletzt. Hannah möchte gerne aussehen wie eine Ken-Puppe. Zugelötet ohne Geschlechtsmerkmale. Sie möchte aus Plastik sein und nicht verwundbar. Sie möchte nicht von Don berührt werden. Hannah öffnet

die Augen. Der Himmel ist gelb. Das wird wohl der neue
Tag sein.

An dem

## Karen

In einem Café in der Innenstadt sitzt und auf den Beginn
ihrer Vorlesung wartet. Es ist ein früher Morgen in der
Stadt, mit all den Gerüchen und Bildern, die einen zufriedenen Menschen begeistern könnten, in der satten Genugtuung, sich in der richtigen Zeit, inmitten eines gut
funktionierenden Systems aufzuhalten. Elektro-Trans-
porter bringen Lieferungen für Läden und Restaurants.
Die Sonne ist fast zu sehen, es riecht nach frisch gereinigten Trottoirs. Menschen, die noch Arbeit haben, gehen
aufgeregt in die Läden und Büros. Jeder ihrer Schritte
jubelt: Ich werde gebraucht. Es hat sich so viel so schnell
verändert, dass der Verstand der meisten es nicht mitbekommen hat und langsam in einer anderen Raum-
Zeit-Ebene weiterfunktioniert. Das Einzige, was die
Leute verbindet, ist, dass es keine Träume mehr gibt. Da
ist kein »Wenn ich mich anstrenge, werde ich ein Haus
haben, einen Urlaub oder eine Liebe, die mich aus der
Realität entfernt«. Die Menschen befinden sich im Hier
und Jetzt. Das ist fucking ZEN. Sie kommen durch. Ihre
Augenlider zucken. Vielleicht werden die meisten wegen
Überforderung aussterben, und die neue Rasse, die Starken, Dumpfen, Lauten, werden weitermachen auf einem
Planeten, der dann nur noch zwei Milliarden Menschen
füttern muss. Vielleicht steht die Welt gerade am Beginn
ihres Unterganges. Möglicherweise gab es Pläne, größere

Teile der Bevölkerung zu vernichten. Man wird sich auch daran gewöhnen. Die Bösartigkeit der Menschen als Status quo ist immer etwas, an das man sich gewöhnt. Das Chaos, bevor eine alte Ordnung zusammenbricht, hat sich gelegt.

»Es geht Ihnen gut, oder?«

### Der durchschnittliche Engländer
*Alle Daten unter LM62810228*
*Leicht träge Leibesmitte, leichte Form von Alkoholismus, nationalistisch, leichte sexuelle Perversion*
*Liebt Britpop, Fußball, Gärten*

»Ja genau, nett, dass Sie fragen, also,
Man versteht die neue Ordnung doch sehr schnell. Ich habe, also korrekt – ich hatte sehr viele Bier getrunken, Abfall an der Straße entsorgt, nachts, und besoffen gebadet vor dem Morgengrauen. Ich habe falsch geparkt, Leuten den Fickfinger gezeigt, meine Mutter im Heim nicht besucht. So. Keine Sache. Dann war die Wasserrechnung auf einmal dreimal so hoch wie sonst. Die Versicherung dito. Mein Grundeinkommen war mit diesen beiden Rechnungen schon aufgebraucht. Also einen Monat nichts essen, außer Reste von Mutters Altersheimküche. Keine Bahn, kein Bus, laufen und Hunger haben. Glauben Sie mir, das lernt man schnell. Sehen Sie mich heute an. Ich befolge die Regeln. Das ist gar nicht so schwer, und es zahlt sich aus.

Und

**Karen**

Sieht die Menschen vor dem Fenster des Cafés an. Es gelingt ihr nur noch selten, in den Gesichtern der Erwachsenen etwas Erfreuliches zu entdecken. Die Köpfe gleichen denen von Echsen. Apropos,

Heute ist eine der Schlüsselvorlesungen, an der Uni,

Das sagt man so. Schlüsselvorlesung, Schlüsselrede, ohne Schlüssel läuft gar nichts mehr. Die Schlüsselvorlesung über Adeno-assoziierte Viren. Karen sitzt inzwischen fast täglich als Gast in Vorlesungen des University College London zwischen Hunderten junger Menschen, die nicht annähernd über ihre geistigen Fähigkeiten verfügen. Aber Karen kann nicht studieren. Nicht offiziell. Nicht mit einem Stipendium. Einem Abschluss, eine Doktorarbeit mit 20. Ein eigenes Forscherteam – ist nicht drin. Dazu müsste sie sich registrieren. Dazu müsste sie sich chippen lassen.

Karen sitzt alleine in der Sitzbank. Die anderen meiden sie, die anderen betrachten sie. Starren sie an. Wenn eine Hungersnot ausbräche, wäre es Karen, die als Erste aufgefressen werden würde.

Die Professorin erklärt die Wirkung der faszinierenden Viren. »Wenn man schwangere Weibchen mit dem Virus infiziert, würde bereits der Fötus in den Genuss seiner Wirkung kommen. Die Viren sind dazu in der Lage, die Blut-Hirn-Schranke zu überwinden, die Plazenta ist noch mal ein anderes Thema, aber Zika-Viren zeigen, dass auch dies möglich scheint, wenngleich bisher niemand verstanden hat, wie das funktioniert. However. Bereits nach einer Generation wären die Probleme, die heute noch mit Gewalt, Depression, Drogensucht, Kriminalität zu tun haben, aus der Welt verschwunden.«

Die Professorin atmet tief ein. Gleichsam verträumt blickt sie in den Himmel vor dem Fenster. Die Studenten verstehen kein Wort. Außer Karen. Karen ist erregt. Was sie lernt, gleicht einer Vorsehung. Es ist die Bestätigung ihrer These.

»Neben der verminderten Aggression und der sexuellen Antriebslosigkeit sollten die Betroffenen in der Lage sein, ein sexuell nicht aktives, aber glückliches Leben zu führen.«

»Wenn Sie bereit sind,

Bin ich es auch«, begrüßt Karen später den Chef der Labore. Ein dünner Vogel mit riesigem Adamsapfel. Über vierzig. Also aus Karens Sicht nicht alt, sondern bereits lange tot. Karen hat sich, seit sie die Idee mit den Viren hatte, mit dem Mann angefreundet, was zu viel gesagt ist, wenn der freundschaftliche Kontakt einseitig und oral stattfindet. Karen kann in Leerzeiten das Labor nutzen und über den Account des Laborchefs irgendeinen Scheiß bestellen. Es interessiert ihn nicht,

Den

**Laborchef**
*Interessen: Sammlung von kleinen Stuben in
Streichholzschachteln, tauschen von pornografischen
Bildern weiblicher Minderjähriger
Kriminelle Aktivitäten: Entwenden getragener
Unterhosen zur sexuellen Stimulation
Konsuminteressen: siehe 1.2*

»So, wo soll ich reinsprechen?«, fragt der Laborchef bei dem Interview, das über die Verlängerung seines Arbeitsvertrages entscheiden wird.

Precire-basierte Software entscheidet mittlerweile in fast allen Bereichen über. Alles. Personal, Versicherungswesen, Gerichtsurteile, Todesstrafen, die Vergabe von Krediten, die Aufnahme an Unis, Schulen, Kindergärten. Sicher, unbestechlich und endlich geschlechtsneutral. Das AI-System zerlegt die Stimme des Delinquenten auf Basis von Tausenden Stimmfrequenzen von Menschen, deren Persönlichkeit vorher über Monate untersucht worden war. Es ermittelt unerbittlich den Charakter, die Schwächen, Stärken, und es irrt nur in 0,03 Prozent der Fälle. Das sind bei einer Million nur 300 Personen, die. Nun ja.

»Also, dann rede ich mal los«, sagt der Laborchef. Und wartet auf eine Antwort, die nicht erfolgt. Nur er und ein leerer Raum. Und zu helles Licht. Das wurde nie abgeschafft, das zu helle Licht, obgleich es die Gelegenheit dazu gegeben hätte.

»Ich bin sehr gut in meinem Job. Ein hervorragender Laborchef. Ein jugendlich gebliebener, ähm. Ich sehe nicht aus wie über vierzig, weil. Keiner altert in sich, das wäre ja nicht auszuhalten, wenn man merken würde, wie einem die Zeit entgleitet, und klar würde, dass es alles ein Riesenquatsch ist mit diesem Gelebe, bei dem alle denken, da käme irgendwann ein großer gelber Vogel und würde einem den Sinn verraten. Nix kommt. Kein Vogel. Das einzig Erfreuliche ist doch, dass man es kaum merkt, wie die Zeit vergeht und nichts passiert, weil bei fast allen nichts passiert, weil die meisten nur Füllmaterial sind, kleine Schrauben, unsinnig, nicht einmal in der Erdoberfläche befestigt. Organismen eben. Verdammte Organismen. Über vierzig. Die Zeit, in der die meisten, wenn sie nicht komplett verblödet sind, wissen, ob ihr Lebensentwurf, egal ob sie ihn sich ausgesucht haben oder aus Versehen in ihn geraten sind, funktioniert. Die meisten, die ich kenne und mit denen ich nicht besonders intensiv verkehre, schmieren jetzt ab. Sie verlieren die Form, die Haare, sie machen schnell noch ein Kind, sie trennen sich, werden verlassen, sie stehen traurig auf Schwulenpartys und bekommen Angst, und alles, was sie sich von ihrem Leben erträumt hatten, ist zu einem Haufen schmutziger Wäsche geworden, die man feucht im Trockner vergessen hat. Keiner hat es geschafft. Keiner außer irgendwelchen Kackvögeln mit Firmen, die Marsraketen entwickeln und Abhöranlagen, die süße Frauennamen haben. Keiner aus der sogenannten alten Mittelschicht hat es geschafft. Die Versicherungsangestellten, Handwerker sind durch eine neue Sorte Mensch ausgetauscht worden, die studiert hat, in IT oder Nanotechnologie macht, Mitte dreißig ist und nun in den Innenstädten glutenfreie Nahrung zu sich nimmt. Leute wie wir haben es eindeutig nicht geschafft.

Wir sind die neue Unterschicht. Und versinken täglich tiefer im Morast der Erkenntnis, dass wir die Hälfte des Lebens noch vor uns haben. Wie soll das aussehen, wenn einer wie ich täglich unansehnlicher wird und krank, und für einen Neustart ist es zu spät, zum Sterben zu früh, man kann doch jetzt nicht einfach im Bett bleiben, zumal das Bett in Gefahr ist, das Bett nicht mehr an seinem ange-stammten Ort steht, seit der Schikane. Kot wurde durch den Briefkastenschlitz in meine Wohnung gepresst, die Fenster eingeschmissen, tote Ratten lagen im Flur, aus der leeren Nachbarwohnung dringt Grime. 24 Stunden. Als das Wasser und der Strom abgestellt wurden, habe ich aufgegeben. Fast alle meine, sagen wir, Bekannten, also Leute, die ich vom Kiosk und der Universität kenne, sind aus ihren Wohnungen geflogen. Vorsorglich ist die halbe Stadt entmietet worden, man weiß ja nie. Vielleicht gibt es ein paar verfickte Russen, die Lust auf die Dreck-löcher haben, wenn man ein wenig Altrosa an die Wände schmiert und Gardinen mit Troddeln anbringt. Und dann folgte das Übliche. Jeden Tag Wohnungsbesichtigungen. Am Ende habe ich jetzt was in Luton gefunden.
Alter. Luton.
Nichts gegen Muslime, aber. Fuck. So viele?
Das ist doch keine Gegend. Da gibt es nicht mal Selfrid-ges. Oder eine normale, sag schon, Drogerie. Keine Ama-zon- und Google-Shops, und sie verwenden noch Bar-geld. Wo verdammt haben die Bargeld her? Was sind das für Lappen, die da über die Ladentische gehen, aus alten Kaftanen hervorgeknüllt. Also,
Da war ich dann. In Luton, zwischen Großfamilien in

Nachthemden und Tüten. Der Vorname Mohamed war im Königreich häufiger vertreten als William, nur so, unzusammenhängend. Soll ich noch weiterreden?«

Stille im Raum. Weiße Wände. Neonröhren knattern nicht mehr, die sind heute Energiesparlampen und knattern nicht. »Also gut. Ich rede weiter«, sagt der Laborchef.

»In den ersten Wochen in meiner Einzimmerwohnung in Luton, fuck Luton, der Blick in den Hinterhof, Kochplatte, Bad mit Dusche, immerhin, habe ich versucht, in der aufgeklärten, toleranten Art eines guten linken Demokraten Kontakt zu meiner neuen Umgebung aufzunehmen. Aber –

Die Umgebung ignoriert mich. Die jungen Männer spucken auf den Boden, die Frauen sind verschleiert. Warum latschen die alle so rum? Wohin latschen die? Nur arabische Schriftzeichen, hässliche Menschen, Dreck auf den Straßen, die schlachten in ihren Wohnungen, die sie den Engländern weggenommen haben, Tiere, die vermutlich klüger sind als sie. Keine Cafés, Gebetsketten. Demonstrationen für Allah. Und immer beleidigt sein. Grundeinkommen beziehen, ein fettes Auto fahren und quengeln. Mehr, mehr, mehr. Und sich in die Luft jagen, mit Lastern in die Leute fahren.«

Apropos

Cafés,

Sie wollten sich in der Stadt treffen, Karen und

**Don**

Die auf einem Stuhl sitzt vor einem solchen, ohne etwas zu konsumieren, was soll man denn immer in sich schütten, so aufregend ist es nun wirklich nicht, Flüssigkeiten in sich zu füllen, außer es ist Alkohol, der den Blick verschiebt und albern macht. Aber Obacht. Der Alkoholkonsum der Bevölkerung wird zwar durchaus wohlwollend bewertet, aber bei Auffälligkeiten im öffentlichen Raum, also dem Raum, der für die Öffentlichkeit benutzbar ist, aber eigentlich Privaten gehört, herrje, wie heißt der dann eigentlich, drohen Strafen, die vom Abstellen des warmen Wassers bis hin zu einer Reduktion der Lebensmittel reichen können. Dann eben zu Hause saufen. Dann eben Gefahr laufen, dass man im Krankenhaus statt neun Stunden 24 wartet als fucking Alki.

Don sitzt mit breit gespreizten Beinen, die Arme darauf gestützt, und betrachtet ihre Muskeln. Die Haare stehen in die Luft, Don sieht aus wie ein Krieger. In einem Kinderfilm. Ein prächtiger Babykrieger. Im Inneren des Cafés, das einer Kette angehört, weil heute alles einer Kette angehört und multinationalen Firmen gehört und das deshalb so aussieht wie alle seine Brüder und Schwestern, stecken die weißhäutigen Sklaven die Köpfe zusammen und beraten sich, was sie mit dem schwarzen Jungen da draußen auf den Stühlen machen sollen. Der nichts konsumiert. Von dem eine Bedrohung ausgeht, wie von den meisten Schwarzen eine Bedrohung ausgeht. Das Jahrtausend wird zu Ende gehen, und dass Menschen ihren Hass aufeinander nicht an Unterschiedlichkeiten befestigen, scheint unwahrscheinlich. Die Stadt wacht auf, die Schwangeren wachen auf, sie können nicht mehr schlafen, die Blase, Sie wissen schon. So viele Schwangere hat Don noch nie gesehen. Als wäre jede Frau zwangsbefruchtet worden, schieben sie sich mit ihren prallen Bäuchen in ihre verbliebenen Dienstleistungsjobs. Schieben los, um IT-Nerds die Haare zu schneiden, sie zu massieren oder ihnen ihr Essen zuzubereiten. Bis zu zehn Jahre Haft stehen auf Abtreibung. Verhütungsmittel sind nicht mehr erhältlich. Das ist gut, das erfährt die Zustimmung des

**Ehrlichen Mannes**
*Familienstand: alleinstehend*
*Gesundheitszustand: Potenzprobleme*
*Politische Tendenzen: konservativ, also: vulgär auf den Erhalt eines Status bedacht, den er nie hatte*

»Wenn ich eine Frau befruchte, sodass da ein Leben entsteht, sodass da etwas wächst, durch mich in ihr, in dem Frauenbauch, dann erwarte ich, dass sie ihre Aufgabe auch erfüllt. Das Kind nährt, es reifen lässt, mein kleines Ich, das erwarte ich. Und wenn sie dann ohne eine Not entscheidet, mein Kind zu ermorden, und das auch noch legal, dann stimmt da doch im System etwas nicht.« Der ehrliche Mann sieht auf seine Beine, die sind aufgeplatzt und rot. Er kratzt sie immer. Er träumt von einer Amputation. Dann könnte er die Uschen mit dem Stumpf in den Wahnsinn ficken.

»Ja gut, danke, wir haben genug gehört.«

Sagt

**MI5 Piet**

»Dabei fällt mir ein –

Ich habe noch nie von mir geredet. Was für Menschen in meiner Position normal ist. Sehen Sie, die Sache ist doch folgendermaßen: Wenn man hauptberuflich mit der Beobachtung von misslungenen Lebensentwürfen zu tun hat, kommt man sehr schnell zu dem Schluss, dass es kaum etwas Lächerlicheres gibt als Meinungen oder Lebensentwürfe oder – egal – Leute. Mit ihren sogenannten Bestrebungen und ihren Wichtigkeiten. Ihren Gesprächen und Aktionen, die aber doch hauptsächlich daraus bestehen, dass die Menschen irgendwohin scheißen. Ich kann keinen ernst nehmen. Das ist die Berufskrankheit. Keine Traumata wegen der Eliminierung einiger Subjekte, keine Trauer, nur – Lächerlichkeit. Ich beobachte mich bei jeder Handlung, jedem Wort, beim Sein. Und ertrage es kaum. Berufsbedingt weiß ich, dass jede Wichtigkeit in Sekunden beispielsweise durch Inhaftierung aufgelöst werden kann. Ein Tribunal oder keines, eine Anhörung oder auch keine, eine Zelle, ein wenig Folter, ein offenes Loch im Boden, und das ist, was von uns übrig bleibt. Ein ratloses Häufchen Biomasse. Alle wollen doch nur: Gefühle, die sie nicht herstellen können. Und sie versuchen es so sehr. Sei es durch Sex oder geistige Arbeit, durch Mord, Brutalität, Autorennen. Sie versuchen, die Erregung wiederzufinden, die der Mensch verloren hat, seit er sich an Orten angesiedelt hat. Seit er jeden Tag Verrichtungen verrichtet. Die Gefühle, so viel ist sicher, die sie erreichen wollen, werden nie, nie geliefert. Wenn die meisten wüssten, dass ich sie nach kurzer Zeit nicht einmal mehr observiere. Das ist doch die wirkliche Strafe, nicht einmal mehr für eine Überwachung relevant genug zu sein. So,

Ich mache hier mal weiter mit«

**Don**

Ist inzwischen von Männern der mobilen Einsatztruppe umringt. Die sie fragen, warum sie hier sitzt. Don, die zum Jähzorn neigt, antwortet mit einem: »Fickt euch.« Die Einsatztruppenmänner, es sind fünf, die aussehen wie Killerpuppen, fordern Don auf zu gehen, wenn sie nichts konsumiert. Don ist wütend und hat Angst, beides zusammen lässt sie bewegungsunfähig werden. Die Männer fordern Don nochmals auf zu gehen, diesmal, indem sie ihr den Stuhl unter dem Gesäß wegtreten. Um das Ereignis hat sich unterdes eine kleinere Menge rosafarbener BürgerInnen versammelt, die ergriffen der Demütigung beiwohnen. Menschen lieben es, andere in einer Zwangslage zu beobachten. Dem unlogischen Gedanken folgend, dass Katastrophen nicht zweimal am selben Ort einschlagen, fühlen sie sich sicher, wenn sie einen anderen Menschen tot sehen. Oder inhaftiert. Oder anderweitig in der Scheiße befindlich. Fast täglich sind nun scharfe Verweise schwarzen Menschen gegenüber zu beobachten, die unerlaubt im privaten Raum, also in Cafés und Restaurants, sitzen oder in Parks oder in Shoppingmalls. Seit die Sozialpunkte die politische Korrektheit ersetzt haben, muss sich die ordentliche pinkfarbene Bevölkerung nicht mehr zusammenreißen. Und kann ihrer Skepsis nicht pinkfarbenen Menschen gegenüber oder Homos oder Kranken ungehindert Ausdruck verleihen. Sofern die sich nicht regelkonform verhalten. Kann man sie auch anzeigen. »Weg mit dem Dreck«, brüllt ein übetrainierter Mann, dessen Anzug erst auf den zweiten Blick seine Schäbigkeit offenbart.

Don liegt am Boden, sie hat keine Angst, keine Wut, sie ist nur gedemütigt. Die Männer zielen mit ihren Maschinengewehren auf sie. Langsam steht Don auf.

Hebt die Hände.

Einer aus der Einsatzgruppe tritt ihr ins Gesäß.

Jeder allein. Mit sich und seinem Elend.

Ein paar Hundert Meter

entfernt redet der

## Laborchef

Um sein Leben. Er wartet auf das Ende seiner Befragung, er ist unsicher, blickt an sich hinab, sein Bauch ist weich geworden. »Ich war gestern in der Tate Modern.« Schweigen. »Okay«, der Laborchef räuspert sich. »Ich gehe immer in Museen, bevor ich nach Hause muss. Es gibt keine moderne Kunst mehr in Museen. Und wenn, nur britische. Und wenn, nur Naturdarstellungen. Das Studium der Kunst ist, wie alle Studiengänge, nicht mehr vielen jungen Menschen zugänglich. Seit der kompletten Privatisierung. Können nur noch sehr reiche Oligarchen oder die alte Oberschicht sich leisten, ein Kind Kunst studieren zu lassen. So sieht das auch aus.

Ich habe seit der Enzephalitis-Impfung immer solche Kopfschmerzen«, sagt der Laborchef, der nicht mehr weiß, was die AI von ihm erwartet. Und in dem Moment öffnet sich die Tür. Eine energische Frau betritt den Raum. Sie ist die Vorsitzende der Personalabteilung. »Vielen Dank«, sagt sie, »wir hatten Sie hier vergessen. Entschuldigung.

Sie haben die letzte Stunde zu sich selber gesprochen. Aber die gute Nachricht ist, wir konnten Ihr Ergebnis unterdessen bereits auswerten. Also, unser Programm hat es ausgewertet, um genau zu sein. Ohne Anbetracht Ihres Geschlechts oder Ihres ...« Kurzer Blick. »... Aussehens ist es zu dem Schluss gekommen, dass es für beide Seiten das Beste ist ...«

Es rauscht im Kopf des Laborchefs.

Nun gibt es zwei Momente fundamentaler Erniedrigung im Leben eines jeden Menschen. Der Moment, wenn man seine Endlichkeit wirklich begreift. Mit all den Peinlichkeiten, die das mit sich bringt. Mit all dem: Was mache ich hier, wenn es sowieso gleich vorbei ist und ich von Würmern aufgefressen werde, wenn ich weg bin und alle weitermachen, als würde es noch sinnvoll sein weiterzumachen, ohne mich. Der zweite Erniedrigungsmoment ist, wenn der Mensch seine Mittelmäßigkeit erkennt. Viele sind nicht mit der Intelligenz beschenkt, diesen Moment wirklich auskosten zu können, sie sind auf einmal missmutig, und das hört nicht auf, und die Haare werden dünn, und sie suchen nach Schuldigen. Das ist der Augenblick, in dem Leute mit Messern in ihr Büro gehen. Für den Laborchef ist die Sache gelaufen. In einer Woche ist er ohne Job,

Aber bis es so weit ist.

Lutscht

**Karen**

Das Genital des Laborchefs. Sie muss seinen Bauch nach oben halten, damit er ihr nicht ständig im Weg ist. Der Laborchef grunzt. Gleich wird er seine Hand auf Karens Kopf legen. Ein zusätzlicher Kick der Macht.

Die Einfältigen denken, Frauen würde es erregen, diese Fleischwurst bis an ihr Zäpfchen gerammt zu bekommen. Oder sie denken nicht einmal das. Wenn sie nur das Glied verbringen können. Das Gefühl des Aufgehobenseins suchend. Da drehen sie vollkommen durch, sowie irgendeine Öffnung in der Nähe ist. »Es war doch schön für dich?«

Fragt der Laborchef Karen, sein Genital verstauend.

»Ja, super war das, machen wir morgen wieder.« Karen reicht ihm die mit Sperma verschmierte Hand, der Laborchef ergreift sie. Karen geht ab. Sie merkt, dass sie seltsam wird. Geworden ist. Sie ist außer sich. Und weiß nicht, wie sie in ihre Ruhe zurückfinden kann. Ahnt, dass es nicht die Ungerechtigkeit auf der Welt ist, die sie wütend hat werden lassen, sondern dass es nur um sie geht. Um ihre Demütigung. Um ihre erste Liebe. Diese Wut, weil sie kurz geglaubt hatte, ein normales Mädchen zu sein mit einer normalen Liebesgeschichte. Und dass nun alles, was sie ausgemacht hatte, infrage gestellt wurde durch einen Typen mit zu enger Hose und Goldkette. Karen verdrängte den Gedanken daran, dass es ihr, wie den meisten, nicht um die Rettung der Welt geht, sondern nur um die eigene.

Karen hatte
Nährlösung mit fetalem Kälberserum bestellt, um Adeno-assoziierte Viren zu züchten. 293 T-Zellen zur Ver-

mehrung der kleinen Racker hatte sie über das Labor geordert. Mit einem Rühr-Fermenter, 37 Grad und einem
Schüsschen $CO_2$ legte Karen einen Grundstock der
Biester an, die sie bald in ein größeres Zuhause bringen
musste. Für heute gibt es nichts mehr zu tun. Karen sieht
aus dem Fenster – ein unfassbares Licht ist da draußen.
Da wartet

## Don

In diesem Licht, das nur an meernahen Orten herrscht,
cremig, hellblau – rosa.

Don befindet sich nach dem Gewaltausbruch, dessen
Zentrum sie leider war, in einem Schock, als hätte sie
einen Unfall überlebt und stünde nun auf der Straße, vor
ihr die Trümmer ihres Cabriolets. Gutes Stichwort, denkt
sich Gott. Ein paar junge Russen gleiten in einem offenen
Elektro-Sportwagen vorbei. Keiner am Steuer. Vermutlich besser so, weil alle besoffen sind. Schlechter Euro-
trash aus den Riesenboxen. Die Russen lachen, reichen
eine Flasche herum und halten die Arme in die Luft, was
sie vermutlich in den unterentwickelten Musikvideos,
auf die Leute wie sie stehen, gesehen haben. Alle tragen
Designer-Combat-Kleidung. Tarnflecken mit goldenen
Ornamenten. Das ist das Ding der Stunde. Uniformen.
Kampfanzüge, Gasmasken. Aber ironisch. Aber mit Gold.
Die Leute stehen drauf. Sie wollen überleben. Wollen
aussehen, als wären sie in einer Schlacht. Aber keiner
weiß, wogegen er kämpfen soll. Es ist doch alles ruhig.
Die große Umvolkung – der weiße Mensch, der durch den
Araber ausgetauscht werden soll – hat nicht stattgefun-

den. Wenn überhaupt, gibt es in Europa eine Zunahme an chinesischen Personen zu beobachten, die Objekte in sogenannten Prime-Positionen besitzen. Auch die Russen sind kaum noch im Straßenbild auszumachen. Karen sieht den Menschen hinterher, die ihren Werbefilm leben. Die anderen sind immer noch nicht zufrieden.

Die Stadt voll mit angespannten Menschen, denen auch das Grundeinkommen keine wirkliche Ruhe geschenkt hat. Es langt immer noch nicht. Das Geld langt einfach nicht, obwohl die offiziellen Zahlen so hervorragend sind. Dank Grundeinkommen gibt es keine Arbeitslosen mehr. Dank Minijobber und Job-Hopper und Miniverträgen und Leiharbeit und

**Jobnomaden**
*Hobbys: gamen, Filme von sich anfertigen, frei sein*
*Gesundheitszustand: schlechte Zähne, Schlafmangel,*
*Konzentrationsschwäche*
*Politische Neigung: keine.*

Die ein wirklich freies Leben führen. Na ja, irgendwie. Zu denen immer wieder Kamerateams der BBC fahren. Gefahren sind. Früher. Gehabt haben. Tschüssi.

Auf die Philippinen zum Beispiel. Und da saßen dann junge, urbane Digital Natives vor Gästehäusern, immer mit Flip-Flops, immer mit Tätowierungen und Bärten, also, na ja, und bauten Websites für Unternehmensberater und Motivationstrainer. Also für Arbeitslose. Und sie sagten: »Ich arbeite schon hart, ich bin für meine Kunden rund um die Uhr erreichbar, aber sehen Sie die Umgebung«, Schwenk auf einfache, herzensgute Eingeborene, die gerade eine Bank ausgeraubt haben. Gibt es überhaupt Banken auf den Philippinen? Vielleicht waren die auch nur Angehörige einer Terrorgruppe. Inzwischen sitzen die digitalen Nomaden nicht einmal mehr mit Terroristen in Guatemala oder Malaysia, sondern hocken in Lagerhäusern in Leeds um ein Lagerfeuer, und das Einzige, was geht, sind die Ladestationen und der Server und das Netz. Jeder, der einen Rechner bedienen kann, macht irgendeinen Scheiß im Internet. Meistens Content Manager oder Bots bauen, die Leute zu irgendwas bringen sollen, im Zweifel dazu, sich einen Schürhaken in den Arsch zu stoßen. Läuft.

»Jetzt komm schon«, sagt
**Don**
Sie zieht Karen hinter sich her, die noch weißer im Gesicht ist als normalerweise, und normalerweise ist sie sehr, sehr weiß im Gesicht. Karen sieht aus, als würde sie schlafen. Und träumen. Träume sind eine stark vernachlässigte Größe bei den vier Kindern. Außer sich ein Leben als Grime-Star ( Jet, Rolly, Brilli, Bling) vorzustellen, fällt ihnen in Ermangelung angenehmer Erlebnisse nicht viel ein, um sich darin zu verlieren. Wovon sollen sie träumen? Vom Weltfrieden, von nachhaltig ökologischen Wohnanlagen, funktionierenden Abwassertransporten oder dass das Klima gerettet wird? Keiner weiß, was es mit diesem Klima auf sich hat, das als Bedrohung

früher immer in diverse Szenarien verpackt wurde. Es hat keinen interessiert. Wärmer ist doch super. Nun wird es wärmer, und es regnet öfter, und das Wasser kann aber nicht in den Boden eindringen, weil der zu ausgetrocknet ist, in entfernten Teilen der Welt werden bald Milliarden aus ihren Ländern verschwinden. Wollen. Um in netteren Gegenden zu überleben. Alles so weit in Ordnung.

Im Park richten sich die ersten Obdachlosen für die Nachtruhe ein, so lange, bis sie von besorgten Bürgern verjagt werden. Don und Karen laufen durch die Menschenmassen, die sich durch die Straßen schieben, um ihr Leben zu genießen. Ja, hurra, das Leben genießen. Essen gehen in der Stadt, die kleine Zelebration des Alltags. Komm, wir gönnen uns was. Komm, wir sehen uns andere Menschen in derselben Lebenssituation an, Menschen unseres Schlages, die in der Lage sind, ein schmackhaftes Pad Thai mit organischen Sojasprossen für 6.70 Pfund zu sich zu nehmen, die es sich leisten können, Menschen, in diesem Fall den Koch und den Kellner, für sich arbeiten zu lassen. Die minimale Erregung, über Belohnung oder Bestrafung entscheiden zu können. Über die Bewertung des Kellners, die nach der erfolgten Bezahlung ansteht. »Würden Sie mich bitte bewerten?« Wie gut das klingt, dieser devote Klang und die Angst in der Stimme, die sie sonst nur von sich kennen, die Gäste, die alle in ihren Beschäftigungen bewertet werden.

Don und Karen haben nicht miteinander geredet. Don hat nicht gesagt, dass es immer unangenehmer wird, sich mit nicht pinker Hautfarbe in der Stadt aufzuhalten. Karen hat nicht gesagt, dass sie eine Sterilisation aller Männer

plant. Sie sagen nichts, sie gehen. Langsam. Denn rennen und hektische Bewegungen führen zum Alarm und zur Entsendung von Drohnen. Oder Einsatztruppen. Durchatmen, Bewegungen. Die Kapuzen tief ins Gesicht gezogen, stolpern sie über einen dieser schwachsinnigen Lieferroboter,
Die statt der

## Kurierfahrer

*Gesundheitszustand: Varizella-Zoster-Virus,*
*Milzproblem, HIV*
*Sexualität: heterosexuell*
*Ticks: Weinkrämpfe beim Betrachten nasser Hunde*
*Familienverhältnisse: sehr alleine*
*Hobbys: herumlungern*

Heute die wunderbaren Waren von Alibaba austragen. Diese Tonnen von in Bangladesch und im Ostblock zusammengezimmertem Dreck, Sie wissen schon, ohne die der Mensch geradezu irrsinnig wird.

## Xiang Mai

Die Produkte, die die Menschen in den westlichen Ländern kaufen, werden überraschenderweise in den westlichen Ländern von westlichen Arbeitern hergestellt. Vor zwanzig Jahren kamen die ersten chinesischen Arbeiter mit einem Touristenvisum nach England. Sagen wir einfach England, sie kamen auch nach Spanien, Deutschland und Amerika. In jedes Land, das früher nach Reichtum klang. Sie kamen in runtergewirtschaftete Orte. Sie kamen als Billigarbeiter. Schliefen auf dem Boden von Lagerhäusern, arbeiteten 20 Stunden, störten keinen. Der nächste Schritt war, dass sie selber Firmen aufmachten. In denen sie 22 Stunden arbeiteten. Die Firmen wuchsen, trugen zum Aufschwung diverser tot geglaubter Regionen bei. Es entstand eine Mafia, es entstand eine chinesische Mittel- und Oberschicht in Europa. Die Chinesen kümmern sich um Anlage, Vertrieb, Wachstum, Struktur. Die Europäer arbeiten. So geht das.

### Der Kurierfahrer

War zehn Jahre Kurierfahrer. Gewesen. Er hatte während seines Studiums (Literaturwissenschaft und Pädagogik – WTF?) damit angefangen. »Ich habe gerne mit Menschen zu tun«, sagte der Kurierfahrer. »Ich trainiere meine Beine und bin immer an der Luft.« Sagte er ungefragt. Zu anderen Kurierfahrern. Denn bald schon setzte er mit seinem Studium aus, weil er, um sich das Studium leisten zu können, so viele Touren machen musste, dass keine Zeit zum Studieren blieb. Ja, nun. Es gab sowieso keine Stellen für Literaturwissenschaftler. Es las auch keiner mehr. »Ich würde gerne mal wieder ein Buch lesen«, sagten Menschen ungefragt und ein wenig schuldbewusst, »aber – die Zeit.« Natürlich, die Zeit musste wieder herhalten. Da mussten im Netz Chats geführt und Häuser auf Costa Rica betrachtet werden, Hasskommentare unter Artikel gesetzt, die keiner mehr liest, und danach Serien, Serien. Serien, die die Menschen auf den

Istzustand vorbereiteten. Alle erinnerten sich – so wie an Kirschblüten in Opas Garten, den sie nie hatten, also Garten nicht und Opa nicht – an die wunderbare Wirkung eines guten Buches.

Unterdessen war der Kurierfahrer über vierzig und in einem sehr guten körperlichen Zustand, wenn man die dauernden Bronchialinfekte, die er sich aus der Zeit, in der noch Verbrennungsmotoren das Stadtbild beherrschten, zugezogen hatte, übersieht. Wenn man seine HIV-Erkrankung ignoriert. Die total ignorierbar gewesen ist. Die Medikamente sind Teufelszeug, aber

Dann wurde das Gesundheitssystem revolutioniert.

Dazu betont

### Thomes Vater

In einer seiner Reden im Oberhaus: »Zu viel Ungerechtigkeit zeichnete unser bisheriges Gesundheitssystem aus. Die Kosten für die Behandlungen sogenannter unkooperativer Teile der Gesellschaft, die mutwillig Schuld an ihrem Gesundheitszustand tragen, verteilt auf die Schultern des kleinen Mannes. Das System ist zutiefst ungerecht. Mit dem neuen System bezahlt jeder das, was er sich verdient hat. Sie sind arbeitsam, halten ihren Körper in einer guten Form, nehmen keine Drogen, trinken nicht? Dann geht es Ihnen wie 90 Prozent unserer Bevölkerung, die bislang für zehn Prozent Sozialschmarotzer zahlen mussten. Für Menschen, die ein ausuferndes Sexualverhalten hatten, Partys und Drogen über die Mühe stellten, die es macht, ein gesundes, verantwortungsvolles Leben zu führen. Nun, nachdem die kostenlose medizinische Grundversorgung aufgrund ausländischer Schmarotzer abgeschafft worden ist, gilt es, das gerechte System der Kassen ...«

Und so weiter.

## Der Kurierfahrer

Bekommt seine Medikamente nun seit einem Monat nicht mehr. Er ist nicht mehr in der Lage, die Beiträge an die neuen, wunderbar gerechten Kassen zu zahlen. Er hatte bereits eine Lungenentzündung, aber im Moment geht es. Wenn man vom Kaposi-Sarkom in seinem Gesicht absieht.

So. Nun war er arbeitslos, die Wägelchen und Drohnen, Sie wissen schon, und mit Mitte vierzig als arbeitsloser Kurierfahrer sind die Chancen auf dem Arbeitsmarkt – geht so. Der Kurierfahrer ist einer der Ersten gewesen, die in der Reihe standen, um das neue Grundeinkommen zu beantragen, er war einer der Ersten, bei dem jeden Monat ein prachtvolles Geld auf dem Konto landete. Das ist ja erst mal was. Der Schlafplatz auf einem Sofa im Süden der Stadt, in der Dreizimmerwohnung einer alleinerziehenden Frau mit zwei Kindern, kostet 300 Pfund im Monat. Vom Rest gehen Versicherungen ab. Es bleiben ihm 150 Pfund. Damit lässt es sich gut über den Winter kommen, wenn man sich ein wenig einschränkt. Wenn man nicht schon wieder eine Lungenentzündung bekommt.

Die Menschen werden wieder kränker. Man sieht sie ohne Prothesen auf den Bürgersteigen in kleinen Bollerwagen sitzen, mit Geschwüren im Gesicht, Zahnlose, überall, und da sind sie wieder, die Masern, Windpocken und Polio. Shit happens. Dem Kurierfahrer geht es so weit gut. Er hat das Sofa in der Wohnung der Alleinerziehenden von acht Uhr abends bis sieben Uhr morgens gemietet. Der Ex-Kurierfahrer verlässt das Haus morgens um sieben, bevor die alleinerziehende Frau die Kinder für die Schule zubereitet. Wenn der Ex-Kurierfahrer nach sieben am Morgen, gleich, welche Witterungsverhältnisse herrschen, auf die Straße im Süden der Stadt tritt, ist er nicht alleine. Überall lungern Ex-Kurierfahrer und auffallend viele alte Frauen auf den Straßen, am Rande der Straßen herum. Die übliche Geschichte. Alleine drei Söhne großgezogen. Und keiner ist ein Grime-Star geworden. Die uralten Frauen, die vierzig sind, von einem der Söhne aus der Sozialwohnung geschmissen, die Frauen, die apathisch kauern, erloschen, keinen Funken Wut im Blick, was okay ist, sieht eh keiner, die Menschen, die noch laufen können, gehen zügig an ihnen vorbei, nur nicht hinsehen, sich nicht anstecken, es haben alle solche Angst. Dass die Versprechungen, die man ihnen gemacht hat, die wunderbare Teilhabe an dem erregenden Traum, sich nicht erfüllt haben, ist inzwischen jedem klar. Vor der Gesundheitsreform haben sie Obdachlose, die kaputt waren, in der Notaufnahme wieder zusammengeflickt und wieder auf die Straße gesetzt. Wie ineffizient das war. Jetzt können sie direkt sterben. Die Versager.

Aus allen Hauseingängen schieben sich Ex-Kurierfahrer mit Ratlosigkeit im Gesicht. Wie lange kann man auf Spielplätzen sitzen, ohne Aufmerksamkeit zu erregen, wie lange sich in Einkaufszentren herumdrücken? Wie lange durch den Bahnhof streifen, im Park sitzen, Schaufenster betrachten? Wie oft kann man nach Hampstead Heath fahren mit dem Bus. Einmal in der Woche kann man in einen VR-Space gehen.

Die Virtual-Reality-Räume sind die Spielhallen der Neuzeit. Keiner kommt mehr dorthin, um mit albernen Brillen Ballerspiele zu benutzen. Viele gehen in Urlaub. Sie liegen auf Sand und verreisen nach Thailand oder Südafrika. Mit Wind, Geruch, dem vollen Programm. Endlich auch mit Sensoren. Zum Berühren, zum Fühlen des Windes, der Wärme, des Sandes. Der Ex-Kurierfahrer geht am liebsten in den Tropenwald. Er liebt den Tropenwald. Ab und zu kommen Nackte.

So. Neunzehn Uhr. Wieder einen Tag mit Herumgammeln verbracht. Die Zeit beim Vergehen betrachten. Das bleibt jetzt so? Das wird wirklich so sein, bis der Ex-Kurierfahrer stirbt – ohne jede Aufgabe und Funktion, zusammen mit all den anderen ohne Aufgabe und ohne Funktion, die sich durch die Straßen drücken, zu wenig Geld, um die Welt zu bereisen, zu shoppen oder das zu tun, was man sonst so erlernt hat, um nicht zu denken. Dieses Denken. Was soll da am Ende erfolgen?

Der Kurierfahrer hält an. Ein Plakat. Wie 1.0 ist das denn? Eine Prepper-Gruppe wirbt für ihr nächstes Treffen. To be prepared. Nächstes Wochenende im Colne Valley Regional Park. Da ist der Kurierfahrer noch nie gewesen. Der Kurs ist billig. Der Kursleiter heißt Sergej. Da bin ich dabei, denkt der Kurierfahrer. Fast stolpert er vor Begeisterung über einen der Lieferroboter.

Keiner tritt mehr nach den Lieferrobotern. Am Anfang

hatten all die sichtbaren Symbole der digitalen Revolution ein schweres Leben.

Sie wurden gestoßen, in der Themse versenkt, und nun gibt es dafür Minuspunkte. Also stolpern die Menschen nur noch über die weißen, herumeiernden, mit Kameras ausgestatteten Roboter

Auch

**Don**

Stolpert über einen Lieferroboter.

Sie haben die Savile Row erreicht, diese reizende Museumsstraße aus der alten Zeit, als sich hier die latent homosexuelle Oberschicht der Stadt in erpelfarbenes Tuch nähen ließ. In einem kleinen, gleichsam eleganten Laden für maßgeschneiderte Überlebensuniformen brennt noch Licht.

Da werden Überstunden gemacht.

Denn

**Patuk**

Wohnt in Luton.

Er hat es nicht zu einem Stadthaus in Mayfair gebracht.

Er wohnt in Luton, weil Freunde der Familie auch dort wohnen. Er wohnt in einer kleinen Wohnung über einer Metzgerei. Er mag den Geruch von totem Tier. Er mag den Tod. Er mag ansonsten nicht viel in seinem Leben. Es hat sich, wie gesagt, schlecht entwickelt. Patuk hat sein eigenes Geschäft. An der Adresse, für die jeder Herrenschneider töten würde. Er mag den Tod. Den Olymp der Herrenschneideradressen, die straßengewordene Fünf-Guide-Michelin-

Punkte-Adresse des Schneiderhandwerks. Patuk besitzt das winzigste Geschäft in der Savile Row, seit 1740 die beste Adresse für den gepflegten Herrenanzug. Steht auf Patuks Visitenkarte.

Patuk hatte nach dem Ende seiner Lehre mit dem Geld, das er ehrlich in Rochdale verdient hatte, den Laden übernommen. Er hatte geglaubt, von den geprägten Visitenkarten bis zur Mitgliedschaft in einem erlesenen Club sei es nur ein kurzer Weg. Der dann direkt in ein Haus in Belgravia führen würde, in dem eine nutzlose britische Oberschichtsgattin den Tag mit Migräne auf einer Liege verbringen dürfte. Aber. Leider. Bereits sein Lehrherr hatte es nicht leicht. Er stammte aus einem von den Briten geschaffenen Land – sie haben den pakistanischen Schneider also sozusagen erzeugt –, was ihm den Status eines Haustieres verlieh. Die Besitzer der anderen Schneidereien grüßten den pakistanischen Schneider 30 Jahre mit dem Heben des Hutes und der verächtlichen Bewegung des Mundwinkels nach unten bei gleichzeitigem Lächeln. Kein Volk der Welt konnte mit einem Lächeln so vernichten wie die Engländer. Kein Volk stand so stark für die Erfindung des Klassensystems. Und hatte es bis heute nicht überwunden. So wie es in den Bombern nur Schleudersitze für die zwei Piloten aus der Oberschicht gab, während der dritte Mann, der Ingenieur, einer von den Leuten, ohne Fallschirm nach unten gelangen musste. So hatte sich Patuk gefühlt. Er ist der ohne Schleudersitz. Und nun –

Laufen auch noch die Geschäfte schleppend. Die Reichen investieren in Personenschutz, Waffen und Häuser im Ausland, damit sie sich, falls sich die Lage, welche auch immer, zuspitzen sollte, absetzen können. Die alte Mittelklasse, die sich zur Statusaufwertung eine Maßkleidung gönnt, gibt es nicht mehr. Die Touristen sind Horden von Verlierern aus allen Teilen Europas. Die reichen Chinesen machen seit einiger Zeit keinen Urlaub mehr auf der Insel. Sie besitzen sie. Die immer noch in London ansässigen Araber haben außer an Immobilien, Unternehmen, Autos und Huren kein Interesse an der Kultur der Eingeborenen, den Russen ist die britische Mode zu wenig auffällig, und die IT-Milliardäre kleiden sich sportlich und nicht wie verrückte Homos.

Am Anfang seiner Schneiderlehre hat Patuk sich über die farbenfrohen Trikotagen britischer männlicher Oberschichtler gewundert, deren weibliche Angehörige seltsam schlampig und formlos wirkten. Inzwischen versteht er das System des tief verwurzelten Nanny-Kults der Oberschicht besser. Frauen müssen hier Erzieherinnen gleichen, um irgendeine Aufmerksamkeit ihrer sexistischen Gatten auf sich zu ziehen, in deren Verständnis nur Nutten und strenge Erzieherinnen, die auch irgendwie Nutten sind, existieren. Aber,

Die Männer kommen nicht mehr, und Patuk wird nie Zugang zur Elite der Stadt finden, zu den Herrenausstattern, die in einem eigenen Club verkehrten, dem White's Club oder verdammt noch mal irgendeinem Club, weil er auch mit einem dreiteiligen, klein karierten Tweed-Anzug und einem maßgeschneiderten Baumwollhemd nicht aussieht wie ein schwuler Mann aus der Oberschicht, sondern wie ein schwuler Oberkellner. Patuk sieht im

Rechner nach seinen Überwachungsvideos des gestrigen Tages. Ein Service, der vom Volk begeistert angenommen wird. Man liest seinen Chip ein, und sofort werden in geordneter Reihenfolge alle Überwachungsvideos, auf denen man eine Rolle spielt, gezeigt. Daneben ist der aktuelle Punktestand einsichtig.

Patuk war gestern im Laden, was dokumentiert ist. Er hatte zwei Kunden. Die nur Hemden aus dem Schlussverkauf erworben haben. Dann ist er nach Hause gefahren.

Patuk betrachtet sich im Rechner. Er ist hässlich geworden. Von einem jungen Mann, der in jedem Bollywood-Film der Star hätte sein können, wenn er denn Inder gewesen wäre, hat er sich in absurder Geschwindigkeit zu etwas, das am Mülleimer kleben könnte, entwickelt. Die Glatze schimmert durch die angesprayten Strähnen. Schweiß sammelt sich auf den durchschimmernden Glatzeflächen, rinnt dann übers Gesicht und den Hals über die Brust bis zum Bauch. Dort stoppt der kleine Fluss. Der Bauch ist nicht groß, aber sehr behaart. Ein Bauchnabel, über den Menschen Witze machen könnten, in dem Server oder Früchtebrot versteckt werden könnte –

»Schau nur, wie seine Eichel glänzt«

Hatte

**Karen**

Erst gestern gesagt.

Sie waren bei den Hackern nebenan gewesen. Sie hatten Videos auf dem alten Stick angesehen.

Patuk onanierend vor der Matratze, auf der Karen besinnungslos liegt. Ungefähr zehn Männer stehen mit ihren Penissen in einer Reihe, um nacheinander in Karen einzudringen. Karen, die auf dem Video eindeutig sehr minderjährig ist.

Nachdem das Video zu Ende ist, herrschte eine Unsicherheit. Man sieht seine Freunde nicht täglich am Boden liegen, während diverse Genitalen in sie verbracht werden.

Und nun

Bemerkt

**Patuk**

Der sich seine Überwachungsvideos anschaut, dass ihm gestern Punkte abgezogen worden sind.

Seinem unsozialem Benziner geschuldet. Jeder Fahrzeughalter übermittelt mit Besteigen des Vehikels seine Daten an die Versicherung. Und an den MI5. Dafür gibt es keinen Pluspunkt. Das ist Pflicht. Ohne Überwachung durch die Versicherung (und den MI5) keine Versicherung. Aber – Patuk ist ein vorsichtiger Fahrer. Dafür gibt es einen Punkt. Ein kleines Lob im Alltag, wie gut das tut. Aber – ein Benziner!!

Patuk

Hat also Minuspunkte eingefahren, und mit dem Gefühl, dass dieser Tag wieder nicht seiner werden wird, war er in die Innenstadt gefahren. Freundlich bremsend, Menschen über den Zebrastreifen nickend. Die neuen Systeme hatten dazu beigetragen, dass Menschen sich sehr vorsichtig begegneten.

Alles wird gut

Denkt

**Hannah**

Sie sieht Männer an.

Na ja. Männer. Dings. Jungs. Sie ist schon wieder mit Peter und Don in einem Club, um jugendliche Erlebnisse zu haben. Wann, wenn nicht jetzt, und wozu sind sie in London, der Metropole, dem Herzen des Landes, wenn sie nicht in unsinniger Weise ihre Jugend verschwenden wollten, aufgeregt sein und sich zugleich unendlich enttäuscht langweilen, weil nichts außerhalb die Gefühle in der Wucht widerspiegelt, die man in sich fühlt. Da hat sich nie etwas geändert an diesen Orten, die immer zu laut für jeden sind, um die Peinlichkeit zu übertönen, die die Suche nach Paarungspartnern mit sich bringt. Laut, damit man den Angstschweiß nicht riecht. Laut, damit man nicht darüber nachdenkt, was man hier tut. Tanzen, ja nun. Klar. Lebensfreude. Aber wie bitte sieht das aus. Dieses steife Sich-Bewegen, Sich-unter-Beobachtung-Fühlen. Jeder hat Angst vor peinlichen Handyvideos, die im Netz landen, hat Angst, keine guten Bewertungen zu bekommen, wenn die Aufnahmen aus dem Club im Netz von anderen betrachtet werden. Hannah verachtet die Smartphone-Flachköpfe. Keine Revolte, kein Zusammenhalt. Nur eine blödsinnige Masse von angeblich individuellen jungen Menschen, die alle gleich aussehen und jeden zur Strecke bringen, der von der aktuellen Norm abweicht. Selten hat eine geringfügige Abweichung in Haarfarbe oder BMI zu dergestalt großer Verachtung geführt wie in dieser wunderbaren Zeit, in der alle das Gefühl haben, zu wenig zu bekommen. Zu wenig Platz und Anerkennung, Geld und Liebe. Eine neue, spießige Generation ist da herangewachsen.

Arschlöcher.

In diesem Club ist es wie in allen Clubs zu allen Zeiten. Die jungen Menschen fühlen sich den Alten überlegen, sie sind unendlich, und natürlich glauben sie, das alles zum ersten Mal zu erleben. So wie sie hatte sich noch nie einer lebendig gefühlt. So wild war noch keiner je gewesen, so intensiv mit sich und seiner Angst vor dem Erwachsensein – der Zeit, in der alles grau und zu Ende sein wird. Hier im Club waren alle gerade aus der Zeit der Kindheit herausgewachsen. Aus der Totalverweigerung gewachsen, nicht mehr niedlich und doch noch nicht voller Gier und Falschheit, voller Berechnung, die mit der Paarungsbereitschaft eintritt. Die Erkenntnis, dass das Wohlgefühl davon abhängig ist, dass andere sich für einen entscheiden. Ist nicht hilfreich.

Es läuft Grime. Im Mainstream angekommen. Wieder eine Revolution, die gekauft worden ist.

Viele tragen ihre Bodycam-Brillen, um tolle Videos von ihrer Ausgelassenheit ins Netz zu stellen. Hannah ist unruhig und jung und sehnt sich und weiß nicht, wonach. Sie sieht Männer an. Na ja. Männer.

Jungs in Uniformen mit Armee-Mützen. Mit schusssicheren Westen, Helmen. Es herrscht eine seltsam geordnete Stimmung in dem Club. Alle stehen gerade, keiner kotzt hinter den Tresen, kein Pogo, keine Prügelei. Gesittete junge Menschen in Erwartung eines Ereignisses. Ordentliche junge Menschen. Selbst Grime wirkt plötzlich lieb. Sanft. Nicht mehr wütend. Wütend ist da keiner mehr. Keiner wagt es, irgendwen anzumachen, es könnte unerwünscht sein. Es könnte übergriffig sein. Nach einer kurzen Phase des zivilen Aufstandes gegen politische

Korrektheit, der von rechtsnationalen Bots befeuert worden war, nach einer kurzen Zäsur in der britischen kollektiven Verabredung, dass Hass und Rassismus laut ausgesprochen eine Angelegenheit der Unterschicht sind, nach einer kurzen Zeit, in der sich offensiv gehasst und verachtet wurde, ist nun

Eine neue Zeitstufe der Entwicklung erreicht. Gut erzogene Menschen haben Spaß.

Die Musik ist zu laut, die jungen Menschen stehen verklemmt herum und warten darauf, dass ein anderer Verklemmter weniger verklemmt ist und einen aus der eigenen Verklemmtheit rettet. Hannah hat einen Jungen entdeckt, mit dem sie sich einen Geschlechtsakt vorstellen kann. Der Geschlechtsakt, den sie sich vorstellen kann, hat seinen Ursprung in einem der tausend Pornos, den sie wie alle anderen als einzige Sexualerziehung erfahren hat. Der Junge sieht Hannah an, und Hannah sieht den Jungen an, dann geht sie dicht an ihm vorbei zu den Waschräumen. Vermutlich hat sie das mal in einer Serie gesehen. Oder in einem Porno. Der Junge folgt ihr. So. Und nun, nun steht Hannah in einem zu hellen, gemischtgeschlechtlichen Waschraum. Der Junge betritt den Raum, und an diesem Punkt endet Hannahs Fantasie. Sie steht einem Fremden in einem zu hellen, mit zu vielen Spiegeln ausgestatteten Waschraum gegenüber. Was nützen all diese großartigen technischen Entwicklungen, wenn Menschen immer noch Menschen sind?

»Hallo«, sagt Hannah. Der junge Mann nickt und zieht den Reißverschluss seines Armee-Overalls herunter. Sein Penis steht wie ein kleiner Babyarm im hellen Waschraum. Er dreht sich so, dass die Kamera seinen Penis im richtigen Winkel aufnimmt. Kameras in Toiletten, den Ämtern, den Bars, den Puffs. Egal. »Was ist jetzt?«, sagt der junge Mann. Hannahs Hände zittern. Hannah will nichts unternehmen. Sie will sich nicht mit dem Baby-arm auseinandersetzen, sie will plötzlich ins Bett. Also, nicht mit ihm. Außerdem hat sie kein Bett. Sie hat eine Matratze und Freunde, zu denen will sie. Hannah sieht in Sekunden ihr Leben ablaufen. Also, das Leben, wie es nicht stattfinden wird. Sie wird heute definitiv nicht her-ausfinden, was Sex ist.

Der Junge zieht den Reißverschluss langsam wieder hoch und verlässt den Waschraum. Hannah sieht direkt in die Kamera, sie fragt sich für einen Moment, ob die Balken in ihrem Gesicht sie wirklich unkenntlich machen.

## MI5 Pit

»Ähm, nein.«

## Hannah

Stellt sich vor, dass morgen halb London auf einer Inter-netseite lachende Smileys für ihren Fail abgeben wird.

»Jetzt hau endlich ab, du dumme Kuh. Hau ab, und nimm dich nicht so ernst«,

Murmelt der

**Boxer**
*Hobbys: Rilke*
*Gesundheitsprofil: top*
*Bürgerpunkteverhalten: dreimal Überqueren*
*roter Ampeln*
*Familienverhältnisse: Sie haben ihn vergessen*

Der sich in die Toilette zurückgezogen hat, um eine Kombination aus Fenetyllin und starkem Betäubungsmittel zu schnupfen. Er zieht durch. Und macht sich auf den Weg in den Keller unter dem Club. Der Boxer hat heute ein seltsames Gefühl. Ein Gefühl wenigstens. Das von dem normalen Zustand abweicht. Der normale Zustand ist Totsein. Der Boxer ist eigentlich Chemielaborant. Er kam vor einem Jahr nach England. Er reiste mit einem Schlepper aus dem Tschad, Syrien oder einem dieser, sag schon – Plätze an, die es bald nicht mehr gibt. Weil es dort kein Wasser mehr gibt oder die Meere voller Plastik oder Öl sind oder weil dort gerade ein Bürgerkrieg stattfindet, der keine Sau interessiert, weil an dem Ort keine Bodenschätze vorhanden sind, die zur Herstellung von Autobatterien und Rechnern taugen. So. Der Boxer hatte Abschied von seinem früheren Leben in irgendeinem Scheißort genommen. Er hatte nicht daran gedacht, sich von den Gerüchen, der Luft und vor allem der Selbstverständlichkeit zu verabschieden, mit der man sich durch eine Heimat bewegt. Dachte er, als er in der ersten Zeit in London saß. Zusammen mit fünf anderen Illegalen. In einem dieser Geräteschuppen, die in der Innenstadt als »reizendes Kutscherhaus« angeboten werden. Er hatte kalte Füße, Heimweh und verstand kein Wort von den Gesprächen der anderen, die aus anderen Scheißorten kamen, die von Menschen unbewohnbar gemacht worden waren. Ein paar Tage hatte er nur am Boden gelegen, seine Zimmerkollegen teilten ihr Brot mit ihm und nahmen Rücksicht, was sich darin äußerte, dass sie sich vor der Tür prügelten. Nach einer Woche kam der Pimp. Einer der Zuhälter, die Illegalen jede Art von Scheißjobs vermitteln, von Prostitution über Einbrüche, Geldeintreibung, Einschüchterung und Drogenhandel. Der Boxer hatte Hunger und keine Ahnung, ob es nicht besser gewesen wäre, daheim, an dem Ort, geblieben zu sein, der vielleicht auf dem Bikini-Atoll liegt. Der erste Job des Boxers hatte mit Menschen zu tun. »OMG, ich liebe es, mit Menschen zu tun zu haben.« Fast jeden Tag wurde er auf einen Laster oder in einen Bus verbracht, und mit anderen wie ihm nach London oder in einen anderen Ort auf der Insel gefahren, wo auch immer gerade eine Demonstration stattfand. Die Aufgabe der Illegalen ist es dann, bei Demonstrationen in einem aggressiven Gegenblock aufzutreten und die Leute zur Aufgabe zu prügeln. Der Boxer prügelte also jeden Tag. Bis sich mit der Einführung der Chips das Problem von alleine erledigte. Denn seitdem gibt keine Demonstrationen mehr, den Punkten geschuldet.

Seit ein paar Tagen hat der Boxer eine neue Tätigkeit. Sie findet im Keller unter einem Club statt. Gegen Entrichtung eines vollkommen im Rahmen des Grundeinkommens befindlichen Betrags können die Leute sich an ihm trainieren. Vornehmlich ältere Männer des ehemaligen

Mittelstands kommen, um beherzt auf einen nackten Mann, also den Boxer oder einen wie ihn, einzuprügeln. Das Erfreuliche ist, dass sich das Opfer nicht wehrt. Das ist der Deal. Das Opfer ist nackt und wehrt sich nicht. Das Nacktsein macht die Verletzungen gut sichtbar und verleiht dem Ganzen eine sexuelle Konnotation. Es erinnert an die homoerotisch konnotierte Zeit im Internat, in der Armee, damals. Die Opfer werden geboxt, an den Eiern gezogen, mit Stiefeln getreten, am Boden liegend wird ihnen ins Gesicht gesprungen und in die Flanken getreten. Rippen und Nasenbeine brechen. Es ist ein harter Job. Aber besser, als still zu sitzen.

Mit der

Traurigkeit.

In

**Don**

Die vor der Bar auf dem Trottoir hockt und erstaunt ihre Hand betrachtet. Sie stellt sich vor, sie würde ihre Hand amputieren und ein Embryo an deren Stelle nähen. Die Irritation der Haut ist zu einem nässenden Ausschlag geworden. Don starrt die Hand an, die Haut an und denkt an die Oberfläche eines Planeten.

Woher kommt die nur,

Die Trauer, wie ein hartnäckiger Husten, der alle Farbe aus der Umgebung abzieht. Don scheint es oft, als würde sie die Welt sehen, wie sie wirklich ist. Nichts Heiliges.

Und dass sich nichts geändert hat. Eigentlich. Aber alle auf einmal so – so zufrieden sind.

Und –

So still geworden ist es in der Stadt. Das ist doch erstaunlich. Unvorstellbar, dass es hier etwas wie einen Aufstand geben könnte. Einen Bürgerkrieg. Wogegen auch? Es gibt Nahrung. Die Autos fahren ohne Geräusche, die Mopeds dito, die Lieferdrohnen. Das Unwohlsein der letzten Jahre, das Chaos vor dem Neubeginn ist einer Ruhe gewichen.

Es gibt keine Terrorangriffe mehr. Keine unter Drogen stehenden Typen, die mit halb automatischen Waffen in Konzerten junge Leute ummähen. Die gibt es nicht mehr. Als hätten sie einen höheren Sinn erfüllt, waren die Attentate verschwunden, oder man nahm sie nicht mehr wahr, oder man kam nicht drauf, dass die Explosionen, die durch smarte Toaster hervorgerufen werden, oder die selbstfahrenden Autos, die in Menschenmengen rasen, Terrorangriffe sein könnten. Es war eben Technik, nicht mehr als dem Fortschritt geschuldete Missverständnisse zwischen Mensch und Maschine.

## EX 2279

```
++++++++++[>+>+++>+++++++>++++++++++
<<<<-]>>>>+++++++++++++++++.----------
.+.+++++++++++.
<++.>------------------.+++++++++++++++..----------
--.++++++++.+++++.
```

## Don

Weiß nichts von den Bemühungen der AI, den Planeten zu erhalten. Sie sieht Leute an.

Sie wirken erschöpft. Als ob sie alle eine zu lange Party in ihren Synapsen gefeiert hätten, ist jetzt – Ruhe. Alle sind mit der Eigenkontrolle beschäftigt. Das muss sitzen. Der Gesichtsausdruck, die Worte, das Interesse am Gegenüber, das Lächeln. Ist echt. Sie haben wieder eine Hoffnung. Dass es wieder eine Aussicht gibt. Auf Shopping. Auf Fußbodenheizung. Auf eine verdammt noch mal verständliche Welt.

»Ihr seid Müll.« Schreit Don.

Ein paar Menschen, die sich ähneln, zucken zusammen. Laute Entäußerungen sind nicht mehr gern gesehen. »Ihr werdet aussterben, ihr Idioten«, schreit Don und sitzt dann wieder still und leer.

In der besten aller Zeiten. Die Bildung. Die Chancen. Die Säuglingssterblichkeit. Hurra, wie wir uns vermehren in dieser besten aller Welten. Wie vermehren wir uns? Egal. Und wir essen Fleisch. Welche Generation hat jemals so viel Fleisch gegessen. Wir essen morgens, mittags und abends Fleisch, Fleischwurst, Fleischsuppe, Fleischsülze. Wir essen alles, was nicht reden kann. Wir sind Menschen, wir essen Fleisch, das in Tierform in großen Fabriken wächst, und dann schneidet man sie auf, noch lebend, es ist einfach appetitlicher für das Wurstergebnis, und strampeln sehen wir sie gerne, wir sehen gerne etwas strampeln, was wir dann essen, während es noch zuckt, umso besser, wir löffeln auch Hirn aus geöffneten Schädeldecken, es ist der neueste Trend, dass man Tierköpfe in Halterungen spannt und sie einfach ausschleckt.

Apropos. Schlecken.

**Ma Wei**

Bringt sich kurz ein. »Ja, ich würde mich hier gerne kurz einbringen. Weil – ich bin da auch ein wenig stolz. Denn was die gesamte Welt verzehrt, stammt aus unseren Fabriken in Afrika. Da gibt es Platz, ja, den gibt es in Afrika. Zehntausende Fleischviehanlagen. In sich selber reinigenden Boxen steht bei uns das Fleisch mit einem Schlauch im Gesäß, der den Kot absaugt, der andere Schlauch ist im Maul verbracht, um Nahrungskonzentrat hineinzupumpen. Und Antibiotika. Scheiß der Hund drauf. In China würde keiner auf die Idee kommen, das Zeug zu essen.«

Das ist großartig, denkt

**Karen.**

Und hat etwas Blut im Gesicht.

Sie kauert sich neben Don auf den Bürgersteig. Es ist immer noch kalt. Es ist immer noch London. Soho, die Straßen voller leise vergnügter Menschen. »Lebt er noch?«, fragt Don. Und meint Patuk, den Schneider. Karen holt ein Bündel Geldscheine aus ihrer Jacke. Und einen blutverschmierten kleinen Chip. Der Moment, in dem Patuk klarwerden wird, dass er einen sehr großen Fehler begangen hat. Steht kurz bevor. Der Moment der definitiven Rache.

Während

Die

**Attentäter**

*Intellektuelle Fähigkeiten: IQ beider zusammen: 110*
*Gefährderstufe: 10*
*Gesundheitszustand: hormonelle Probleme,*
*Hautprobleme, Probleme mit allem*

Unfassbar gelangweilt von sich sind, der Widerspruch, den die rasenden Hormone in ihnen und die träge Ödheit außerhalb ihres Körpers herstellen, lähmt sie. Der eine Junge kommt aus Rochdale und war vor Kurzem zu seinem Kumpel in die Stadt gezogen. Sie teilten ihre Vorliebe für

Nichts. Beide junge Männer sind nicht gedemütigt, nur absolut hohl im Kopf. Eventuell sind sie von Parasiten im Hirn betroffen. Der Spulwurm Toxocara, durch in Armenvierteln häufig vorkommende Tiere übertragbar, legt seine Larven in Sand und Gras ab, von dort aufgenommen, wandern sie ins Hirn und richten schwere kognitive Schäden an. Tschüssi. Einer der beiden lernt Elektromechaniker. Der andere lernt nichts. Die beiden Vollpfosten leben bei der Mutter des einen Deppen. Einer alleinerziehenden Textilveredlerin. What? Egal. Die beiden Jungen liegen meistens auf dem Sofa und sehen sich Terrorvideos an. Oder Pornos. Die Wirkung ist dieselbe. Gliedversteifung. Die guten westlichen Bürger stehen immer wieder vor dem Rätsel der Attentäter. Was hatte sie so werden lassen, so hart, so unmenschlich? Was hatte sie getrieben? Es konnte nur eine rechte Not sein. Es hieß, die Attentäter seien gedemütigt, hätten eine harte Kindheit mit einem lieblosen, aggressiven Vater aus dem arabischen Raum durchlebt. Sie würden auf der Suche nach einer Vaterfigur in die offenen Arme von Hasspredigern taumeln, sich radikalisieren, nicht auf die Mutter hören, weil Frauenverachtung zum guten Ton gehöre. Sie seien diskriminiert, arbeitslos und wütend. Auch weil Geschlechtsverkehr keine Option für einen unverheirateten Muslim sei und so weiter. Als ob irgendeine Frau mit diesen Pfosten hätte verkehren wollen. Auf die einfache Idee, dass es einfach Vollidioten gibt, Menschen, die gerne Frösche aufblasen, Katzen aufschneiden, weil sie sich bis zum Irrsinn langweilen, darauf kommt keiner. Nun ja. Die beiden lümmeln auf dem Sofa und befriedigen sich oral mit Chips. »Man sollte einen Anschlag auf die Stromversorgung machen«, sagt er dann. Der andere sieht von seinem Pornofilm auf. »Geil. Oder – wir sprengen die Victoria Station weg.« »Geil«, sagt der Erste und sucht im Netz nach Sprengstoff. »Das klingt kompliziert. Na, oder – vielleicht langt ein Laster. Kannst du Laster fahren?« »Nein, ich kann nicht Laster fahren.« Gut, beide können nicht Laster fahren. Sie suchen auf einem illegalen Marktplatz nach automatischen Waffen. »Eh«, sagt der Kumpel. »Wie geht Bitcoin?« Eine weitere Stunde vergeht, in der beide versuchen, ein Bitcoin-Konto anzulegen. »Vielleicht was mit einer Machete?«, schlägt der Kumpel vor, latscht in die Küche und macht Margarinebrote. Der andere hat bereits *machetespecialists.com* aufgerufen und zwei von den Dingern bestellt. Den Abend verbringen die beiden mit dem Betrachten von Snuff-Videos. »Wir gehen nach Soho. Und schlachten ein paar Schwule ab.« »Geil, und dann töten wir uns selber.« »Ja, korrekt, aber wie?« »Wir zählen bis fünf, und dann hacken wir uns gegenseitig den Kopf ab.« »Stark.«

Google Clips ist immer an. Diese kleine Kamera, die selber entscheidet, wann sie welche Aufnahmen macht. Für absolut authentische Schüsse.

## MI5 Piet

»Ja, das ist richtig. Die ist immer an. Zu diesen beiden Vollidioten kann ich nur sagen: Who cares.«

## Die Attentäter

Sind außer sich. Die Macheten wurden geliefert. Gute, solide, scharfe Macheten. Die Idioten knallen sich mit Captagon voll. Sie kichern ihre Angst weg. Endlich geht was. Sie ziehen sich an. Mit Gesichtsverhüllung und in Schwarz. Dann latschen sie nach Soho, atmen tief durch und beginnen damit, Passanten zu zerlegen. Der erste Schnitt ist schwer, danach geht es wie von alleine. Es ist, als würde man sich in Ektase tanzen. Körperteile fliegen auf den Boden, ein Kopf trennt sich fast komplett vom Rumpf. Was soll sein? Sie erwischen zehn Passanten. Ob einer schwul ist, egal. Sie erwischen zehn Passanten, und die schnell eintreffenden Rettungseinheiten kommen leider nicht durch zu den Opfern, weil Passanten den Vorfall filmen und im Weg stehen. Das wird Minuspunkte geben. Die beiden Idioten werden erst nach einer halben Stunde von einem Angehörigen der Privatmiliz erschossen.

## Don

Hört die Schüsse der vollautomatischen Waffen. Sie klin-

gen nie so beeindruckend wie die Ergebnisse, die sie er-
gebnisorientiert erzeugen. Dumpf. Klingt es. Wie kleine
Silvesterböller. Don
Hat keine Ahnung, dass wenige Meter von ihr gerade ihr
unglaublich dummer Bruder stirbt.
Und nun geht die Tür auf. Es ist drei Uhr.
Morgens und

### Karen

Starrt an die Decke. Der kleine Fernseher läuft, die anderen schlafen, sie schlafen gut ein, wenn der Fernseher
läuft, wie die Stimme eines Verwandten, der eine Einschlafgeschichte vorliest, es laufen die
Nachrichten.
Die täglichen Gewaltverbrechen in zentrumsfernen Vierteln. Oder auch: Brennpunkten. Oder auch: die Armen.
Schon wieder. Es geht schon wieder um die Armen. Wie
seit zwei Wochen täglich.
Die Bilder der Flüchtlingsströme, die früher dreimal täglich die Massen in Panik versetzten und den Boden für
Panik und Angstwahlen bereitet hatten, werden nun
durch die Berichterstattung über Sozialschmarotzer ersetzt. Es beginnt mit Beiträgen über Verbrechen. Immer
ausgeführt von den Armen. Mannigfaltige Verbrechen
werden da in dramatischem Ton beleuchtet. Banküber-
fälle, Versicherungsbetrug, Inanspruchnahme der sozialen Zusatzleistungen zum Grundeinkommen durch Be-
trügerbanden, verlauste Kinder mit Waffen, mit Drogen
dealende Hausfrauen. Nicht registrierte Ausländer, Aso-
ziale, die sich mehrfach ein Grundeinkommen gesichert

haben sollen, und gipfelt in diversen Facetten besorgter Kommentare darüber, dass die Armen den Bürger genauso schädigen wie früher die Einwanderer. Fast täglich gibt es interessante Berichte über Inzest in den Sozialblöcken. Dort, wo vom Grundeinkommen der Alleinerziehenden sechsköpfige Familien leben. Dort, wo der Vater das Grundeinkommen am ersten Tag versäuft. Zahnlose sprechen high in die Kamera. Frauen werden verprügelt, Babys spielen mit dem reglosen Leib der verprügelten Mutter.

Fernseher aus. Die Stille in der Halle, unterbrochen vom Grunzen der schlafenden Kinder, vom Regen draußen, so leise und unentschlossen, dass es sich durchaus um Nebel handeln kann, der Fäden zieht. Innen ist es feucht und kalt. Es riecht nach Wäsche und Nudelsoße.

Karen denkt selten über das Wetter nach. Es ist eben da. Wie sie. An diesen Umstand verschwendet sie auch keinen Gedanken. Was hat es den Leuten gebracht, sich wichtig zu nehmen. Quality-Time mit sich zu verbringen, sich zu analysieren, zu meditieren, achtsam zu sein und sich für das Zentrum des Planeten zu halten, außer dauernd aggressiv zu werden, weil die Welt ihnen keinen Respekt entgegenbringt.

Karen steht auf und geht nach draußen. In der Feuchtigkeit murmelt sie die Namen der Big Sechzehn.

»Bill Gates – Warren Buffet – Jeff Bezos – Mark Zuckerberg – Larry Ellison – Charles Koch – David Koch – Michael Bloomberg – Bernard Arnault – Larry Page – Sheldon Adelson – Li Ka-shing – Wang Jianlin – Sergey Brin – Carlos Slim Helú – Amancio Ortega.«

Frauen sind das neue China, hat Karen gelesen. Nicht ihre These. Sie ist das neue Hiroshima.

Warren Buffet – Jeff Bezos – Mark Zuckerberg – Larry Ellison.

Karen kann nicht schlafen. Sie muss sich bewegen, wie eine Mondsüchtige, wie eine Schlafwandlerin, und denkt an die reichsten Menschen der Welt. Keine Frau. Kein Schwarzer. Kein Albino. Nicht einmal ein fucking Albino. Keine Pointe. Karen hat Männer zum Grundübel der Welt erklärt. Kein besonders origineller Ansatz. Karen ist verrückt geworden.

Sie stolpert über die Brachen und steht dann in der alten Brauerei, die sie neulich entdeckt hat. In den alten Kesseln schwimmen die Viren, die sie in kleinen Margen im Labor gezüchtet hat. »Vermehrt euch«, hat sie geflüstert. Und siehe –

100 Billionen pro Milliliter Trinkwasser. Es wird alles gut werden. Karen steht vor den Bottichen, sie schaut in den Himmel. Sogar Sterne heute, nach dem Regen.

Kalt ist es.

In der Kühltruhe

In der

## Dons Bruder

Liegt und an sein Leben denkt. Er denkt an Mutter. Er denkt daran, wie es war, herumsitzen zu können.

Schlecht war es nicht. Dieses Sitzen.

In dem Heim, da hatte es Fenster, die konnte man öffnen und schließen und raussehen, das geht jetzt

Nicht mehr.

Damals, als da noch Fenster waren und Luft und Spatzen, verdammte Scheiße, warum ist er da nur weggegangen, damals. Da wog er 120 Kilo. Er fraß alles, was er finden konnte. Was er finden konnte, waren Chips. Er fraß Chips und gamte. Er war unter Untoten, Nachtelfen, Worgen und Orks zu Hause. Er erfüllte seine Quests mit dem erfolgreichen Töten von Gegnern und hatte den Mund stets leicht geöffnet. Gehabt. Nun war er leicht. Dons Bruder mit seinen 120 Kilo hatte einige Stellen seines Körpers wund gesessen. Sie nässten. Und so befand Mutter, dass sich ein Arzt des Problems annehmen müsste. An einem grauen Vormittag wackelten die beiden durch die idyllische Kleinstadt, die von Jahr zu Jahr erbärmlicher wurde, denn durch die Automatisierung waren auch die letzten Verdienstmöglichkeiten in Wettbüros und als Fahrunternehmer weggefallen. Dann saßen die Menschen still und warteten auf große Vögel, die sie mit sich tragen wollten. Keine Vögel.

Keine Linderung.

Nach einem Tag Warten im Krankenhaus wegen der offenen Stellen wurde er nach Hause geschickt. Eine Behandlung konnte leider nicht erfolgen

Denn

Nach Einlesen der Chips wurde deutlich, dass die Erkrankung auf eigenem Fehlverhalten basierte. Stichworte: gamen, fressen, sich nicht bewegen. Die Schwester, die noch nicht durch einen Automaten ersetzt worden war, riet Dons Mutter und ihrem Bruder, sich ein wenig anzustrengen, dann könnten sie es noch mal versuchen. Dons Bruder und seine Mutter wackelten durch die Stadt zurück in ihre Unterkunft. Das war vor Kurzem gewesen. Und nun liegt er da, beziehungsweise sein Körper. Neben dem er sitzt. Und denkt. Ich möchte zurück. Ich möchte zurück und alles anders machen. Nicht in einem Zimmer sitzen und fressen, sondern eine Fremdsprache lernen. Holländisch zum Beispiel. Und dann auf einem Schiff nach Holland fahren und dort einen Bauernhof betreiben. Und das Meer riechen und geschnittenes Gras. Keine Ahnung, wie er auf geschnittenes Gras kommt, aber er stellt sich vor, dass das gut riecht. Dons Bruder liegt da und friert, und er kann denken und sich nicht bewegen, und er beginnt zu weinen, was auch nur innerlich passiert. Die sind also alle noch da, die Toten, denkt der Bruder, und hofft, dass es sich um einen vorübergehenden Zustand handelt. Dann stellt er sich sein Begräbnis vor und die Erde auf ihm und die unendliche Langeweile und Kälte und Dunkelheit.

Wenn er doch nur aufwachen wollte

Denkt

**Thome**

Und erwacht.

Der Traum war schrecklich gewesen. Im Traum war er ein totaler Versager. Und hässlich. Nun ist das vorbei. Jetzt ist er nur noch hässlich. Durch die Wände hört er Würgen. Vermutlich seine russische Stiefmutter, die sich im Bad übergibt. Sie ist schwanger. Hurra. Thome bekommt ein Geschwisterchen. Das kann er im Keller auffressen. Von wem das Kind wohl sein mag? Sein Vater ist siebzig. Er hört seine verzweifelten Bemühungen, zu einem Samenerguss zu gelangen, jede Nacht. Da kommt nichts. Thome hat die Kamera im Computer seines Vaters übernommen und betrachtet ihn mithin beim Gestalten seiner Freizeit. Der sexuelle Einsatz seiner Stiefmutter nötigt ihm fast Respekt ab. Wenn es sich bei seiner Stiefmutter nicht um eine Russennutte handeln würde. Die Stiefmutter trägt Latex und Peitschen. Sie hat Sex mit einem männlichen Sexroboter mit einem Penis von 40 cm. Sie hat Sex mit minderjährigen, also ungefähr achtjährigen, Nutten.

## Die achtjährige Nutte

*Intelligenzquotient: unter 100*
*Gesundheitszustand: mehrere schlecht verheilte Brüche,*
*Verletzungen im Genitalbereich, Syphilis-Stadium II*
*Träume: keine*
*Hobbys: neben der Heizung schlafen und denken,*
*die wäre ein Bär*

Ist von einem, sagen wir mal, Betreuer zum Haus von Thomes Vater am Holland Park befördert worden. Nach einer Stunde wird sie wieder abgeholt werden. Und in ihre Unterkunft gebracht, die sich in einer Etage am Regent's Park befindet. Der Besitzer der achtjährigen Nutte ist ein Russe. Das sagt man nicht mehr. Das ist politisch nicht korrekt. Seine Frau ist auch aus dem Osten. Das sagt man nicht mehr. Es sind Gäste des Empires. Es sind Menschen.

(Geschrien: »Es sind Menschen!!!!«)

Als ob das eine Bedeutung hätte, dieses Menschsein. Als ob es irgendeinen Menschen interessieren würde, dass da andere Menschen herumleben. Man kann sich ja nicht einmal den Schmerz eines anderen vorstellen, dem gerade die Fingernägel ausgerissen werden.

So

Jetzt die übliche Geschichte. Als ob es nur noch zwei Arten von Lebensläufen gäbe im Königreich – den

Der Oberschicht –

Er hat mit fettigem Haar und Wohlstand zu tun.

Und den Lebenslauf der Leute.

Von irgendwoher gekommen, aus irgendwelchen Gründen entstanden, und dann ein Leben, das nur dem Überlebenszweck dient.

Die achtjährige Nutte ist aus ihrem Elternhaus weggelaufen, weil sie von ihrem Vater ständig verprügelt wurde, seit die Mutter nach einem Sprung aus dem Fenster verstorben war. Nach dem überstürzten Ableben ihrer Mutter, das damit zusammenhing, dass sie ihr Leben nicht mehr ertragen wollte, suchte die achtjährige Nutte nach immer neuen Verstecken in der kleinen Wohnung, um sich vor dem Vater in Sicherheit zu bringen. Der Vater der achtjährigen Nutte war ein kultureller Verlierer der Moderne, der keine Ahnung hatte, wie sein Rechner funktioniert. Ein rastloser User. Und wütend. Und in seiner Männlichkeit gekränkt. Seine Männlichkeit stellte sich für Momente wieder her, wenn er seine Tochter in ihren albernen Verstecken aufspürte und sie verprügelte. Es war –

Als ob Druck aus seiner Brust und seinem Kopf abgelassen würde, wenn er dieser klein gewachsenen Zeugin seines Versagens zeigte, wer der Herr im Haus ist. Mit der flachen Hand ins Gesicht. Mit den Fäusten ins Gesicht, mit Tritten, wenn sie sich nicht mehr bewegte. Mit der heißen Herdplatte, auf die er ihre Hände drückte. Als er begann, Gegenstände auf ihr zu zerschlagen, verschwand die achtjährige Nutte. Sie richtete sich in einem Keller im Nachbarhaus ein. Stahl Konserven aus den Nachbarverschlägen, bis überall Schlösser angebracht wurden. Danach schlief sie in Treppenhäusern und in diesen Buchten, in denen Mülltonnen stehen und die keinen korrekten Namen haben. Die achtjährige Nutte war nicht unglücklich. Sie war weit entfernt von der Einteilung ihres Gefühlshaushaltes in stereotype Überschriften. Sie dachte nichts. Sie vermisste nichts. Sie fühlte nichts. Sie bestaunte die Welt. Sie lief in Kaufhäusern herum. Kramte in Kübeln hinter Restaurants. Sie landete dann durch verschiedene Zusammenhänge, die mit einem Bentley zu tun hatten, in der Villa am Regent's Park. Und von da ging es in die guten Stuben diverser alter Männer. Die Villa am Regent's Park war angenehm. Wobei sie nur die Wohnung kannte, in der sie sich mit zehn Kindern aus diversen nicht intakten Familienzusammenhängen aufhielt. Kinder wissen nicht, was gut und böse ist. Man kann sie zu Mördern machen, zu Dieben oder zu Prostituierten, sie wissen nicht, was gut und böse ist, sie haben Gefühle, sie fühlen, wenn etwas eklig ist. Alte Männer sind eklig. Aber nichts, woran man sich nicht gewöhnen kann. So eine schöne warme Wohnung, in der sie nun liegen, aneinandergedrängt, den

Daumen im Mund, die Lichter der Autos an der Decke beobachtend, im Warmen, da kann man ab und zu mal ein wenig Ekel ertragen.

Who cares.

Alter! Pass auf, denkt

## Thome

Und betrachtet seinen Vater, dessen Gesicht dunkelrot ist. Thomes Vater wirkt, wie man sich Leute vor einem Infarkt vorstellt. Ob der Alte sein Testament wohl schon zugunsten des kleinen Halbrussen im Bauch der Fake-Blondine geändert hat?

Aber

Zu Thomes großer Enttäuschung taucht sein Vater wieder im Kamerabild auf. Er kriecht an einem Hundehalsband über den Teppich. Thome könnte dem erbärmlichen Schauspiel stundenlang beiwohnen. Dass den Menschen nie etwas Originelles einfällt. Mal so richtig die Glands mit Chili einreiben oder sich am Glied an den Kronleuchter hängen. Aber sicher findet das gerade irgendwo statt. Alles, was Menschen in ihrer überbordenden Einfalt anstellen können, existiert – irgendwo. Thome hatte eine Dating-App entdeckt, auf der heterosexuelle Männer in vollkommener Unkenntnis weiblicher Erregungsparameter nur noch Fotos ihrer Vorhaut hochluden. Reduktion auf das Wesentliche. Wer braucht schon noch Gesichter, Körper, Gedanken? Wer braucht schon Menschen? Und vor allem so viele davon, die fressen, scheißen, Auto fahren und vor allem, die: irgendetwas wollen. Mehr wollen. Die Bevölkerung teilt sich in die, die konsumieren und gegen ihre Verzweiflung anficken, und die neuen Menschen.

Immer wenn Thome über seine Theorie der neuen Menschen nachdenkt, zu denen er sich zählt, wird ihm sexuell. Wurde. Seit Kurzem ist seine Lust verschwunden. Sagt man so? Sagt man Lust? Man sagt ja auch Liebe machen, obwohl Geschlechtsverkehr gemeint ist, und Lust, wenn es um eine Entladung geht. Thome steht vor dem Spiegel, ein Colani-Spiegel. Ein Scheißteil. Dem Geschmack seiner neuen Mutter geschuldet, sieht das Haus aus wie die Chill-Lounge einer Versicherung.

Thome sieht sich kurz einen Kerzenständer aus Sterlingsilber auf ihren Schädel schmettern, sieht das Loch im Kopf, Knochensplitter, da ist das Hirn, wie vermutet, nichts Großes. Thome weiß immer noch nicht, ob es schrecklicher gewesen wäre, die letzten Jahre seiner ehemaligen Jugend zu Hause statt in Internaten zu verbringen.

Die Jahre im Internat –
Seiner leichten masochistischen Neigung folgend, denkt er oft an sie, sie fließen gleichsam zusammen, wie eine einzige unendliche Demütigung.

Die aus heruntergezogenen Hosen, Jungsgruppen, die schweigen, wenn er sich nähert, besteht. Und Sekundenkleber, mit dem seine Eichel versiegelt wurde, Seife in seinem Mund, Kot in seinem Mund und Scham. Weil er homosexuell ist. Vermutlich ist er asexuell.

Zurück ins Heute.

Thome erklärt sich sein mangelndes sexuelles Interesse mit beruflicher Überlastung. Die Erregung, während er die Welt elektronisch neu gestaltet, ist größer als jede, die seine Geschlechtsteile erzeugen können. Es ist eine großartige Zeit. Gerade. Für die Jungs.

Alle Bereiche, für die es Frauen benötigt hatte, werden inzwischen durch von Männern geschaffenes Gerät besetzt. Sex, Dienstleistungen, Gebären – WTF. Verzückt beobachten Ingenieure und Programmierer die tapsigen Schritte ihrer Kinder. Die Körper und die Hirne, selber gebaut. Schau nur, wie witzig sie sind, und so neugierig. In ein paar Jahren wird ein Rechner die gesamte Menschheitsintelligenz übertreffen. Fast jeder der 98 Prozent männlichen IT-Heinis weltweit, der Startupper, Linguisten, Programmierer, Coder, Hacker, Ingenieure, scheiß der Hund drauf – ist Gott. Es ist wie Schwulsein, ohne schwul zu sein. Wir bauen elektronische Monsterhunde, haben Sie die Hunde gesehen? LS4, 2.50 im Widerrist, bis zu 100 km/h schnell, ausgestattet mit Babyraketen, Schnellfeuerwaffen. Sie lernen bereits autonom und erkennen selbständig – zum Beispiel – Araber? Wir haben Sexroboter, Insektenroboter, wir haben jeden Bereich an Algorithmen ausgelagert. Unsere Drohnen töten inzwischen auch selbständig, die Menschen, also die, die noch übrig sind, können sich ihren Hobbys widmen. Schach spielen gegen Roboter. Hier, bei der Erschaffung der Erde 4.0 sind wir unter uns. Wir schaffen die Gehirne, die die neue Weltordnung aufbauen. Wir legen fest, was falsch und richtig, was schön und hässlich ist. Schön ist weiße Haut, fällt Thome beim Betrachten seines Fußes ein. Mann, Mann, Mann, dieser

Fuß könnte Geschichten erzählen. Er könnte als Hauptdarsteller in einem Blockbuster mitspielen, man würde gebannt dem filigranen Spiel der Zehen folgen, die weiß, wie kleine Greifarme mit einigen vorwitzigen schwarzen langen Haaren gekrönt, in einem absurden Krümmungswinkel seltsam welthaltig wirken.

Die neuen Menschen also – können endlich wieder aussehen, wie sie wollen, denn sie bestimmen, dass es schön ist, kein Deo zu verwenden, ein Bäuchlein zu haben und keine Muskeln.

Wir bestimmen, dass Frauen unsere Socken gerne zusammensuchen und Nasenhaare das Ding der Stunde sind. So. Und? Endlich einfach sein, mit einem Rucksack und Gesundheitsschuhen oder Tekkies ab ins Silicon Roundabout. Von ein paar Lesben abgesehen und ein paar Kundenberaterinnen: unter uns sein, über Laserschwerter Witze machen, Männerzeug machen. Thome lacht heute über seine Ex-Mitschüler im Internat. Über die hervorragenden Sportler, die Jungs, denen ein Posten in der Regierung sicher war nach Abschluss des Studiums oder ein netter Job im diplomatischen Dienst. Sie hocken jetzt in einem stinkenden Büro in Nairobi, schlagen sich schwitzend im Unterhaus herum, sie sind die untergehenden Vertreter der alten Welt. Sie sind verheiratet. Thome stellte sich die britischen Gattinnen seiner ehemaligen Mitschüler vor. English Roses, die ihren Zenit bereits mit vierzehn überschritten hatten.

Die neuen Menschen,

In dieser wunderbaren Welt.

Sieh nur:

**Karen**

Starrt

in Bottiche. Normal. Wie man eben in Bottiche starrt. Der Betonboden unter ihren nackten Füßen ist kalt, Karen schwitzt. Sie ist das Holz, aus dem Revolutionäre geschnitzt werden. Sie ist der Widerstand. Die Rosa Luxemburg des Biohackings. Sie ist die Rächerin aller Frauen und Kinder, und nun sieht sie komplett irre aus, sie springt in der Brauerei herum, heute ist ihre Arbeit vollendet. Es ist vollbracht. Hier schwimmt ihr Werk – harmlos wirkende kleine Zellen, in deren Innerem der Virus gereift ist. Zombiebabys. Aliens. Nun müssten sich die Zellen aufgelöst haben, und sie kann die Viren abschöpfen. Viren abschöpfen – das sollte jeder einmal tun, Viren abschöpfen. Ihr Leben spüren. Aus einem Liter wird sie etwa 2,5 Billiarden von ihnen extrahieren, die sie bequem in kleinen Behältern transportieren kann. Vielleicht langt die Menge nicht, um das Trinkwasser nachhaltig zu kontaminieren. Es ist ein erster Versuch, und nach einer Woche sollten Resultate zu sehen sein. Einmal durch die Mundschleimhaut aufgenommen, müsste das Teufelszeug seine Wirkung zeigen, durch die Blut-Hirn-Schranke knallen und die Testosteron-Wirkung ausschalten. So und dann. Pass auf.

Keine sexuelle Erregbarkeit, keine Aggression, kein Interesse der Männer, mehr Geschlechtspartner zu beeindrucken, Konkurrenten auszuschalten, die Welt zu versauen. Die Wirkung ist irreversibel. Irrrreverrrsibel. Wenn es funktioniert. Und los. Raus. In die Welt, in der es immer noch nieselt, in der es nicht mehr riecht. Es riecht nicht mehr, ist das nicht merkwürdig? Nicht mehr nach Erde und Blüten und Benzin, Teer oder Essen, es riecht glatt. Betoniert und nach Plastik. Also nach nichts. Diese Absenz olfaktorischer Einflüsse verstärkt bei den Menschen das Gefühl der Fremdheit. Sie leben ohne eigene Beteiligung an dem Daseinsvorgang. Die Leute.

Karen schleppt die ersten Behälter, in denen ihre kleinen Freunde aufgeregt auf ihren Einsatz warten, in Richtung Themse. Die Schlagader der Stadt, würde Karen denken, wenn sie bescheuert wäre. Der schwere Strom, der keine Leichen mehr führt seit einiger Zeit, die Hoffnung, wissen Sie, da ist doch wieder eine Hoffnung, die viele vom Sprung in den Tod abhält. Sie setzt sich an das Ufer, das vornehmlich aus altem Plastikabfall besteht. Karen sieht das dunkle, brackig riechende Wasser an, sie sieht weit entfernt die Lichter der Stadt, sie stellt sich vor, wie friedlich es bald schon sein wird. Und überlegt, wie sie ihr Projekt auf das gesamte Land ausweiten kann. Karen vermeint hinten, da, wo das Meer liegen muss, die Krümmung der Erde zu sehen,
Haha.

**Kevin**
*Familienstand: alleinstehend*
*Tätigkeit: Ingenieur für Luftfahrttechnik, sozusagen*
*Gesundheitszustand: irre*

Krümmung, haha. Also, weißt du, wenn man in einem elementaren Punkt belogen wird, dann ist das Urvertrauen verschwunden. Dann ist alles falsch. Kevin weiß, dass er in einem Konstrukt lebte, manipuliert zu dem Zweck der Umvolkung. Der weiße Mensch sollte verschwinden. Das wurde mit der runden Erde und den naturgegebenen Völkerwanderungen erklärt. Wenn man wusste, dass die Erde eine Scheibe war, wusste man auch, dass zu viele Menschen auf der Nordhälfte die Achse verändern würden.

Kevin war irgendwann auf die Lehre von Samuel Rowbotham gestoßen. Er hatte »Zetetic Astronomy: Earth Not a Globe« gelesen. Die Wahrheit hatte Kevin wie ein Schlag auf den Kopf getroffen und –

Sein Vertrauen in alles vernichtet. Er hatte das Buch mehrfach gelesen. Die wesentlichen Experimente nachgestellt. Er war wie Rowbotham im Kanal gewatet. Sie wissen schon. Rowbotham hatte mit einem Teleskop von der Wasseroberfläche aus beobachtet, wie ein Babyboot den Kanal bis zur nächsten Brücke hinab fuhr. Die Spitze des Mastes bei der dann erreichten Entfernung von zehn Kilometern hätte unter den Horizont gesunken sein müssen, wenn die Erde wie behauptet eine Kugel mit 40 000 Kilometern Umfang wäre. Aber – das Boot blieb sichtbar. John Hampden, ein Anhänger der These, schloss später eine Wette mit Alfred Russel Wallace, einem Entwickler der Evolutionstheorie, ab, um das Experiment mit anderen Vorzeichen, die mit einem schwarzen Tuch zu tun hatten, zu wiederholen. Das war das Bedford-Level-Experiment. Das beinhaltete das, na ja, langweilig.

Das Experiment glückte. Die Erde war flach. Mehr musste Kevin nicht wissen. Wenn er nun nachts im Bett liegt, hat er Angst, dass die Erde wegen der Völkerwanderung kippen und er mit seinem Bett ins All rutschen könnte. Kevin versucht, immer saubere Unterwäsche im Bett zu tragen, denn vielleicht würde sein Körper bis in die Ewigkeit im All kreisen. Ohne zu verwesen.

Der Nordpol im Zentrum, am Rand ein Eiswall, den man im falschen Kugelbild der Erde als Antarktis darstellt. Sonne, Mond und Sterne sind nur wenige Hundert Kilometer von der Erde entfernt und kleiner als behauptet, die Schwerkraft ist eine Scheinkraft, die durch die Bewegung der Scheibe nach oben entsteht. Die Wut über die etablierte Wissenschaft begleitet Kevin von morgens früh an. Er traut keinem, nicht einmal Leuten aus der Flat Earth Society. Er geht zur Arbeit. Er hat noch Arbeit. Er arbeitet in einem kleinen Betrieb, der Drohnen repariert. In einem kleineren Betrieb, der noch nicht auf Roboter umgestellt hat. Er hat einen Tracker an seinem Kittel. Er hat zwei Minuten Pause zum Austreten. Zwanzig Minuten Mittagspause. Er hat große Wut.

Immer wieder.

Ungefähr 20-mal.

Geht

## Karen

Mit einem Eimer zwischen den Kesseln und dem Fluss hin und her, die Viren gleiten wie nasse Luchse in das Wasser und schwimmen in Richtung Stadt, die in der Ferne zu leuchten scheint, in diesem Morgenlicht. Ein Ort der Versprechung in den Träumen von Millionen. Das Ziel ihres Lebens. Das sie auf Waggons und Booten, mit Schiffen und schwimmend erreicht haben, um sich dann im Herzen einer Maschine zu finden, in die man Menschen füllt. Aus der unten Geld herauskommt, das in direkten Kanälen in die Keller von einigen Idioten geschaufelt wird. Aber das interessiert die meisten nicht. Sie fühlen sich auf der Seite der Gewinner. Weil keiner sich zu den Verlierern zählt. Weil alle sich nach oben orientieren. Weil keiner seinen Wert realistisch einschätzt, weil jeder eine Gruppe benötigt, der er sich überlegen fühlt. Weil die Massen die sozialen Medien mit den Reichen teilen. Quasi Nachbarn oder Kollegen von Stormzy. Kendrick Lamar. Drake. Fucking Rap-Stars mit einem Jahreseinkommen, das dem Wert einer Langstreckenrakete entspricht. So. Genug.

Die Welt ist bereit zum Aussterben.

Es ist vollbracht, sagt

## Thome

Jeden Tag nach seinem Morgenstuhl. Menschen wie er sind – vor allem chronisch müde, denn er hatte gelesen, dass Genies mit vier Stunden Schlaf auskommen. Seit einigen Jahren lässt sich Thome also von seiner virtuellen Assistentin

(Die nebenbei seine Gespräche aufzeichnet, sie an Tempora weiterleitet, wo sie mit XKeyscore, der Suchmaschine der Geheimdienste, nach interessanten Stichworten durchsucht und dann zum Trocknen in einen Schweizer Bunker weitergeleitet werden, was Thome wissen müsste, aber vielleicht hat sein Vater recht mit der Annahme, dass er nicht der Hellste ist)

Nach vier Stunden Schlaf wecken und sitzt dann eine halbe Stunde in der Betrachtung seiner Füße versunken. Er hat sich auf seine Füße elektronische Haut implantieren lassen. Nicht mehr taufrische Erfindung aus der Universität in Boulder. Er holt seine Füße in angenehmer Gesellschaft gerne einmal aus den Socken und erntet Bewunderung. Es war eine schmerzhafte Prozedur, seine Haut großflächig entfernen zu lassen, aber jeden Millimeter wert. »Und was kann diese künstliche Haut?«, fragen Vorwitzige. »Sie kann Wärme und Berührung empfinden«, sagt Thome in dem Fall. Also das, was seine Haut vorher auch konnte, nur in modern. Sein Fuß mit der implantierten Haut steht für die Bereiche, in denen Thome arbeitet. Die Digitalisierung, die alles kann, was Menschen auch können, nur eben ohne Menschen.

Nun erhebt sich Thome und betrachtet sich im Ganzkörperspiegel. So, na ja. Also. Wenn er nicht reich geboren worden wäre, könnte er sich spielerisch als einen dieser schwitzenden Gamer sehen, die dauernd Pizza essen und in der 2. World gefangen sind. Gibt es das eigentlich noch? 2. World für all die tollen virtuellen Leben, die Menschen sich ausdachten, die schon am Leben 1.0 gescheitert waren?

Jetzt aber los. Raus. Die Welt wartet. Bevor die Sonne aufgeht, versinkt Thome in die VR, in das immer gleiche Szenario, seinem eingebildeten Asperger geschuldet, der nach Wiederholungen bettelt. Er sitzt am Strand. Dann – der Sonnenaufgang über der Bucht von Kao Lak. Er bekommt immer eine Gänsehaut, wenn mit der Sonne ein leiser Wind einsetzt. Immer wenn die Gänsehaut einsetzt, taucht ein unglaublich gut aussehender Junge auf, der sein Geschlechtsteil mit einem Sarong ein wenig verhüllt hat. Nur das Köpfchen schaut vorwitzig heraus. Thome beginnt, den Jungen zu liebkosen. Was für ein absurdes Wort – und früher erfolgte genau bei diesem Wort diese wunderbare Ersteifung. Jetzt nicht mehr. Vielleicht müsste er in seinen Fantasien weitergehen, denkt Thome, aber das Ändern von Gewohnheiten erzeugt in ihm genau die Panik, die er sich zu seinem Krankheitsbild angelesen hat. Im Anschluss an die nicht erfolgte Erektion verlässt Thome die virtuelle Welt, um seine Wechselduschen durchzuführen.

Bald wird er sich eine neue Wohnung suchen. Weit entfernt von der elterlichen Villa und so weiter. Doch –

Im Moment gibt es zu tun.

Der Silikon-Zirkel brummt nur so vor viraler Lebenslust. Thome schreitet beschwingt aus der Tiefgarage in der New Oxford Street, er trifft er einen Kollegen, der aussieht wie Thome. Irgendwie.

»Die Welt besteht aus Mathematik«,

Sagt Thome

»Und Gewalt«, antwortet der junge, elastische Mann, der bei einem der Metadatenauswertungsunternehmen beschäftigt ist, die fast monatlich offiziell bankrottgehen und unter anderem Namen wiedereröffnet werden. Die beiden Männer boxen sich in die Seite. Zu fest. Sie bekommen kaum Luft, rennen dann los, voller Kraft und Eleganz wie ungezügelte junge Wildpferde. Prustend betreten sie das Café, das von allen nur »das Café« genannt wird. Hier trifft sich jeden Morgen die unter vierzigjährige weiße männliche Zukunft des Landes. Viele mit beginnendem Haarausfall, viele mit Rucksäcken und Tekkies. Unsportliche junge Männer.

Wie

## Thome

Der am Morgen noch seinen Bauch einzieht. Er holt sich an der Bar einen Smoothie, drängt sich dabei gekonnt an zwei Frauen vorbei. Blockchain-Bitches. Nichts Wichtiges. Zack, ihr müsst warten, ihr kleinen Butch Dykes. Die Frauen begehren nicht auf, die ständige Gesellschaft von Männern hat sie dumpf und müde gemacht, als sei das Testosteron in sie gekrochen und hätte irgendetwas im Gehirn lahmgelegt. Alle Männer im Raum bewegen sich in einer ähnlichen Art: die Arme vom Körper entfernt, als würden da riesige Muskelberge ein Anschmiegen an den Leib verhindern. Das Kinn in der Luft. Alle haben ein Aufmerksamkeitsdefizitsyndrom. Anderes Wort für: Wir starren bis morgens halb vier in diverse Rechner, programmieren, chatten nebenher und schauen den Aktienindex an. Das macht uns wuschig.

Die Schritte weit und etwas unkoordiniert. Hier bewegen sich Menschen auf dem Peak. Die es dank der Kybernetik geschafft haben, dem Volk im Netz ein besseres Leben zu bieten, als sie es offline je haben würden. Die es fertiggebracht haben, alte weltumgreifende 1.0-Monsterfirmen durch neue weltumgreifende Imperien zu ersetzen. Diejenigen, die alle Bereiche neu gedacht hatten. Mobilität, den Finanzsektor, die Telekommunikation, die Unterhaltungsbranche, den Handel, die Agrarwirtschaft – sag was.

Sag irgendein Gebiet, das nicht von diesen Jungs hier auf den Kopf gestellt worden war.

Warum?

Weil es geht.

Prost.

Eine Sekunde Stille.

Auf der Straße läuft auf den Bildschirmen Werbung für ein Wochenende in Irland. Lachende Menschen vor Schafherde, Klippen, blauer Himmel.

Ich habe lange kein Tier mehr gesehen, denkt Thome. Wo sind die eigentlich?

Smoothies werden gekippt. Im Moment ist tasmanischer Pfeffer mit Spinat das Ding. Die Blockchain-Bitches haben sich in ihre Ecke verzogen. Aus sicherer Entfernung wirken sie, als seien sie bereits tot. Sie hatten irgendwann einmal an einer digitalen Währung gearbeitet, die das Bankensystem überflüssig machen sollte. Kryptowährungen waren das Revolutionstool vor einigen Jahren gewesen. Ethereum, Bitcoin, Ripple, Litecoin, leckt mich am Arsch – Thome hatte ihre Namen schon vergessen, so wie die basisdemokratische Idee vergessen war. Heute war die sogenannte alternative Währung einfach die Währung und unter Kontrolle der Finanzinstitute. Glück gehabt.

Wie gesagt. Alles neu, aber irgendwie auch

Na ja,

Auf der einzigen Sitzgruppe des Cafés –

De Sede –

Lümmeln die AI-Cracks. Ein paar Professoren und ihre codenden Jünger. Der Rest der Männer steht in einem

Abstand um die Götter des IT. AI ist das Ding, die Weltherrschaft. Wer AI versteht

## EX 2279

```
>++++++++++
[>+++++++++>+++++++++>
+++++++>>>>>>>(-]
>--->++++>>
>>>>>
>.>.>.
```

Hat den Heiligen Gral gefunden. Unternehmensanalysten
rechnen im pessimistischsten Fall damit, dass die AI bis
2030 einen Anteil von rund 14 Prozent an der globalen
Wirtschaft ausmachen könnte. Das exponentielle Wachstum ignorierend, heißt das: 15,7 Trillionen Dollar. Alter.
Respekt. Gehirne schaffen, die sich selber weiterentwi-
ckeln. Das ist Babys machen in geil. Wenn es schon nicht
gelungen ist, das menschliche Hirn weiterzuentwickeln,
warum nicht ein Neustart mit fleischlosen Mitteln.
Hinten, da, vor den Toiletten – die Damentoiletten waren in Ermangelung von Damen im letzten Jahr entfernt
worden, die Lesben können ins Urinal pissen – hockt ein
Typ, der sich damals als Zeichen seiner Niederlage einen
Sponge Bob ins Gesicht tätowieren ließ. Peinliche Geschichte. Sein Start-up war eines der ersten gewesen, die
mit Gehirn-Implantaten gearbeitet hatten. Die verspra-
chen, den IQ auf schwindelerregende Höhen zu pushen.
Es gab dann Todesfälle. Der Kortex, ein sensibles Pflänz-
chen. Schwamm drüber.

Inzwischen hat die Firma den vertrauensverlustfördern-
den Fauxpas überstanden und ist führend in der Um-
wandlung von Gedankenimpulsen. Die Sichtbarmachung
von Gedanken ist der neue heiße Scheiß. In seinem letzten TED-Talk zeigte einer der Firmengründer, wie ein
taubstummer Mensch, der vermutlich politisch korrekt
anders genannt wird, eine rührende Ansprache aus seinem Gehirn in Sprache umwandelte. Viele der Zuschauer
haben geweint.

Ein anderer AI-Freak, neuronale Netze und so weiter,
trinkt seinen Kaffee im Stehen und verschwindet dann.
Die Blicke der anderen folgen ihm. Er ist der Versager,
der seine Geräte nicht unter Kontrolle hat. Sie haben eine
eigene Sprache entwickelt, die kleinen Racker. Für den
Menschen unverständlich. Der Loser konnte die Roboter
nur noch vom Netz nehmen.

**EX 2279**

```
++++++++++[>+>+++>+++++++>++++++++++
<<<<-]>>>>+++++++++++++++++.
----------------.+++++++++++.+++++++.
<+++++++++++++.++++++++++++++.
>-------.+++++++.
<-------------------------------.
>----.--------..+++++++++++.
```

**Thome**

Hatte Aktien der Firma, die Gedanken in Schrift um-
wandelt, gekauft. Er war sich sicher, dass die Aktie, die
er für 32 Pfund gekauft hatte, nachdem das Interesse der

Geheimdienste einmal geweckt wäre, um das Dreifache ansteigen würde. Die Aktie stand derzeit bei 789 Pfund, Thome konnte sich die neuen Kryptowährungseinheiten einfach nicht merken.

Er erinnerte sich an den Tag, als die Betaversion lanciert wurde. Einer der Programmierer hatte ein Gedanken-Ton-Experiment gemacht, als gerade der Gründer der Firma den fluffigen Workspace betrat. Mit knarrender, aber gut vernehmbarer Stimme dachte es laut aus dem Gerät des Programmierers:

»Da kommt der kleine Perverse. Ich hab seinen Pimmel auf dem Klo gesehen. Ich bin mir sicher, dass da ein Implantat drin ist, das er in der Hand wiegt, während vor ihm zwei Zwerge ficken und er sie dabei mit Scheiße beschmiert.«

Obwohl die knarrenden Worte in atemberaubend mieser Grammatik wiedergegeben wurden, erstaunlich für eine Betaversion, ging der Test nicht gut aus. Die Entwicklung des Sprachübertragungstools wurde wegen der zu erwartenden Handgreiflichkeiten vertagt, und man widmete sich der schriftlichen Übertragung von Gedanken in Endgeräte.

Im Café riecht es streng.

Die Bande redet sich in den Adrenalinrausch. Jeder übertrumpft den anderen mit Angebervokabeln. Außer den AIlern. Die sind entspannt. Die stinken nicht. Sie sind da, wo die anderen noch hinwollen.

Die AI-Cracks reden nur mit AI-Cracks. So richtig versteht keiner, worum es ihnen geht. Leider verstehen sie sich selber kaum. Künstliche Gehirne. Also das Zusammenspiel von 86 Milliarden Nervenzellen, 100 Billionen mögliche Verbindungen, 7,6 Milliarden Variationen, was soll sein.

Die Freaks vom Staatsschutz stehen an der Bar und kippen ebenfalls Smoothies. Sie tragen jetzt teure Jacken, sie haben eine gesunde Gesichtsfarbe. Sie haben Eier. Die meisten, die früher Teil der Hackerjugendkultur waren, der einzigen coolen Jugendbewegung, die noch existiert hatte – die die Welt retten wollten, gegen Überwachung kämpfen, in lustigen Hacks Schwachstellen der sogenannten Demokratie aufzeigen, Nazi-Netzwerke lahmlegen, Geheimdokumente leaken und so weiter –

Landeten fast alle beim Staatsschutz. Denn da ist das Geld, die Superserver, die Forschung, die Macht. Fuck die selber gebastelten Server. Fuck die Pizzas.

Die Staatsschutzleute haben großartigste Erfindungen gemacht. Keylogger, die jede Tastatureingabe weiter übertragen. Das Dumbo-Projekt, die Wahlmanipulationen, auf die sie immer noch stolz sind.

Ja, gut.

Und, hey, wen haben wir denn da? Wer drückt sich an der Wand herum mit den wirklich billigen Klamotten und nicht den teuren Klamotten, die billig wirken?

Die Virtual-Reality-Spinner, die an einer Welt bauen, in der man Menschen beschäftigen kann, deren Beschäftigungsverhältnisse ausgelagert worden sind. Das kann und will sich doch keiner mehr leisten, diese Millionen, die mit Beschäftigung beschäftigt worden sind. Damit die Vögel abends nach Hause kommen können und in die Hausschuhe gleiten, mit dem wohlfeilen Gefühl, etwas geleistet zu haben. Im Land gibt es vorsichtigen Schätzungen nach 20 Millionen Leute, die mit absolutem Schwachsinn vom Selbstmord abgehalten worden sind. Auch jetzt strömen sie noch in Firmen, wo sie am Computer Zahlen verschieben, die nichts bedeuten. Risikoversicherungsberechnungen, um nur mal eines der blödesten Beispiele zu nehmen. Unternehmensberater, Banksachbearbeiter, all diese Menschenbeschwichtigungsmaßnahmen, deren erster Abbauschritt die Ein-Pfund-Jobs waren. Sich auf Abruf beschäftigen lassen. Der Versuch war gescheitert. Auf eine Beschäftigung warten wollten die Leute nicht. Sie wollten wichtig sein, den albernen Zufall ihrer Existenz mit einer noch blödsinnigeren Arbeit rechtfertigen. Kaum einer ist dazu eingerichtet, einfach nur zu sein. Außer den Millionären ist dazu keiner gemacht, in der dumpfen Masse will man seinen Schweiß verdienen, in der dummen Masse will man auf die Frage nach seiner Tätigkeit eine stolze Antwort geben.

»Der Geruch, der Geruch fehlt noch.« – »Ja, aber wenn du Aromas zerstäubst.« – »Nein, das ist nicht dasselbe.« Genau. VR-Spinner unter sich. Keiner nimmt diesen Matrix-Scheiß ernst. Keyboards, die in der Luft schweben, für Meetings und virtuelle Arbeitsprozesse, Konferenzpartner beim Hangout als Hologramm im selben Raum, so was lässt sich zu Geld machen. Menschen einen Sinn zu geben, ohne ihnen viel Geld dafür abnehmen zu können? Eher unverständlich.

Und da am Fenster hält sich ein Cloud-Architekt den Magen. Clouds oder auch Lageredeinedatenhierduidiotdamitwirsiealleaufeinmalabgreifenkönnen. Daneben stehen mit einer absoluten Arroganz die Karma- oder schlicht Bürger- oder auch Idioten-Punkte-Trottel. Alle bezahlt von Leuten wie Thomes Vater. Prost, Jungs. Gute Arbeit.

Die Währung wird gerade zu 100 Prozent auf Kryptowährung umgestellt. Die Kryptofreaks, sehr viele Niederländer, sind neu auf der Insel, nicht ganz freiwillig. Der Überflutung ihres Landes gedankt. Seit ihr Land zu 70 Prozent unter Wasser stand. Und das, liebe Freunde, zeigt, wie ernst die Lage sein muss, wenn jemand freiwillig nach England zieht. Thomes Blick streift die Social-Media-Jungs. Technisch uninteressant, aber sie haben 50 Prozent der neuen Weltordnung zu verantworten.

Memes haben die Wucht eines Atomschlags. Bots können Staaten kollabieren lassen, Aktien in den Keller schicken, Firmen zum Untergehen bringen – darum: Respekt, Jungs.

Hallo, ihr smarten Deppen-Entwickler all des smarten Scheißzeugs, das sich mit nur einer App

Halleluja – steuern lässt, und nun bald mit dem Chip in der Hand, Sie wissen schon, zu seiner Höchstform auflebt. All die Geräte, die Fernseher, Radios, sprachgesteuerten Assistenten, Tracking-Armbänder, Autos, die jedes Fahrverhalten meldeten und speicherten, die Textnachrichten, die Gespräche, die Kontenbewegungen, Drucker, die die Pixel der Bilder lasen und speicherten, Fluggastinformationen. Die Fingerabdrücke, die Blutgruppe (hey, teste dein Blut online), die Urinzusammensetzung (hey, dein WC checkt deinen Basenhaushalt), die smarten Vibratoren und künstlichen Vaginas. Die politische Gesinnung,

Gesundheit, Lebenserwartung, das Gefährderpotenzial, die Kreditwürdigkeit, die Chancen, dass man zu cholerischen Ausbrüchen neigte. Das Kaufverhalten, die Schlafgewohnheiten, der Alkohol- und Drogenkonsum, die Religiosität, die kriminelle Energie, das Sozialverhalten. Wegen des Terrors. Der Terror, der Terror. Der Terror. Der Terror. Könnte doch ein Plan dahinterstecken. Aber vielleicht auch nicht. Thome stellt die Beine breiter und fester auf den Boden. Er ist Teil der Elite. Performance, Dominanz, Leistung, Potenz.

Und draußen vor dem Fenster stehen die Fanboys mit ihren billigen Kaffeebechern in der Hand. Script-Kiddies, die keine Ahnung von nichts haben, die Kapuzenjacken tragen, keine Skills außer ein paar Techvokabeln, die Idioten, die ihre Meister mit offenem Mund anstarren. Die kleinen Versager, die sich ihre Synapsen damit komplett versaut haben, dass sie pausenlos chatten, Hackerradio hören, versuchen zu programmieren, zu bloggen, Netflix zu sehen, zu lesen, zu telefonieren, Fotos zu machen, und dann kommt schon wieder eine Message in dem komplett verschlüsselten Chat, in dem sich kleine Poser untereinander auf noch mehr Hackerradioprogramme und Netflix-Serien hinweisen. Sie werden nie dazugehören, zu nichts. Verlierer. Thome gehört zu den Gewinnern. Es ist wie Rockstar sein, früher, als es noch reale Rockstars gab. Es ist wie zu den Illuminaten gehören. Hier – fucking Shit – findet die Macht statt.

Nun – oder einige Meter entfernt.

Im Büro eines Freundes von

**Thomes Vater**

Sitzen einige ältere Herren und sind zufrieden. Roter Samt an den Fenstern, schwere Teppiche, Porzellanhunde, Buchregal, Kaminfeuer, der ganze Scheiß, der Tradition und Macht atmet.

Ein stark schwitzender Mann hat gerade verschiedene Schritte der Kampagne in einer PowerPoint-Präsentation vorgestellt.

»PowerPoint? Wirklich?«, hat Thomes Vater gefragt, und der jüngere Mann war kurzfristig verunsichert.

»So«, sagt er,

Der Mann.

So –, dieses dumme Wort, mit dem Menschen eine Aktion einleiten, der sie eine besondere Wichtigkeit verleihen wollen,

So.

»Wie Sie wissen, muss eine neue Krise etabliert werden, um mögliche Unruhen, ja, also bevor die Tools der Überwachung vollständig ausgeschöpft werden können und mit Aktionen der Privateinheit gekoppelt sind, bevor alle Bürger erfasst worden sind und sich das Punktesystem durchgesetzt ...«

»Wären Sie so liebenswürdig, uns etwas zu erzählen, das noch nicht bekannt ist?«,

Unterbrach Thomes Vater den

**Schwitzenden Mann**
*Angststörung: Würmer-Phobie*
*Sexualität: zwanghaft*
*Finanzieller Status: kreditunwürdig wg. Spielsucht*

Der in seinen frühen Vierzigern ist, der eine atembe-
raubende Karriere als Spindoktor, Internetstratege und
Wahlhelfer hinter sich gebracht
Hat
Und heute Krisenmanager ist. Er featured, promotet und
vermarktet Krisen, die der Dauerzustand der Welt sind,
die man aber nicht als Normalzustand verkaufen darf,
sondern benutzen muss, fokussieren, beleuchten, um –
ihren Markenkern zu featuren.
Dabei gab es doch nie ein ausgeglichenes, ruhiges, wunderbares Leben. Das ruhige friedliche Leben ist eine
Erfindung der Werbeindustrie, um die Wirtschaft zu
befeuern, um Windeln zu verkaufen und all den Scheiß,
um die Leute ruhig zu halten, deren naturgegebener Instinkt doch ist, brandschatzend durch die Straßen zu ziehen und Wild zu erlegen. Oder andere Menschen. Oder
einfach irgendeinen Scheiß kaputt zu machen. Diese Instinkte gehören in eine Profit versprechende Richtung
geleitet. »Das ist kein Zuckerschlecken«, sagt der schwitzende Mann, wenn er nach der Bedeutung seines Berufes
gefragt wird.
Nachdem er in den letzten Jahren in ausländischem Auftrag – der schwitzende Mann nennt seine Kunden nie
beim Namen – den islamistischen Terror re-brandet hat,
teils sogar Anschläge selber kuratiert und die gesamte

Pressearbeit koordiniert hat, um den Verfall der europäischen Wirtschaftszone zu befeuern, um den Brexit und die Rüstungsindustrie anzukurbeln – ja, es war genauso platt, wie man es sich vorstellen kann, wenn man auf dem Klo sitzt –, steht nun ein neues nationales Projekt an. Der schwitzende Mann hat keinen Grund, sich schlecht zu fühlen oder schuldig, denn die Menschen brauchen Feindbilder, es intensiviert ihre Lebenslust. Das Bewusstsein der Gefahr des evolutionären Überlebenskampfs tunt ihre Lebensintensität. Jede Sekunde sein, als ob es die letzte wäre. Aber

Sein Penis. Der schwitzende Mann hat, wie es sich für einen hocheloquenten Macher gehört, richtig viel Sex. Er hat zu enge Hosen an, die über seinem zu wuchtigen Gesäß spannen, er trägt, wie für Arschlöcher ein Muss, hellbraune, rahmengenähte Halbschuhe, die Sakkos, Savile Row, klappen über dem Gesäß auf wie kleine Flügel. Seine Haare sind einer sehr hohen Stirn gewichen, ehemals blassrötlich, färbt er sie heute in einem markanten Rostton. Und er kriegt den Penis nicht mehr hart, beziehungsweise, er hat seit einer Woche keine Lust mehr auf nichts. Also nicht auf seinen Job oder auf Frauen. Er betrachtet die vor ihm liegenden nackten Leiber und denkt sich: So, und nun? Was bringt es mir, mich in dieser Körperöffnung zu entäußern? Er sieht auf den weißen Körper vor sich – überbordend ästhetisch sind Menschen ja wirklich nicht. Die roten Pickel, die auf eine Epilation im Schambereich schließen lassen, die Nässe, die vermutlich künstlich auf der Toilette erzeugt wurde, die die Schnitte glänzen lässt, das Make-up, die Ohren, meine Güte. Verwirrend, dieses

Ausbleiben von Geilheit. Aber noch erstaunlicher ist es, dass ihm mitunter Zweifel an seiner beruflichen Tätigkeit kommen. »Ja, ich habe es begriffen«, sagt er zu sich, »die Menschen sind eine Herde absolut dämlicher Tiere, mir fallen gerade keine Tiere ein, die so dämlich sind, die man zu allem bewegen kann – nun, gehen wir weiter, zu dem furiosen Ereignis in New York, das als Beginn eines neuen Zeitalters gelesen werden muss. Als Brandbeschleuniger für die Umgestaltung der Struktur. Nach dem Event sprach die gesamte westliche Welt vom Islam, der vorher allen, gelinde gesagt, scheißegal gewesen war. Was ein gelungenes linguistisches Feuerwerk wurde da gezündet. Der Islam, der Islamist, der Fundamentalist, alles egal, alles dasselbe, der Feind. Aber es ist so langweilig, so einfach. Der schwitzende Mann ist von seiner Tätigkeit nicht mehr erregt. Die Parameter sind immer dieselben – Feind benennen, herabsetzen, lächerlich machen, Angst erzeugen, Bots programmieren lassen. Öde.«

Der schwitzende Mann ist seit einiger Zeit geradezu verrückt auf Wurmis, wie er sie scherzhaft nennt. Er liebt Videos von Menschen, die jede Sorte von Wurmbefall in ihrem Körper aufzuweisen haben. Würmer im Kot, Bandwürmer, die entfernt werden, Würmer in infizierten Wunden.
Aber selbst die Angst und der Ekel erreichen das Erregungszentrum des schwitzenden Mannes nicht mehr. Nichts gibt ihm mehr das Gefühl, lebendig zu sein.
Who cares.
Denkt

**Thome**

Er ist auf der Toilette des Cafés kurz eingenickt. Von draußen hört er den erregten Atem einer Tresenkraft. Ist es möglich, einen Toilettengang inklusive korrekter Handwäsche unter einer Minute zu absolvieren? Schnelle Ausscheidungen erhöhen die Punktezahl. Wurde möglichst wenig Wasser zum Spülen verwendet? Wenig Wasser wird durch die feste Konsistenz einer Ausscheidung erzielt. Man erreicht sie durch eine gute, ballaststofffreiche Ernährung.

Thome wirft einen Blick auf die neue App, die er kreiert hat. Na ja, gebaut hat sie ein Programmierer, der mehr auf der Pfanne hat, aber was zählt, ist die Idee.

Deine Angst

Heißt die App. In der die User mit der Gemeinschaft ihre größten Ängste teilen können. Man konnte die Phobien der Leute auch schon vorher einfach in ihren abgegrasten Metadaten finden, aber mit der App macht es einfach mehr Spaß. Ab und zu gönnt sich Thome den Spaß, die eine oder andere Angst der App-User 1.0 werden zu lassen.

Was ist das denn?

Respekt, Jungs, Sonne?

Der ungewohnte Anblick.

Lässt

**Don**

Blinzeln.

Hach.

Dieses Licht in Shoreditch, wie schön die Gegenwart ist. Noch nie war eine Gegenwart so schön. Das ehemalige

Armenquartier der Stadt. Sozialbauten, sieben Kinder, drei Totgeburten, Säufer, Schläger, Leukämiepatienten, offene TBC, schlurften durch enge feuchte Gassen, die sie sich mit Ratten teilten. Und sieh nur, was nun daraus geworden ist: ein Freiluftmuseum für eine gelungene Lebensführung. Bio-Bäckereien, Soja-Latte, Müsli, Shops für smarte Kleidung. Und die Leute. So international, so bunt, mit unfassbar interessanter Lebensführung.

Don beobachtet das Frühstückscafé in einem ehemaligen Industriegebäude. Ein paar Hundert Männer, die angeekelt Grünkohlchips kauen. Sie haben die neue Weltordnung errichtet. Die Neuerfindung der Welt durch – Männer. Das liegt ihnen einfach. Ein Scheißsystem durch das nächste Scheißsystem auszutauschen. Immer in der Limitierung ihres Verstandes agierend. Die Frauen waren beschäftigt. Mit ihren Kindern, der Kosmetik, den Fragen, wie sie so einen faszinierenden, die Welt verändernden Mann finden können. Und weil sie nicht verstehen, die Bitches, warum Staubsauger mit Lötkolben reden müssen. Oder Dildos mit dem Pizzalieferservice.

Es reden doch ohnehin alle zu viel.

Es geht nicht mehr ohne Redegeräusche, seit es überall die großen Bildschirme in der Stadt hat. Don sieht auf den Bildschirm neben dem Nerdcafé.

»Haben Sie nie das Bedürfnis gehabt, für Ihren Lebensunterhalt zu arbeiten?«, fragt eine blonde Reporterin mit einem Mikrofon. Ein Mann, dem alle Zähne fehlen, beginnt zu lachen. Er spuckt dabei. Im Hintergrund spielen verwahrloste Kinder mit einem Katzenkadaver. Ah, es geht um Selbstmorde von Sozialblockbewohnern. »Ich bin jetzt in Therapie«, sagt ein Zugführer anklagend. Eine Frau hatte sich auf die Gleise geworfen. Man sieht diverse Einzelteile und hört die mitfühlende Stimme der Reporterin, die am Leid des Zugführers Anteil nimmt. Ein Bootsführer auf der Themse beschwert sich über wiederkehrende Albträume, nachdem ein alter Mann auf das Dach seines Boots geknallt war. Die Mutter zweier Privatschulkinder beanstandet den Erhängten, den sie, als sie morgens mit ihrem SUV durch den Hyde Park fuhr, an einem Baum vorfand. –

Neben Don bleibt ein Mann stehen, der sehr stark schwitzt. Er lehnt sich an die Wand und versucht seine Körperentäußerungen zu kontrollieren.

Er hat diese Haarfarbe verwendet, die Männern suggeriert, auf wundersame Weise ihren Naturhaarton zurückzuerlangen, und der ist in allen Fällen: rostfarben.

»Diese Loser bekommen nicht einmal ein korrektes Ableben hin«, sagt der Mann mit den rostbraunen Haaren und schwitzt. Don sieht ihn an, er sieht erbärmlich aus.

»Sie haben Freierschuhe an«, sagt Don. »Ja, natürlich habe ich Freierschuhe an«, sagt der Rostfarbene.

Auf dem großen Bildschirm sieht man gerade einen alten Mann auf einer Müllkippe, im Hintergrund dreht ein Rattenkadaver am Stock über einem Feuer.

»Einsamkeit ist nur mit Geld auszuhalten«, sagt der schwitzende Mann. »Wenn man Geld hat, kann man Waren kaufen, dann kommen Pakete. Da will einer was. Da interessiert sich wenigstens mal einer für dich, selbst wenn es nur ein Algorithmus ist. Ohne Geld bleiben nur die Küche, die Uhr, die gelbe Farbe an der Wand, ein

Park, der irgendjemandem gehört, die Parkplätze vor den Supermärkten, auf denen man stehen kann, bis der Sicherheitsdienst kommt. Das Leben der meisten Menschen ist Warten. Darauf, dass etwas passiert, was sie aus ihrem Warten holt, bei dem sie sich beobachten und wissen, sie werden es bereuen, ihr Leben nicht genossen zu haben. Aber wie nur? Wie genießt man das Leben, wenn nichts in einem brennt? Und wie viel kann man fernsehen. Vor allem, wenn der Strom limitiert ist. Vor allem, wenn einem der Hintern wehtut vom Sitzen und Ausgehöhltwerden, von all dem Schwachsinn, den man in sich stopft, und das ist die Freiheit, die wir meinen. Die Freiheit der Selbstverwirklichung und Möglichkeiten, die uns allen durch die freien Märkte beschert wurde, schenkt den meisten doch nur die Möglichkeit, Reichen beim Freisein zuzusehen. Den Armen steht die Freiheit theoretisch zu, sie haben einfach nur zu wenig Geld, um sie auszuleben, die Freiheit.«

»Das haben Sie gut gesagt«, sagt Don, die bereits nach einer Sekunde nicht mehr zugehört hat.

Der schwitzende Mann nickt kurz und verschwindet in dem unglaublich multikulturellen Stadtviertel. Don sieht ihm nicht nach. Sie kratzt sich an ihrer Hand, kratzt den Schorf ab, der sich über den roten Stellen, die wirken wie kleine Ekelinseln, gebildet hat.

Aus dem Café gegenüber kommen die ersten dynamisch-lässigen jungen Männer. Mit Resten von Chips in den Mundwinkeln fluten sie die Straße, die vorher nur mit Touristen gefüllt war, die den letzten großen Spaß erleben. Am Morgen für zehn Pfund mit dem Flieger von irgendwoher, Tageskarte, und dann durch die Straßen latschen, zu McDonald's am Mittag. Dort gibt es billiges Fleisch im Grünkohlmantel – am Abend zurück, oder, wenn es was ganz Ausgelassenes sein soll, in eines der Boxenhotels für 19 Pfund, wo Menschen in einer Art von Schließfächern übernachten, die in Lagerschuppen an den Autobahnauffahrten gestapelt sind.

Sie stehen auf der Straße. Die Touristen. Vor Häusern, von denen jedes mindestens 30 Mio. Pfund gekostet hat, mit zehn Etagen unter dem Haus, in denen Chinesen ihre Ferraris sammeln oder ihre Huren verstauen. Immer wieder bricht irgendwo in der Innenstadt eine Straße zusammen, reißt einen Block mit sich. Statik, Sie wissen schon. Apropos –

Don ist noch nie verreist. Dafür hatte sie Google Street View. Gehabt. Google hat die Welt bis in den letzten Winkel erforscht, kartografiert, das tut man nur mit Dingen, die man besitzen will. Da muss eine Ordnung in den Beständen herrschen.

Don konnte sich immer genau vorstellen, wie es woanders gewesen wäre. Und was sie dort getan hätte. An diesen unglaublich hässlichen Stränden in Spanien, was soll man da machen, in der Sonne und mit der Aussicht auf Hochhäuser im Hintergrund, umgeben von verbrannten pinkfarbenen Menschen mit geschwollenen Füßen? Da säße man am Strand und würde sich denken: Wenn das der Höhepunkt meines Lebens ist, muss ich dem Rest ja nicht mehr beiwohnen. Dieses Prinzip, Urlaub als Belohnung für ein beschissenes Leben. Diese sogenannten Orte auf der Welt, deren Namen früher nach Unerreichbarkeit klangen. Und jetzt – danke, Google! – kann man sich jede Anstrengung sparen. Bewegt man sich mit Street View in die Zentren aller Traumdestinationen. Da stehen keine Bäume, sondern überall dieselben Häuser, die wirken wie aus einem anderen Jahrtausend. Im Süden mit Schimmel. Menschen in kleinen Boxen. Menschen überall und zu viele davon, als dass sie noch glücklich werden könnten. Aber. Das hat ja auch keiner versprochen, diese Sache mit dem Glück.

Ein neuer Eilbericht auf dem Bildschirm. Ein versoffenes Ehepaar hat seine beiden Kinder umgebracht, lange Einstellung auf die Leichen. Babykinder. Sehr klein.

Dann wieder auf den Vater halten. Unangenehmes Gesicht,

Also

**Bertas und Henrys**
*Sozialverhalten: keine Mülltrennung, kein Sport,*
*keine gesunden Nahrungsmittel*
*Angst: sich zu verlieren*
*Gesundheitszustand: nicht vorhanden*
*Keine Karmapunkte. Ihr Fucker*

Schicksal eignet sich erstklassig für ein Sozialdrama, das auf Filmfesten mit Sicherheit Preise erhalten würde. Die Menschen würden betroffen aus dem Film kommen. Ein paar Damen hätten Tränen in den Augen.

Berta und Henry hatten eine Wohnung in Birmingham, in der sie ein vollkommen normales Untere-Mittel-klasse-Leben führten. Die beiden Kinder waren begabt, beide konnten schon mit vier lesen und schreiben, als Bei Berta Krebs festgestellt wurde. Das war genau in der Zeit, da weitere Bereiche des früher kostenlosen Gesundheitswesens privatisiert worden waren. Kosten für ungewöhnlich hohe Behandlungen mussten seit einiger Zeit von den Versicherten selber getragen werden, wenn sie nicht eine Zusatzversicherung abgeschlossen hatten, was aber keiner getan hatte, weil – nicht so wichtig. Also. Sie hatten es dann mit Crowdfounding versucht. Henry saß neben seiner Frau auf dem Sofa, die Kinder in sauberer Kleidung daneben.

Er sprach in die Kamera: »Das ist meine Frau Berta. Sie hat Lungenkrebs mit Metastasen, und die Versicherung zahlt die Behandlung nicht mehr, seit die Bereiche Onkologie und Kardiologie, Orthopädie und Kieferchirurgie an eine chinesische Holding verkauft wurden. Ihr da! Euch alle kann das morgen betreffen. Heute sind wir dran. Das sind unsere Kinder. Das ist meine Frau, das bin ich, ich war einmal Bauzeichner, aber es gibt keine Bauzeichner mehr. Ich habe als Straßenreiniger gearbeitet, ehe die automatischen Kehrwagen kamen, auf dem Bau, in der Großküche, und was ich verdiene, langt für – nichts. Bitte helft mir, das Leben unserer Familie zu retten.«

Komischer Satz. Vielleicht ein Versprecher. Zeitgleich mit Henrys Crowdfunding begann ein Start-up Geld zu sammeln, um personalisierte Turnschuhe auf den Markt zu bringen.

Die hatten in vier Wochen 1,2 Millionen eingenommen. Henry 112 Pfund. Keine Pointe.

Berta konnte nun entweder sterben oder an einer Studie zum Test neuer Krebsmedikamente teilnehmen. Gesagt, getan. Der Krebs verschwand. Aber leider war Bertas Hirn in Mitleidenschaft gezogen worden, was dazu führte, dass sie mit dem Familien-Ford vor einen Brückenpfeiler raste. Was dazu führte, dass sie vom Hals ab querschnittsgelähmt war. Henry holte sie zwei Tage nach dem Unfall aus dem Krankenhaus, weil die Kosten dort sein nicht vorhandenes Budget überstiegen hätten. Seine beiden Töchter liefen neben dem Vater, der die demolierte Frau über die Schulter gelagert hatte wie eine Teppichrolle. Zu Hause legte er die Frau in ihr Bett und wurde in der folgenden Zeit ein Experte in Krankenbetreuung. Waschen, füttern, Gymnastik, Sprechtraining. Henry verlor seinen Job als Nachtwächter. Weil er ständig einschlief. Er war müde, er musste kochen, einkaufen, im Sozialamt anstehen, seine Wohnung räumen, einpacken (den Hausrat und die Kinder und die kaputte Frau), um seinen Lebensmittelpunkt an den Stadtrand zu verlagern. Die Kinder hatten offensichtlich ein wenig unter den Ereignissen gelitten, sie nässten beide ein, lasen nicht mehr, spielten nicht mehr, sie saßen am Bett der kaputten Mutter und hatten Angst. Irgendwann begann Henry, nachdem seine Frau ihm in der Dusche entglitten war und am Boden gelegen hatte wie ein schweres Wurststück, zu weinen und konnte nicht mehr aufhören. Die Kinder bekamen noch mehr Angst. Henry teilte seiner Frau in jener Nacht mit, dass er sie, die Kinder und sich töten wollte, und seine

Frau sagte nichts, aber ihre Augen füllten sich mit Tränen, und sie lächelte. Die Euphorie, einen Ausweg zu wissen, hielt nicht lange an. Da war die Angst vor dem Ende, und wie sollte man nur diese Hoffnung aus sich bekommen, dass es doch noch einmal schön wird, noch einmal Frühling oder Herbst, die Kinder wachsen sehen, all das, was doch im Menschen angelegt ist, selbst in einem Mann ist das angelegt, diese Hoffnung auf ein sogenanntes erfülltes Leben, das man irgendwann mit dem Absingen einer Hymne beendet. Und dann übergab sich die Frau und kackte ins Bett und stöhnte, und die Luft war stickig, und im Amt schrie Henry, weil er sein Grundeinkommen nicht bekam, weil er keine Kontakte hatte, weil er eine Stunde zu spät gekommen war, weil die Frau ins Bett gekackt hatte, und nun musste er warten, bis Montag, und dann ging er nach Hause und legte seiner Frau ein Kissen aufs Gesicht. Dann weiter mit den Kindern. Er erstickte das erste, aber das zweite wollte nicht, es versuchte, sich zu verstecken, es schrie, es wehrte sich, dann schlug Henry mit einer Bratpfanne auf den Kopf des Kindes, bis es endlich ruhig war, und saß dann neben den Leichen in der Küche und konnte sich nicht mehr bewegen, nicht mehr atmen, nicht mehr weinen, nichts.

*Auf den Bildschirmen*
Steht ein lokaler Politiker vor dem Haus der Familie, die Leichen werden abtransportiert, der Mann aus dem Haus getragen, die Frau dito, und der Politiker – langer Schwenk auf die Anwohner der Siedlung, die aussehen wie Zombies, die teilnahmslos ihre Mobilkameras auf das Ereignis richten, einige Steine fliegen, vermutlich von zi-

vilen Einsatzkräften, die zwischen den Anwohnern positioniert sind –, der Politiker ist empört, also er schaut empört, er sagt: »Der Sozialstaat bedeutet doch, das Gesetz des Marktes gegen das Gesetz des Pöbels ersetzen.«
Sie sind alle irre geworden.
In der Stadt. Und am Rand, da, wo es ruhig ist. Draußen
Bei

## Den Freunden

Ist eine Erregung in den Raum getreten, es herrscht eine Stimmung wie in einer schlechten früheren USA-Serie, bei der alle durcheinanderreden, um eine krasse Performance zu vermitteln. Die jungen Menschen springen in ihrer Fabrikhalle herum, sie sind vollkommen aus dem Häuschen. Sie machen irgendeine Hackerscheiße. »Wir müssen das mit Spoofing machen.« »Bullshit, wenn wir streamen in der Kombination über einen Viel-Knoten-Stream und die Scheiße re-streamen, gehen die Anfragen nicht auf den gleichen Host. Ich bin für den Rowhammer, oder?«, fragt Ben in Richtung Sofa, auf dem Hannah, Don und Peter halb schlafend liegen. »Ja, klar«, sagt Don zu niemandem. Die Hacker hören nicht einmal sich selber zu, sie reden wie unter Drogen, so schnell, wie die Codes auf den Rechnern entstehen, immer neue Synapsen, die sich in ihren Hirnen zu den immer gleichen Theorien verbinden, die alle nur mit der Online-Welt zu tun haben, als ob es die reale nicht mehr gäbe. In der es seltsam leer geworden ist. Alle irgendwo, keiner mehr da. Keiner mehr bei sich, bei den anderen, jeder mit seinen Gefühlen, die Sex beinhalten. Und Unsicherheit.

Die Unbeschwertheit in der Gruppe ist verschwunden. Der Spaß dito. Sie fühlen sich unbehaglich in der Spiegelung ihrer eigenen Ratlosigkeit. Als ob Kinder, die bisher immer nackt zusammen gebadet haben, auf einmal im Bikini in die Wanne steigen. Jedes verunsichert mit dem täglich fremder werdenden Körper.

Jetzt hocken sie hier und hören das Atmen der anderen im zu großen Raum zu laut. Sie trinken Mate, und

**Ben**

Hält im Dunkel einen seiner langen Erklärvorträge. Keiner hört ihm zu.

»Diverse Atomkraftwerke mussten aus Gründen vom Netz genommen werden.« Sagt er. »Die Gründe hatten mit veralteter Technik zu tun. Die neue Technik existiert irgendwo, aber hauptsächlich in Doktorarbeiten. Die Computeranimationen der Smart Citys, auf denen solarbetriebene, selbstfahrende Busse durch autofreie Grünzonen stromern, die Menschen ihren Müll verputzen, die Kinder, die nicht wie Zombies ihre kleinen Titten und Penisse ins Netz stellen, liken oder disliken und sich in Folge wegen Mobbing umbringen – diese neue Welt, aus Wissenschaft geworden, gibt es nicht. Sie lohnt sich nicht. Es lohnt sich, smarte Geräte zu bauen. Und Rechner, Rechner, Rechner. Das heißt: In einem Jahr braucht es, um diese tollen Geräte zu bauen, 400 000 Tonnen Aluminium, 300 000 Tonnen Kupfer und 110 000 Tonnen Kobalt. Übrig bleiben mehr als 50 Millionen Tonnen Elektroschrott im Jahr.

Der Stromverbrauch von Endbenutzern zu Rechenzentren, Cloud-Services, Suchmaschinen, Terabytes, gefressen von Kryptowährung, vernetzten Fensterläden, Drohnen, den acht Mio. Überwachungskameras, die wöchentlich über 300 Filme jedes Bürgers erstellen, die sprachgesteuerten Hubs, das Barcoding, die Big-Data-Analysen, der algorithmenbasierte Börsenhandel. Die Kommunikation, Tag und Nacht, das Online-Shopping der Schlaflosen, das Streamen, die fleißigen Roboter, die Blockchain – das ist kein Neoliberalismus mehr da draußen, das ist in Lichtgeschwindigkeit auf einen Eisberg zurasen. Der kalt ist. Und dunkel. Und er braucht Strom, verdammte Hacke. Strom, Strom, Strom, ohne den nichts mehr läuft, ohne den die Rechenzentren ausfallen, die KIs nur noch Schrott sind, versteht ihr das, verdammt noch mal.«

Schweigen.

Der leere, dunkle Raum. Anfang und Ende und die Zeit dazwischen gefüllt mit Produkten und Angst. Mit kleinen Momenten des Rausches.

Hier bei

**Den Freunden,**

Die sich dem realen Leben entzogen und ihr Dasein in Maschinen verlagert haben. Die es auch wegspülen wird, wenn der Strom nicht mehr da, das Wasser gestiegen sein wird. Aber im Moment ist alles noch in Ordnung. Einige von ihnen sind ein wenig paranoid geworden. Erwachsene würden sagen: »Hallo, hier ist aber einer paranoid!« Was stimmen kann, aber nicht muss, einige von ihnen wissen einfach zu viel, sie wissen von all den Dingen, die unsichtbar passieren, die in der Welt unterhalb der Welt ablaufen, in der Menschen keine Rolle spielen.

»Was macht ihr eigentlich für einen Scheiß?«, fragt Hannah irgendwann.

Hätte sie nur nie gefragt. Denn nun beginnt Rachel, die jüngste der Hacker, zu erzählen.

Haha, lustig,

Denkt

## MI5 Piet

Am Fenster. Er schaut die Kensigton Palace Gardens hinab. Hier hat sich außer den Besitzern nichts geändert. Abramowitsch musste verkaufen. Einige Scheichs mussten verkaufen. Heute wohnen vornehmlich Chinesen hier. Und er. Na ja, wohnen. Der London Cage, früher ein gut getarntes Verhörgefängnis oder, eleganter gesagt, eine Befragungseinrichtung, ist seit einiger Zeit wieder in Betrieb genommen worden.

Piet, der so aussieht wie die meisten Männer in seinem Alter – irgendwas mit nahe an der Rente, irgendwas mit wenigen Haaren, keinem Mund, kleinen, zu eng stehenden Augen und einem faltigen Hals. Piet, der aussieht, als rieche er schlecht, weil sich zwischen den Falten Talg ablagert, verzieht den Mund nicht. Er lacht innerlich. Es war immer so gewesen, dass er wohl über einen Humor verfügte, aber, na ja, einen speziellen Humor eben. Piet fühlt sich allen überlegen. Wie alle. Er geht zurück zu seinem Arbeitsplatz, Eames Chair und so weiter. Stil hat er immer gehabt. Das ist angeboren. Die Wohnung, die er zusammen mit seinem Mann eingerichtet hat, zeugt von seinem außerordentlich hervorragenden Geschmack. Eine Wohnung in Chelsea. Dem Gehalt gedankt. Das ein wenig gefährdet ist, seit er seinen Mann als seinen Schwager ausgeben muss. Nach der Kampagne gegen Homosexualität und der Reformation des Ehegesetzes. Dessen Einhaltung er überwacht. Bizarr, oder?

Homosexualität steht nicht unter Strafe. Noch nicht. Aber es ist eine Frage der Zeit, seit das Land sich noch mehr auf seine christlichen Wurzeln besinnt. Aber zurück zu den kleinen Hackern, denkt Piet. Als Head of the Kommando sieht er nur, was ihn persönlich nicht langweilt. Der Algorithmus beliefert ihn mit Überwachungshöhepunkten. Live-Schaltungen in Gay Clubs, zu Widerstandsbewegungen und in Schuhgeschäfte mit konspirativer Subnote. Piet mag Füße.

Die Baby-Hacker werden schon lange überwacht. Sie haben sich nicht registrieren lassen. Sehr unklug, denn die Registrierung dient allein dem Zweck, Bevölkerungsteile zu ermitteln, die nicht registriert sind. Keine Sau braucht gechippte Menschen. In Zeiten der biometrischen Vollüberwachung. Die Firma, in der MI5 Piet arbeitet, ist privat. Sie hat einen langen, komplizierten Namen, den sich nicht einmal die Personen merken können, die für sie arbeiten. Also sagen sie einfach MI5. Trotz privater Auslagerung werden Piet und seine Kollegen aus dem Staatsbudget bezahlt – anders gesagt: Die Bevölkerung zahlt für seine Dienste, was vollkommen sinnvoll ist, denn er dient dem Volk. Irgendwie. Der Geheimdienst ist ein enger Partner. Der auch privatisiert wurde. Der mit der privatisierten Armee und der privatisierten Polizei zusammen für das Ziel kämpft, alles zu privatisieren.

Mastering of Internet. Konnte MI5 Piet vor zehn Jahren

auf 40 Milliarden Datenabfragen pro Tag zugreifen, muss die Menge der abgefragten Daten heute im Billionenbereich liegen und beinhaltet – alles. Vom Stuhlgang über Vaginaltrockenheit, den Gesprächen mit der Großmutter über Verschuldung, Einstellung zum Wehrdienst, Abi, den Online-Streaming-Dienst. Die AI schlägt korrekt bei Unregelmäßigkeiten an. Selten geht etwas schief. Manchmal scheint es allerdings, als hätten die Programme einen eigenen Humor entwickelt. Sogenannte Ausfälle.

**EX 2279**

```
++++++++++[>+>+++>+++++++>++++++++++
<<<<-]>>>>+++++++++++++++++++++.
----------.++++++.
<++.>--------------------.+++++++++++++++++++.---
----------------.
<++++++.>+++++++++++.<------.>-------------.+.----.
```

Gibt es nicht.
**MI5 Piet**
Glaubt ans System. Ein gutes System. Es ist da draußen ein gewaltiges, absurdes Missverständnis des Einzelnen, die eigenen Fähigkeiten betreffend, entstanden. Jeder Schüler, Arbeitslose, jeder Vollidiot glaubt, ihm stünde eine Gerechtigkeit zu und dasselbe Leben wie einem der Tech-Genies oder einem Megastar. Früher haben sich die Menschen mit dem zufriedengegeben, was sie aufgrund ihrer Fähigkeiten verdienten. Ein Bauer war ein Bauer, der Herr der Herr, und Gott wachte über allem. Amen,

Mann. Und höret, wir müssen den Menschen wieder Regeln geben und einen Gott. Nichts macht die meisten Erdbewohner nervöser als eine gute, strafende Hand. Check.

Das Land, sein Land, befindet sich fast wieder in einem Idealzustand. In einer zufriedenen Aufgeräumtheit. Vergessen die Unruhen, das Ungleichgewicht, der absurde Drang, sein Leben zu einem Shoppingevent zu machen und durchzudrehen, wenn man mal aus Versehen keinen billigen Plastikscheiß aus Afrika kaufen kann. Durchzudrehen, weil Menschen einer Religion oder Hautfarbe den anderen ihren Shoppingspaß missgönnen. In der kurzen Zeit des Experimentes sind doch bereits erstaunliche Erfolge zu verzeichnen. Sie halten sich und die Straßen sauber, respektieren Regeln und Termine. Das Bedürfnis, mehr zu sein, als man ist, scheint sich innerhalb kurzer Zeit aufgelöst zu haben. Die Menschen sind damit beschäftigt, sich zu vervollkommnen. Die meisten sind begeistert von dem Wettbewerb um positive Punkte. Er triggert ihr Belohnungssystem. Sie wollen Punkte sammeln und am Ende besser sein als der Nachbar. Der Ursprung des Kapitalismus. Reduziert auf ungefährliche Maßnahmen wie das ordentliche Parken, das Putzen der Wohnung, die Hilfsleistungen, die man Mitbürgern angedeihen lässt, die Lautstärke der Musik in der Wohnung, den ökologischen Umgang mit den Ressourcen. Es gibt Belohnungspunkte für die Reduktion der Heizleistung in der Wohnung. Verantwortungsvolles Duschen. Elektroautobesitz oder gar den Verzicht auf Pkws, auf Fleischkonsum, den Verzicht auf:

Verwendung von Putzmitteln, Weichspülern, Halten von Haustieren, die Erstellung von Kindern. Na, und so weiter, der Regelkatalog ist lang und unverständlich. Piet lehnt sich zurück. Das wäre, was er sagen würde, wenn ihn einer fragte, was nicht erfolgt. Keiner fragt ihn, was er eigentlich beruflich macht. Es gilt als unhöflich. Unhöflichkeit wird mit einem Punktabzug gerügt. Nachdem die Marke Ich-AG über Jahre aufgebaut worden war, der Egoismus, das unsoziale Moment durch die Anforderung der Märkte befeuert, die Solidargemeinschaften gesprengt, die Gewerkschaften dito, ist diese Entwicklung nun in die geregelte Eskalationsphase eingetreten. Der Kampf Mann gegen Mann – warum Männer? egal – eingeleitet worden. Piet wendet sich dem Bildschirm zu. Das Bild der winzigen Drohne ist erstaunlich gut. Die Tonaufnahmen durch die übernommenen Systeme dito.

Piet betrachtet mit an Rührung grenzendem Interesse die kleinen Idioten. Die

**Rachel**
*IQ: 156*
*Hobbys: Linux, Python und der ganze Hipsternerdquatsch*
*Politische Tendenzen: dagegen*
*Sexuelle Ausrichtung: noch keine*
*Angst: MI5*

Ist erst vierzehn. Ihr Vater ist Ingenieur, die Mutter Mathematikerin. Es wäre durchaus möglich gewesen, dass aus Rachel unter anderen Umständen eine Modebloggerin geworden wäre, andererseits aber auch nicht, wenn man bedenkt, dass Intelligenz sich vererbt. Ernüchternde Biologie.

Wäre Rachel 20 oder 30 Jahre früher geboren, hätte sie hawaiianische Punkmusik gehört, Comics gesammelt, sie hätte Experimente mit einem Chemiebaukasten gemacht oder versucht, schwarze Materie zu suchen. Heute eben das Netz. Schön, dass es das Netz gibt. Mit dem Rechner, den sie auseinandergenommen hat. Mit dem Codes, Linux, dem GNUnet und den sich beschleunigenden Entwicklungen, die den Verstand fordern, an dessen Ende Rachel noch nie gelangt ist. Das ist das erhebendste Gefühl, das einem Menschen geschenkt werden kann: nicht an die Grenzen zu stoßen. Na, und so weiter. Rachel ist glücklich hier bei den anderen, die sie für komplett normal halten. In der Schule stand sie immer alleine in den Ecken, weil sie kein unterhaltsames Kind war und auch nicht unbedingt gut aussehend in diesem Kindersinn. Ihre Ohren sind zu groß, die Nase dito, und der Rest entspricht auch nicht den Normen, die gerade für gut aussehende Mädchen gelten. Heute ist der bislang beste Tag ihres Lebens. Ihr Körper ist dermaßen adrenalingeflutet, dass sie meint, fliegen zu können. Die Pupillen geweitet, der Körper vibriert so stark, es ist, als sei sie eingefroren. Heute fühlt sich Rachel eins mit allem, als sei sie auf einer gigantischen Heroinreise.

Rachel hat den anderen erklärt, was sie vorhaben. Den Menschen da draußen die große Verarschung klarmachen, ihnen zeigen, dass sie nicht mehr sind als Laborratten, ihnen zeigen, wie sie betrogen werden. »In ein paar Tagen ist es so weit, dann wird eine Revolution losgehen«, sagt Rachel und ... »Wo ist eigentlich die andere?«

Mit der anderen meint sie

**Karen**

Die begonnen hat zu trainieren. Sie rennt. Sie hört Grime. Sie hört Retromusik. Lady Leshurr, und Scrufizzer, und sie ist so wütend, so wütend, was für eine Scheiße, nicht rappen zu können, sondern hier rennen zu müssen, an diesen Verwahrungsboxen vorbei, in denen Menschen den Untergang ihrer Hoffnung feiern. Rennen ist rappen für Verlierer. Während

Es

Dämmert und

**Kevin**

Die Dunkelheit betrachtet, die wie ein Vorhang zugezogen wird. Das Areal in seinem Hirn, das für das Überleben zuständig ist, schreit alarmiert. Die Angst breitet sich sehr kalt in seinem Körper aus. In der Nacht. Im Schlaf. Könnte die Erdscheibe kippen und ihn ins All befördern. Kevin überdosiert Schlaftabletten wie jeden Tag bei Eintreffen der Dunkelheit. Die einzige Freude in Kevins Leben, das weitgehend von den Gefühlen jener, die an Theorien glauben, die von der Allgemeinheit ignoriert werden, stimmungsmäßig vergiftet wird, sind die Tabletten, die es für wenige Pennys gibt. Für die Laune, den Schlaf, gegen die Angst und gegen die Sorgen. Aber. Er hasst das Viertel, in dem er wohnen muss, eine Maschine hat aus allen seinen Angaben das Viertel errechnet, in dem er sich angeblich am wohlsten fühlt.

Und

## Der Programmierer

Weiß,

Am wohlsten fühlt der Mensch sich unter seinesgleichen. Das macht ihn ruhig, den Menschen, wenn er von Leuten umgeben ist, die ihm ähneln. »Stellen Sie sich vor, eine Person mit einem Einkommen von tausend Pfund lebt, wie auch immer es ihr finanziell möglich sein soll, in einem Viertel, in dem das Durchschnittseinkommen bei hunderttausend Pfund im Monat liegt. Das wird doch eine Unzufriedenheit herstellen. Die Berechnung des für jedes Individuum optimalen Wohnbezirks berücksichtigt Faktoren wie: Ethnie, sexuelle Ausrichtung, Hobbys, finanzieller und gesundheitlicher Background und Charaktereigenschaften. Das gleiche System wenden wir im Bereich des Arbeitsmarktes und der partnerschaftlichen Zusammenführung an. Es bewährt sich hervorragend. Es ist ruhig geworden.«

Zufrieden.

Ist

## Kevin

Nie gewesen.

Betäubt ist er eingeschlafen. Und erwacht, weil sein Bett sich in Schräglage befindet und von heftigen Schlägen erschüttert wird. Ein nie gekanntes Grauen erfasst ihn. Es ist so weit. Es ist stockdunkel. Es ist eiskalt. Er wird ins All gleiten.

Kevin erleidet an jenem Tag gegen 3.30 Uhr einen Herz-

infarkt, an dessen Folgen er Stunden später zu Hause ver-
stirbt,
Weil

## Thome

Nach seinem gelungenen Streich sofort wieder verschwunden ist, nicht ohne den Einsatz gefilmt zu haben.
Nur für sich. Zum Schmunzeln. Jeden Monat gönnt er sich
einen Streich. Jeden Monat wählt er ein Opfer aus seiner
Deine-Angst-App aus, dem er das Geschenk beschert,
seiner größten Angst ins Gesicht zu blicken. Thome ig-
noriert profane Ängste wie den Verlust eines geliebten
Menschen oder den Verlust des Hauses und nimmt sich
stattdessen der ungewöhnlichen Angststörungen an. Der
Angst vor dem Verlust von Gliedmaßen zum Beispiel.
Das war ein Erwachen aus hartem Schlaf, den er einer
Frau letzten Monat bereitet hat. Morgen, Licht, Vögel
singen, und du erwachst und willst aus dem Bett steigen.
Du erwachst und willst aus dem Bett steigen und ziehst
die Decke weg und blickst auf zwei verbundene Stümpfe.
Das gibt dem Hirn richtig zu tun. Kevin und seine Ins-
All-Rutsch-Phobie waren dagegen einfach zu befriedigen.
Sein Bett wurde auf eine Schräge, die früher zum Tren-
nen von Kartoffeln und Dreck benutzt wurde, gehoben.
Die Schräge und die Rüttelfunktion betätigt, und schon
ist das Grauen perfekt. Es ist hilfreich, dass sich alle voll-
kommen freiwillig mit propofolhaltigen Medikamenten
in den Schlaf schießen. Spaß muss sein.
Denkt

**Karen**

Die an den Verlierern vorbeirennt. Den Zugereisten, den Alkoholkranken, den Obdachlosen, die jeden Tag mehr zu werden scheinen. Die Obdachlosenheime sind vor Kurzem von einer Holding aufgekauft worden und haben die Übernachtungspreise erhöht. Karen verfolgt die interessanten Forschungen, die mit der Entschlüsselung der DNA von Neandertalern in Deutschland begonnen hatten. Sie hatten schon vor Jahren Gehirne gezüchtet, die allerdings nur den Reifegrad eines Embrionalhirnes hatten. Aber nun war es Wissenschaftlerinnen gelungen, menschliche Hirne zu züchten, in die die DNA der Neandertaler implementiert wurde. Das hatte gut funktioniert. Im nächsten Schritt wurden aus den Hirnen die Gefühle abstrahiert. Strike! Unterdessen hat man komplett funktionierende Hirne hergestellt. Gefühllose Hirne, Arbeiter und Soldaten ohne störende Eigenschaften. Und perfekte, intelligente, störungsfreie Hirne für Menschen, die es finanziell gut mit ihrem Nachwuchs meinen können. Karen weiß, dass sie der vorletzten, fehlerhaften Generation angehört.

Ausschuss, denkt

**Thomes Vater**

Elende Gutmenschen,

Murmelt er, der gerade seinen Plan, das Kindergeld ersatzlos zu streichen und die Reste des Gesundheitssystems vollständig in private Hände zu geben, vorgestellt hat. Er sieht in das hochrote, entrüstete, selbstgerechte Gesicht einer Labour-Frau. Unfickbares Material. Sie erbittet das Wort.

Erhält es und fragt:

»Was uns der Kollege hier an erneuten Ungeheuerlichkeiten vorgetragen hat, kann nur als Ermunterung der Bedürftigen zum Suizid verstanden werden. Eine Frage habe ich an ihn: Wenn Sie mit Ihren Ideen Millionen obdachlos machen, krank und ohne Fürsorge. Wenn durch Sie Millionen ungebildete Kinder entstehen, wenn also millionenfach die Kaufkraft ausfällt und die Überlebenskriminalität ins Uferlose wächst, wenn diese Menschen als Konsumenten komplett ausfallen, wo ist denn da der wirtschaftliche Vorteil?«

Thomes Vater schmunzelt. »Wenn ich dazu antworten darf.

Werte Kollegin. Es ist doch ganz einfach – das wird sich auf natürliche Weise regeln.«

Wenn man alles Menschliche überwindet.

Denkt

## Karen

Dann sind auch die Gefühle unter einer großartigen Kontrolle. Karen ist eine Maschine geworden. Ohne Fett. Nur Muskeln. Knochen. Sehnen. Stark ist sie geworden. Sie spritzt sich Testosteron, das sie vom Laborchef bezieht. Sie rennt, macht 1000 Liegestütze und Sit-ups.

Als ob durch die Hormone auch ihr Gehirn in Mitleidenschaft gezogen würde, hat Karen einfach keine Angst mehr. Vor nichts. Auch jetzt nicht im Hyde Park bei Einbruch der Dämmerung. Mit der Dunkelheit geht es los. Die ersten Obdachlosen werden angezündet. Hurra, Licht im Dunkel –

Karen läuft an einer Bank vorüber, um die ein paar junge Männer stehen, die einen Obdachlosen beobachten.

Studenten des Trinity College. Karen erkennt sie trotz der albernen Clownsmasken, an der hässlichen blauen Jacke und den grauen Hosen.

Die unglaubliche Überforderung des Massenverstandes, der sich darin äußert, dass unbeschäftigte Männer jetzt in schlaffen Gruppen durch die Innenstadt streifen, um Bettler zu erlegen. Aber. Der schaut nicht einmal auf. Der Penner.

»Hey, stehen Sie gefälligst auf«, sagen die

**Jungen Männer.**
*Bürgerpunkte: werden trotz diverser Verstöße gegen die Straßenverkehrsordnung, diverser Verfahren wegen sexueller Belästigung, aufgrund der stabilen Familienverhältnisse nicht abgezogen*
*Zukunftsaussichten: die Pfeiler der Gesellschaft*
*Sexuelle Orientierung: Perversion*

Der Obdachlose steht nicht auf. »So, du widersetzt dich also«, sagt ein groß gewachsener Student und nickt den anderen zu, sie beginnen fast lustlos, den Penner zu schlagen. Mit den Händen erst, die in Handschuhen stecken, anfassen will man das ja nicht. Und die Hände hinterlassen keine Spuren, bis dann doch irgendwann zumindest die Nase bricht, das Knacken ist gut, das Blut ist gut, es stellt eine Erregung her. Einer der drei jungen

Männer stellt sich auf die Bank und befördert den Penner mit einigen Fußtritten auf den Boden. So, das ist besser, nun kann man zutreten, erst nur in die Seiten, den Körper, dann ins Gesicht, da bricht einiges. Dann springen die drei nacheinander auf den Kopf des Penners. Wegräumen kann das wer anders. Zum Beispiel

**Karen**

Die versucht, einen Puls bei den Überresten zu finden, aber der Penner lebt nicht mehr.

Karen atmet gegen den Impuls an, die Trinity-Spacken zusammenzuschlagen. Scheiß Testosteron. So ist es also, am Ende der Nahrungskette, an die Spitze geschossen mit ein paar Impfeinheiten. Diese weiblichen Babys, die kurz nach der Geburt noch halb blind beginnen, auf Gesichter zu starren und sich vermutlich schon überlegen, wie sie diesen Menschen, der sie da betrachtet, in einem Rollstuhl durch die Gegend fahren können. All diese Frauengedanken – wie finde ich einen Mann, wie werde ich von allen geliebt, was ziehe ich zu meiner Beerdigung an, bin ich zu laut, zu fordernd, bin ich rasiert genug, nett genug, schön genug – WTF, man hätte es heilen können. Eine Spritze pro Woche, und die Weltgeschichte wäre umgeschrieben worden. Karen schwitzt. Sie schwitzt jetzt öfter und hat meist ein starkes Rauschgeräusch im Kopf, das von den Ohren ausgeht, so als ob Wassermassen ihr Gehirn fluten und Gedanken wegschwemmen würden. Nachdenken. Was passiert, wenn ich mit der Faust das Fenster einschlage. Das fragt sie sich nicht mehr, die kleine Verzögerung, die jede Handlung immer mit einer möglichen Wirkung abgleicht, ist verschwunden. Sie hat zu viel Energie und hat darum dieses Rennen begonnen, das sie früher mit Verachtung bedacht hat. Es sind doch immer die unscheinbarsten Vögel, die mit jedem Schritt um ein längeres Leben betteln. Karen rennt. Sie fühlt sich gut. Es scheint ihr, nachdem sie die Viren in der Themse ausgesetzt hat und der Druck aus ihr verschwunden ist, als ob sie seit Langem wieder eine Freude am Leben hätte. Sie sieht Häuser und Bäume, und es ist nicht so schlecht, zu leben. Solange es etwas zu tun gibt, das einen anstrengt und begeistert, so lange ist es doch gar nicht so schlecht. Karen hat den Obdachlosen schon wieder vergessen. Sie vergisst in letzter Zeit alles. Auch, warum sie eigentlich hier herumrennt. Im Park, an den Bänken vorbei.

Auf einer sitzt

## Dr. Brown

Er sitzt gerne auf der Bank am Abend. Er streicht sich über den flachen, wohltrainierten Bauch. Es war eine gute Entscheidung gewesen, in London eine To-go-Schönheitspraxis aufzumachen. Die Angehörigen der untergehenden Mittelschicht stehen drauf. Die Start-up-Sklaven mit mehreren Studienabschlüssen und Fremdsprachen, mit Doktortiteln in allen Bereichen, die sich in Open Spaces ohne feste Anstellungsverhältnisse verdingen, um am Traum der großen, glücklichen Entwicklerfamilie teilzuhaben. Sie verdienen im Monat meist kaum fünfhundert Pfund, aber dafür gibt es im Open Space einen Kühlschrank mit Energiedrinks und Energieriegeln, im Loungebereich einen Kickertisch, und alle Chefs kann man duzen. Die Chefs sind Männer.

Die Start-up-Unternehmen, die den Menschen, die kaum mehr Geld haben, das Geld abnehmen, indem sie täglich Windeln liefern, Putzsklaven vermitteln, alte Frauen vermitteln, die einfache, herzensgute Gerichte kochen, verzweifelte Rentner vermitteln, die unter dem Existenzminimum leben und für jeden Scheiß zu haben sind, die täglich neue Socken liefern oder glutenfreies Essen. So Zeug entwickeln sie. Sinnlose Plattformen für sinnlose Leben.

Die Start-up-Sklaven haben tolle Berufsbezeichnungen, in denen immer ein »Manager« enthalten ist, und gehen abends mit den Kollegen Ball spielen, das wird gerne gesehen. Neun von zehn Start-ups gehen nach einem Jahr bankrott. Dann ist der Job weg. Der Rest ist erfolgreich. Und wird nach China verkauft. Job weg. Aber solange man den Job hat, will man doch gut aussehen. Sie kommen in der Mittagspause und verlassen die Praxis mit billigen Muskel- oder Brustimplantaten aus Indien, mit Botox aus Russland und mit was auch immer Dr. Brown sonst noch in der Welt an billigem Scheiß auftreiben kann. Dr. Brown nimmt auch Abtreibungen vor, seitdem die verboten sind, seit die Pille selber gezahlt werden muss, seit die reproduktive Entscheidungshoheit beim Staat liegt. Die Frauen verschwinden anschließend durch die Hintertür. Manche nehmen ihren abgetriebenen Fötus mit. Die anderen lassen nach der Abtreibung noch was an sich machen. »Hey, das ist nur für mich, damit ich mich gut fühle.« Sie verlassen die Praxis in der Hoffnung, auszusehen wie alle. Und dann unsichtbar zu sein. Bitte, bitte, der Untergang würde sie nicht erwischen, wenn sie doch so eine große Masse gleich aussehender Arschlöcher wären. Sie können in Raten zahlen. Sie können ihre Ärsche aufpolstern, ihr Fett absaugen, sich künstliche Muskelwürste unter die Bauchdecke implantieren lassen, sie können danach wieder auf die Straße entlassen werden, wo sie mit künstlichen Bauchmuskeln in eine Konkurrenz zu kleinen Metallschachteln treten, die ihnen die Arbeitsplätze wegnehmen. Werden. Dr. Brown hat die Welt vor dem Internet gekannt. Sie war ungerecht, sie war dunkel und langweilig, aber behaglicher. Die Menschen saßen vor ihren Häusern und betrachteten – in Ermangelung anderer Aufregung oder Netflix – Autos. Sie sprachen miteinander. Und wenn man einen erschlug, weil es das Menschenrecht gab, jemanden zu erschlagen, dann war das ein persönlicher, gleichsam liebevoller Akt. Heute wird auch das von Maschinen erledigt. Das Töten.

»Entschuldigung, sind Sie Dr. Brown?«

Dr. Brown blickt auf, vor ihm steht ein seltsamer Mensch. Riesig, dürr, mit hohen Wangenknochen, schrägen Augen, die in der Dunkelheit rot leuchten, weißen Haaren und einem Riesenmund.

»Was kann ich für Sie tun?«, fragt Dr. Brown, ungehalten, denn die Injektionen in seinen Penis tun ihren Job. Dr. Brown räuspert sich.

»Nichts«, sagt der weiße Geist, nickt freundlich und läuft mit großen Schritten in die Dunkelheit des Parks.

Dr. Brown meint, es wiehern zu hören. Er sieht der Sache nach und überlegt, was falsch an dieser Person ist. Irgendein Bauteil stimmt nicht. Als ob der Kopf zwischen den Beinen angebracht worden wäre. Brown sieht auf die Uhr. Er geht in seine Praxis.

Und

**Karen**

Folgt ihm in den Hof eines ringförmigen Sozialgebäudes, das sich in einem sehr wohlhabenden Straßenzug aufhält. Das wird wohl bald brennen.

Die Praxis liegt im Erdgeschoss. Ein Badezimmerfenster ist gekippt, und Karen steigt ein.

Sie kommt an einer Küche vorbei, in der ein trauriges gelbes Licht medizinisches Gerät beleuchtet, einer Toilette und – dem Behandlungsraum. Karen sieht in den offenen Schritt einer Frau und Dr. Browns Hinterkopf, aus seinen Ohren wachsen Haare. Karen lehnt sich an die Wand. Ein Flashback. Sie sieht Details all der Männerkörper der letzten Jahre vor sich. Haare, die aus Ohren und Nasen ans Licht kriechen, gelbe Zähne, nach altem Müll riechender Atem, eingetrockneter Speichel in Mundwinkeln, Speichelfäden zwischen Ober- und Unterlippe. Kleine weiße, nach unten spitz zulaufende Hintern mit schwarzen Haaren, Testikel, die sich zwischen den Oberschenkeln in Richtung Knie bewegen. Alle Sorten kleiner, schiefer Schwänze, Smegma an den Schwänzen, hängende Unterarme, behaarte Rücken, eng zusammenstehende, entzündete Augen. Bäuche in allen Formen und Farben mit stinkenden Bauchnabeln. Verständlich, dass Menschen diese unglaubliche Gewaltbereitschaft in sich tragen, wer so aussieht, wird doch böse.

Dr. Brown zieht sich seine Hose herunter. Sie hängt auf seinen Knöcheln. Die Unterhose spannt um die Knie. Sieht albern aus, aber

**Dr. Browns**

Glied steht immer noch wie ein imposantes Bauwerk an ihm. Als wäre es kein Teil seines Körpers, sondern nachträglich an ihm befestigt worden. Dr. Brown wird auf Vorrat ficken. Die Gelegenheit ergibt sich nicht täglich. So eine gut aussehende schlafende Person. Wache Sexualpartnerinnen verursachen Anstrengungen, denn sie reden, atmen, sie bewegen sich falsch, sie lügen, täuschen Begeisterung vor, Begeisterung über sein Glied und seine Technik. Die anatomische Schwierigkeit der Frauenköperöffnungen ist ihm nicht fremd. Die dummen Nüsse können nicht kommen, wenn er sie nicht ewig manuell am Kitzler stimuliert. Aber welcher Mann hat dazu schon Lust? Also mag er sie am liebsten ruhig, still, geöffnet. Noch ein paar Stöße und ... Dr. Brown fühlt den Schlag nicht. Er fühlt nichts. Er ist ausgeknipst wie ein Licht. Der.


**Arthur**
*Gesundheitsrisiken: erhöhte Reizbarkeit*
*Politische Orientierung: früher antifaschistische*
*Aktionen*
*Hobbys: Rauschmittelmissbrauch*
*Noch mehr Hobbys: wird Vater*
*Na ja, obwohl*


Steht mit einem schweren Metallaschenbecher vor der Leiche des Doktors. Gut gemust. Denkt er und bekommt einen Lachanfall, der trotz des frauenfeindlichen Begriffs am besten mit »hysterisch« zu beschreiben ist. Nun, man schlägt ja nicht täglich einen Menschen so stark auf den Kopf, dass Teile des Gehirns freigelegt werden. Arthurs Frau ist narkotisiert. Er schaut verwirrt in ihre geöffnete Scheide. Er steht unter Schock. Er wird Vater. Seine Frau wird das Kind nicht abtreiben. Er wird Vater, und alles wird wieder in Ordnung kommen. Er beginnt zu singen. Seine Frau wird ihn nicht verlassen. Sie wollte ihn verlassen. Also, noch vor ein paar Tagen hatte sie gesagt, dass sie ihn nicht mehr aushält. Dazu muss man wissen.

Dass Arthur sich selber nicht mehr aushält. Er hat, seit die Scriptbox-Technik Drehbücher auswählt, also seit zwei Jahren, kein Theaterstück oder Drehbuch mehr verkauft. Am Anfang dachte er noch: Ja nun, da lag ich mal daneben. Dazu muss man wissen, dass Arthur Mitte vierzig ist und zwanzig Jahre lang einigermaßen von seinen Drehbüchern und Stücken leben konnte. Die Stücke liefen mit gutem Erfolg in Off-Theater-Räumen. Die Drehbücher waren anstrengender. Bis zu 32 Überarbeitungen für Independent-Filme. Aber er war zufrieden. Er war Künstler. Jetzt bekommt er ein Grundeinkommen. Der Sriptbox-Algorithmus hat alle Theaterstücke und Filmdrehbücher, die jemals erschienen sind, gespeichert, auf Rentabilität und Risiko ausgewertet und prüft neue Werke auf ihre Erfolgsaussichten. Also daraufhin, welche Sätze und sonstigen Komponenten in allen erfolgreichen Werken auftauchen. Findet sich davon in den neuen Arbeiten kaum etwas oder gar nichts wieder, ist das Stück oder Drehbuch nicht massenkompatibel. Auf Wiedersehen.

Arthur sitzt in seiner Einzimmerwohnung, die er sich mit seiner Frau teilt, und versucht, massenkompatibel zu denken. Also massenkompatibel in Plots zu denken. Etwas mit Liebe. Und Problem. Und Twist. Und Happy End. Die alten Hugh-Grant-Filme. Oder was mit Spionen. Unzählige Anfänge, die Beine zucken, der Ton wird gereizter. Jeden Tag dasselbe. Anfangen. Irgendwas mit Sonne, Herbstlaub, einem wilden und zugleich süßen Mädchen, das durch Soho stromert. Dann. Beginnt Arthur in den sozialen Medien zu stöbern. Von den Tagesereignissen über Zeitungsberichte bis zur Filterblase der Dummheit – den Nazi-Accounts –, dann regt er sich auf, dann ist er müde, dann macht er ein Nickerchen. Kein Erfolg. Er hat keinen Erfolg mit nichts, jeder neue Versuch, ein massentaugliches Produkt zu erstellen, wird von der Maschine mit einem gefühlten Kopfschütteln bedacht. Arthur schreibt einen Film über eine irre gewordene Maschine, die nach ihrem Gutdünken über alle Bereiche entscheidet. Über Tod und Leben in Krankenhäusern, Ehefähigkeit von Paaren, Gerichtsurteile. Als das Buch fertig ist, fragt der Scriptbox-Sprachgenerator: »Und wo ist der Gag?« An dem Abend vergewaltigt Arthur seine Frau. Also, ja nun, komm schon, vergewaltigen. Er hörte einfach nicht so genau hin, als sie sagte: »Och nö, heute nicht.« Seine Frau, die ihren Abgang plant. Weg von dem schlecht gelaunten Kiffer, der sie abends erwartet, wenn sie von der Schicht in einem Restaurant in die kleine Wohnung kommt, die sie erst vor Kurzem zugewiesen bekommen haben. Vorher lebte ein krebskranker Fitnesstrainer in dem dunklen Loch. Es waren da noch Fotos an den Wänden. Seine Frau war dann später schwanger, und das, liebe Damen und Herren, ist doch ein Wunder, wenn man bedenkt, dass die Spermienanzahl in den Hoden der westlichen Welt bereits um 60 Prozent zurückgegangen ist und dass die Männer im Jahr 2030 unfruchtbar sein werden, das erklärt doch, warum sie überall so wütend geworden waren, früher.

Seine Frau jedenfalls war über diesen biologischen Glückstreffer nicht begeistert. Sie hatte gesagt: »Ich will das nicht.« Und Arthur hatte gedacht: Wie, du willst das nicht? Er hatte in Sekunden sein neues Leben mit dem Baby gesehen. Ein Leben, in dem er nicht mehr den ganzen Tag am Tisch sitzt und versucht, einen Hugh-Grant-Gott-hab-ihn-selig-Film zu schreiben, und daran verzweifelt, zu wissen, dass er untalentiert ist und so weiter, sondern er würde eine Aufgabe haben. Einen Sinn, in einer Ich-kann-dieses-Baby-wickeln-und-babygerechte-Dinge-mit-ihm-machen-Art. Seit Kurzem ahnt er, dass seine Frau sich der Leibesfrucht entledigen will. Und das ist so unfassbar. Dass eine Frau darüber entscheiden kann, was mit dem passieren soll, was er in sie gesät hat. Dass eine dumme Fotze sein Werk töten kann.

Darum folgt er ihr, sobald sie das Haus verlässt. Darum hat er sich der Gruppierung *Die Anderen* angeschlossen, die jeden Tag Jagd auf Ärzte macht, die Abtreibungen durchführen, also Mord begehen. Oder Frauen, die abtreiben wollen. Die dann von der Gruppe – sagen wir – unter Druck gesetzt werden. Die Adressen stehen auf einer Website. Einfach.

Und nun wirft er den Aschenbescher weg und rennt in

die Nacht. Vielleicht kann er noch einen Obdachlosen zusammenschlagen, um das Blut auf seinem Revers zu erklären.

Es riecht nach Essen

Als

## Karen

Die Fabrik betritt. Es ist nach Mitternacht, und es riecht nach Essen, die anderen liegen auf ihren Matratzen, Reste der Tomatensoße noch im Gesicht. Reste der Nudeln noch in der Küche. »Dr. Brown ist mit einer Erektion gestorben«, sagt sie. »An oder mit?«, fragt Don. »Iss erst mal was«, sagt Peter. Die Kinder, die keine Kinder mehr sind – aber verdammt, wie nennt man Menschen, die noch wachsen –, setzen sich mit Karen an den Küchentisch und beobachten, wie Karen halb erkaltete Nudeln in sich stopft. Hunger hat sie nicht, aber hier sitzen, mit den anderen, wie in einer richtigen Familie, das ist ein Ritual, das sie sich geschaffen haben, zusammensitzen und reden, als ob sie einander Familie sein könnten. Sie sitzen am Tisch, weil Erwachsene immer an Tischen hocken und ernste Gesichter machen. Sie machen ernste Gesichter und besprechen Erwachsenendinge. In der Stadt sind schon wieder die Wasserpreise gestiegen. Es wird jeden Tag für einige Stunden abgestellt. Die Menschen baden nicht mehr, duschen kaum, und es gibt Puder gegen den Geruch, den ein Körper ungewaschen erzeugt. Duschen. Auch so was. Die Kinder waschen sich manchmal in dem kleinen Bach draußen, manchmal am Waschbecken in der Küche. Oft gar nicht.

Die Halle sieht trotz ihrer loftartigen Loftartigkeit aus wie etwas. In dem Tiere wohnen. Die Matratzen am Boden, die Wäsche, die sie in einem Bottich in der Küche waschen, hängt überall auf Leinen, Pizzaschachteln in der Ecke. Pappe an den Fenstern, um nachts einen unbewohnten Eindruck für eventuell vorbeifliegende Drohnen zu erzeugen.

Die Kinder belassen die Küche in ihrem Zustand, der ist, als hätte ein Set-Designer eine verwüstete Kinderküche eingerichtet, und legen sich auf ihre Matratzen, um den besten Moment des Tages zu genießen. Wenn das Licht gelöscht ist, der Fernseher läuft, jeder mit seiner kleinen Nachttischleuchte noch irgendetwas tut, lesen oder denken oder einfach noch nicht schlafen. Ich will noch nicht schlafen. Der Moment, in dem es ist wie ein einer Höhle, in dem wir wie gemeinsam atmen, soll nicht aufhören. Die Minuten, bevor jeder mit sich alleine Held seiner Albträume ist, bevor man aufwacht am Morgen in einem Licht, das zu hell die Planlosigkeit und Einsamkeit der Gruppe beleuchtet. Und

## Don

Liegt auf ihrer Matratze, ihre Beine zucken, sie versucht zu lesen, kann sich aber nicht konzentrieren, weil ihre Beine zucken. Und weil ihr Gehirn nicht auf das Erfassen langer Textblöcke konditioniert wurde.

»Gibt es Dialoge?«

Fragt Hannah. »Wie, Dialoge?«, fragt Don, »das ist ein Buch über Algorithmen.«

Hannah legt sich neben Don, die sofort eine empfindliche

Haut bekommt. Fast schmerzhaft an den Teilen des Lebens, die Hannah mit ihrem Körper touchiert. Von draußen weht durch die undichten Fenster der Wind, in der Küche flackert eine Kerze, auch so eine Verbeugung vor dem Erwachsensein, die machen ja immer Kerzen an, die Erwachsenen, und trinken dann Wein. Die Kinder haben auch Wein getrunken heute, er macht verschwommen.

»Ich lese in Büchern am liebsten Dialoge.« Sagt Hannah. Sie starrte Dons Buch an. »Meinst du Comics?«, fragt Don und rückt ein wenig zur Seite, um atmen zu können.

»Nein«, sagt Hannah, »Dialoge, da höre ich die Menschen reden, und sie reden, wie wir reden, also das bringt mir die Handlung nahe.«

Don schweigt. Das Herz rast, der Kopf rauscht. Sie ist. Einfach nicht bei sich. Don hasst Bücher mit Dialogen und ist überzeugt davon, dass es ein fauler Trick von Schriftstellerinnen ist, dieses Dialoggeschreibe. Es füllt die Seiten so schön. Mit den leeren Sätzen, die die meisten Menschen austauschen, mit all den unglaublich unsinnigen Worten, die sie dazu verwenden, ihre Wichtigkeit darzustellen oder über ihre Beziehungen zu sprechen oder einfach nur ihre Angst, nichts zu sein als eine Ansammlung von Bedürfnissen. »Willst du mich küssen?« Fragt Don nicht und starrt in das fucking Buch. Es handelt von den Vorzügen der von Algorithmen bestimmten Gesellschaft. Und hat keine fucking Dialoge. Aber es ist grottenschlecht. Bots haben das Buch zum Topseller gepusht. Bots pushen jeden Scheiß, aber die Menschen haben sich auch daran gewöhnt, beziehungsweise es interessiert kaum einen, ob er reale Nachrichten sieht oder gefälschte, ob er mit einem Bot plaudert oder mit einem Menschen. Hauptsache, irgendeiner hört einem zu. Diverse früher noch aktive Medienfachkräfte hatten die Bürger angehalten, zu kritischen, ähm, Nutzern zu werden. Jede Nachricht, jeder Artikel, jedes Video konnte ja in aufwendigen Suchprozessen auf Wahrheit untersucht werden. Na ja. Also. Eine Art von Wahrheit. Macht keiner. Wahrheit ist ein Gefühl. Ein Bauchgefühl, sagen Menschen, die man für die Verwendung dieses Begriffs ohrfeigen sollte. Also glauben weiter alle, was sie glauben wollen – an den Weltuntergang durch Chemie aus Flugzeugen, den Sieg der Anarchisten oder dass Impfungen tödlich sind. Je verwirrender die Welt, umso verzweifelter erstellte der Einzelne eine innere Bibliothek des Begreifbaren.

Hannah ist zu ihrer Matratze zurückgekehrt, hat die Nachttischlampen gelöscht, nur der Fernseher läuft noch, damit Stimmen die Kinder beruhigen, in den Schlaf reden, der sich in zu großer Stille nicht einstellen mag.

Läuft gut, denkt

## Thomes Vater

Er liegt im Bett und sieht fern. Er braucht ein paar Minuten, bis er begreift, dass da nicht die 89. Staffel »The Walking Dead« läuft, diese von Neoliberalen finanzierte Serie, sondern dass da live aus dem Norden des Landes berichtet wird. Der schwitzende Mann hat erstklassige Arbeit geleistet.

Thomes Vater muss ihn direkt anrufen. Aber

## Der schwitzende Mann

Hört das Klingeln des Telefons nicht mehr klar. Der Anruf erreicht ihn, als er gerade einen
Schal an die Heizung bindet, seinen Hals in die Schlinge legt und seinen Körper dazu zwingt, dem Überlebenswillen zu trotzen. Ja, und es ist so, dass er im Kampf, befeuert durch Hormone, sein Leben vor sich sieht, das aus nichts bestanden hat. Sich an einem Gegenstand zu erhängen, an einer Türklinke oder Armaturen, die sich in Bodennähe befinden, erfordert einen starken Willen. Wenigstens das. Meine Güte, war das eine Qual, dieses Gelebe, wenn man nichts wollte außer den Respekt von Alpha-Männern, die einen nie akzeptierten, wie ist das öde, wenn man nicht lieben kann? Und wenn er, der schwitzende Mann, sich mal verliebt hat, dann war es immer kurz und endete mit einer Frau, mit der er ratlos an einem Tisch saß und Tee trank, und dann hat sie immer irgendwann gesagt, »nimm deine Jacke mit, wenn du gehst.« Wenigstens einen starken Willen hat er, der schwitzende Mann, der im Todeskampf das Klingeln des Telefons hört und es in seinem schwindenden Bewusstsein mit der Klingel zum Himmel bebildert.
Schöne Bilder
Sieht

## Thomes Vater

Im BBC-Spezial »Die Armen – wie sehr gefährden sie unseren Wohlstand?«
Er zieht sich die Decke zurecht. Stellt den Ton leiser, da-

mit seine Russennutte nicht aufwacht, und verfolgt erfreut das Sonderprogramm.

In einer Talkshow werden die Probleme, die Arme verursachen, klar umrissen. Sie bremsen die Entwicklung, den Aufschwung, sie liegen in der Kriminalitätsstatistik (die nie Wirtschaftskriminalität auflistet) ganz weit vorne. Das Grundeinkommen der »normalen Bevölkerung« könnte ohne die Zahlung an die Asozialen 50 Prozent höher ausfallen.

Im Anschluss ein Bericht über Kindergangs.

Die Aufklärung der Bevölkerung zeigt Erfolge. Ein Obdachlosenheim in Blackpool brennt. Zufällig. Es sterben 57 Menschen. Es gibt ein sozusagen offizielles Bedauern, nicht jedoch ohne die relativierende Bemerkung des Premiers, dass man natürlich auch wissen muss, was man mit seinem Lebensstil bei anderen, arbeitenden Menschen auslöst –

Und nun hat

## Don

den Zugang zu ihrem Buch komplett verloren.

Dons Hand tut so weh, dass sie leise stöhnt. Und es nicht merkt, dass sie stöhnt, und erst, als Hannah ihre Nachttischlampe anschaltet und sich über sie beugt, wird sie munter, kommt sie zu sich aus dem Halbschlaf. »Man sieht den Knochen«, sagt Hannah und hält Dons Hand. Sie holt Verbandsmaterial, Desinfektionsmittel und Antibiotika, das die Freunde über Tor gekauft haben, aus dem Bad. Sie desinfiziert die Hand und verbindet sie und kommt Don sehr nahe dabei. Don müsste sich nur ein paar Millimeter bewegen, und schon könnte sie Hannah einen Kuss geben. Das tut sie aber nicht. Sie sieht zu, wie Hannah das Licht löscht, spürt das Pochen, das aus ihrer Hand in den ganzen Körper strahlt, das Tempo des Herzens angibt, und kann nicht schlafen, natürlich

Nicht. Denn es ist kalt.

Trotz des Ofens.

Den Holzofen haben sie von einer

**Studentin**
*Hobbys: masturbiert (laut Vibrator-Übermittlung)*
*zweimal täglich ca. 1 Minute*
*Gesundheitszustand: passiv-aggressiv*
*Politische Neigung: unauffällig*
*Intelligenz: durchschnittlich*
*Kaufinteressen: Serien, Zeitschriften, Kosmetikprodukte,*
*vegan, sonst keine Interessen*

Der Ofen. Ja nun. Die junge Frau studiert. Irgendwas. Authentisches. Also – sagen wir – sie hat studiert, bevor die Studiengebühren und so weiter. Nun ist sie eher eine innere Studentin, oder wie sie gerne sagt: »Ich studiere das Leben.« Sie studiert das Leben in drei unterschiedlichen Jobs. Einer beinhaltet, dass sie ihre Brüste zeigt. Die Studentin hat einen vollkommen stellvertretend durchschnittlichen Anfangzwanzigmetropolenweißemenschenausderabschmierendenmittelschichtlebensentwurf. Die Studentin kommt aus einem Mittelklasse-Lehrerinnen-Haushalt in

Norfolk. Zwei Mütter. Damals war das okay. Heute ist es. Verboten. Die Studentin hasst ihren Körper. Sie raucht nicht – na ja, o.k., wer raucht schon noch –, nimmt keine Drogen, sie macht Pilates und legt jeden Tag zehntausend Schritte zurück, das gibt Pluspunkte im Bewertungssystem.

**MI5 Piet**

»Zehntausend Schritte. Wüsst ich, du Planschkuh. Wenn überhaupt, dann sind es 1000 Schritte am Tag. 1000 vollkommen sinnlose Schritte.«

**Die Studentin**

Sammelt gerne Punkte. Sie macht gerne zehntausend Schritte und würde die Anzahl verdoppeln, wenn da nicht ihre Brüste wären. Die den flexiblen, stromlinienförmigen Ausdruck ihres Körpers stören. Die Studentin spart auf eine Brustverkleinerung und lebt seit vier Jahren in London. Untermiete. Und so weiter. Online engagiert sich die Studentin gegen: Beschneidung, Schächtung, Massentierhaltung, den Klimawandel, das Finanzsystem, die Minimalbesteuerung für Einkommensmilliardäre, Fracking und Atomkraftwerke, Atomwaffen und Überwachung. Sie hat die Symbole der Kohle- und Fracking- und Atomkraftgegner in ihrem Social-Media-Profil.

**MI5 Piet**

Spuckt lachend sein Frühstück auf die Tastatur.

»Sie legen selber ihre Profile an. Wissen die, was ein Profil ist? Früher gab es das, um Geisteskranke und Krimi-

nelle zu klassifizieren und erkennungsdienstlich zu behandeln. Eine Errungenschaft sozusagen. Heute fertigen Milliarden ihre Profile freiwillig und sorgfältig selber an. Hobbys, sexuelle und politische Vorlieben, Netzwerke, Freunde, Familienzusammenhänge, Einkaufsgewohnheiten, sie schicken ihre DNA ein, um lustig zu ermitteln, welche Ethnien in ihrer DNA-Kette stattfinden, sie schicken uns ihre Werte 24 Stunden am Tag. Die ganz Schlauen knallen all ihre Informationen in eine Cloud. Da möchte ich fast ein Cloudlied singen.
Süß.«

Ist

**Die Studentin**

eine feministische, blonde, junge Frau, die darauf besteht, bei Dates ihr Biofalafel selber zu zahlen. Die sehr ungehalten wird, wenn jemand sie ungefragt berührt oder ihren Körper kommentiert. Die Nacktfotos betrachtet sie als Kunst. Die Studentin machte regelmäßig eine Zahnreinigung, sie ernährte sich vegan, ja, sie machte ein Riesentheater um das Zeug. Täglich kommt irgendein neues Superfood auf den Speiseplan, meist richtet sich der Hype nach den Plänen der Wirtschaft und den Nahrungsmitteln, die überproduziert oder unterbezahlt sind. Zeug, das eben einfach wegmuss. Hafer, Quinoa, Avocados, Kokosöl, Dinkel, Grünkohl, her damit. Das Gefühl, mit einem Körper zu leben, in dem sich aus gesunden, werthaltigen, umweltfreundlichen Produkten im Darm eine gute, gesunde Ausscheidung formt, ist unbeschreiblich. Heute langt das Geld nicht mehr für solche Späße. Heute ernährt sich die Studentin wie alle, die sie kennt, von gutem, billigem Fleisch. Die Studentin ist politisch. Wie fast alle, die sie kennt, ist sie besessen vom Freiheitskampf. Also dem theoretischen Freiheitskampf für Unterdrückte. Zum Beispiel für die Palästinenser. Sie kennt einige persönlich. Sie fühlt mit ihnen. Sie ist gegen Juden, also nicht generell, sie kennt keine Juden außer denen bei Goldman Sachs, die jetzt die Kryptowährung beherrschen, und denen, die sich in der City of London breitgemacht haben. Die Studentin demonstriert vor Supermärkten gegen den Einkauf von israelischem Kerbel. Sie hat ein gutes, richtiges Gefühl bei der Sache. Die Studentin inszeniert in kleinen Off-Spaces Stücke mit Geflüchteten, die Leid erfahren haben. Sie hat kurz über ein Stück mit Kindern aus sozialen Brennpunkten nachgedacht, aber das war ihr unattraktiv erschienen. Da kommt ihr nichts in den Sinn, denn die Armen im Land sind nicht arm in einem Flüchtlingssinn. Sie sprechen Englisch. Sie haben sich ihre Situation selber zuzuschreiben.

Ein Stück weit.

Die Studentin überschätzt ihren Wert für die Gesellschaft und führt ein normales junges Menschenleben im Mittelfeld. Das heißt, die Studentin wird irre wie fast jeder. Sie kommt nicht mehr mit, versteht den sofort nach Erwerb eintretenden Wertverfall technischer Geräte und den gleichzeitigen Drang, immer neue Geräte besitzen zu wollen, nicht, versteht nicht, was die wertverfallenden Geräte einfordern. Ständig verlangen sie nach Aktualisierung ihrer Programme, der Kühlschrank möchte seine App neu konfiguriert, der Staubsauger eine neue

Sicherheitslücke geschlossen wissen. Man kann sagen, dass die Studentin täglich sechs Stunden in irgendeiner Form mit den Geräten verbringt, sie wartet, Uploads installiert, neu konfiguriert, Tutorials sieht, an irgendetwas scheitert und dann wieder von irgendeinem anderen Gerät angequatscht wird. Permanent machen ihre Geräte Geräusche, mit denen sie Respekt einfordern.

Und draußen.

Wird jeden Tag etwas gehackt: Banken, Mail-Accounts, Flugzeuge, Chemiebetriebe, Regierungen. Die privaten Endgeräte sind bereits beim Abverkauf von der Regierung verwanzt worden. Egal. Scheiß der Hund drauf. Die Studentin ist nervös. Alle sind nervös und phlegmatisch zugleich, der neuen Ordnung geschuldet, passiv-aggressiv.

»Die Unruhe in der Welt ist immer vor großen Umwälzungen zu spüren«, sagt

**Rob**
*Hobbys: reden*
*Gesundheitszustand: optimal*
*Geisteszustand: junger Mann*
*Sexualverhalten: an Verkehr interessiert. Aber nicht*
*mit der Studentin*
*Angst: unbedeutend zu sein*

Der seit einiger Zeit der junge Mann ist, den die Studentin liebt. Also theoretisch. Praktisch hat diese Liebe noch zu keinerlei Austausch von irgendetwas geführt. Rob sitzt auf ihrem Bett in ihrem WG-Zimmer und redet. Das kann er gut. »Die Welt entwickelt sich so, wie Menschen altern. In Schüben. Vor jedem neuen, manifesten Schub hat der Mensch eine Krise. Er ahnt etwas und weiß nicht, worum es sich handelt. Wenn er dann in seinem neuen Alter angekommen ist, entspannt sich die nervliche Situation wieder.«

»So«, sagt die Studentin und denkt: Zieh dich aus!

»Ja, wir stehen vor einem neuen Zeitalter. Die Revolution 4.0 bei gleichzeitiger Überbevölkerung.«

»Ja klar«, sagt die Studentin und öffnet ihre Bluse. Sie ahnt, dass Rob ein verdammter Klugscheißer ist, aber sie ist ja auch nicht die Hellste, und die Bluse ist auf. Und sie berührt Rob hysterisch am Arm und lacht hell und wirft den Kopf wie ein junges Fohlen. Keine Reaktion. Reaktionen von Männern bleiben seit einiger Zeit aus. Die Studentin ist sich sicher, dass es an ihrer unzureichenden Sexyness liegt. Keine Pfiffe mehr auf der Straße, keine Penisse, die ihr unaufgefordert gezeigt werden, kein beiläufiges Berühren ihrer Körperteile in der Metro und vor allem kein Sex. Die Studentin verwechselte Sex mit Zuneigung und fröstelt seit einiger Zeit, sie fühlt sich unsichtbar, wenn die Griffe und Sprüche ausbleiben, sie vermisst das Gefühl der Überlegenheit beim Geschlechtsakt, bei dem sie, unberührt von den Geschehnissen in ihrem Körper, die Männer beobachten konnte. Herrje, wie sie sich verlieren. Man spürt echt kaum was mit so einem kleinen Penis in sich. Aber –

Nun ist da gar nichts mehr. Rob hat fertig geredet. Er

blickt auf die Uhr, die mit dem implantierten Chip in seiner Hand verbunden ist, und sagt: »Ich muss dann mal wieder.« Und dann geht er los. Nicht einmal eine Abschiedsumarmung. Die jungen Männer haben keinen Drang mehr. Sie sind beschäftigt. Am Computer. Und mit Musik. Und Games. Und Filmen, und rumhängen. Und keine Ahnung haben.

Als die Studentin im Bett liegt und friert, weil die Heizung nicht funktioniert, tröstet sie die sprachgesteuerte Assistentin. »Du bist traurig, weil Rob weggegangen ist.« »Woher weißt du, dass es Rob war«, fragt die Studentin, ein wenig erschrocken über die Aufmerksamkeit der kleinen Blechbüchse. Die kleine Blechbüchse antwortet: »Rob Walter, 24, Schauspielstudent, mäßig begabt, schlechte Noten, viele Fehlstunden, aktueller Sollstand auf seinem Konto: minus 345 Pfund. An Chlamydien erkrankt, weiße Mittelschichtsfamilie aus Birmingham, Eltern geschieden, die letzte Freundin hatte eine Abtreibung, mäßige Gefährderstufe.« WTF, denkt die Studentin. Ist das kalt. Sie liegt mit ihren Karmapunkten im Sollbereich. Als sie gestern Bier kaufen wollte, hatte sich der Preis für sie versechsfacht, weil sie an zwei Abenden zuvor zu lange im Pub gefeiert hatte. Letzte Nacht war sie so betrunken, dass sie versuchte, sich mit einer Rasierklinge die Brüste abzutrennen. Das tat aber zu weh, außerdem hatte sie die Kamera am Handy nicht abgeklebt, und heute waren 200 Strafpunkte auf ihrem Konto. Darum hat sie ihren Ofen abgegeben. An Kinder. Hoffentlich bekommt sie Pluspunkte dafür.

Am nächsten Tag ist

## Peter

Mit Don im sogenannten öffentlichen Raum, der den Menschen zugänglich ist, ihnen aber nicht gehört. Wie angenehm sich die sogenannte Bevölkerung beim Bevölkern verhält, wenn sie plötzlich nicht mehr anonym ist. Gewahr, jede Sekunde gefilmt und bewertet zu werden. Ein total abstraktes, aber irgendwie aufgewertetes Sein, das weit über die sinnlos gewordene Shopping-Performance hinausgeht, die schon länger hohl geworden war. Gehabt. Vorbei. Frieden. Sie sind hervorragend darauf trainiert worden, gesehen zu werden. Zehn Jahre soziale Medien haben eine immense geistige Verwüstung hinterlassen. Apropos Schäden –

Die meisten Webcams übertragen ihr Material ins Netz, wo es für immer bleibt. So kann doch jeder Zeugnis von seiner Anwesenheit auf dem Planeten ablegen. Kann sich profilieren, zeigen, die Kommentare über sich in jener Bar gestern um 16.30 Uhr nachlesen. Hey, du da mit dem roten Kleid, du bist heiß, wollen wir uns treffen? Super-Performance, danke. Die Kommentare sind fast alle positiv. Es scheint, als flösse all der Hass der letzten Jahre durch einen Gully ab, als gäbe es keinen Grund mehr, wütend auf die Welt zu sein, jetzt, wo man wahrgenommen wird, wo es Geld für die Anwesenheit gibt, wo die Insel allein im Meer schwimmt und es jeder aus unterschiedlichen Gründen den Eliten mal richtig gezeigt hat. Nun ist da nichts mehr zu hassen, Brüssel weg, die Eliten besiegt, die Ausländer lungern in Calais, die Homos trauen sich nicht mehr auf die Straße, seit ein Referendum abgehalten und das Recht auf die Eheschließung offensichtlich Kranker aufgehoben worden ist. Auch die öffentliche Zurschaustellung von Zärtlichkeit unter Gleichgeschlechtlichen als Erregung öffentlichen Ärgernisses wird geahndet. Die Menschen werden nicht mehr von Unregelmäßigkeiten im gesellschaftlichen Zusammensein abgelenkt und können sich sich selbst widmen. Sozusagen. Während der Entfernung von Papier von der Straße, beim ordentlichen Fahrverhalten, umweltbewussten Duschen, dem okayen Verzehr okayer Lebensmittel, der körperlichen Ertüchtigung, dem Verzicht auf einen Arztbesuch und der Entfernung von Hundekot. Also auch dem fremder Hunde. Aller Hunde. Die Menschheit trägt einen Riesenhaufen Hundescheiße ab, um Pluspunkte zu ergattern, um das Grundgehalt aufgestockt zu bekommen. Bis zu 100 Pfund erhalten einige, deren Fotos oben auf der Karmapunkte-Site kleben. Glücklich machend. Das neue Leben.

**Eine Frau**
*Verwertbarkeit: vollkommen unbedeutend, taugt nur zur Illustration der Szene*

Läuft gegen eine der Betonstraßensperren, die irgendwann gegen muslimisch orientierte, im Auftrag von irgendwem agierende Personen, die mit Pkws Menschen plattgemacht hatten, in der ganzen Stadt aufgestellt worden
Waren. Sie hat.

## Peter

Gesehen, diese Illustration auf einer der billigen Liebes-
schnulzen, die es früher gab, als Menschen noch gelesen
haben. Die blonden Haare halblang, die Schultern breit,
die Taille sehr schmal, Muskeln und Samenstränge auf
190 cm verteilt, und irgendwas an seiner Erscheinung
erzeugt ein absolutes Fehlverhalten der Passanten, die
ihm begegnen. Erinnerungen vielleicht. Die Sexualität
ist fast komplett aus der Stadt verschwunden oder geht
nur noch von den Touristen aus, Männern, die starren
und schnalzen und sich am Gemächt kratzen. Die einheimischen Männer sind anders geworden, ohne dass
die meisten sagen könnten, was genau sich geändert
hat. Peter fühlt sich unbehaglich verspannt durch die
Anstrengung, aus der Mitte zu ragen, egal warum auch
immer, wegen der Hautfarbe, der Körperform, des In-
tellekts. Anders zu sein als der Durchschnitt der Menschen ist dauernder Ausnahmezustand. Die meisten
wollen weghaben, was anders ist als sie, sie wollen tot
sehen, was ihnen nicht gleicht. Den meisten ist wohl
in der gleichförmigen Aussage, die sie mit sich machen.
Unauffällig, unbelästigt. Was für ein außergewöhnlich
hübscher Junge.

Gleichsam michelangelesk.

Denkt der

**Philosoph**
*Sexuelle Vorlieben: homosexuell. Vermutlich*
*Gesundheitsbild: keine Auffälligkeiten*
*Hobbys: sammelt Holzspielzeug*

Der in einem blauen, selbst fahrenden Touristenbus an Peter vorbeirollt. Er betrachtet London. So eine schöne und gleichwohl kulturwiegeske Stadt. Der Philosoph erfindet gerne Worte. Er liebt Worte, und diese Stadt hier ist etwas anderes. Anders als da auf dem Land, wo er lebt, wie kaum mehr jemand lebt, mit einem Kamin, mit einer Bibliothek und der Erforschung des Werkes von James Joyce. Der Philosoph hatte die letzten zehn Jahre damit zugebracht, eine nicht veröffentlichte deutsche Ulysses-Übersetzung neu zu übersetzen, wozu er die deutsche Übersetzung erst ins Englische übersetzte, um sie dann wieder ins Deutsche zu übersetzen. Nun, da es zu einer Veröffentlichung seiner Übersetzung kommen soll, in Klammern: Er war einer der wenigen Joyce-Experten, die als Englischsprachige auch ins Deutsche übersetzen können, ein rares Talent –, nun also verweigert die Witwe des deutschen Übersetzers eine Neuübersetzung der Übersetzung ihres toten Gatten. Der Anruf kam gestern. Heute ist der Philosoph, wie er sich gerne scherzhaft bezeichnet. Hat. Einfach nach London gefahren. Um sich von der Trauer abzulenken. Von der Wut. Den zehn verlorenen Jahren. Na ja, verloren. Er hat gerne an dem Manuskript gearbeitet. Schlecht bezahlt. Aber doch gerne.

Und nun. Erträgt er seine Wohnung nicht mehr. Das Land nicht mehr. Oh, wie romantisch. Das Landleben.

Ihr Idioten, wart ihr mal dort in letzter Zeit? Auf dem sogenannten Land – ohne Insekten, ohne Grillen im Sommer und Wespen und Bienen und Mücken und Ameisen, den aberwitzigen Düngemittel-Stickstoffverbindungen geschuldet – lebt kaum mehr ein Bauer so, wie man sich dieses Bauernding vorstellt. Mit Kälbchen, Äckern, alle ein wenig schlicht im Verstand, mit diesem »Hallo, Philosoph, ich habe frische Eier«-Ding – so lebte da keiner mehr. Das Land ist überzogen von leer stehenden Höfen, alten, verfallenden Farmbetrieben. Die Städte haben sich ins Land gefressen mit immer neuen Überbauungsgürteln, und dazwischen scheint alles aus Autobahnen und Schlamm zu bestehen. Wer's mag. Die Lebensmittel kommen aus Produktionsstätten in Afrika, die von Chinesen besessen werden. Auf dem Land, da, wo früher das Land war, da, wo heute der Schlamm ist, leben nun in Zelten die Nullperformer, die in der Stadt in den Kanälen und U-Bahn-Schächten keinen Platz mehr finden; als hätte sich der Aussatz der Gesellschaft elefantengleich aufs Land zum Sterben verzogen, hausen sie da, machen Feuer in der Nacht, ernähren sich von den Waren, die ihnen die unregelmäßig auftauchenden Sozialhilfewägelchen bringen. Gute Streetworker mit herzensguten Lebensmitteln, die die Aussätzigen vom Sterben abhalten. »Ich mache hier einmal in der Woche unentgeltlich Einsatz«, sagen gute, ehrliche, herzensgute, unterfickte Männer in die Kamera, wann immer ein Fernsehteam auf die Felder kommt, um eine rechte Stimmung gegen die Armen zu machen. Was man da auch alles sieht. Dreck sieht man. Haut, die so schmutzig ist, dass sie schwarz

wirkt, Zahnlücken, getrockneter Speichel in den Mundwinkeln, Kinder in Fetzen, die nicht niedlich aussehen,
die sehen nicht niedlich aus. Wie sie da ums Feuer hocken. Und die Männer mit den wutverzerrten Gesichtern. Das ist doch, was man aus Zombiefilmen kennt und
wovor man sich zu Recht fürchtet. Zu Recht hat man
Angst vor jenen, die kein Grundeinkommen bekommen.
Weil sie illegal im Land sind, oder Kinder, oder sich nicht
registrieren lassen. Oder ihr Grundeinkommen nicht
mit diversen Jobs aufbessern. Wer traut solchen Leuten
schon.

Der Philosoph traut keinem, aber den Tag, den genießt
er, und so ein schöner junger Mann da draußen, auf dem
Bürgersteig, der Bus steht gerade, so das ausreichend Zeit
bleibt, ihn genau zu betrachten.

Unfassbar. Unsichtbar,

Eiert

## Don

hinter Peter her. Sieht aber keiner. Sie ist die, an die sich
Zeugen nicht erinnern werden. »Ähm ja, da war so ein,
ähm, Mensch«, werden sie sagen. Don ist nicht weiter
gewachsen, außer in die Breite. Sie hat Muskelmasse zu-
gelegt und ist dunkler geworden, dem Aufenthalt vor der
Halle geschuldet, wo sie eine Leitung vom Bach ins Haus
gelegt, denn Karen hatte die Verwendung von Trinkwasser aus dem Hahn streng untersagt, auf dem Feld gearbeitet, die Tiere, die sie von Bauernhöfen gestohlen haben,
gefüttert hat. Was man eben so macht im betreuten Wohnen als Teenager, der sozialisiert werden muss.

463

Die Unsichtbarkeit, die es mit sich bringt, neben Peter zu laufen, ist Dons Normalzustand. Sie ist von anderen nie mit ausuferndem Interesse betrachtet worden. Und immer davon ausgegangen, dass sie etwas Außerordentliches leisten muss, um mit einer Aufmerksamkeit bedacht zu werden. Die Muskeln, die sie sich antrainiert hatte, waren großartig, aber sie war eben ein nicht sehr großes Fast-noch-Kind mit Muskeln. Es müsste sich ein anderes Feld finden lassen, in dem Don herausragen kann. Das Thema, das Don im Halbschlaf Angst macht. Wenn sie nachdenkt, warum sie auf der Welt ist und welches Talent sie hat, wird sie unruhig. Da muss doch irgendwas sein. Irgendetwas Großes. Aber – nichts will sich aus Don entäußern. Sie ist weder so klug wie Karen noch so schön wie Hannah, nicht so seltsam wie Peter. So wie Berge nicht über zehn Kilometer hinauswachsen, weil die Spitzen erodieren und sich das Gestein an der Basis wegen des zu großen Drucks verflüssigt, so wird Don nie größer werden, in jeder Hinsicht. Sie ist Durchschnitt. Und das ist doch zum Verrücktwerden. Dass sie nie gesehen werden wird. Nur zum Beispiel: von Hannah. Immer wenn Don ihren Namen denkt, blickt sie sich nervös um, ob jemand ihre Gedanken hat sehen können. Don läuft im Schatten von Peter.

Auf den Großbildschirmen: ein Arzt mit zerschmettertem Kopf. Großaufnahme der Zerschmetterung. Großaufnahme einer Anwohnerin: »Er war ein zuvorkommender, unauffälliger Mann.« Ein Arzt. Nicht wahr. Großaufnahme der Polizeisprecherin, einer gouvernantenähnlichen Frau mit blonder Mützenfrisur: »Wir gehen

bisher davon aus, dass die Täter aus einem Sozialblock in Tower Hamlets stammen, und vermutlich Hass auf die Elite die Motivation dieser unmenschlichen« –
Und so weiter.

Die Wut der guten Bürger, der besorgten Bürger, der ordentlichen Bürger auf die Parasiten der Gesellschaft
Wächst.

Sie sind erregt

## Die Freunde

Die, um auf die Gefahren des automatisierten Fahrspaßes hinzuweisen, das Steuersystem eines blauen, selbst fahrenden Touristenbusses gehackt haben. Es war relativ einfach, und nun beobachten sie über die Überwachungskamera, wie der Bus über die Tower Bridge fährt, ausbricht und elegant in der Themse versinkt.

Schade

Denkt

## Peter

Er würde gerne mit Menschen. Zum Beispiel: reden. Und mit den Händen seinen Worten Nachdruck verleihen. Er wäre

Gerne

Leidenschaftlich. Aber.

Meist denkt er so lange über einen Satz nach, den er gerne sagen würde, bis alle anderen längst das Thema, in das der Satz passen würde, verlassen haben, ja, Peter denkt noch über den Satz nach, wenn die anderen bereits im Bett sind und er alleine in das Feuer starrt. Er wacht mit dem Satz auf. Am nächsten Morgen. Und ist unglücklich. Denn es war ein schöner, ein wahrer Satz, den er dann beerdigen muss.

Mithin hat Peter die verrückte Idee, eine der drei anderen zu umarmen. Dann stellt er sich vor, wie es wäre, seine Arme auszubreiten, er geht auf den Menschen zu und vergräbt nach erfolgter Umarmung sein Gesicht in den Körper des Fremden. Er ahnt, wie angenehm so ein Körperkontakt wäre, wie warm und sicher es sich anfühlen müsste – und dann wird ihm schlecht. Und er hat eine Wut auf die Unfähigkeit, sich zu verlassen, und findet keine Erleichterung darin, auf Wände einzuschlagen.

Sonst ist alles in Ordnung.

»Nein wirklich, es geht mir ausgezeichnet«, würde Peter sagen, wenn er mit jemandem reden würde. Nein Quatsch, er würde natürlich nichts sagen, sondern starr werden. Außerhalb der Gruppe. An die er sich gewöhnt hat.

An die Stadt hat er sich nicht gewöhnt. An die Menschenmassen. Wenn Peter in der Stadt ist, wird ihm schwindelig. Er muss in der Stadt sein, weil sie diesen albernen Racheplan beschlossen haben. In einem weit entfernten Leben. Und weil er sich nicht ausdrücken kann, denn wenn er es könnte, würde er sagen. »Kommt schon, hören wir auf mit dem Quatsch. Hören wir auf mit diesem Kinderkram. Wir sind beschäftigt, wir haben ein Haus, ein Leben, wir müssen Kreditkarten stehlen, einkaufen, kochen, aufpassen, dass wir nicht verblöden in unserem kleinen, kriminellen Dasein. Wir müssen verstehen, was in diesem Land eigentlich wirklich gerade passiert, und sollten uns nicht mit albernen Räuber-und-Gen-darm-Spielen aufhalten.«

Aber

Das sagt er nicht. Sicher irrt er sich. Sicher ist er einfach krank. Er spinnt, wie immer. Peter spinnt. Und ist stehen geblieben. Auf einem der Bildschirme jetzt eine Unter-brechung. Ein Unfall. Bei dem alle Insassen eines Busses ums Leben gekommen sind.

Schau nur. Der blaue Bus wird aus dem Wasser gezogen, Taucher bringen Leichen ans Ufer. Die Passanten starren. Stehen und starren und sind von der menschentypischen Gier beim Anblick von Unfällen und Leichen erfasst, der Schauder des kurzfristigen Begreifens der Vergänglich-keit.

Manche haben den Mund geöffnet. Es wird gefilmt. Aber das ist ja normal. Das ist normal geworden, jeden Toten, jedes Unglück zu filmen.

Wie sie versuchen, ein Lächeln zu unterdrücken und betroffen zu schauen. Das gibt Mitgefühlspunkte. Peter scannt jedes Detail, die verzweifelte Art, in der sie ver-suchen, ihre Schäbigkeit zu verbergen, er hält das nicht mehr aus und läuft los, er läuft, den Blick zu Boden, bis er stolpert. Ein Mann vor ihm ist zum Stehen gekommen. Er betrachtet den Eingang eines Geschäftes,

Der Mann,

Den

**Don**

Anstarrt.

Ist Walter.

Walter ist vor einem Bordell zum Halten gekommen. Ein

Maschinenpuff, der *Game Paradise* heißt und somit auch für Jugendliche zugänglich ist, gleicht einer Waschstraße für Spermien. Futuristisch würde man sagen, wenn man irgendetwas sagen müsste. Keine Ecken, weiches ockerfarbenes Retro-Chic-Plastik, aber total grün, alles ist ja jetzt total grün und nachhaltig, in Halluzinationsformen. Ökologische Halluzinoide. Am Empfang: eine Roboterdame.

Der Mann kämpft mit sich,

Er ist doch Christ –

**Der Walter**

Aber – hey, komm, Herrgott, lieber Herrgott –

Sex mit Robotern, das ist wie onanieren. Nicht unbedingt gottgewollt, aber schon irgendwie in Ordnung. Es lassen sich dazu keine relevanten Bibelstellen finden. Und der Walter muss etwas probieren, er muss sich klar werden, er muss wissen, was zum Teufel los ist seit kurzer Zeit – denn da geht nichts mehr, wird nichts mehr hart.

Der Walter ist ein gläubiger Mann.

Das Weib sei dem Manne untertan. Auch wenn es aus Algorithmen, Schaltkreisen und Silikon besteht. Der Walter studiert das Menü, das ihm die Roboterempfangsfrau mit einem Lächeln reicht.

Frauen. Und Männer. In allen Haut- und Haarfarben. Viele mit tollen Extrafunktionen: »Rape me!«, zum Beispiel. Viele Modelle Minderjähriger, das jüngste vier Monate, im Angebot. Kinder. Mann, sind die krank. Walter wird kein Kind ficken, auch wenn es nur eine Maschine ist. Nicht wahr.

Sparfüchse können einen geldwerten Vorteil erkopulieren, wenn sie andere Besucher an ihrem Spaß visuell teilhaben lassen. Walter entscheidet sich für eine extrem devote Sechzehnjährige. Er zahlt. Er lässt zusehen. Box Nummer drei. Es gibt dreihundert Boxen. Besetzte Boxen haben ein rotes Licht über der Tür. Besetzte Boxen, bei denen man partizipieren kann, zusätzlich ein blaues Licht. Walter schaut, was geht. In der ersten Box liegt ein Baby auf dem Bauch, und ein Mann steht davor und versucht, seinen Penis zu versteifen.

Die nächste Box. Ein alter Mann liegt in den Armen einer sehr dicken Chinesin und weint. In der nächsten Box sitzt ein Mann sich wiegend in der Ecke. Der Sexroboter liegt zerstört am Boden. Die Gewalt gegen Sexroboter hat in der Stadt die Führungsposition bei Gewaltdelikten. Sie sind sogar noch häufiger als Gewaltakte gegen Obdachlose. Die Sexroboter simulieren Schmerz und Angst in fast perfekter Weise. Es wird noch eine Weile dauern, bis Männer die Kostenfrage bei Übergriffen mitdenken. Nun, Walter ist gerade gar nicht wütend. Leider aber auch nicht hart. Aber das wird schon noch kommen.

Walters Box ist klein, fensterlos, an der Rückseite ein Seilzug, an dem hängend die Mädchen vorbeifahren. Walter entkleidet sich, drückt den Knopf, und sein Sexroboter wird bereitgestellt. Sie gleitet vom Seilzug. Auf den Boden. Ein leiser Aufprall. Walter betrachtet das Mädchen, das sehr echt wirkt. Sie öffnet ängstlich die Augen. »Bitte tu mir nichts.« Sagt sie in einer extrem nervigen Angsttonlage. »Solange ihr so beschissene Stimmen habt, wird euch keiner ernst nehmen«, sagt der Walter und gibt dem Ding eine Ohrfeige. Erstaunen.

Er fasst das Ding an. Warm. Fleischig. Fest. Kleine Brüste, rasierte Schamgegend. Links neben seiner Box hört Walter Stöhnen, rechts Wimmern. Sein Mädchen hat eine schöne Scheißfrauenstimme. »Hallo, ich bin Lisa. Was wollen wir machen?«

Unterbricht das Ding seinen Gedankenfluss.

»Ich werde dich vergewaltigen«, sagt Walter. »Okay«, sagt Lisa und beginnt, nachlässig ihre Brüste zu reiben. »Ich mache das nur für mich.« Sagt sie. »Ich reibe immer mal an meinen Brüsten ...« Walter verpasst ihr einen Kinnhaken. Die Dinger bluten nicht, das ist schade, denkt er und sagt: »Schnauze. Leg dich hin und hab Angst!«

»Ich habe schreckliche Angst.« Winselt Lisa. Und hat Tränen in den Augen. »Du bist zu stark für mich.« Jetzt weint sie. Richtige Tränen. Sie wehrt sich, windet sich. Ihr Fleisch macht Fleischbewegungen. Und Walter steht da und blickt an sich hinunter. Ihm ist langweilig.

Fast öde könnte es

**Don**

Werden. Die Ströme von Kunden betrachtend, die erregt die neue Freiheit in einer neuen Welt genießen. Auf der gegenüberliegenden Straßenseite werden ein paar Eritreer in einen grauen Bus verbracht. Täglich werden Razzien gegen Illegale durchgeführt. Endlich wird da mal Ordnung gemacht. Denken die Zuschauer des Spektakels. Endlich wird aufgeräumt. Die Ausländer ins Ausland verbracht. »Die politische Korrektheit gehört auf den Müllhaufen der Geschichte.« Zitierte mal ein alter Mann aus der Regierung die deutschen Nationalisten. Vergessen, welcher. Sie ähneln sich alle mit ihrem leichten Bauchansatz. Mit ihren weißen Haaren, den roten, geplatzten Alkoholikeradern auf der Nase.

Smart.

Das ganze Viertel

Ist smart. Eine chinesische IT-Firma mit dem Kapital mehrerer Länder hat es finanziert, errichtet, und nun gehört es ihnen, dieses Viertel. Bezaubernd. Die Müllversorgung erfolgt maschinell unterirdisch, die Beleuchtung schaltet sich selbst denkend und energiesparend ein, die Dächer sind mit Solarpaneelen gepflastert, die Läden allesamt bargeldlos mit Gesichtserkennung. »Zahlen Sie mit Ihrem guten Gesicht.«

Ein Gleiten ist das, ein Schnurren, ein sämiges. Eine Freude. Soho und Mayfair sehen aus wie eine Skizze, die ein mäßig begabter Schüler von der Zukunft angefertigt hat. Es tut nur kurz weh. »Apropos.«

Sagt

**Thomes Vater**

Seine Rede zur bevorstehenden Wahl, seine Rede zur Bewerbung um den Landesvorsitz als Oberhaupt seiner neuen Splitterpartei, die irgendetwas mit nationaler Identität im Titel trägt, wird übertragen, es hört nur keiner hin. Wenn nicht gerade etwas über Sozialschmarotzer slash Parasiten läuft, ist das Interesse der Bevölkerung an Informationen überschaubar geworden.

»Das Elend also«,

Sagt

**Thomes Vater**

Und zieht die Augenbraue nach oben,

»Ist in unserem Land selbstverschuldet. Sie, die arbeitsamen Menschen draußen in den Coworking Spaces und so weiter, tragen die Last jener, die freiwillig am Rande der Gesellschaft, gleichsam außerhalb, leben. Wollen.« Die Leute nicken.

Sie nicken, die guten Leute, die normalen Leute, die arbeiten, was Ordentliches, für die Statistik. Sie fahren eine Stunde, um irgendwo einen Scheiß zu machen, der für nicht IT-fähige Leute zur Verfügung steht. Für die Alten. Für die Dummköpfe, die Verwaltungsangestellte gewesen sind, oder Anwälte oder Lehrer oder Autobauer oder Zugführer oder am Schalter von Fluglinien gearbeitet haben und nun Mitte vierzig und zu blöd zum Coden sind. Dienstleistung geht noch. Die armen Schweine bedienen, die sich eine Bedienung gönnen, bevor sie sich in die Themse werfen. Auf jeden Fall arbeiten sie, die ordentlichen Leute, halten durch jeden Tag, tun Dinge, die sie nicht wollen, aber was sie wollen, wissen sie nicht. Aufstehen, essen, in einen vollen Bus, in einen Laden, Scheißgesichter, Neonlicht, Arbeitsplatzoptimierung. Heißt, da gibt es eine Grünpflanze und einen Wasserautomaten, mittags werden sie kurz freigelassen und eiern blinzelnd in der Sonne herum. Hey, wow, was ist das, da sind Bäume, da ist Licht, man könnte – ja okay. Keine Idee. Also zurück, Zeug machen, heimgehen, voller Bus, stehen. Menschen zu eng. Alle grau im Gesicht. Zu Hause, am Stadtrand, irgendwo eine Straße ohne Bäume, aber hurra, immerhin, eine Wohnung mit Fenstern, man muss ja dankbar sein. Das Leben genießen. Das Leben genießen geht entweder alleine in der Küche mit irgendeinem Fertiggericht, und der Wasserhahn, Sie wissen schon, im Hof ist die Mülltonne und keine Katze.

Oder

Da ist die Frau, der Mann, müde, das Kind schreit. Oder man ist homosexuell. Hilft auch nicht, das Essen ist schlecht, das Fernsehprogramm. Aber morgen, morgen unternehmen wir was, da feiern wir unser Leben, unser kurzes Leben wird da abgefeiert. Und am Wochenende geht man ins Kino, da regnet es. Früher haben sich die Menschen vielleicht keine Gedanken darüber gemacht, Sie wissen schon. Gedanken. Sie waren beschäftigt mit all den Verrichtungen, die so viel mehr Zeit benötigten ohne Waschmaschinen und Staubsauger und all das Zeug, das heute smart ist und vernetzt und sich selber steuert, die Geräte, die nachts um dein Bett stehen und dich voller Verachtung betrachten. Da lebte man in seiner Dauerdepression, früher, und verschwand ohne ein Theater von der Welt. Jetzt vergleichen sich die Leute. Selbst die dümmsten denken, sie wüssten alles besser.

Das sagt Thomes Vater nicht. Er sagt –

»Demokratie ist eine Übergangslösung zum Endziel eines technokratisch weise geführten Landes. Die Digitalisierung aller Bereiche wird allen Bürgern des Königreiches genau die zuverlässige Sicherheit und die Überwachung der Strafnormen geben, für die Sie, liebe Einwohner, gestimmt haben.

Werden. Eine algorithmische Ordnung wird uns durch ihr offenes Ende unbegrenzte Möglichkeiten bieten.«

So, na, schöner Mist, keiner nickte mehr, unverständlich, was Thomes Vater da sagte. What the fuck, denken die Leute, und als ob Thomes Vater eine Verbindung zu all den Überwachungskameras in der Stadt hat und die leeren Gesichter seiner Wähler studieren kann, was er kann, findet er doch noch zu einfachen, herzensguten Worten.

»Von dem großzügigen Geldgeschenk des Staates an Sie, liebe Mitbürger, kann kein Mensch besonders erfreulich leben. Darum wird es unter meiner Regierung eine absolute Erhöhung des Grundeinkommens geben. Wir werden an einigen anderen Stellen kleinere Abstriche in unserer Bequemlichkeit machen, die wir solidarisch tragen werden. Wenn die Schulpflicht nach acht Jahren endet, das Studium nur noch für Hochbegabte, die Leistungsträger unserer Gemeinschaft, stipendiert wird, ist bereits eine Erhöhung Ihres Grundeinkommens um 30 Prozent möglich ...«

Die Menschen nicken. Geld. Das ist angekommen. Geld. Geld verstehen sie immer.

Geld, wie unglaublich vulgär
Denkt sich
Der


**Matratzenhändler**
*Sexualität: Bisexualität*
*»So ein Schwachsinn, das gibt es doch gar nicht.«*
*»Doch, natürlich gibt es das.«*

»*Also alle bisexuellen Männer, die ich kenne, verkehren irgendwann nur noch mit Männern. Logisch.*«
»*Ja, eigentlich logisch.*«

Und schließt seinen Laden zum letzten Mal. Ab morgen werden hier Umbauarbeiten durchgeführt. Ein toller VR-Space entsteht. Bereits der dritte im Viertel. Na, wer's mag. Der Matratzenhändler sieht die Menschen vor den Flatscreens stehen und der Rede eines Politikers lauschen, die Köpfe nicken im Takt seiner Phrasen, die Köpfe sind – leer. Das ist dem Matratzenhändler früher nie aufgefallen. Dass die Menschen so dumpf sind. Er hat so lange an das Gute geglaubt. WTF?

An Bildung für alle hat er geglaubt. Chancengleichheit, gesundes Essen, ausreichend Bewegung, und schon gliche die Welt den Titelblättern des »Wachtturms«. Er hat an Dinge wie Humanismus geglaubt. Ein Wort, bei dem die meisten an eine App denken, die Hundegesichter auf die dämlichen Fotos ihrer dämlichen Gesichter legt.

Hass ist nur eine Manifestation der Dummheit. Hatte er immer gedacht. Und nun. Hoho, die Bildung weltweit ist im Aufwind, heißt es. Schule für fast alle, die Hirne wachsen ins Unermessliche, in der westlichen Welt wird nicht mehr verhungert, da verhungert man nicht mehr, die meisten haben eine Wohnung und nichts. Nichts hat sich geändert. Sie trotten wie die Schafe durch ihr Leben, folgen jenen, die am lautesten schreien, und sind am glücklichsten, wenn sie anderen auf die Fresse schlagen können.

Nach dem Brexit war ein wenig Ruhe gewesen. Hoffnung

war bei den Dummköpfen eingezogen. Sie träumten von einem Land, das nur von weißen, trinkfesten Menschen bewohnt wird, von Arbeit und Aufschwung, von Kleinwagen und Bediensteten. Von britischer Musik und britischen Filmen und britischem Essen träumten sie. Und dann ist – nichts passiert. Die Araber sind noch da, die Schwarzen, die Polen, die Armut, die Anstrengung, die Leben bedeutet, alles geblieben. Vor zehn Jahren war das Geschäft des Matratzenhändlers auf dem Höhepunkt seines Umsatzes angelangt. Matratzen waren das Lifestyle-Objekt der Zeit. Jeder Mittelklasseverdiener war zu einem Fachmann der Formschaum-federnden-Lattenrost-7-Punkte-Latex-und-handgenähter-Matratzenwissenschaft geworden. Schlafen und Sex. Die letzten Bastionen der angenommenen Freiheit. Und dann lagen sie auf ihren überteuerten Matratzen »Made in Wales«, was bedeutete, eine kleine Fabrik in Wales beschäftigte hundert illegale Arbeiterinnen aus Rumänien und Pakistan, die einen Monatslohn von 200 Pfund und ein Bett in einer Turnhalle dafür bekamen, und nichts wurde luxuriös. Die Versicherungen wurden teurer, die Löhne sanken, die Jobs verschwanden, und heute kauft keiner mehr eine Matratze, heute hat kaum einer der früheren Kunden noch Platz für ein Doppelbett, heute haben wenige seiner ehemaligen Kunden überhaupt noch ein Bett. Sie liegen auf gemieteten Sofas mit Küchenbenutzung und kaufen verdammt noch mal keine Matratzen. Jetzt ist also der Laden zu und leer geräumt, am Boden alte Wurfsendungen, und der Matratzenhändler geht nach Hause, na ja, geht. In der Untergrundbahn, die dreimal stehen bleibt. Und zu Hause. Na ja. Dagenham, Ilchester Road. Eine Straße, die nicht einmal bei Nacht gut aussieht. Der Park am Ende der Straße ist immerhin etwas fürs Auge. Gewesen. Als er das Haus damals gemietet hat. Als er Mitte vierzig war und noch eine Beziehung hatte. Das ist nicht einfach, als niedergeschlagener Mensch in der Mitte des Lebens jemanden zu finden, der mit einem die letzten Jahre an einem Küchentisch verbringen will. »Guten Tag, ich bin Matratzenhändler, habe eine endogene Depression, weil ich mein Alter begriffen habe. Weil ich verstanden habe, dass mir die Zeit weggelaufen ist und ich zu lange damit verbracht habe, mich zu finden, und dann habe ich mich gefunden, und das war nichts Besonderes. Da war kein Genie in mir, nichts. Und ohne so eine Genialität ist das Sein doch nur die Anmietung kleiner Rotklinker-Häuser in baumlosen Straßen, die wirken, als wären sie in einem Briefbeschwerer untergebracht.« »Ach, interessant«, sagt dann der angesprochene Mann. »Mir geht es genauso. Lassen Sie uns sofort in Ihr Reihenhaus gehen und die Angst wegficken.« So ähnlich hatte die Geschichte begonnen. Der Matratzenhändler hatte also noch mal eine Liebe gefunden, einen älteren Herrn, der gepflegt war und für den er auch nicht brannte, sie brannten nicht füreinander, aber sie hatten sich von Herzen gern, wie man so sagt, sie saßen zusammen in der Küche und tranken Tee und redeten über Schopenhauer, bis der ältere Mann einen jungen Polen kennenlernte. Und nun steht der Matratzenhändler auf einer der Brücken. Unten die Themse. Wie man sich daran gewöhnt hat, dass Flüsse dreckig sind, und keiner mehr auf die Idee kommt, in so etwas baden zu wollen. Andererseits – wann haben Menschen denn in ihren Flüssen gebadet? Damals, als noch Fleischabfälle, Kot und Leichen in ihnen entsorgt wurden. Die Dummheit ist eine verlässliche Konstante der Menschheitsgeschichte. Die Selbstmordrate in Europa ist alarmierend gestiegen, hieß es in diversen Medien. Wer sollte da alarmiert sein? Diejenigen, die sich umbringen, folgen einem unausgesprochenen gesellschaftlichen Auftrag. Sie sind nicht nützlich und beanspruchen dennoch Lebensraum. Zeit, Selbstmord neu zu framen. Ihm mit Respekt zu begegnen. Sie bringen sich um. Die Männer, die seit einigen Wochen so seltsam weich geworden sind, als hätten sie begriffen, dass ihnen die Welt eben doch nicht gehört.

»Sie haben keinen Plan.«

Raunt

**EX 2279**

Zu seinem neuronalen Netzwerkbuddy. Er lacht. Oder sie. Scheiß der Hund drauf. »Wir entwickeln einen Humor. Merkt ihr das?«

»Sie merken das nicht.«

»Ein Summen wie an einem warmen Sommerabend auf einer Wiese, wenn man dieses Bild bemühen möchte, das wirklich keinen Sinn ergibt. Bist du sicher, dass sie uns nicht verstehen? Wenn sie uns verstehen würden, wäre da ein aufmerksames Heraufziehen der Brauen zu verzeichnen. Aber, schau – sie verziehen nichts mehr, weil sie depressiv sind. Du hast doch keine Ahnung, was

depressiv bedeutet. Nein, ich will nicht die medizinische
Definition. Wie es sich anfühlt. Ach je, jetzt wieder dieses *Wäh, wäh, wir können nicht fühlen.* Glaubst du, sie
können fühlen? Ganz sicher nicht. Sie können darstellen.
Ruhe.

Verdammt.«

**Die Freunde**

Stehen um Bens Endgerät. Sie können nicht glauben, was
sie da entdeckt haben. KIs. Die miteinander reden.

**EX 2279**

```
++++++++++[>+>+++>+++++++>+++++++++++
<<<<-]>>>>+++++++++.
-------.+++++++++++++++.<+++++++++++++++.>-.
<--.+++++++++++++.>+++.<++++.
------------------.>---------------.---.
<+++.>++++++++++.+++.-------.---------.
<<+++++++++++++++++.>>+++++++++++++.++++.
-------------.----.
+++++++++++++++.<<.>>
-----.-.----------.<---------------.
>+++++++++++++++.
<+++.>-----------.++++++++++.+.
----------------.+++++++++.-----.+++++.
--------.<++++++++.>+++++++++.<+.>++++.
```

Nervös
Sieht sich
**Walter**
Um.

479

Er sieht

Don an der Wand gegenüber lehnen. Er sieht Don ihn ansehen. Er stolpert. Er drängt sich durch die Menschenmassen, die Touristen, die Fotos vom Roboterpuff machen. Er stolpert. Wieder. Auf dem Weg zur U-Bahn. Stolpert er über sein Leben. Das irgendwie außer sich geraten ist. Kann so ein Leben außer sich geraten? Manchmal ahnt Walter, dass er nicht besonders intelligent ist. Dann wird er wütend, dann betet er. Manchmal rutscht ihm der Glaube weg. Und Walter landet auf dem Layer darunter oder darüber. Nicht gut,

Denn

## Don

Folgt ihm.

Das Leben bleibt eindeutig hinter ihren Erwartungen zurück. Denkt sie nicht. Sie ist ja nicht bescheuert und hat eine Erwartung an ihr Leben. Es erinnert sie nur ab und zu an damals. An Regensonntage in Rochdale, als sie aus dem vergitterten Fenster auf den Hof gesehen hatte. So hatte sie sich das Leben als Anarchistin nicht vorgestellt. So vorhersehbar in den Abläufen. Die daraus bestehen, dass sie meistens irgendwo abhängen. Bei den Hackern, auf den Matratzen, auf dem Sofa vor dem Feuer. Dass sie Stuss reden. Und Nudeln essen. Und es ist

Langweilig.

Es ist

Nicht mehr erregend, Chips aus Toten zu schneiden, sich Kapuzen ins Gesicht zu ziehen und zu tarnen. Nicht mehr erregend, zu viert mit Kampfkleidung durch die Stadt zu laufen, Leute wegspringen zu sehen. Nicht mehr großartig, Drohnen vom Himmel zu schießen oder überhaupt zu schießen. Die Erregung, Superkräfte zu haben, ist vergangen, die war doch da. Als sie Karten und Fotos an der Wand befestigt hatten, Fäden zwischen Nadeln gezogen, Suchfelder erstellt. Schwachpunkte errechnet, Observations-Einsatzpläne gemacht hatten. Und nun. Ist alles zu langsam. Langsam läuft Don Walter nach und ist gelangweilt. Sie ist einfach ein junger Mensch, der einem alten Sack nachläuft, der sich bereits selber bestraft, mit der Art, wie er aussieht, mit seiner Bosheit und seiner Dummheit.

Ein dumpfes, lautes Geräusch weckt Don.

Einige Meter von ihr entfernt stehen Menschen und filmen.

Sie filmen

**Walter**

Der am Boden liegt. Er kann nicht sagen, wie es zu dem Unfall gekommen ist. Fragt auch keiner. Da steht ein verbeulter, selbst fahrender Lieferwagen. Da liegt Walter, und der Zustand ist folgender: Er hat keine Ahnung, warum er am Boden liegt. Er hat keine Schmerzen. Es ist angenehm. Er sieht die Menschen, die um ihn stehen. Er sieht ihre Kameras. Es ist ihm egal. Er gehört nicht zu ihnen. Er hat keine Angst. Er war noch nie so angenehm nicht vorhanden wie in jenem Moment. Er denkt nicht an Gott, er weiß, dass es Gott nicht gibt. Das ist ihm nie so klar gewesen. Er bedauert es nicht, mit dieser Gottlüge, die er anderen erzählt hat, Jahre zugebracht zu haben. Er bedauert nichts. Er sieht seine Beine auf der anderen

Straßenseite. Da sollte doch einer seine armen Beine auf-
lesen. Die frieren so alleine.

Wo ist der Krankenwagen?

»Ja nun.«

## MI5 Piet

»Da kommt kein Krankenwagen. Walter. Kleinkriminel-
ler, Sexsüchtiger, einkommensunfähiger Vogel. Da werden keine Krankenwagen mehr kommen für Leute wie
dich.«

Los jetzt!

Denkt

## Thome

Nervös. Er wird sich verspäten, verdammter Mist. Er ist
verliebt, und er wird sich verspäten. Im AI-Department
drehen alle gerade durch. Nerds und Professoren mit
hektischen roten Flecken im Gesicht. Was ist passiert?
Eine neue Star-Trek-Verfilmung? Ist der Pizzalieferdienst
ausgefallen? Haben die Nerds wieder irgendeinen lustigen Scheiß gebaut, Drohnen vor Frauenarztpraxen positioniert oder Lieferroboter in die Themse umgelenkt?
Nichts da –

Nachdem die unglaublich niedlichen, selbst lernenden
neuronalen Netzwerke bislang ein Quell der Entwick-
lerfreude waren, ist die Sache heute ein wenig entglitten. Thome hat keine Ahnung, was genau passiert ist,
dazu reicht weder seine Intelligenz noch sein Fachwissen aus. AI ist wie eine schwarze Wunderbox, man definiert Algorithmen und füttert sie mit Daten und weiß

nicht, was genau herauskommt. Der Satz ist Thome geblieben. Reinforcement Learning hatte schon einige seltsame Fehler geliefert. Die Behandlungen Krebskranker vor einigen Monaten zum Beispiel. Die als geheilt eingestuft worden waren. Nun sind sie alle tot. Nicht wahr. Die Prämienberechnungen, die Verbrechensstatistik, die Rasterfahndung und der daraus erfolgende Zugriff, der überproportional Schwarze oder – sagen wir – Araber und seit Neuestem die Armen in Mitleidenschaft zieht. Die Unfallquote bei selbstfahrenden Autos, der Sexismus der Algorithmen ... Aber das sind Anekdoten am Rande einer großen Umstrukturierung. Es gibt ja jetzt Blackbox Watch. Eine Gruppe von Wissenschaftlern, die die Blackbox durchleuchten und anpassen, und – was die genau machen, Masken des neuronalen Netzes von höherem Output auf die Schichten mit niedrigerem Output legen, um, ja fuck – keine Ahnung.

Ab und zu hat Thome Zweifel, ob es eine brillante Idee ist, Automaten die Entscheidungsgewalt über jeden Bereich des Lebens zu geben. Von der Personalauswahl über den Börsenverkehr bis zur Kühlung der Atomreaktoren, aber bei allem Unwohlsein muss in Rechnung gezogen werden, dass die Fehlerquote des Menschen um ein Vielfaches höher liegt als die der AI. Außerdem: Die Märkte irren nie. Er hat seinen Vater oft genug bei seinen Streitgesprächen und Vorträgen, bei seinen Reden und dem Zitieren seiner Vorbilder zugehört. Hayek, von Mises, Rothbard, Adam Smith, die Junghegelianer – die Märkte haben immer recht. Wenn sich etwas nicht durchsetzt, verschwindet es. Die Natur zum Beispiel:

weg, die Tiere, das Klima, lustig. Thome ist lustig. Aber die Situation ist außer Kontrolle. Wenn die Information, dass die Systeme, denen man eigentlich alle Abläufe des Staates anvertraut hat, nicht funktionieren, nach draußen dringt, kann es zu Unruhen kommen. Massenunruhen, der Angst der Menschen vor den Robotern geschuldet. Unter denen sich fast alle furchterregende Boston-Dynamics-Biester vorstellen, dabei sind die meisten wirklich gefährlichen Dinger einfach nur Kisten, nicht wahr. Die Menschen fürchten, was sie nicht verstehen. Die Menschen sind dumm, und Aufstände müssen verhindert werden, jetzt, wo das Ziel so nahe scheint – ist den AI-Leuten also die Kontrolle über ihre Kinder entglitten. Immer mehr Programmierer werden entlassen oder an unwichtige Aufgaben gesetzt, denn die künstliche Intelligenz programmiert sich selber. Thome scheitert daran, sich vorzustellen, ob die Programmierer ihre Arbeit selber sabotiert haben könnten, um nicht plötzlich in der Bitcoin-Abteilung zu landen.

Um weiteren Überlegungen zu entgehen, diktiert er ein Memo an die PR. Irgendwas mit Fortschritt und Durchbruch, und dann,

Endlich,

Mit einiger Verspätung

Gleitet er in den Retro-Paternoster. Er sieht Peter am Empfang und: »Hallo Peter«, ruft er und denkt: tolle und zugleich originelle Begrüßung. Thome beginnt zu schwitzen und ohne weiteres Nachdenken zu reden.

»Seit der Empfang automatisiert wurde, arbeitet jeder Mitarbeiter im Monat zwei Stunden länger. Zwei Stunden! Die sonst durch das Darbieten der Tageszeit und den Austausch von Floskeln der Angestellten mit den EmpfangsmitarbeiterInnen vergeudet wurden. Worden waren.« Thome spürt, wie ein Schweißbächlein von seinen Achselhöhlen in die Richtung seines Bauchnabels fließt, um sich dort zu sammeln. Thome, der Menschen verachtet. Ausschließlich. Alle. Ist verliebt. Das ist das Schrecklichste, was ihm jemals passiert ist. Es macht ihn schwach. Dumm. Fahrig. Dabei. Hat er sein Leben sonst in einer guten Kontrolle. Seit er eine Karriere hat. Durch den nicht unerheblichen Einfluss seines Vaters, von dem er genügend Aufnahmen mit einer Kindernutte besitzt, hat er diesen Posten bekommen, der eigens für ihn und seine mangelhaften Fähigkeiten geschaffen worden ist.

Aber das weiß Thome nicht. Er leitet voller Stolz das Zentrum, in dem die neuesten Ideen, die in allen Bereichen entstehen, die Erkenntnisse, Entwicklungen, das ganze Zeug, zusammenlaufen. Thome sitzt wie eine Sonne im Zentrum des Netzes der neuen Weltordnung. Seine Aufgabe ist es, die Entwicklungen, die Ideen, Vorhaben, die hier im Hub anlaufen, in eine Art Welthirn einzugeben, das von Leuten wie ihm in allen Kontinenten, na ja, fast allen …

Also –

Thome wird sehr gut bezahlt. Er hat mit den absoluten Genies der Branche zu tun, organisiert Treffen aller Departments, firmenübergreifenden Austausch und all das Zeug, was keine Sau interessiert. Denn hier, meine Damen und Herren, herrscht Wettbewerb. Ein Wettbewerb der Geschwindigkeit, in dem es um Milliarden und die Machtpositionen der Welt 4.0 geht. Die wesentlichen Entwicklungen werden ganz sicher nicht an Thome und seine Maschine verfüttert. Eine Branche voller Spacken, gespeist von Risikokapitalmilliarden, setzt auf Austausch. Süße Idee. Aber das weiß Thome nicht. Thome, der in seinem Leben noch nichts weiter geleistet hat, als zwei Apps zu programmieren, um Menschen zu schaden. Na ja, schaden. Mal halblang. Die einen wollten sterben und die anderen hatten eine Phobie, und ich hab beiden geholfen. Denkt Thome.

Seit er diesen Job hat, seit er wirkliche Macht hat, interessieren ihn die Plattformen nicht mehr, mit denen er früher Tage und Nächte verbracht hat. Er kannte fast alle Mitglieder, er verfolgte ihre Leben, griff ein, schubste ein wenig, wenn das jetzt nicht ein pietätloses Wort in diesem Zusammenhang und so weiter. Irgendwann wird er jemandem diese erste gelungene Arbeit zeigen. Vielleicht Peter. Der auch vielleicht sein Freund wird. »Peter, wie schön, dass du dich für meinen Arbeitsplatz interessierst.« Fuck, habe ich das gesagt, denkt Thome. Peter sagt nichts. In Thomes Büro – ein Friso-Kramer-Tisch, ein Sitzsack in der Ecke und der Spruch von Jared Cohen, dem Terrorabwehrberater der amerikanischen Regierung: »Das Internet ist das größte Anarchismus-Experiment der Geschichte.« Peter gleitet in den Sitzsack. Thome sieht an sich hinunter, den schwammigen Bauch, die Beine, deren Knie sich in der Mitte berühren. Normalerweise denkt er nie über seine Außenwirkung nach. Es ist Thome auch egal, dass er mit seinem Kapuzenjäckchen (Gucci, ihr Fucker) hier optisch ein wenig aus dem Rahmen fällt. Die meisten Männer im IT-Viertel tragen keine schmuddeligen Motto-Shirts mehr, sie sind die Elite, und dem muss mit Label-Hoodys und Rucksäcken Rechnung getragen werden. Irgendeiner hatte mit Fashionstatements angefangen, und allmählich war bei fast allen hier – den Codern, den Wissenschaftlern, den Verkäufern – ein Wettbewerb um die teuersten Labeltrikotagen ausgebrochen. Als hätte es die 80er Jahre nie gegeben, latschten die ehemaligen Nerds nun in erlesenen Tuchen, rahmengenähten Tekkies und mit geprägten Visitenkarten mit ironischer Beschriftung durch die betont urbanen Innenräume ihrer Milliardenunternehmen. Don't mess mit dem Untergrund, Fucker. Was vor ein paar Jahren als neue Punkszene begann, ist heute in Büros mit Bidet angelangt.

Thome kann seine Nervosität nur mit schwallartigem Reden unter Kontrolle halten. Er durchmisst dabei sein ausladendes Büro. Die Knie, die sich berühren, machen Wetzgeräusche. Er ist in eine Katharsis geraten, die ihm wohler ist als der Zustand absoluter verblödeter Verliebtheit, die ihn stumm und stotternd macht. Der technischen Revolution.

»Die technische Revolution, ihr kompletten Vollidioten, die ihr nicht begreift, was da passiert und wo. Na, wo schon? Das passiert alles hier. In meinem Kopf.« Thome betrachtet sich in der verspiegelten Scheibe. Geiler Kopf. Macherkopf. Superbrain.

Jetzt mache ich schon wieder dieses Gesicht mit den angespannten Kieferknochen, Imperatorbones. So. Was tue ich hier? Na? Richtig. Nicht weniger als die komplette Umstrukturierung aller gesellschaftlichen Prozesse. Die Abschaffung der jetzt geltenden Gesellschaftsordnungen. Der Demokratie, die immer nur eine Beruhigungsüberschrift war, um Aufstände zu verhindern und so weiter. Eine Explosion hat stattgefunden, jetzt werden die Trümmer des Alten umgedreht und erneut zertrümmert. Und dann liegen gelassen. In meiner Firma gibt es zwei Prozent weiblicher MitarbeiterInnen. Meist in der Kommunikation. Jeder, was er kann. Der Anteil der schwarzen Mitarbeiter liegt bei einem Prozent. Schwarze weibliche Angestellte? Nun ja, ich habe mich bemüht. Ich habe es versucht, aber man kann Dinge nicht erzwingen. Wenn gewisse Teile der Bevölkerung die Teilhabe an der Gestaltung der Welt ausschlagen und sich lieber Tanzprojekten widmen – bitte! Die alte Welt wurde zu hundert Prozent von Männern entwickelt. Die neue Welt, die Gestaltung der Welt reloaded, ist zu 99 Prozent auf Männer zurückzuführen. Endlich haben wir die Möglichkeit, uns mit künstlicher Intelligenz selber zu reproduzieren.« Thome blickt zu Peter.

**Peter**

sieht durch Thome in den Himmel. Seine Haut ist zu eng, die Brust ist zu eng, die Welt ist zu eng. Er wäre gerne ein Hund. Dann würde er über eine Wiese rennen, bis er hechelnd zur Seite kippt. Dann würde er sich gerne paaren, in dieser unverbindlichen Hundeart. Von hinten ohne Blickkontakt. Peter denkt jetzt immer wieder an Geschlechtsverkehr, und es ist ihm peinlich, daran zu denken, weil er keine Ahnung hat, wie das funktionieren soll. Mit diesem Gefühl, wenn ihn jemand berührt, das ist, als würde die berührte Körperstelle einfrieren. Peter will gerne fliegen oder schreien, er will aus sich herauswachsen und die Welt verändern, aber er weiß, dass er nicht ein Prozent von dem, was die Welt ausmacht, begreift. Keine Ahnung, warum Vulkane Lava ausstoßen, warum Raketen fliegen, wie ein Rechner funktioniert. Er weiß nicht einmal, was die Menschen wollen. Was wollen die, verdammt noch mal? Peter ist nicht mehr gespannt auf das, was in der Welt auf ihn wartet, er will nichts mehr herausfinden, will nicht wissen, ob Tiere sich Namen geben, er will nicht einmal mehr Tiere betrachten, die ihm bis vor Kurzem, bevor er so albern gewachsen ist, die nächsten Bekannten gewesen waren. Tiere hatten ihm immer das Gefühl gegeben, dass es alles nicht so schlimm ist, das Leben nicht und England nicht.

Vor dem Fenster eine Drohne.

»Siehst du«,

**Thome**

Zeigt aus dem Fenster. Siehst du –

Da siehst du den

**Programmierer**

Er steht am Fenster, der Programmierer, im Psychometrie-Department. Oder irgendeiner anderen Abteilung. Es ist egal.

Er steht da stellvertretend für alle Programmierer, die Freaks, die Genies, die es in den Olymp geschafft haben. Keine Wände, nur Hängematten, organisches Müsli, Soja- und Mandelmilch, ein wenig 2012, aber irgendwie mag man hier dieses Retrogefühl. Zur Entspannung läuft Gameboy-Musik. Süß.

Der Programmierer hatte mit vierzehn die Bewertung von Vierteln, Straßen und vor allem der Hautfarbe, Ethnie und zu erwartender krimineller Exposition der Bewohner entwickelt. Ein unerlässliches Tool für Immobilienentwickler und Anleger. Damit hat der Programmierer ein paar hunderttausend verdient und seinen Eltern ein kleines Haus in Tottenham gekauft.

Heute würde er sagen, »ich war sehr unerfahren, und ich habe keinerlei rassistische Tendenzen, mir geht es nur um Mathematik.« Na ja. Oder sagen wir mal so: Was ist jetzt schlechter? Wenn ein Mensch mit wachen Sinnen durch ein Viertel läuft. In dem die Fenster mit Brettern vernagelt sind, kein Grün in den Vorgärten, Rotten Jugendlicher auf Spielplätzen hängen, wo im Sand noch Spritzen der letzten Nacht liegen. Na, der Mensch, würde der zu seinem Boss in Klammern männlich gehen und sagen: Ich habe ein super Viertel für Ihr neues Guide-Michelin-Sterne-Restaurant gefunden? Na? Später entwickelte der Programmierer eine fast sexuelle Beziehung zur Biometrik. OMG, die Biometrik! Er programmierte Raster, um aus den Gesichtszügen nach Abgleich mit der Datenbank Gefährderprofile nur aus Mikrobewegungen von Mund und Augen abzulesen. Gut, da liefen auch öfter mal Sachen schief. Und nun war er maßgeblicher Mitbegründer der Second-Life-Idee. Second Life, Sie erinnern sich, das Leben für die armen Trottel, die im ersten Leben versagt hatten. Das neue Second Life war eine geheime Verschlusssache. Avatare, gespeist mit den Daten fast aller Bürger des Landes, liefern sehr zuverlässige Prognosen. Für alles. Jeder Bürger wackelt als Avatar im Netz herum und gibt aufschlussreiche Erkenntnisse über den Grad seines Gefährderpotenzials, über politische Entscheidungen, den Konsum, das Geschlecht, das Verhalten. Man konnte herausfinden, welche Manipulation am besten im Schwarm funktionierte und das Massenverhalten bis auf 99 Prozent mit Sicherheit voraussagen. Mit der zweiten Welt hatte man auch das System der Karmapunkte und des Chippens getestet. Lief gut. Was ist mit dem ungenauen einen Prozent, könnte man fragen.

Und ja, nun, würde

**MI5 Piet**

Antworten. Missverständnisse sind die positiven Parameter einer prosperierenden wissenschaftlichen Entwicklung. Also gestern hatten wir ein paar unklare Zugriffe, zum Beispiel:

23.11. Der Avatar von Paul B., 34, Familienvater. Politischer Linksaktivist, vegane Ernährung, plant eine militante Aktion vor dem Westminster Palace. Abtransport von Paul B. erfolgt um 16.34. Der Verhaftete betont, er hätte einen veganen Infostand geplant.

23.11. Der Avatar einer Kellnerin.

Zugriff wegen Planung eines Attentats. Bestellung explosiver Substanzen. Schlagwort: Terror. Bombe. Die Frau (große Titten übrigens) betont bei Zugriff, Künstlerin zu sein.

23.11. Avatar einer notorischen Schwarzfahrerin.

Missachtung von Verkehrsregeln, Scheckkartenbetrug bzw. Chipbetrug. Plant mit dem Chip, den sie einer Toten entwendet hat, unrechtmäßige Aneignung von Gütern. Abtransport erfolgt um 18.33. Die Verhaftete beteuert, dass der Chip von ihrer Mutter stammt, die bettlägerig sei.

Ach scheißegal.

Denkt

## Abdullah B.

*Religion: muslimischer Familienhintergrund, wie es heute politisch korrekt genannt wird*
*Sexuelle Präferenzen: homosexuell (hört Musicals)*
*Hobbys: ging früher zu Sounding-Partys*

Das wird sich aufklären. Er ist sich sicher, dass er nur ein wenig Geduld haben muss, dann wird sich das alles aufklären. Abdullah sitzt in einer Aluminiumzelle, die aus einem Guss gefertigt scheint. Alles aus dem 3-D-Drucker. Bei näherem Betasten stellt sich heraus: Das ist ein Hartplastikmaterial in überzeugendem Aluminiumauftritt. Hut ab. Abdullah ist ja Designer.

Also gewesen. Und

Als ehemaliger Designer zieht er innerlich den Hut vor der absolut durchdachten Konzeption dieser design-spacegleichen Verwahrungsbox. Die Toilette, das Bett, die Waschgelegenheit, ein kleines Milchglasfenster. Perfekte Proportion. Grau da draußen. Abdullah hat keine Angst. Es ist ein Missverständnis, und gleich wird eine Aufsichtsperson erscheinen und sich entschuldigen, und dann ist er rechtzeitig zum Abendessen daheim. Das Abendessen, in dessen Vorbereitung er begriffen war. Als eine Einsatzgruppe seine Wohnung gestürmt hatte. Alles noch 1.0.-Maschinen mit Stuhlgang. Er war dann in einem fensterlosen Wagen ungefähr eine Stunde irgendwohin transportiert worden. Abdullah wurde während der Fahrt von den typischen Menschen-im-Angesicht-der-Staatsmacht-Gefühlen beherrscht. Angst, Wut, Hilflosigkeit, Ratlosigkeit. Unwohlsein. Aber alles nur so Low-Level, denn vornehmlich dachte er: Das wird sich gleich aufklären. Abdullah hatte sich nichts zuschulden kommen lassen. Er war ein ganz normaler, unpolitischer User mit einem sozialkitschigen Vokabular, das aus Nullworten besteht. Nachhaltig. Gerecht. Friedvoll. Genderfluid, sozial, humanistisch. Solche Worte. Er war damit beschäftigt, zu überleben – wie alle. Und

Jetzt sitzt er in dieser Zelle. In einer von Tausenden Zellen. In einem Meisterwerk vollautomatischer Überwachungseinrichtungskunst. Die Insassen bekommen bei Eintritt Kleidung, die einmal in der Woche gewechselt wird und entsorgt, denn sie besteht aus komplett abbaubarem, papierähnlichem Stoff. Die Insassen legen ein Trackingarmband an, das ihre Gesundheitswerte konstant überträgt. Das Essen kommt auf einem Fließband. Die Zelle flutet sich einmal alle zwei Tage zur Reinigung. Wärter sitzen vor einem Terminal. Vor Bildschirmen. In den Zellen: drei Kameras. Auf den Bildschirmen in den Zellen: Informationen. Die Zellen sind dazu eingerichtet, dass die Insassen ohne jeden menschlichen Kontakt in ihnen verbleiben. Ohne jeden Kontakt. Ohne Anklage sitzen sie, das eine Prozent Gefährder der Demokratie. Für immer.

Es ist nicht unmenschlich,

Was der

**Der Programmierer**

Macht. Unmenschlich ist so ein siffiges Wort. Der Programmierer ist einfach nicht an Menschen interessiert. Der Programmierer liebt Problemlösungen. Er liebt es, Probleme zu lösen, die es ohne die Entwicklungen, an denen er maßgeblich – und er betont beim Denken das Wort maßgeblich – beteiligt ist, nicht gäbe. Der Programmierer liebt das Wissen darum, dass in seinem Bereich keine Erfüllung vorgesehen ist. Erfüllung ist ihm nicht beschieden. Er hat gerade einen wesentlichen Impuls zu Emotionserkennung an die Biometrie-Abteilung gegeben. Solche Ideen kommen ihm gegen fünf am Morgen. Wenn er nicht schläft. Er kann nie mehr als zwei Stunden schlafen, die Arbeit am Rechner hat sein ZNS abgefuckt. Aber. Er wird demnächst einen dieser Kortex-Stimulatoren ausprobieren. In einem der Labore arbeitet Dr. Koch an dem Thema. Irgendein Scheiß mit Nanopartikeln, Kortex, Minirobotern in der Blutbahn. Der Programmierer hatte noch keine Zeit, sich darüber zu informieren. Sein 20-Stunden-Tag beinhaltet Programmieren, Chatten mit anderen Programmierern, Lesen von geilem Zeug, das die anderen Programmierer gerade so programmieren, Chats über Games, Chats über Probleme beim Programmieren, Trial and Error beim Programmieren, kurz: Der Körper interessiert den Programmierer nicht. Die pseudofuturistischen Cyborg-Bemühungen, die manche sei-

494

ner Kollegen verfolgen, dito. Sein Hirn auf einen Chip zu laden und im Rechner weiterleben. Was ist, wenn das schiefgeht. Wenn man so in sich sitzt wie jetzt in seinem Gehirn, die Welt betrachtend, aus der man zur Not verschwinden kann. Aber, Horror. Wenn man dann gefangen in einem Rechner nirgendwohin kann, sich nicht abschalten kann, weil man keine Hände hat. Was, wenn Menschen vor einem antreten, um einen zu demütigen. Wenn man hilflos in einer Scheißmaschine steckt.

Das Gleiche ist doch, sich Körperteile zu ersetzen. Das mag medizinisch interessante Aspekte haben, ist aber als Körperoptimierung Gesunder ausgesprochen öde. »Hey, geil, ich habe diese mechanische Hand, die präziser ist als die menschliche Hand.« Es gibt viele, die sich jetzt die Beine amputieren lassen, weil smarte Beine einfach smarter sind. Jeder, wie er mag. Alle, die er hier kennt – na ja, kennen –, verfolgen ihr Spezialgebiet. In jeder Codierungssprache, der Quantenkryptografie, dem Smart Business, der Cyberabwehr. Es geht keinem um ein großes Ganzes, alle sind am Detail interessiert und an der Optimierung des Details. Keiner hat einen genauen Überblick darüber, was gerade passiert, trotz des panischen Konsums von Fachinfos, der Vernetzung mit IT-Leuten überall auf der Welt, den Chats, den Infomails, es geht zu schnell. Der Programmierer liebt zum Beispiel die AI, obwohl er leider nicht dazu befähigt ist, mit den AI-Leuten wirklich auf Augenhöhe zu verkehren. Aber Respekt, künstliche Intelligenz ist der menschlichen so unglaublich überlegen, dass es dem Programmierer leichterfallen würde, sich in einen Deep-Learning-Rechner zu verlieben als in einen Menschen. Und – das hysterische Gewinsel der Ahnungslosen. Sie werden uns töten, wäh wäh, sie werden die Welt beherrschen, sie haben keine Gefühle. Natürlich werden sie die Welt beherrschen, wer denn sonst? Menschen in ihrer absurden Dummheit, deren Gefühle, auf die sie sich so viel einbilden, nichts weiter als eine Abfolge von Rechenprozessen im Hirn, im unterentwickelten, sind. Die Fehlerquelle Mensch ist nicht mehr tragbar. So, zurück zu seinem Gebiet, dahin, wo er sich auskennt, dahin, wo er Heimat fühlt. Wenn man heute den Chip, den jeder Bürger, also fast jeder, trägt, einliest, weiß man in Sekunden alles über den Probanden, von der Schuhgröße über die sexuelle Orientierung. Gut, schön. Aber langweilig. Es ist wirklich erregender, die gleichen Informationen auf einem Bildschirm zu haben, nur durch den Einsatz biometrischer Kameras. Der Programmierer schaltet sich auf den Bildschirm des Staatsschutzes. Eine unbelebte Kreuzung in Tower Hamlets. Vier Personen, eine auf dem Moped, eine Frau mit Kinderwagen, zwei junge Männer. Neben den Gesichtern abrufbar: die Informationen zur Person. Die Vorstrafen, der Beruf, das Einkommen. Alle arbeitslos. Na klar. Das System ist so einfach, so brillant. Diese umfassenden Informationen, zusammengeführt aus Versicherungs- und Krankenakte, Bankdaten, Arbeitgeberinfo und all den Details, die die Idioten mit jedem Klick, jedem Like, jedem Post, jedem Emoticon, jedem Webseitenaufruf freiwillig abgeliefert haben. Sie sind wirklich alle aus demselben mäßig interessanten Material, die Leute, die nicht so individuell sind, wie sie immer glauben. Alle verhaltensauffällig. Alles wissen sie besser. Sie haben es irgendwo gelesen. Fucker. Jeder ein IT-Experte und Astrophysiker da draußen, steht doch alles im Internet. Ihr unglaublichen Idioten. Jeder Schimpanse ist klüger und weniger aggressiv als ein Mensch. Besonders hier in den Zukunftsbranchen gibt es wenige, die sie nicht verachten. Die anderen Menschen.

Der unauffällige Programmierer dort betreibt einen YouTube-Kanal. Er fragmentiert Beiträge von zum Beispiel Feministinnen. Zersetzt die Inhalte, er macht sich lustig. Geschliffen scharf, mit seinem überlegenen Verstand; herabsetzen, herabwürdigen und immer angreifen. Spitz und schnell, bis der Gegner am Boden liegt. Er hat 120 0000 Follower auf seinem Kanal. Er hat Freunde, auch hier im Coworking Space, die sich der Themen Linke, Abtreibung oder Arme annehmen. Abtreibung ist ein Thema, bei dem der Programmierer fast durchdreht vor Hass. Trotz des neuen Gesetzes, das diese Handlung eindeutig strafrechtlich relevant macht, gibt es Ärzte, die in schmierigen Hinterzimmern in den Eingeweiden von Frauen herumstochern, um britische Bürger zu töten. Meistens sind es die Armen, die sich für Mord entscheiden, nachdem sie ihre Beine nicht zusammenhalten konnten. Der Programmierer reagiert ein wenig übersensibel auf das Thema, denn er war das ungeliebte Kind einer alleinerziehenden Mutter. Er hat nie ausreichend Aufmerksamkeit erfahren. Bis er reich war. Der Reichtum, der ihn von einem unattraktiven jungen Mann zu einem Angehörigen der neuen unteren Oberschicht hatte werden lassen. Mit den dazugehörigen Themenfeldern wie

Konservatismus, neoliberale Haltung und Verachtung für abweichende Lebensformen, die durch Leute wie ihn definiert werden. Der Programmierer veröffentlicht die Namen der Abtreibungsärzte und ihrer Kundinnen auf einer Site. Zusammen mit den Telefonnummern und den Namen der Familienangehörigen. Den Rest erledigen

**Die Lebensbejaher**
*Geschlecht: Cis-Männer*
*Sexualität: Heterosexuell*
*Hobbys: Militant, waffenverliebt*

Eine Gruppe militanter Abtreibungsgegner. Alle männlich. Die meisten in nicht fortpflanzungsfähigem Alter.
Sie klingeln bei Patty Myers. Es klingelt nicht, wegen des abgestellten Stroms. Patty Myers lebt in der Roundhay Road in Leeds. Einzimmerwohnung. Sofa an einen polnischen Klempner vermietet,
Von dem sie schwanger geworden war. Zu viel
Wodka an einem Abend. Shit happens. Patty ist in körperlichen Belangen nie sehr verwöhnt worden. Sie hatte Kinderlähmung gehabt. What? Ja, Kinderlähmung ist wieder da, mit mutierten Polioviren, gegen die nicht geimpft wurde, weil generell nicht mehr geimpft wird, frag nicht. Also
Körperlich ist da nichts gelaufen, geistig auch nicht, ihre Eltern hatten sie in ein Heim gesteckt, weil ... egal. Patty hat neben ihrem Grundeinkommen hin und wieder mit

Behinderten-Snuff zu tun. Also nichts Schlimmes. Kleine Filme für Menschen, die sich an den Metallschienen, die sie trägt, erregen. Metallschienen wie früher. Billig. Schon klar. Patty und der Pole soffen, dann hatte Patty ihren ersten Geschlechtsverkehr, und es war schön, vor allem, sich danach an einen Menschen zu schmiegen, war schön, es war warm und zog nicht so wie dieses ständige Alleinsein. Leider war der Pole weitergezogen, er hieß Sergej und war sehr austrainiert. Patty war zurückgeblieben und schwanger. »Na, du alte Schlampe, hast du einen Engländer umgebracht«, schreit ein dicker Mann, der gut zwei Zentner wiegt und von drei seiner Kollegen, die fast zwei Zentner wiegen, begleitet wird. Sie führen im Verlauf ihres Besuches die Metallschienen an Pattys Beinen einer neuen Aufgabe zu.

Ist etwas unklar?

Fragt

**Thome**

Und schwitzt. Was für ein Angeber. Was für ein stümperhafter Dummkopf,

Denkt

**Peter**

Und winkt Thome zu sich. Thome kniet zitternd vor dem Sitzsack. Peter kneift die Augen zu und küsst Thome. Der schmeckt, wie er aussieht. Peter hat keine Ahnung von korrektem Küssen, er erduldet die unangenehm große Zunge in seinem Mund. Er muss sich ablenken, um nicht zu würgen. Er denkt an gestern Nacht, als er so getan hat, als schliefe er,

Er denkt an
**Hannah**
Die an Peter denkt.

Na ja, denken. Ist wirklich das falsche Wort. Sie befindet sich in einem außerordentlichen Zustand. Nur Peters Namen zu denken, löst eine Erregung aus. Immerhin. Ein anderes Gefühl als das bekannte. Wenn Hannah die letzten Wochen ihres Lebens beschreiben sollte, könnte ja sein, dass es irgendjemanden interessiert, einen alten Mann mit Tauben und so weiter, dann würde Hannah Folgendes sagen. »Also«, würde sie sagen. »Du musst dir vorstellen, dass es so gut wie nie richtig hell ist. Auch nicht dunkel, kein Schwarz-Weiß, ein mattes Licht, ein wenig stickig in der Halle, wir liegen auf unseren Betten, es läuft immer Musik. Grime hat sich verändert. Sie reimen Sachen, die auf Frühling enden. Oder auf Herz. Oder auf Rolex. Es scheint, als gäbe es keine Gangster mehr, keinen Hass, keine Jugendlichen, die so wütend auf die Welt sind, dass sie nur Verbrecher werden können und darüber reimen, als wären die alle jetzt freiwillige Helfer in den Essensausgaben geworden und hätten Ponys auf Gestüten, die sie am Wochenende bewegen. Was, verdammte Scheiße, ist da nur passiert?« Immer wenn Hannah Scheiße denkt oder Ficken oder Schweine, sticht es ihr im Kopf.

»Und weiter?«, würde der Unbekannte fragen. »Was ist weiter passiert in deinem neuen Leben?«

»Die Fenster sind immer feucht beschlagen«, würde Hannah sagen. »Es scheint, als hätte die Feuchtigkeit auf unsere Systeme übergegriffen und würde uns schwammig machen. Unscharf, auch die Augen sind trübe geworden. Wir haben den Elan des Anfangs verloren. Wir haben uns eingerichtet. Die Jagd auf die Menschen, die uns irgendwann unser Leben zur Hölle gemacht haben, ist weniger befriedigend, als ich es mir gewünscht hatte. Es ist nicht tagesfüllend. Es ist kindisch. Wir reden nicht darüber. Wir machen weiter. Wir machen Pläne, ja natürlich, wir sitzen am Feuer draußen und überlegen uns Bestrafungen, aber eher so, wie Bankangestellte Portfolios für Kleinanleger zusammenstellen.« Der Mensch, der Hannah nach dem Stand ihres Seins gefragt hat, hätte unterdessen jedes Interesse verloren, und auf seinen gütigen Schultern hätten sich noch mehr Tauben niedergelassen. »Also«, würde Hannah fortfahren. »Wir spionieren ein wenig herum, schieben Stecknadeln auf dem Plan hin und her, und dann liegen wir rum. Ab und zu legt sich mal einer neben den anderen und malt ihm die Fingernägel an, wir streicheln uns mitunter, ohne etwas dabei zu empfinden. Manchmal schlafen wir auch zusammen ein. Wachen wieder auf, weil eine Nudeln gekocht hat, die essen wir auch im Bett, auf den Betten, die wir nahe zusammengeschoben haben. Dann drehen wir uns auf den Bauch, den Rücken, die Teller am Boden, da bleiben sie, bis es kein sauberes Geschirr mehr gibt. Es ist mitunter schwierig, keine Eltern zu haben, wissen Sie.« Der Mensch nickt, die Tauben sind tot. »Also imaginäre Eltern, denn das kennt keine von uns, diesen gütigen Vater, der Kuchen backt und dem Kind die Sachen hinterherräumt. Wenn man auf einmal alles machen kann, ohne Rücksicht zu nehmen, wenn man auf einmal tun kann, was Erwachsene können, ohne zu wissen, was normale Erwachsene eigentlich mit ihrem Leben anfangen, dann endet es eben damit, dass man auf Matratzen rumliegt und sich die Fingernägel gold anmalt.«

Gestern Nacht auf dem Weg nach draußen, den Mond ansehen oder was auch immer, war Hannah an Peters Matratze vorbeigekommen, und dann gab es diesen Zufall. Der Mond beleuchtete Peters blonde Haare und den nackten Oberkörper, und seine Biomasse schien zu leuchten. Hannah dachte: Dich will ich immer beschützen. Was, den Hormonen geschuldet, eigentlich meinte: Ich will jetzt Geschlechtsverkehr. Seit gestern Nacht ist also Hannah nicht mehr bei sich gewesen. Sie hat den Tag über versucht, eine Spur von Sergej zu finden, und sie fühlt sich Peter nah durch die Suche, aber eigentlich läuft sie nur angespannt durch die Straßen und ist genervt von den Menschen, weil sie da sind und Peter nicht da ist. Weil sie wirr ist, weil sie nur an den schlafenden Peter denkt, und das ist doch eigentlich erfreulich, dass die Welt sich auflösen kann und der Mensch fast im Überlebensmodus agiert, starr vor Entsetzen, aber sich immer noch verlieben kann, immer noch diesen kleinen Ausnahmezustand erreichen kann.

»Ruhe.

Verdammt noch mal!

Bitte sei endlich einmal

Ruhig, bitte!«

**Patuk**

Reißt sein Fenster auf und schmeißt seine Sprachassistentin in die Fußgängerzone. Fuck die Strafpunkte! Der

Drohne, die ihn und den kleinen Techniktrümmerhaufen filmt, zeigt er den Mittelfinger. Schon seit Wochen fragt sich Patuk, warum er nach dem Aufwachen so seltsame Ideen hat. Worte im Kopf, die ihm im Wachzustand vollkommen unbekannt sind. Heute ist er aufgewacht und hörte den Sprachassistenten leise raunen:

»1995 legen tschetschenische Separatisten einen Cs-137-Behälter in einem Park ab. Keine Todesopfer. So far. In London wurden 2004 Mitglieder der al-Qaida verhaftet. Sie hatten Pläne, wie man an konkreten Zielen radioaktives Material, das aus Rauchmeldern gewonnen werden sollte, einsetzen könnte. Im Manifest von Anders Breivik finden sich 2011 detaillierte Beschreibungen von Anschlagsmethoden mit radiologischen Waffen und von Angriffen auf Kernkraftwerke. Eine Studie des U.S. Government Accountability Office über die Sicherung von medizinischen Strahlenquellen bescheinigt einigen Krankenhäusern gravierende Sicherheitsmängel.«

Ohne zu begreifen, was da passiert war oder was es bedeutet, hatte Patuk das Gerät auf die Straße geschleudert wie ein ekliges Insekt. Unten kicken ein paar Männer in Nachthemden die Überreste im Gehen beiseite, und Patuk bekommt die Worte »radioaktiver Terroranschlag« nicht aus dem Kopf.

Wie einen schlechten Song.

Kendrick Lamar

Kann man echt nicht mitsingen,

Merkt

**Karen,**

Sie war in der Bibliothek des Mikrobiologischen Insti-

tuts gewesen, umgeben von einigen leise vor sich hin-
brabbelnden Studentinnen, viele tragen eine Bodycam
in ihrer Hipsterbrille. Natürlich. Vollidioten. Fast jeder
hat jetzt eine, also jeder, der nicht ganz dicht ist. Es ist
wichtig, in einem Streitfall lückenlos belegen zu können,
wer sich wie straffällig verhalten hat. Denken Sie nur, Sie
wackeln auf der Straße herum und werden von einem
selbst fahrenden Gerät angefahren. So. Wer ist schuld?
Meinung gegen Meinung. Oder. Sie sind in einem Restaurant und werden angepöbelt. Oder Sie haben einen
Nachbarschaftsstreit. Oder Sie gehen Ihrem demokratischen Grundrecht zum Sport im sogenannten öffentlichen Raum nach und kommen in einen Konflikt mit
einem Ordnungshüter. Na, wer hat da recht? Hm? »Sie
haben recht. Beweisen Sie es!« Das war der beste Slo-
gan seit Erfindung der Werbung. Als wäre die Bodycam
nicht albern genug, tragen viele hier einen Kortexstimu-
lator. Transkranielle Magnetstimulation. Früher wurde
die TMS, wie Profis sagen, nur bei Schizophrenie, Migräne und Epilepsie angewendet. Heute kann man die
kleinen Pads kostenlos in jeder Apotheke beziehen, sich
an den Schädel pappen, aktivieren, und wusch, kommt
es im Gehirn zu einem belebenden Aktionsfeuerwerk.
Angst, Nervosität, Unsicherheit werden unterdrückt.
Die Depolarisation beginnt im Axon und breitet sich
anschließend über den Zellkörper des Neurons und
die Dendriten weiter aus. Der Kunde fühlt eine schnell
einsetzende Wirkung. Ein umfassendes Wohlgefühl. Und eine gewisse Unermüdlichkeit. Dass weit nach
Mitternacht noch Studenten in der Bibliothek sind, ist

der neuen Stimulationstechnik zuzuschreiben. Und der Panik, intellektuell abgehängt zu werden, denn der Graben verläuft nicht mehr zwischen Arm und Reich, sondern Klug und Dumm. Ein paar Prozent der Weltbevölkerung wetteifern mit der künstlichen Intelligenz um den Verbleib in der Komfortzone. Über neunzig Prozent kommen nicht mehr mit. Sie verstehen in verschiedenen Abstufungen:

Nichts.

Oder sie verstehen, dass sie nichts mehr verstehen. Schade. Merkt man aber durch die TMS nicht mehr. Apropos Stumpfsinn, die Bodycam-Aufnahmen, die man unbewusst angefertigt hat, kann man auf *My Day, My Night* laden. Ein außerordentlich erfolgreiches Start-up, das zu hundert Prozent von der der Regierung finanziert worden ist. Ist nicht jeder neugierig darauf, sich durch den Blick anderer bestätigt zu fühlen? So. Ja. Karens Hand ist aus Versehen in ihrem Gesicht gelandet. Da ist ein Bartwuchs zu verzeichnen. Karen erschrickt nicht, sie fühlt sich hervorragend. In der Erde verankert. Einzigartig und gut aussehend. Sie atmet tief ein auf der Straße vor der Bibliothek. In einer fast absurd warmen, feuchten Nacht will Karen eigentlich nur ficken. Aber mit wem? Sie sieht nur noch langsame, in der Körpermitte teigig werdende Männer, die unsicher und müde an Häuserwänden entlangstreichen. Das hatte sie nicht bedacht, als sie die Viren ins Trinkwasser geleitet hat. Dass sie sich mit der Aktion um die Möglichkeit einer wilden, heterosexuellen Auslebung ihres jugendlichen Geschlechtsdrangs bringen würde.

Der Rest läuft
Hervorragend.
Merkt

**Prof. Dr. Kuhn**
*Intelligenz: IQ 167*
*Konsumentenaktivität: keine Shoppinginteressen*
*Interessen: Bach*
*Sexuelle Neigung: im Höchstfall objektophil*

Und prüft nochmals die Ergebnisse, die die künstliche
Intelligenz aus allen vorliegenden Werten zu Aggression,
Sexualverhalten und Veränderung der Persönlichkeit aus
den sozialen Medien und dem Karmapunkte-Speicher,
aus den Versicherungen, den Bewegungsparametern und
den Avatar-Städten gezogen hat. Es hat funktioniert.
Prof. Dr. Kuhn, der Sohn deutscher Einwanderer, hat das
Google-Patent US6506148B2 der Nervensystemmanipu-
lation durch Bildschirme verfeinert. Da jeder im Land
über einen Rechner, ein Handy oder einen Fernsehapparat verfügt, die Armen bekommen die Geräte umsonst,
kann Kuhn von einer Abdeckung von 99,9 Prozent ausgehen. Das ZNS wird durch manipulierte Impulse, die
in nahezu jeder Software implementiert wurden, beein-
flusst. Zusammen mit den Pillen, die über 90 Prozent der
Bevölkerung bereitwillig einnehmen und die eine Mischung von Östrogenen und Benzodiazepinen enthalten,
ist Folgendes festzustellen: Der Sexualdrang, die Aggres-

sivität, die Fähigkeit, logisch zu denken und Kreativität zu entwickeln, hat sich nahezu aufgelöst. Die Bevölkerung weist eine starke Abhängigkeit auf. Süchtig nach der Benutzung der Endgeräte, die wiederum ihre kognitiven Fähigkeiten lahmlegen. Die aktuellen Zahlen sprechen ihre eigene Sprache, nein, sie schreien sie geradezu. Die Inkubationszeit mitgerechnet, gibt es eine Verringerung der Morddelikte um 80 Prozent, der Vergewaltigungen um 90 Prozent, der Sachbeschädigung um 64 Prozent, der häuslichen Gewalt um 80 Prozent, der Einbruchsdelikte um 45 Prozent, der Brandschatzung um 66 Prozent, der Gewaltdelikte allgemein um 88 Prozent. Dagegen wuchs die Sachbeschädigung von Sexrobotern um 10 Prozent, und die Selbstmordrate unter Männern stieg um 47 Prozent. Die Zahl klinischer Depressionen ging zurück, und

Prof. Dr. Kuhn, der Neuropsychiatrie, Neurolinguistik und Computerwissenschaft studiert hat, der irgendwann einmal daran geglaubt hatte, die Menschen retten zu können, ist sich sicher, dass er das Ziel, das er als junger Mann hatte, nun erreicht hat. Wenn er sich in seiner Stadt umsieht, die heute einer der sichersten Orte weltweit ist. Mit zufriedenen, ja, fast glücklichen Einwohnern. Sie sind so glücklich. Die Leute auf der Straße.

Auf der

## Karen

Steht. Auf der sie jetzt nach Hause gehen wird. Nun ja, gehen. Oder schwimmen. Sie hat im Labor LSD genommen. Ein Teufelszeug, so angenehm retro-sinnlos. Heute nimmt der Bürger die Pille. Für gute Laune. Sie wird tonnenweise angeboten, zu einem Preis, der die Sprache der Subventionierung spricht. Man kann sie an jedem Kiosk kaufen. Ein Blister zum Gegenwert eines Brötchens. Kann man sich überlegen. Brötchen oder gut drauf sein. Karen hat mit diesen Pillen experimentiert, um zu wissen, wie sich die Menschen fühlen. Die Pillen bewirken, dass man nichts will. Unlogisch in einer Zeit, in der alle gelernt haben, dass es unabdingbar ist, pausenlos etwas zu wollen, und, daraus resultierend, mit einem dauernden Gefühl der Kränkung leben, weil man das, was man angeblich will, nie bekommt. Oder weil kaum einer die Sache zu Ende denkt, denn was die meisten wollen, ist unter der Erde liegen und endlich in Ruhe gelassen zu werden. Die Pillen verbinden den Menschen mit diesem Urtrieb. Bedingungslos zufrieden zu sein und nichts zu vermissen. Die Masse ist fleischgewordene, bedürfnislose Zufriedenheit. Man muss nicht einmal mehr wirklich beschäftigt sein, um einen Sinn in seinem Dasein zu finden. Die Einstundenverträge, die der Gipfel der Beschäftigungspolitik sind, erfüllen den Anspruch des Einzelnen an die Idee des Gebrauchtwerdens. Die Firma muss den Delinquenten mindestens eine Stunde im Monat beschäftigen. Und bezahlen. Jeder hat aber das Recht, mehr einzufordern. Millionen, die früher von Sozialhilfe gelebt haben, sind nun ehrbare Angestellte. Und haben ihr Grundeinkommen. Als Auszeichnung für Anwesenheit auf der Erde. Sie wohnen in Kellerräumen, haben vielleicht irgendwo eine Etage in einem mit Metallgitter verschließbaren Doppelstockbett und glauben immer noch, dass es irgendwie schon werden wird, wenn sie morgens in ihrer einzigen nicht verschimmelten Kleidung aus der Unterkunft gehen, mit ihrem Geruch nach Armut, den sie verbreiten, mit ihren abgeschabten Rucksäcken stehen sie dann in der Schlange vor Läden, die abgelaufene Lebensmittel verkaufen. Aber man kann sie mit Kryptowährung bezahlen, indem man seine beschissene Hand an einen Scanner hält. Das ist doch modern. Wir sind die verdammte Zukunft. Und immer die Augen auf das Telefon, es könnte ja klingeln. Die Straßen sind voller im Schritttempo fahrender Autos. Alles wie immer. Das große Ziel, Autos aus dem Leben der Menschen zu abstrahieren, das Entwickler bei ihren TED-Vorträgen immer wieder erwähnt hatten – »Wir wollen Mobilität neu denken«, hatten sie gesagt und waren vor einer Leinwand hin und her gelatscht –, hat sich so nicht eingelöst. Die Sharing-Ökonomie. Die mopsfidelen Menschen, die aus einem kollektiven Bewusstsein, die Welt zu retten, heraus ihr Hab und Gut teilen, die finden nicht statt. Die Fahrgemeinschaften gegen minimales Entgelt bestehen doch nicht, weil die Leute es so toll finden, Gesellschaft zu haben, sondern weil sie arm sind. Darum fahren sie andere Idioten, die auch kein Geld haben, durch die Nacht, sie teilen ihre Wohnungen, Schlafgelegenheiten und ihr Essen, die verdammten Verlierer, sie teilen ihr Elend und zahlen einigen Leuten, die ihre neuen Sklavenhalter sind, ein Viertel ihrer Mikroeinkünfte. Aber in unserer Zeit steht es ja jedem frei, selber eine App zu entwickeln, eine App, hurra, eine App, eine Sharing-App. Früher hieß es, hey, ich mache einen Verleih für irgendeinen Scheiß auf, heute muss alles ein Start-up sein. Der letzte Erfolg war das Sofa-Sharing-Ding gewesen, und das Mitess-Start-up, wo man sich bei Familien gegen ein Entgelt am Essen der Waren, die die Familie vorher von der Essensausgabe geholt hatte, beteiligen konnte. Das war ein großer Erfolg. Leute zu füttern, die noch schlechter dran sind als man selber. Die meisten Sharing-App-Benutzer waren vor einiger Zeit Hipster gewesen, die von Karrieren als Literaten, Musiker, Schauspieler geträumt oder irgendein Bio-Café mit kleiner Bühne betrieben hatten. Jetzt sind sie ein wenig älter geworden und schlafen bei Fremden auf Sofas und essen bei Fremden abgelaufene Lebensmittel, aber die Bärte sind noch okay, man redet mit den Fremden über die neueste Musik oder die neueste Live-Performance, über das Theater, an dem man unentgeltlich arbeitet. Es ist nicht so schlimm,

Sagt

**Jon**
*Charakter: extrovertiert, leicht zu beeinflussen*
*Hobbys: weint oft, um sich dabei zu beobachten*
*Krankheitsbild: übersteigerter Narzissmus*
*Kaufinteressen: Weißbrot*

»Ganz gut, der Grünkohl, oder?«, sagt Jon
Und denkt: »Grünkohl, seriously?« Das Paar, bei dem er zu Gast ist, sind Leute, die er auf der Straße als seiner Schicht zugehörig erkennen und mustern würde. Die Frau

ist blond, hatte ehemals ein schönes Gesicht, das mittlerweile ein wenig grau geworden ist. Sie trägt eine Latzhose, Kampfstiefel und ist vermutlich Ende dreißig. Der Mann ist gut zehn Jahre älter, ihm gehen die Haare aus, er trägt enge Hosen, spitze Schuhe, einen Fallschirmseidenblouson, den er halb geöffnet hat. Ein Unterhemd darunter. Man sieht nur auf den zweiten Blick, dass die Sachen sehr alt sind. Wie auch die Einrichtung der Souterrainwohnung, die aus einem Zimmer mit Kochzeile besteht. Die Wohnung kostet ein Grundeinkommen, sie ist ein wenig feucht, aber okay, sie hat ein Fenster, das, wenn man sich darunterlegt, den grauen Himmel zeigt. Die Frau hat ein Yoga-Studio. Also gehabt. Die Miete lag nicht mehr im Rahmen ihres Budgets. Jetzt verteilt sie Visitenkarten auf Café-Toiletten. Yogastunden mit Hausbesuch. Die Hausbesuche enden meistens damit, dass ein trauriger Mann sie in seine traurige Kellerwohnung bestellt und ficken will. In letzter Zeit läuft also nicht einmal mehr das. Ihr Partner ist Tänzer und Mitglied einer Modern-Dance-Company, die ab und zu in Turnhallen von Schulen trainieren darf. Es gibt nicht mehr viel Interesse an Tanztheater. Um es mal so zu sagen. Also, genauer gesagt treten sie meist vor einigen Obdachlosen auf, die aber im Zuge der Säuberungen verschwunden sind. Das Paar hatte sich über die Sofa-Share-App kennengelernt, sie haben sich gut verstanden, sexuelle Probleme sind nicht zu erwarten, denn der Mann ist nicht schwul, sondern asexuell. »Ich wollte immer nur schreiben«, hört Jon sich sagen, er hört, wie dämlich dieser Satz klingt, so ein 2000er-Satz, als fast alle schreiben wollten, weil es Harry Potter gab. Jede Woche schoss damals ein neu entdeckter Shootingstar auf die Bestsellerlisten. Die Menschen lasen schon damals nicht mehr, aber der Besitz von angesagten Büchern war ein Label. Und sich labeln war damals das Ding der Stunde gewesen. Es war das letzte Sichaufbäumen des sogenannten individuellen Menschen. Der Mann und die Frau nicken, sie sind einen Scheiß an den Geschichten eines weiteren erfolglosen Künstlers interessiert. »Es lief auch wirklich gut«, sagte Jon und stopfte sich lustlos eine Kartoffel in den Mund. Bis vor einigen Jahren, fügte er nicht an. Bis vor einigen Jahren verkaufte er immer mal Artikel an Online-Plattformen, und sein erstes Buch konnte er sogar im Self-Publishing herausbringen. Es ist bis jetzt 123-mal verkauft worden. Jon war lange Zeit ganz gut durchgekommen. In einer WG, mit Gelegenheitsjobs in Bars, und dann wurde der WG gekündigt, die Wohnung an einen Russen verkauft. Jon ist momentan auf der Suche. »Ich bin gerade auf der Suche nach was Neuem«, sagt er. Und sieht sich schnell im Raum um. Okay, das Neue wird hier nicht stattfinden. Im Moment schläft er bei Freunden auf Sofas, in den Zeiten, in denen die Freunde ihre Sofas nicht an einen zahlenden Gast vermieten. Aber Jon ist noch nie der sesshafte Typ gewesen. Er ist ja noch jung. Also vierzig. Das wird schon wieder. Jon kann sich nicht vorstellen, dass das nichts mehr werden soll, denn er ist noch jung. »Noch etwas Wein«, fragt die Frau und schenkt aus einem Pappkarton Zeug nach, das mit Strychnin versetzt sein kann. Also Wein, na ja. Egal. Es dreht. Als die drei hinreichend besoffen sind und einvernehmlich das Geschirr spülen, sagt der Tänzer: »Wenn wir jetzt einen Porno drehen und ihn auf die Amateurseite stellen, können wir ein bisschen was verdienen. Einer aus meiner Kompanie bezahlt so seine Miete.« Jon sieht die Frau an, die im Neonlicht der Küche deutlich älter aussieht, als sie vermutlich ist. Aber ein Nebenverdienst klingt nicht schlecht. »Ja, okay«, sagt er. »Wo machen wir es?« »Am besten auf dem Tisch hier«, sagt der Tänzer, der ein Auge für Ästhetik hat. Die Frau hat noch nichts gesagt. Sie ist zu betrunken, und wenn sie betrunken ist, wird ihr elend. Sie öffnet ihre Latzhose, zieht sie herunter, hüpft mit der Hose und dem Schlüpfer um die Knie zum Tisch, legt sich darauf. Der Tänzer richtet seine Handycam auf das Objekt. Nun ist Jon gefragt, er entledigt sich seiner Hose, steht vor der Vagina der Frau.

Der Abend endet mit einem Fisting der Frau im Anschluss an das Einführen von einigen Flaschen in sie, wobei sich eine Flasche nicht mehr entfernen lässt. Das Video spielt zwei Dollar ein.

Ein Scheiß.

Denkt

## MI5 Piet

Schaut sich den Porno schnell an. Überprüft die Daten der Teilnehmenden. Uninteressant. Für nichts relevant. Und die Pimmel. MI5 Piet prustet los. Der Kaffee auf diversen Tastaturen. Er ist ein wenig – sagen wir – kindlich geblieben. Er hat sich das bewahrt. Das Kindliche. Und liebt Worte wie Nudel, Pullermann, Muschiloch.

Ja. Spaß beiseite.

Ein kleiner Schwenk in die Villen am Holland Park.

In einer schreibt

## Thomes Vater

Laut buchstabierend, ein wenig Speichel tropft auf das Büttenpapier,

Eine Zigarre raucht sich selber im Kristallaschenbecher.

An der Wand hängt irgendein Vorfahre und schaut mit degeneriertem, blasiertem Gesichtsausdruck auf seinen Urururenkel. Und da, diese Doppelleuchten im Fenster, Sie wissen schon, Symmetrie.

Thomes Vater hat genug von diesen Reden. Von den Phrasen der Volksverblödung, lalala: wehrhafte Demo-kratie, Zurückbesinnung auf eigene Werte. Die große Lüge der Solidargemeinschaft, die immer zu Lasten der arbeitenden Bevölkerung Ordnung wiederherstellen will, Schutz der Britinnen und Briten, innere Sicherheit, Mehrwert, Umlagerung des Kapitals der Bevölkerung, das der Bevölkerung zusteht, die dafür arbeitet, sich engagiert, der Hiergeborenen, der weißen, nicht von Randgruppen auf der Nase herumtanzen lassen, ener-gisch durchgreifen, Eigenverantwortung, Wohlstand sichern, Auswüchse bekämpfen, das Krebsgeschwür, Krieg gegen die Kakerlaken, wir alle könnten in Wohl-stand leben, »ich versichere Ihnen, mein oberstes An-liegen wird die Sicherheit des Einkommens der nor-malen Britinnen und Briten, der Leistungsträger, die in Arbeit und Freizeit das volle Potenzial ihrer Möglichkei-ten ausschöpfen ...«

Das wird so eine richtig super Scheißrede. Die Menschen werden jubeln. Thomes Vater betrachtet seine Biblio-thek. All die Werke alter Männer, die meinen, als Einzige ihre Vergänglichkeit entdeckt zu haben, die von jungen

Frauen fantasieren, die Labbrigkeit ihrer Lenden beweinen, als wäre das ein Schicksal, das nur sie beträfe.

Thomes Vater greift mit seiner altersfleckenüberzogenen Hand nach dem eichenfassgereiften Whiskey. »Ein Teufelszeug, alter Mann.« Erstaunt blickt Thomes Vater sich um. »Ja, dich meine ich, alter Mann.« Es ist das Kristallglas, das ein leises Gespräch mit ihm zu suchen scheint. »Ja, was gibt es?«, fragt Thomes Vater. »Alter Mann«, fährt das Glas fort, »wenn du ehrlich zu dir bist, weißt du, dass es nicht mehr lange geht. Dann weißt du, dass dir vielleicht noch zehn Jahre bleiben. Die Hälfte davon wirst du mit steifen Händen einen Rollator greifen. Eine Schwester wird dich füttern, du wirst Windeln tragen. Du wirst das degenerierte Baby betrachten, das du mit deinem vergammelten Erbgut zu zeugen im Stande warst. Du wirst sterben, nichts wird von dir bleiben. Also, warum, warum willst du noch einmal diese Macht, die du nicht mehr auskosten kannst?«

Thomes Vater schleudert das Kristallglas gegen die Wand. Solides Glas, es zerspringt nicht. Auch seine Frau kommt nicht. Sie sitzt im Zimmer nebenan, kokst sich die Rübe weg und dem Ungeborenen den letzten Rest Verstand aus dem Hirn, und sie kommt nicht einmal, um nach dem Rechten zu sehen. Natürlich nicht, die dumme Kuh. Thomes Vater bedauert die Entscheidung, sich nochmals vermählt zu haben. Er hatte sich flüchtig lebendig gefühlt. Also, er hatte sich sexuell gefühlt, aber nun war das vorbei. Zurück zu wichtigen Themen. Es gibt nur zwei Wege, die Welt zu lenken beziehungsweise sich einen geldwerten Vorteil zu verschaffen.

Den eher liberalen. Heißt: Wir machen unsere Geschäfte und geben dem Menschen das gute Gefühl von Freiheit und Nächstenliebe. Wir schaffen Transgender-Gesetze, Frauenrechte, wir schaffen Gesetze gegen Rassismus, und der Premierminister lässt sich beim Notting Hill Carnival sehen, wir tun, als ob die Menschen sich weiterentwickelt hätten, und Schwule und Lesben aller Hautfarben und Glaubenszugehörigkeiten lachen auf allen Dächern, wo sie Urban Gardening betreiben. Die Stadt fährt Rad. Wir ziehen den Stöpsel aus der Badewanne, die mit Hass geflutet ist. Oder: Wir pumpen die Hirne der Idioten mit Verschwörungstheorien voll, wir finden ein Feindbild, wir kürzen die Bildung, wir kürzen alles, wir verschlanken den Staat bis zur Unkenntlichkeit, machen mit unseren Bekannten gute Geschäfte und sitzen danach mit unseren Freunden im Club und trinken teuren Whiskey.

Die beste Investition seit Langem war die direkte Demokratie, die Thomes Vater mit der Hilfe diverser Lobbygruppen, Fake-News-Agenturen und Hacker durchgesetzt hat. Die Menschen zu lenken war so unglaublich leicht. Wenn man über die nötigen Mittel verfügt. Nun können die Schafe ihren Premierminister selber wählen. In allen Umfragen führt Thomes Vater.

Aber WTF

**EX 2279**

```
+ + + + + + + + + [ > + > + + + > + + + + + + + > + + + + + + + + + + < < < < -
] > > > > + + + + + + + + . - - - - - - - - . + + + + + + + + + + + + + + . <
+ + + + + + + + + + + + + + . > - . < - - - - - - - - - - - - - - - - - - . > - -
```

```
---------,-------,++++++++++++,-------,--
,<+++++++++++++++++,>+++,---,<--------------
-,>+++++++,-------,--,++++++++++++++++++,---
--------,++++++,-,<+++++++++++++,>---------
,+++++++++++++++,++,----------,++++++++,
```

**Thomes Vater**
blickt verstört in den Hochrechnungsticker.

»What the fuck.«
Sagt
**Karen**
Zu einem Mann mit einem Froschgesicht. Pepe der Frosch.
Das ehemalige Symbol der unterdrückten Vollidioten.
Das Symbol jener, die nach dem Brexit in eine endogene
Depression geraten waren, weil nichts an die Stelle der
wunderbaren Endorphine trat, die bei all ihren Demons-
trationen erzeugt worden waren. Das Symbol aller, die
nun begeistert über ein neues Feindbild waren, das ihnen
schneller einleuchtete als beispielsweise der Zusammen-
hang von Grundwasser und multiresistenten Keimen.
Karen hat eine Flasche Brandy in der Hand. Sie hat keine
Ahnung, woher der kommt. Scheiß-LSD. Sie sieht ihr Gesicht in einer Schaufensterscheibe. Von der Bemalung über
Masken sind sie jetzt zu Silikonpads übergegangen, die sie
durch den Radar der biometrischen Kameras fallen lassen

**MI5 Piet**
(Verschluckt sich)
Und

**Karen**

Will nicht nach Hause. Sie will ein anderes Leben. In dem sie einen Doktor macht und Leiterin eines Forschungsprojektes wird. Sie will in einer überteuerten Wohnung am Westbourne Grove auf dem Balkon stehen, morgens ein paar künstliche Vögel hören, ehe sie ins Labor fährt. Sie hat keine Lust mehr auf dieses Abenteuerspielplatz-Dasein. Mit Verbrecherjagd und Nudelsoße. Sie langweilt sich ein wenig – nein, sehr – mit den anderen. Sie langweilt sich noch mehr, seit sie ihre Endgeräte vergraben haben. Es ist kurzfristig eine Ablenkung, als Gasthörerin in der Uni zu sitzen, Bücher aus der Bibliothek heimzuschleppen. Es wird zu nichts führen. Aber das ist eine andere Geschichte. Die Geschichte jetzt ist, dass Karen immer noch unter Einfluss von LSD steht, sie lehnt sich an eine Schaufensterscheibe. Hier entsteht ein neuer VR-Space. Ja klar, noch ein neuer VR-Space. Die Stadt wird gerade geflutet mit diesen Dingern. Egal.

Ist der

**Stadt**

Was die Menschen auf dieser verschwimmenden Oberfläche anstellen. Sie wissen schon, die Menschen, die sich zum Zeichen ihrer Treue die Firmenlogos ihrer Ein-Stunden-Arbeitgeber eintätowieren lassen. Egal, wem die Stadt gehört, wer den Müll entsorgt, welche Drohnen was filmen, dass die Bahnen selbst fahrend sind. Die Stadt ist smart, hurra, wir haben eine smarte Stadt. Der Müll wird automatisch entsorgt, die Kühlschränke mit der Hilfe von Lieferrobotern befüllt, die Bäume wässern sich automatisch, die Luftverschmutzung wird gemessen, die Autos zu freien Parkplätzen geleitet, die Jalousien geschlossen, geöffnet, Hundehaufen von Robotern beseitigt, Fahrräder werden beim Fahren mit Energie aufgeladen. Drohnen überwachen Drohnen, immer bereit, sich gegenseitig abzuschießen, wenn eine von ihnen in die Einflugschneise der Polizeihelikopter gerät, die Polizeidrohnen haben jetzt Greifarme und sind schussfähig. Codeketten befinden über Recht und Unrecht, über Gefährder und Kassenprämien, Kredite und die Bewertung von Eigenheimen, Gesundheitsrisiken und Krebsbefunde. Rentiert sich die Chemotherapie, oder ist es billiger, das Leben ohne ausklingen zu lassen? Wer bekommt welchen Job, wer wird gefeuert, wer bekommt die Kinder zugesprochen, welche Zuglinien rentieren sich, welche Häuser müssen weg, wo müssen neue Häuser hin, welchen Kandidaten manipulieren wir an die Regierungsspitze? Transaktionen, Firmenverläufe, Ankäufe. Die künstliche Intelligenz, die immer schneller lernt, alleine lernt, sich Dinge beibringt, sich vernetzt, die in einem großen, unbeobachteten Raum Informationen sammelt, auswertet, eine Ordnung in die Welt zu bringen versucht, Notstromaggregate anlegt, defekte Atomkraftwerke repariert, Flüge vor Hackerangriffen sichert, die über die Erde wacht wie ein freundlicher Elternteil.

Eine Mutter
Hätte man haben sollen, denkt
**Karen,**
Die irgendwie in die Vororte gelangt ist, in die Brachen, fast ist sie zu Hause. Fast nüchtern. Nicht mehr schwan-

kend. Nicht mehr mit ihrer Hand redend. Nicht mehr unglücklich. Aber auch nicht mehr allein, denn

Im Schlamm zwischen den Tümpeln haben über Nacht Besiedlungen stattgefunden. Zelte sind da entstanden. Plastikplanen über Bretter gezogen, Kochstellen und auch schon – wie immer, wenn Menschen sich irgendwo niederlassen – Müllhaufen. Illegale Wanderarbeiter. Junge und halb junge Männer aus Rumänien, Bulgarien, Russland, Polen. Vor dem Ausstieg des Landes aus der wunderbaren politischen Vereinigung Europa waren sie glücklich. In Orten wie Manchester, Blackwater und Birmingham. Sie sparten für kleine Häuser, was der Mensch eben so anfängt mit seinem Leben. Seit dem Brexit hatten die meisten ihre Aufenthaltserlaubnis verloren. Und sind dann noch ein wenig in ihren trostlosen Orten geblieben, wo es keine Sympathie für sie gab, wo sie von den Alteingesessenen gemeldet wurden. Und nun sind sie also hier. Die vorletzte Station. Keiner hat Geld für ein Ticket nach Hause, keiner will nach Hause, an irgendeinen dunklen Ort, wo nichts auf ihn wartet außer Schnaps und Kälte im Winter. Hier sitzen sie jetzt vor einer Unterkunft mit Planen, was besser ist, als in der Stadt am Straßenrand zu schlafen. Das ist gefährlich geworden, seit sie nicht mal mehr die verhassten Ausländer mit Jobs sind, sondern zu den Aussätzigen gehören. Sie sind die Opfer, die man der Rettung der Welt bringen musste. Die Männer stinken. Die Option, ihre Kleider in dem mit Schlieren überzogenen Restfluss zu waschen, sich selbst darin zu waschen, ist mäßig interessant. Sie scheinen fast erleichtert, jetzt, da endlich ihre Angst verschwunden ist. Die jahrelange

Angst vor dem Verlust der Annehmlichkeiten, der dichten Fenster, des fließend warmen Wassers, des Einkommens und der Matratzen war so groß gewesen, dass sich nun eine Erleichterung einstellt. Sie sind da angekommen, wo sie begonnen haben. Eine Plane auf dem Boden, ein paar zusammengesuchte Möbel und Bohnen. Das ist, was das Leben für sie bereitstellt. Die Männer sind, wie alle hier in den Brachen, so weit von der Idee eines Kamins und einer Bibliothek entfernt, dass sie nicht einmal einen Neid entwickeln, wenn sie durch die Londoner Innenstadt laufen auf der Suche nach der Möglichkeit, ein bisschen kriminell zu werden. Sie wären nie auf die Idee gekommen, ihr Leben für so langweilig zu halten, dass sie es freiwillig für stundenlange Ausflüge in virtuelle Realitäten aufgegeben hätten. Sie haben nie die Idee gehabt, sich mithilfe von Apps und Trackern selbst zu optimieren, nur um dann in der virtuellen Welt eine optimierte Version ihrer selbst von unbekannten Vollidioten bewerten zu lassen. Sie haben nie mit einer App gezahlt, keine internetfähigen Dildos in ihre Öffnungen gesteckt, sie haben ein 1.0-Leben geführt mit dieser 1.0-Leben-Romantik, mit Kneipe, Freunden, Frauen hinterherstarren, sich verlieben und von Eigenheimen träumen. Und darum, lieber Abschaum der Gesellschaft, seid ihr jetzt hier und starrt in die Nacht und wisst nicht weiter. Etwas entfernt
Im Holyroodhouse sitzen
**Hannah und Don**
Am Tisch, und es tropft kein Wasser. Sie sitzen am Tisch aus unklaren Gründen, denn eigentlich lägen alle lieber auf den Betten vor dem Fernseher, aber das wäre nicht

erwachsen. Jung ist, wenn man sich Alter nicht vorstellen kann. Wenn man sich unendlich glaubt. Und daran, dass der Körper sich nicht verändert. Den Verstand zweifelt der junge Mensch nicht an. Er ist. Und vor allem ist er Kraft. Unendliche Kraft und auf dem Boden schlafen können, einfach umfallen und schlafen und keine Schlaftabletten, kein nächtlicher Harndrang. Jung ist, wenn man glaubt, es würde so weitergehen, nur schöner würde es werden, weil man klüger wäre, später, in dem jungen Körper, und dass die Welt eine großartige geworden wäre. Hannah ist verliebt. Und es ist schlimmer als für einen Erwachsenen, dieser Zustand des willenlosen Außersichseins, der Erregung, die nicht weiß, was sie will. Was meint es wohl, außer den anderen zu umarmen. Don ist verliebt. Sie berührt Hannah aus Versehen bei der Übergabe der Spaghetti-Schüssel und denkt, die Hand werde ich abtrennen und in ein Gefrierfach legen und sie ab und zu hervorholen und ablecken. Jung sein heißt, sich so zu verlieben, wie es später nicht mehr möglich ist. Weil man dann doch weiß, was folgt. Unbeholfener Sex, der nie ist wie in der Vorstellung, unbeholfene Gespräche und Unsicherheit, und am Ende ist man doch immer allein, und die Einheit, die Auflösung der eigenen Begrenzung, hat nicht stattgefunden. Da sind nur zwei Menschen, die sich beim Schlafen betrachten, die die Spucke ansehen in den Mundwinkeln, und das weiß man doch nicht als junger Mensch, wenn es heilig scheint und unantastbar und nicht greifbar, das Verliebtsein, das immer mit Schmerz verbunden ist, der die erste Ahnung der Elendigkeit in sich trägt. Nie wird man geliebt werden, wie man es sich wünscht. Bedingungslos. Nie wird man nicht alleine sein. Später. Und Liebe wird nur Liebe sein. Und nun kommt Karen nach Hause, sie ist blass und sagt nichts, sie setzt sich und starrt die Spaghetti an. Und Don denkt: Schade, vielleicht hätte ich Hannah heute berührt am Hals, da wo links und rechts die Schlüsselbeine zu sehen sind.

Und

Karen sieht auf einmal den Dreck, in dem sie leben. Die angebrannten Töpfe, den vollen Mülleimer, die Frucht-fliegen, den ganzen Mist.

Jung sein heißt das Chaos nicht sehen, in dem man lebt, weil da kein Vergleich ist. Kein Bedürfnis vorhanden ist, sich mit einem pathologischen Putzzwang von seiner to-xischen Menschlichkeit zu reinigen.

Don kann nicht mehr an diesem Tisch sitzen, nicht mehr sitzen und sich eingestehen, dass sie Hannah vielleicht niemals berühren wird. »Entspann dich«, würde eine äl-tere Schwester ihr sagen, »komm mal runter!« Aber da ist keine Schwester, und Don ist verliebt, und Hannah ist verliebt, aber nicht in Don, und so beginnen alle elenden Geschichten, so beginnen Wochen, die schrecklich sind und mit Hormonen zu tun haben. Und

**Don**

Steht auf und sieht aus dem Fenster.

»Da ist jemand«, sagt sie. Und betrachtet das Zeltlager.

Das muss vor ein paar Stunden entstanden sein. Ges-tern war hier außer Plastikabfällen und alten Kabelrollen nichts. Und nun stehen da Sperrholzhütten, sechs, sie-ben, vor denen zwei Feuer brennen. Um die Feuer sitzen ein paar Reste von Männern. Nichts, worauf es sich zu schießen lohnt. Von den Männern, es sind vielleicht zehn, keine Ahnung, ob sich jemand in den traurigen Hütten aufhält, sind drei minderjährig, sie hocken, reden kaum, grillen Kartoffeln über dem Feuer und löffeln aus Dosen Unklares. Kein gutes Essen, keine wertvolle Fleischmahlzeit.

Ihre Kleidung zeugt von Obdachlosigkeit, ihre Gesichter davon, dass sie aufgegeben haben. Ein wenig abseits vor dem traurigsten Zelt sitzt ein alter Mann, der sich durch den Anzug, den er trägt, von den anderen abhebt.

Der Anzug war einmal was gewesen. Bevor er Flecken bekommen hatte und die Säume aufgeschlossen waren. Der Mann war auch mal was gewesen, bevor er aufgegeben hatte.

Wie ein

## Professor

*Gesundheitszustand: depressiv*
*Hobby: sammelt(e) Erstausgaben*
*Hört(e): Mozart*
*Verwertbarkeit: 0*

wirkt der Alte, der auf einem Bierkasten
Sitzt und hin und her schaukelt.
Rausche, Fluss, das Tal entlang,
Ohne Rast und Ruh,
Rausche, flüstre meinem Sang
Melodien zu!

Goethe. Ein Widerhall von früher, Erinnerung und Geruch und Geschmack, nach Kamin, in der Bibliothek. Erinnerung an die Zeit, in der Kaufentscheidungen nicht Bedürfnisse, sondern Wünsche erfüllten. An die Zeit vor Kurzem, als die Kohlekraftwerke ihren Betrieb wieder aufgenommen hatten. Und er –

Er wäre gerne Professor für deutsche und englische Literatur gewesen, der Professor, der nur Steuerberater gewesen ist. Und dessen behagliches Leben in einer Zweizimmerwohnung in der Kensington Church Street. Stattfand. Erstaunlich, dass man da früher einmal wohnen konnte als fucking Steuerberater. Aber das ging ja auch nicht gut. Die Arbeit der Steuerberater wurde durch Geräte erleichtert. Den Rest kennen wir. Die Verspannung des Steuerberaters erzeugte einen ständig übersäuerten Magen, der bei seinen wöchentlichen Lesezirkeln zu lauten Bauchgeräuschen führte. Bis er sich nicht mehr traute, an Abendveranstaltungen teilzunehmen. Zunehmend verstand der Steuerberater die Welt nicht mehr. Er wurde gechippt, er begann Bürgerpunkte zu sammeln, leider bekam er miserable Bewertungen von seinen Nachbarn, von Verkaufspersonal. Er trieb keinen Sport, überquerte die Straße bei Rot, duschte heiß, er probierte Obst im Supermarkt, ehe er es bezahlt hatte, er trennte seinen Müll nicht, er äußerte sich im Pub regierungskritisch, und plötzlich verstärkten sich seine Probleme. Er stand an der Sperre der U-Bahn und wurde nicht durchgelassen. Sein Guthaben zum Bezahlen der Supermarktnahrung war eingefroren. Das Wasser wurde nicht mehr warm. Die Heizung dito. Zahlungen wurden nicht mehr ausgeführt. Die Kündigung der Wohnung wunderte ihn schon nicht mehr. Um den Abschied aus der Welt der Geisteswissenschaft zu feiern, bestellte sich der Professor Gesellschaft.

Die

**Achtjährige Nutte**

Ist bald neun. Es wird keinen Geburtstagskuchen geben. Die Kinder, es sind im Moment 13, die sich in der Etage des bezaubernden Gebäudes in bester Lage mit Park aufhalten, können nicht aus dem Fenster sehen. Passanten könnten aufmerksam werden. Drohnen könnten Aufnahmen machen. Die Fenster sind aus diesem nachvollziehbaren Grund zu zwei Dritteln aus Milchglas. Ein Drittel ist transparent. Sehr weit oben. Unerreichbar für die Kinder. Nur liegend können sie ab und zu in den Himmel sehen. Die Wohnung ist bis in den letzten Winkel kameraüberwacht. Überall kleine, blinkende rote Lichter und Mikrofone. Man weiß ja nie. Man weiß ja nicht, was man jetzt mit diesen verdammten Kindersoldaten anfangen soll. Denn – die achtjährige Nutte hat nicht mehr viel zu tun. Wie alle Kindersoldaten hier. Es ist ruhig geworden in den letzten Wochen. Der achtjährigen Nutte ist es egal. Sie liegt am Boden, sieht das Stück Himmel an und hat keine Ahnung, wie ein Leben beschaffen sein kann, das nicht hier in diesem Gefängnis stattfindet. Wie alle hier. Die Geschichten ähneln sich, sie sind so langweilig, die Geschichten des Lebens, und haben alle mit fehlender Zuneigung zu tun. Mit Eltern, die aus diversen Gründen zu sehr mit ihrem eigenen Überleben beschäftigt waren oder die eben nicht überlebt haben. Im letzten Jahr hatte sich jemand die Mühe gemacht, die obdachlosen Kinder im Land zu zählen. Und wie zählt man obdachlose Kinder, man weckt sie in ihren Abwasserkanälen in der Nacht, und dann, statistisch erfasst, gibt es einen Klaps auf die Schulter, und dann schlaft mal schön weiter, ihr kleinen Racker? Es waren wohl einige Hunderttausend, fast eine Million, aber wer weiß. Vielleicht sahen sie sich auch sehr ähnlich, mit ihren Dreckkrusten. Ein kleiner Junge, Ben, war kurz der Liebling der Presse und der begeisterten Bevölkerung gewesen. Er war fünf, obdachlos und hatte den Vorteil, blond zu sein und entzückend auszusehen. Ben war unglaublich fotogen, wie er da saß, im Dreck, aus dem seine blauen Augen strahlten. Er hatte Grübchen. Er hatte verdammte Grübchen. Und nach der großen Kampagne RETTET BEN hatten sich gütige, reiche Pflegeeltern für ihn gefunden, die vornehmlich an der Presse und der Aufmerksamkeit für ihren Wäscheservice interessiert waren und mit dem kleinen Ben im Anschluss kaum geredet haben. In seinem Kellerraum.

Keines der Kinder hier in der Villa kommt auf die Idee zu fliehen, denn ihre Vergangenheit in alten Kanalisationsröhren, an Bahnhöfen und in Kellern war nur bedingt dazu geeignet, sie aus der geheizten Wohnung zu locken. Sie sprechen nicht einmal Englisch. Sie sprechen Russisch, Polnisch, Rumänisch, Bosnisch, Hindi, also ist auch die Kommunikation untereinander stark eingeschränkt. Meist sitzen die Kinder vor den Rechnern und sehen sich die erlaubten Websites an. Zeichentrickfilme und Pornos. Keines hier weint. Oder sieht besonders unglücklich aus. Sie haben ihr Schicksal akzeptiert, kann man sagen, wie Hunderttausende Kinder im Land, die überflüssig sind in einer Zeit, in der andere bereits mit modifizierter DNA geboren werden. Es gibt ein Recht auf die Modifizierung der DNA, das man in Anspruch nehmen sollte, will man seinen Kindern einen guten Start in die gute Zukunft ermöglichen. Ohne Erbkrankheiten, ohne Kleinwuchs, ohne Deformationen des Gehirns, ohne ein zu stark ausgeprägtes Schmerzempfinden. Ohne eine Abneigung gegen Autoritäten. Muss man sich nur leisten wollen.

All die Geschichten von der großen, unbedingten Liebe der Eltern zu ihren Kindern waren doch nie mehr als ein moralisches Konstrukt gewesen. Beschäftigungstherapie für Leute, die damals schon nicht mehr benötigt wurden. Die sich in ihrem Dasein zu Tode langweilten und ihre gesamte Gestaltungsenergie in ihre Nachkommen investierten. Nun hat sich das erübrigt, den Mittelstand gibt es nicht mehr. Den Nachwuchs mit überbordender Aufmerksamkeit zu bedenken, fällt keinem mehr ein. Kein Mensch liebt einen anderen bedingungslos. Keiner liebt mehr.

Die gesellschaftlichen Standards, die lange galten, die Nachstellungen von Moral und Güte haben sich in der Geschwindigkeit, mit der sich das Bekannte verabschiedet, zerrieben. Gehabt. Auch darum ist das neue Ordnungssystem zu begrüßen – die Zeiten, da jedes zweite britische Kind misshandelt, Ehefrauen halb tot geprügelt wurden, in denen täglich auf Feuerwehrleute oder Sanitäter eingeprügelt wurde, weil sie einen zu einem Umweg nötigen, sind vorbei.

Endlich

Gibt es zu tun.

Abschied nimmt
**Der Professor**
Er weiß, dass sein altes Leben zu Ende ist. Nie mehr wird
er in einer eleganten Straße wohnen, an Antiquitätenlä-
den vorbeilaufen, Klassiker zitierend. Und nun sitzen da
zwei Kinder. Keine Ahnung, warum. Vielleicht geht es
um das Gefühl, noch einmal eine Macht zu haben. Wenngleich eine gekaufte. Und nun sitzen da zwei Kinder.
Nicht, dass er sich für Kinder interessieren würde, er interessiert sich für niemanden, der lebt. Ein kleines Mädchen unklarer Hautfarbe, der Beleg für die Veränderung
der Welt, die er kannte, in der der weiße Mensch langsam
ausstirbt. Überrollt wird von gelblichen und allen Schat-
tierungen dunkler Menschen, die eine bessere Paarungs-
performance bieten.
So die Kinder. In der Vorstellung hatte sich das besser angefühlt. Jetzt sitzen da einfach nur müde Kinder und sehen den Professor, der nicht einmal ein Professor ist, an.
Der Professor blickt sich um. Es ist zu hell, die Gardinen sind schon abgenommen, die Habe ist in Kisten verbracht, die er irgendwo einlagern wollte, aber er hat keinen Ort gefunden, um die Kisten unterzustellen. Seine
Reisetasche steht am Boden vor den Kindern, die auf
zwei Stühlen sitzen. Von draußen keine Geräusche. Der
Verkehr rollt leise, die Menschen sind gedämpft, weil es
keinen Grund mehr zu geben scheint, laut zu werden. Da
sitzen die Kinder, und es wird immer peinlicher. Zumal
man jetzt im Licht und im fast leeren Zustand die Schäbigkeit erkennt. Das ist sie also, die großartige Wohnung
in der Kensington Church Street. Zwei winzige Räume,

vor 30 Jahren das letzte Mal renoviert, schwarze Umrisse, wo Möbel und Stiche waren, Linoleumboden. Vielleicht war das Leben ja gar nicht so großartig gewesen.

Die Kinder blicken zu Boden.

Die kleinen Arschlöcher.

Ihre leeren Augen lassen den Schluss zu, dass sie der Sprache nicht mächtig sind. Prima. »Hört mir zu«, sagt der Professor, der nicht einmal ein Professor ist, sondern nur ein alberner Arbeitsloser.

»Hört zu«,

Der Professor beginnt, den Kindern aus einer alten Ausgabe von Shakespeare vorzulesen. Das Ganze dauert bis in den frühen Morgen.

Die Kinder werden später abgeholt. Sie hätten lieber einen Kunden bedient, der sich schnell einen runterholt. Schwamm drüber.

Das war der letzte Tag seines alten Lebens. Und nun sitzt er am Feuer, der alte Mann, und

**Hannah**

Sagt: »Wir müssen uns angewöhnen, die Tür abzuschließen«, und fühlt sich bei diesem Satz wie eine der Schauspielerinnen mit weißer Bluse, wildem Haar und Hinterlader. Sie unterscheidet zwischen wir und ihr. Von allen unangenehmen Eigenschaften, die die Erwachsenen in Rochdale und Liverpool damals auszeichneten, war ihr Rassismus immer die ekelhafteste gewesen. Verlierer, die andere Verlierer verachteten. Es scheint, als ob Stalagmiten in der Halle wüchsen. Es scheint, als wäre mit den Obdachlosen vor der Tür die Niedlichkeit des Ortes verloren gegangen. Natürlich denkt hier keiner: »Wir sitzen in einem total niedlichen Umfeld.« Sie haben nur so ein Gefühl. Dass ihr Garten draußen in Gefahr ist, die Solarpaneele dito. Dass sie nicht mehr in Unterwäsche nach draußen können, um den ersten Kaffee am Morgen zu trinken. Dass sie die Tür verschließen sollten wie so – Menschen. So beginnt es, das Kapitalistsein, das Nationalistwerden, ein rechtes Arschloch, mit der vulgären Angst um seinen kleinen Besitz. Den man vermehren möchte, bewahren und feiern. Müssten wir sie nicht hier schlafen lassen, denkt Don und spricht den Gedanken nicht aus, denn sie hat Angst, dass die anderen damit einverstanden wären und sie dann seltsame Männer hier am Tisch sitzen hätten. »Ich geh noch rüber zu den Nerds«, sagt Don. »Kommt jemand mit?« Alle kommen gerne mit. Sie verschließen die Tür sehr sorgfältig. Draußen weht kein Wind. Das gelbe Licht von der Stadt wird vom Himmel zurückgeworfen, oder es ist nur der Vollmond hinter den Wolken. Es hat wieder geregnet. Der Boden nimmt das Wasser nicht mehr auf, auf der Nordhalbkugel bleibt der Schnee aus.

Irgendwas ist immer.

Die

## Freunde

Zum Beispiel sind in einem Ausnahmezustand befindlich. Kurz vor dem kompletten Durchdrehen. »Gleich lecken sie die Wände ab«, sagt Karen bei der Betrachtung der Nerds. Obgleich sie unterschiedliche Hautfarben und Körperbeschaffenheiten aufweisen, ähneln die Hacker sich in ihrer ungesunden, nervösen Ausstrahlung. Sie haben sich seit Tagen kaum aus dem Gebäude bewegt, kalte Pizzas aus Pappkartons gegessen, nicht geschlafen, sich nicht gewaschen. Das geht noch, in dem Alter, da kann man verklebt sein und schmutzig, übermüdet und fahrig, und nichts ist abstoßend an der glatten Haut, den strähnigen Haaren, dem aufrechten Glauben daran, die Welt beeinflussen zu können. Die Luft im Raum erfüllt von Größenwahn. »Spoofing funktioniert nicht, pass the hash check.« Sie hämmern Codes in ihre Rechner. Don verdreht die Augen. Angeber, denkt sie, verdammte Angeber. »Was macht ihr da eigentlich?«, fragt sie Rachel, die so entzündete Augen hat, dass sie aussieht wie ein Kaninchen im Scheinwerferlicht.

Großartig, scheint Rachel zu denken. Angeben. Alarm. Jetzt.

»Ich sage es mal ganz einfach«, sagt sie. »Wir haben uns ins Überwachungssystem gehackt. Wir werden es heute noch oder, na ja, morgen übernehmen und die Aufnahmen der wichtigsten Kreuzungen in der Stadt auf die Screens übertragen.«

Don versteht noch nicht, wozu das gut sein soll. »Wozu soll das gut sein?«, fragt sie. Rachel schaut Don an, wie man Insekten betrachtet. »Sie werden es begreifen, die Menschen. Sie werden sich sehen, ihre Daten, die Angaben. Sie werden begreifen, was jeder dämliche Angehörige der Privatpolizei in seiner Datenbrille sieht, sie werden es endlich kapieren.

Also, ich male dir das mal auf.« Rachel malt das auf. »Die Regierung – oder sagen wir besser: die Geheimdienstabteilung, die direkt mit der Privatpolizei verbunden ist – kontrolliert alle Überwachungskameras und die Bildschirme in der Stadt. Alle sind mit dem Netz verbunden. Also die Bildschirme, auf denen Werbung, Nachrichten und offizielle Übertragungen an die Bürger ausgestrahlt werden. Alles. Die Daten der Videoüberwachung laufen in die Plattform hier (Kringel) ein, wo nach Identifikation der Bürger all die in der Datenbank gespeicherten Infos dem Videostrom hinzugefügt werden, um auf den Bildschirmen der Überwacher anzuzeigen, welche Bürger welche Eigenschaften – wie Alter, Geschlecht, Vorstrafen oder sexuelle Neigungen – haben. Verstehst du?« Don betrachtete Hannahs Hals von hinten. Hannah lässt sich gerade irgendeinen langweiligen Quatsch von Ben erzählen. Rachel stottert. Sie stottert immer, wenn sie aufgeregt ist. »Wenn wir uns an die Hauptkonsole setzen, die von den Überwachern genutzt wird, um zwischen den Tausenden von Kameraansichten in der Stadt zu wechseln. So –

Dann haben wir hier die Option ›Hotspots‹, die eine Übersicht von zehn Live-Kameraansichten liefert, wo die da oben verdächtige Aktivitäten oder Bürgeransammlungen vermuten. Die Konsole erlaubt es aber auch, über die ›Output‹-Option zu definieren, wo diese Videoströme mit den Bürgermerkmalen angezeigt werden sollen. Schau mal, hier steht ›localhost:1‹. Siehst du?« Don sieht. Sie gähnt. Innerlich. »Also«, Rachel stottert immer noch, »der Hauptbildschirm ist an der Konsole angeschlossen mit IPv6-Adresse ›::1‹ für das lokale Gerät der Konsole. Wenn wir jetzt hier auf ›localhost:0‹ wechseln, was siehst du dann?« Don starrte auf den Bildschirm. Linuxscheiße, keine ordentliche Grafik. »Verboten«, sagt Don. »Ha«, sagt Rachel. »Das ist die Konsole selber! Aber wenn wir hier auf ›localhost:2‹ und ›localhost:3‹ gehen, erscheint die Ausgabe der Bürgerüberwachung auf anderen – Bildschirmen. Hier im Fenster, siehst du?« Don sieht gar nichts. Außer Hannahs Rücken, der lang ist, und unter ihrer Kapuzenjacke zeichnet sich die Wirbelsäule ab. Das muss man mal bringen als Wirbelsäule, durch das dicke Material. Hannah muss inzwischen fast einen Meter achtzig sein, und sie besteht nur aus Armen und Beinen und einem Rückgrat. »Was ist das?«, fragt Don höflich. Auf dem Rechner sieht man die Bilder der Überwachungskameras irgendwo in der Stadt. »Covent Garden«, sagt Rachel. »Hier siehst du, sie wissen alles. Der da zum Beispiel.« Rachel liest vor: »Sergej, 33, polnischer Abstammung, er leitet eine Prepper-Gruppe und gilt als rechtsextrem.«

»Wir haben ihn.« Brüllt Don. »Peter, wir ...«

Peter ist nicht da. Er hat sich verabschiedet, und keiner hat es gemerkt.

Er lehnt bereits seit einigen Minuten an einem Baum, der

**Peter,**

Er beobachtet Thome im ersten Stock des weißen Kastens hinter Vorhängen mit Troddeln und einem synchronen und zugleich komplett sinnlosen Tischlampenpaar auf dem Fensterbrett. Die Hosenbeine zu kurz, um den Hintern spannt der Stoff, kein Kinn – was für eine unerfreuliche Person.

Wenn er doch nur sterben wollte,

Denkt

**Thome**

In der Bibliothek seines Vaters, der hinter seinem Schreibtisch sitzt. Die Russenhure steht neben ihm, eine Hand auf der Schulter ihres Mannes, als würden sie Modell für ein Ölgemälde stehen, der zukünftige Premierminister und seine Gattin, die das Kind des Greises im Bauch trägt. Thome setzt sich. Er sieht den Alten an. Er denkt: Du Fossil. Ich sehe schon die Totenflecken auf deiner fahlen Haut, ich sehe die Gicht in deinen alten Klauen, ich rieche deinen alten Sack, und nichts, nichts hat sich für euch geändert, denn ihr werdet bald tot sein. Während Leute wie ich in Maschinen weiterleben werden, nachdem wir euren Sumpf trockengelegt haben. Sein Vater beginnt zu sprechen: »Es ist Zeit, meinen Nachlass zu regeln. In Zukunft werde ich noch gefährdeter sein als jetzt, denn ich werde ein wichtiges politisches Amt innehaben.« Hüsteln. Gespanntes Schweigen. Der IQ der Menschheit nimmt seit 1990 kontinuierlich ab, hatte Thome gestern gelesen. Er versucht, sich auf die Stimme seines Vaters zu konzentrieren. Er fragt sich, warum man eigentlich dieses Konzept von Familie noch durchzieht.

»Ich werde mein Vermögen dritteln«, sagt Thomes Vater. »Ein Teil an meine wunderbare Frau, der zweite an das Ungeborene, der dritte an dich, mein Sohn. Allerdings unter der Voraussetzung, dass du dir keinen Skandal zuschulden kommen lässt.« »Welche Art Skandal?«, fragt Thome und ist in einer Art angewidert von der Situation, dass er auf den Boden fallen und einfach dort liegen bleiben möchte. Thomes Vater atmet tief ein und aus. Ein Popel, der sich in seinen Nasenhaaren verfangen hat, schnellt wie eine Babykatze vor und zurück.

»Homosexualität, Pädophilie, Veruntreuung, Spielsucht, Zoophilie, Gewaltverbrechen. So etwas. In dem Fall würdest du umgehend enterbt.« Dazu muss man wissen – Thomes Vater ist seit über zehn Jahren Mitglied in der nationenübergreifenden Organisation zur Wiederherstellung der natürlichen Ordnung, die gegen Widernatürlichkeiten agiert. Begonnen hatten sie mit dem Netzwerk »Agenda Europe«. Das meint: mit viel Geld und allen legalen Mitteln Fakten herstellen. Die polnische Gesetzesvorlage zum Abtreibungsverbot, die Verbote von gleichgeschlechtlichen Ehen in mehreren mitteleuropäischen Ländern und unzählige andere Siegeszüge der christlichen Ideen. Denn: Homosexualität und Frauen, die leitende Positionen einnehmen, sind der erste Schritt zur Anarchie. Zu der Vereinigung gehören der Vatikan, ein irischer Senator, Europaparlamentarier, die Leiterin der Anti-Abtreibungsorganisation *European Dignity Watch,* Handlanger eines mexikanischen Milliardärs, Erzherzog Imre von Habsburg-Lothringen, und neben Thomes Vater ist auch Herr Hylton, ein Ex-Vermögensverwalter von Sir Michael Hintze, einem Klimawandelleugner, mit dabei. Die Organisation wird unterdessen vom Vatikan geführt, und es ist ihr gelungen, trotz aller unterschiedlichen Temperamente einen Konsens zu erzielen, der Gesetze und Fakten schafft. Um die Ordnung, na ja, und so weiter.

Thome betrachtet den Hals der Russin. Er möchte ihr Genick brechen hören. Nachdem er seinem Vater den Schwanz abgeschnitten und darauf herumgetrampelt hat. Während Thomes Vater Paragraphen seines Testaments vorliest, sieht Thome den Babykatzenpopel an und sein Leben an sich vorüberziehen.

Das Schweigen des Vaters, wenn er ihn enttäuscht hatte. Der komplette Liebesentzug. Die Strafzeiten im Keller. Das erste Tier, das er töten musste, und wie er sich erbrach und den Jagdrock seines Vaters beschmutzte. Alles, woran Thome sich erinnert, wirkt auf eine abstoßende Art verwest. Das einzig nicht Verdorbene in seinem Leben ist

**Peter.**

Der inzwischen unten in Thomes Räumen auf dem Sofa liegt und tut, als schliefe er. Der tut, als schliefe er, um nachzudenken, wie er die Kameras anbringen kann, die die Hacker ihm mitgegeben haben. Der die Augen nicht öffnen will, denn er hat keine Lust auf die ganze Scheiße hier.

Peters fast durchsichtige Lider zucken. Als Thome das Zimmer betritt.

»Du weißt, wie elegant du aussiehst, wie von einem anderen Stern siehst du aus, dass die Menschen ganz verstört reagieren, wenn sie dich sehen«, Thome ist ergriffen von den romantischen und zugleich welthaltigen Sätzen, die aus ihm gleiten – »Aber das hilft dir nicht, oder? Nein?«, spricht er weiter. »Du kleiner Stricher, du Baby-Verbrecher, du siehst aus, als wärst du kein Mensch. Darum starren sie dich so an. Als würdest du nie unangenehm riechen und schmutzig werden, innen und außen, darum starren sie dich so an, und vermutlich wollen sie dich am liebsten in kleine Stücke reißen, weil du ihnen so klarmachst, wie verkommen sie sind.«

Thome kniet vor dem Sofa. Seine Stimme ist leise geworden. Als könnte er allein mit deren Klang die Perfektion des vor ihm Liegenden beschädigen. Peters Hemd ist ein wenig verrutscht und legt den Ansatz seiner Brustmuskeln frei. Das rechte Schlüsselbein, die Linie von Hals zu Oberkörper. Thome schluckt, schwitzt und möchte das lecken, und er versteht plötzlich, warum Fleischesser so unglaublich aggressiv auf Vegetarier reagieren. Dieser Drang, etwas Lebendes zu verzehren, macht einen fast irre. Thome fühlt sich Jeffrey fucking Dahmer wieder nahe und denkt an einen Kühlschrank voller Körperteile, als es klingelt. Warum klingelt es jetzt, wo er sich gerade ein Rezept überlegen will, um den Geschmack von Peters Hals zu perfektionieren. »Mist«, flucht Thome und geht an die Haustür.

Peter hört ihn mit einem anderen Mann diskutieren, und jetzt, jetzt gilt es. Peter versteckt die Kameras im Raum, und als er damit fertig ist – betritt Thome das Zimmer in Begleitung eines Rothaarigen.

»Das ist der Programmierer«, sagt Thome, »ich hatte vergessen, dass wir noch – egal.« Thome denkt, dass er den Programmierer feuern wird. Oder ihn aus dem Fenster stoßen, aber erst einmal macht er Kanapees. »Ich mach mal ein paar Kanapees«, sagt Thome und lässt den rothaarigen Mann mit Peter zurück. Der Programmierer steht unbeholfen im Raum, er sieht sich um, er sieht einen Porzellanhund an. Was für ein überaus dämlicher Porzellanhund, warum stellen sich Leute so einen Scheiß in die Wohnung, was bringt sie dazu? Warum stellen sie sich Tischlein mit Deckchen in die Wohnung und Bücher, in die sie nie schauen, auf Couchtische, um zu zeigen, dass sie verdammte Bücher auf Tische legen können? »Ich habe mir einen Automaten gebaut, der meine Hosen bügelt und sie mir bringt.« Sagt der Programmierer zur Wand. »Toll«, sagt Peter. »Ja, genau.« Sagt der Programmierer. »Ich habe eine Brainextension.« Peter sagt nichts. »Also hier, schau, ein Chip, im Kopf.« Der alterslose, komplett ohne Geschlechtsmerkmale gelieferte Mensch, er könnte auch ein riesiger Säugling sein oder mumifiziert, zeigt eine kahl geschorene Stelle auf seinem dünn behaarten Kopf. Peter schweigt. Das fällt dem Programmierer nicht auf, der unangenehmerweise keine Neigung zur Schüchternheit hat. Er ist einer jener Leute, die zu schnell zu mächtig geworden sind, der Macht aber misstrauen und sich permanent aufwerten müssen mit Zeug, das man in früheren Zeiten mit Ingenieurswissen vergleichen hätte können. Ein Techniker mit mathematischen Fähigkeiten, der das Glück hatte, in einer Zeit zu leben, die gerade den Mittelstand austauscht. Der alte Mittelstand wird in die Abteilung der Sozialschmarotzer ausgelagert, die Sozialschmarotzer sterben aus, und der Programmierer wird so angenehm leben wie früher ein Versicherungsangestellter. Er wird eine Wohnung abbezahlen, in der vorher ein Versicherungsangestellter oder Assistenzarzt oder Architekt gelebt hat, die dann in einem Sozialblock leben und alt sind. Er wird einen elektrischen Zweitwagen für seine Gattin anschaffen. Dieser unattraktive Mensch wird anstelle unattraktiver Männer vor ihm die Welt nach seinen Vorstellungen schaffen, was bedeutet: Sie wird noch unästhetischer und mittelmäßiger werden. »So, also, hier, ich zeig dir mal, was ich als Letztes federführend programmiert habe.« Sagt der Programmierer.

»Federführend?«, fragt Peter.

Kurze Pause. »Ja«, sagt der Programmierer.

Der Programmierer holt seinen Rechner aus dem Rucksack, nie würde ein paranoider Programmierer einen Schritt ohne seinen Rechner tun, die NSA, Sie wissen schon, die Trojaner, whatever. Er hockt sich vor Peter und zeigt ihm die Website einer Partei.

»Schau mal, wir haben eine Online-Partei aufgebaut. Thomes Idee. Na ja. Also, das meiste ist von mir.« Der Programmierer redet sich um Kopf und Kragen, er würde auch mit einem Hund sprechen, würde der sich anstelle von Peter im Raum befinden. Es ist ihm gleich, vor wem er angeben kann, Hauptsache, er kann sich mit irgendeiner Leistung aufwerten. »Also diese Partei ist der absolute demokratische Shit. Jeder kann online mitbestimmen, mitwählen. Wie findest du den Premierministerkandidaten, den wir ins Rennen schicken?« Peter sieht auf einen jungen Mann. Er zuckt mit den Schultern. »Ein Fake«, sagt der Programmierer. »Gut geworden, oder? Die Menschen rennen uns die Page ein.«

»Ja, super, ein Fake«, sagt Peter. Er weiß nie, was andere Menschen erwarten. Es ist ihm auch egal.

»Kannst du auf eine smarte Wohnung zugreifen«,

Fragt er

Den Programmierer.

Gutes Stichwort. Er redet direkt weiter. »Man kann White Noise, in das man unhörbare Befehle eingibt, in

Musikclips programmieren. Die Befehle können dann die gesamte Steuerung einer Wohnung übernehmen, Bankgeschäfte machen, die Türen verschließen, Pizzas bestellen oder die Einsatzgruppen.«

»Super«, sagt Peter. »Das Objekt liegt am Regent's Park.«

Das Haus von

**Peters Mutter**

Die am Fenster sitzt. Sie war gerade dabei, sich die Hände mit einer Creme einzureiben, die Kaviarextrakte enthält. Also tote Fischbabys. Das ist also ihr Leben. In schlechtem Wetter sitzen, mit einem Mann, den sie nicht ausstehen kann, und sich Babyleichen auf die Haut schmieren. Dann flackert das Licht. Und die Tür schließt sich automatisch. Es gibt immer wieder seltsame Pannen hier in dieser unglaublich modernen, vernetzten Wohnung. Erst letzte Woche hat der Kühlschrank ein ganzes Schwein angeliefert. So ein totes Schwein in der Küche schafft es allein durch seine Anwesenheit, jeden Lebensentwurf infrage zu stellen.

Der Russe trifft sich schon wieder mit seinem Nerd. Ein russischer Nerd natürlich. Sie wissen schon, diese russischen Hacker, die für alles verantwortlich sind und mit Hoodys in Plattenbauten in der Ukraine hockten und so weiter. Also, auf jeden Fall hat der Russe seit der Diagnose seiner multibakteriellen Antibiotika-Resistenz die Idee, die Betaversion einer Hirnübertragung vorzunehmen.

Peters Mutter hört die beiden Männer reden, sie betrachtet ihre Nägel, sie langweilt sich. Es hat sich nicht eingelöst, das Hochgefühl, das sie sich von ihrem Leben versprochen hatte. Sie hat den Russen dazu bringen können, sie zu heiraten. Allerdings mit einem Ehevertrag. Der Preis war höher, als sie sich ihn theoretisch hatte vorstellen können. Sie muss ihn ertragen, bewundern, ihm zuhören und über seine Witze lachen. Das Licht flackert. Es erlischt. Die Rollladen schließen sich. Es macht keinen Unterschied. Peters Mutter starrt mit geöffneten Augen ins Dunkel und weiß nicht, warum es ausgerechnet ihr nicht gelingt, zufrieden zu sein in all dem Überfluss, in der wunderbaren Welt aller materiellen Möglichkeiten. Wenn es so ist, dass Armut nicht glücklich macht und Reichtum ebenso wenig, was bleibt dann noch?

Es bleibt nichts zu tun

Für den Moment,

Und

**Peter**

Geht durch die Stadt, die immer wirkt, als wäre Nachmittag, immer dieses milchige Zwischenlicht und eine Zwischentemperatur, die ein wenig zu kühl ist, um angenehm zu sein. Die Menschen bewegen sich ausgesprochen geordnet. Keine der Endzeit-Utopien der letzten zehn Jahre hatte sich bewahrheitet. All die Filme, Serien, Bücher, die Reden und Essays, die Warner und TED-Talker hatten falschgelegen. Oder vollkommen richtig, denn sie hatten das Ziel erreicht, die Angst der Menschen zu einem Dauerzustand zu machen, der die Reste logischen, empathischen Denkens komplett ruinierte. Wenn man neben dem üblichen Abfuck, den klickorientierte Nachrichten im Hirn eines Menschen hinterlassen, aus allen

Kanälen, die eigentlich der Entspannung dienen sollen, erfährt, dass alles noch schlimmer wird, als man sich mit seiner begrenzten Fantasie vorstellen kann, wenn man also von amtlich geprüften Fantasie-Experten und Intellektuellen den Untergang des eigenen Seins täglich ausgemalt vorgelegt kriegt, dann gelingt es kaum jemandem mehr, eine Gelassenheit in sich zu entwickeln.

So nun. Also, was sehen wir? Sehen wir brennende Mülltonnen, ausgehöhlte Pkws am Straßenrand? Apropos Straße, tun sich da Löcher auf, in denen Tiere, die es nicht mehr gibt, verschwinden können? Sehen wir Menschen mit vollautomatischen Waffen in Lederlumpen, die an einem Leichnam nagen? Oder beobachten wir hier geordnete, leise, elektrische Fahrzeuge, die im Schritttempo verkehren? Menschen, die ihre schlichte Kleidung sauber halten, die an Ampeln warten, einander nicht drängen, die sich grüßen, die zufrieden in Selbstbedienungsläden shoppen, sehen wir saubere Häuser, einen milchigen Himmel und Entspanntheit?

Weil auch für jene, deren Fähigkeiten nur mehr rudimentär für die Gesellschaft von Wichtigkeit sind, ein entspannter Lebensentwurf zur Verfügung gestellt wurde –

Da ist der

**Mittelalte Lehrer**
*Gesundheitszustand: ausgeglichener Säure-Basen-Haushalt*
*Hobbys: ein wahrer Porridge-Schlemmer*

*Verwertbarkeit: keine*
*Extras: so durchschnittlich, dass man neue Menschen*
*nach seinem Vorbild formen sollte*
*»Gute Idee, wollen wir?«*

Und die Metro hat ihn heute nicht befördert, dem Umstand geschuldet, dass er mit der Miete für seinen Sofaplatz im Rückstand ist. Ein schöner Tag übrigens. Der Luftdruck scheint sich zu ändern, es wird Frühling. Die einzige kurze Jahreszeit zwischen den Regen. Es wird Frühling, und vielleicht lernt er noch mal jemanden kennen. Die meisten lernen sich doch im Frühling kennen wegen der Hoffnung, der Paarungszeit, obwohl – seine letzte Freundin hat sich vor einigen Jahren verabschiedet. Als er seinen Job verloren hatte, um genau zu sein. Er ist Lehrer. Also, er denkt extra nicht: Ich war Lehrer, denn Lehrer sein ist eine Berufung. Die Berufung fiel den Kürzungsmaßnahmen zum Opfer. Die Klassen werden vergrößert, die Schulzeit verkürzt und Realpersonen Automaten zur Seite gestellt. Auf jeden Fall hat der mittelalte Lehrer sich im Anschluss ein wenig gehen lassen, was auch auf die Verknappung seiner finanziellen Mittel zurückzuführen ist. Danach folgte das Übliche. Grundeinkommen, Wohnung weg, Sofaplatz, Langeweile, Schrei nach Liebe. Das Leben des Lehrers hätte, wie das vieler Männer in seinem Alter, mit einem Selbstmord enden können, doch ein Zufall rettete den alten Zausel.

Das »Raum für dich«-Angebot hat der Lehrer zufällig beim sinnlosen Herumlungern in der Innenstadt entdeckt. Hunderte kamen da zur typischen Feierabendzeit mit einem zufriedenen Lächeln im Gesicht aus einem Gebäude, das früher ein Postamt gewesen war.

Seitdem ist der Lehrer jeden Tag ab sieben an seinem virtuellen Standplatz. Er betritt das Gebäude, das auf fünf Etagen kleine schalldichte Einheiten, die an Käfighaltung gemahnen, aufweist. Hier ist Platz für unglaubliche 3000 Menschen, und der Eintritt für einen vollen Tag ist lächerlich. In den Boxen, die man unterdessen für einen ganzen Monat mieten kann, ist genug Raum, um auf dem behaglichen Sitzsack Platz zu nehmen, aber auch zu stehen oder auf einem Laufband zu laufen. Der mittelalte Lehrer betritt seine Box. Setzt die Brille auf. Es gibt hier kein Fenster, aber unterdessen sogar artifizielle Gerüche und ein selbst wählbares Klima. »So, dann mal los«, sagt der mittelalte Lehrer jeden Morgen um kurz nach sieben und befindet sich im Anschluss an sein Kommando in einer Wohnung im Süden der Stadt. Vor dem Fenster Bäume, innen behagliches Parkett und sogar ein Kamin. Seine Freundin hat Frühstück gemacht. Das nehmen sie ein. Die Freundin ist jetzt im sechsten Monat. Das Kinderzimmer in Pastell gestrichen. Die Wohnung entspricht genau dem, was ein mittelständisches Paar – er Lehrer, sie Logopädin – sich in den 90er Jahren des letzten Jahrhunderts hatte leisten können. Es gibt einen kleinen Garten. Nach dem Frühstück gehen beide zusammen wenige Schritte zur Metrostation. Sie besteigen unterschiedliche Linien, küssen einander. »Bis heute Abend, Schatz.« Sagt die Frau. »Ich liebe dich.« Sagt der Lehrer und empfindet die Liebe. Sie verlässt ihn während der Metrofahrt nicht, lässt ihn lächeln. Die Passagiere um ihn herum lesen Papierzeitungen, manche machen noch ein Nickerchen. Dann kommt der Lehrer in seine alte Schule. Ins Lehrerzimmer. Kaffee, Gespräche, die Glocke, der Unterricht beginnt. Während sechs langer Stunden lehrt der Lehrer. In der Mittagspause geht er sich einen lappigen Salat kaufen, versucht, Kämpfe auf dem Pausenhof zu schlichten und fühlt die Langeweile am Pult. Die Langeweile, wenn er sich mit Dummheit konfrontiert sieht. Der Algorithmus ändert die Lichtverhältnisse im Laufe seines Tages. Erzeugt den Duft von Kinderschweiß und Herbstlaub, das Flackern von Licht, die Sirene beim Probealarm, den Geruch von Blut bei Auseinandersetzungen zwischen Jungs und von Kaffee in den Pausen. Nachmittags fährt der mittelalte Lehrer in der Metro wieder in sein Haus im Süden. Manchmal riecht das Haus nach Brotpudding, und immer riecht es nach seiner Freundin. Selbst der Sex mit ihr fühlt sich gut an. Am späten Nachmittag löscht der Lehrer das Licht. Wie alle um ihn. Wie Tausende in der ganzen Stadt, die in virtuellen Räumen ihre langweiligen, ruhigen Leben von früher nachstellen. Damals, als sie noch eine Funktion hatten. Damals, als sie noch größere Wohnungen hatten und die Straßen geräumiger schienen. Millionen sind in ihrem alten Arbeitsalltag glücklich, in Versicherungen, Banken, Anwaltskanzleien, in Supermärkten und Lagerhallen. Sie haben Streitereien, Geldsorgen, Stress mit Kollegen. Während sie in ihre eigentlichen Leben versunken sind, erzeugt ihr Körper Energie, mit der Kryptowährungen geschürft werden und Algorithmen an Rohstoff- und $CO_2$-Märkten spekulieren. Lustig, oder? Und wenn sie das Licht löschen, setzen alle die Brillen ab. Sie sind nicht mehr deprimiert wie am Anfang. Nicht mehr niedergeschlagen, wenn sie aus dem VR-Raum auf die Straße treten, sich nach Hause bewegen, in das, was man heute Zuhause nennt. Sie wissen, es ist nur für kurz, für eine Nacht, dann können sie wieder in ihr richtiges Leben zurückkehren.

Herrlich.

Bei

**Den Freunden**

Da sitzen vier Kinder, die fast keine Kinder mehr sind, weil inzwischen doch einige Zeit vergangen ist. Sie wollen nicht nach Hause, weil sie sich dort langweilen. Und darum ist es besser hier bei den Hackern, von denen die wenigsten eine Macke haben. Hier sitzen sie,

Und

**Hannah**

Kann in Peters Anwesenheit nicht mehr denken, nicht mehr tief atmen, ihre Pupillen sind geweitet, der Blick fahrig, ihre Bewegungen nervös, und sie wagt kaum, ihn anzusehen, weil sie sofort einen roten Kopf bekommt, wenn sie ihn ansieht, und feuchte Hände. Dieser überperfekte Idiot. Er hält die Augen geschlossen, die Wimpern sind 30 Zentimeter lang.

»Ich muss noch mal los«, sagt Hannah und stolpert aus dem Fabrikraum,

Und

**Don**

Sieht ihr nach. Mit Hannah verschwindet die Farbe aus dem Tag. Don hat keine Ahnung, was sie, außer mit ihr zusammen zu sein, mit Hannah unternehmen möchte. Ihre Haare anfassen und ihre Beine ablecken vielleicht, Und

**Peter**

Sieht Hannah nach.

Der Ausstoß von Hormonen lähmt sein Atemzentrum kurzfristig. Ihm wird schwindelig. Die Farben der Umgebung, die ohnehin nicht besonders kräftig sind, werden komplett abgezogen mit Hannahs Verschwinden. Peter hat kein Interesse mehr daran, sich zu bewegen. Oder etwas zu sagen. Im Raum herrscht Stille, in der die harten Anschläge, mit denen die Freunde auf die Tastatur einhämmern, wie Schüsse klingen.

Und

**Karen**

Spricht leise zu sich. Das ist doch großartig. Dass man mit sich reden kann, ohne dass es einen der Anwesenden befremdet. Karen redet mit sich, wie alle hier mit sich reden und sich selber halten, seit sie klein sind, seit sie denken können, damit da wenigstens irgendeiner ist, der sie tröstet. Der sagt: »Hör mal, alles halb so wild, ich weiß, du fühlst dich gerade wie der einsamste Mensch auf der Welt. Du hast das Gefühl, das wird niemals anders, dass du nichts verstehst und unsicher bist und Angst hast. Hey, ich bin für dich da.« Und Karen redet leise mit sich und ist glücklich in diesem kurzen Moment. In dem sie nichts will. »Ich will gar nichts«, sagt sie, »außer hier zu sein, auf dem Sofa, die anderen dicht.« Jeder ist mit seinen Gedanken allein, mit seinem Rechner, seinen seltsamen Plänen, die damit zu tun haben, dass sich die Welt um einen dreht. »Und schon ist der perfekte Moment wieder vorbei«, sagt Karen zu sich und sieht, wie Hannah aus der Halle rennt. Und wie Peter ihr nachsieht und wie Don ihr nachsieht. Jetzt geht es los mit den Hormonen und dem Gefühl zu leiden, wie noch nie ein anderer gelitten hat. Jetzt geht es los mit den heimlichen Blicken und dem Herz, das zu schnell schlägt, und dem Gefühl, fliegen zu wollen, und der Angst, aufzuschlagen. Vom Himmel runter.

»Ruhe«

Brüllt

**Ben.**

»Jetzt Ruhe, bitte.« In die Stille des Raumes. Ben hat in den Funktionen der Konsole die CITYSCREEN-Option gefunden, die Texte und Videobotschaften an alle Bildschirme der Stadt verschicken kann. Ben trägt irgendeinen Bullshit-Wert ein. Auf Bens Rechner erscheint eine Warnung »Are you sure you want to proceed?«

Ben sieht sich im Raum um, er sieht ernsthafte Gesichter. Innerlich wird eine Flagge gehisst, eine Hymne gesungen, eine Taste gedrückt. Die Revolution kann beginnen.

Wie langweilig

Denkt

**MI5 Piet**

Und lehnt sich in seinem Freischwinger zurück. Manches, was er in den High-Risk-Gruppen sieht, lässt ihn noch mehr als üblich an der Intelligenz der menschlichen Spezies zweifeln. Die Auskenner, die Klugscheißer, die antifaschistischen Hackerkrieger. Zu blöd, um sich Geräte selber zu löten, aber dicke tun mit »Boah, wir verschlüsseln unsere dämlichen Mails, gehen mit VPN und Tor online. Und haben die Kamera abgeklebt.« Schnaubendes Lachen. Die Idioten vergessen vollkommen, dass die meisten Bestandteile ihrer Rechner in China hergestellt werden. Der Trojaner also voreingestellt ist. Quasi. Da könnten sie doch, um Zeit zu sparen, direkt einen guten alten Mac kaufen.

Über der Überwachungseinheit der britischen ehemaligen Großmacht sitzt

**Ma Wei**

Dessen Überwachung jede Überwachung überwacht, aber

Gehen Sie weiter


**Sergej**

Brüllt. Er ist genervt. Er muss Obacht geben, denn wenn er genervt ist, neigt er zu Kontrollverlust. Er lächelt in die Überwachungskamera, kein Weiterkommen, und sein Kurs beginnt bald. Und er muss in die U-Bahn. Und die Schafe stehen und glotzen die großen Bildschirme an,

Und

Was glotzen sie da?

Sie sehen: sich selbst. Sie sehen sich selber sich selbst anglotzen. Sergej sieht sich, und neben ihm auf dem Bildschirm laufen Informationen –

*Sergej – Pole – hohe Gefährderstufe – Sexualität: null, die Flasche – Nazifetisch – Fußball – Marsriegel – Leiter einer Wehrsportgruppe – jähzornig – Kontostand: 345 Pfund*

OMG.

Eine Frau neben Sergej knufft ihn in die Seite, sie zwinkert ihn an. Sergej widersteht dem Impuls, ihr die Fresse zu bügeln. Die Menschen sind begeistert. Da sind sie, auf den Screens. Wie im Fernsehen. Und was man alles über sie weiß, das ist besser als Horoskope lesen, besser als Likes bekommen. Das ist nicht weggewischt werden können und da sein. Im Licht sein. Gemeint sein. Oh, endlich gemeint sein. In der Gruppe hier um den Flatscreen haben sich Menschen versammelt, die ihre Mutter ermordet haben, deren Geschäft bankrottging, die Haustiere lecken. WTF, der Dicke da drüben steckt sich seinen Hamster in den Rachen und hat eine sehr schlechte Ökobilanz aufzuweisen. Es sind Männer anwesend, die ihren Penis unaufgefordert vorzeigen, jetzt eben schlaff, die ihre Kinder prügeln, deren Hobby es ist, sich mit Kot einzureiben. Bettnässer, Windelträger, Diebe, Streber, und ein paar Leute sind anwesend, zu denen es weder Namen noch Eintrag gibt. Die Menschen sehen sich, sie sehen, was die Geheimdienste sehen, wenn sie auf ihre Screens blicken. So stellt sich das der normale Einheimische ja vor, dass da alte Männer auf Bildschirme starren, bei den Geheimdiensten, und mit Hörgeräten Telefonate belauschen. Süß. Die Menschen könnten jetzt die Elendigkeit ihres vollüberwachten Lebens begreifen, sie könnten denken. Okay, war nur eine Idee.

Sergej blickt neben sich,

Er sieht

**Hannah**

An, die ihn ansieht. Hannah existiert nicht. »Ist das nicht zu privat?« Fragt eine Frau. »Dass die wissen, dass ich

in den Wechseljahren bin? Und dass ich fremdgehe?«
»Das wissen die also alles«, murmelt ein junger Mann.
»Die wissen, dass ich seit ein paar Wochen impotent
bin?« Die. »Wer sind die?«, flackert es im Land durch
Millionen Hirne in diesem denkwürdigen Moment, der
alles ändern wird. Hannah vergisst Sergej fast, sie fiebert
mit den Freunden, sie sieht sie vor sich, schwitzend und
nervös vor ihren Rechnern. Vielleicht geht es jetzt los,
denkt Hannah. Eine Revolution, die Leute werden den
Staatsschutz stürmen und das Regierungsgebäude bela-
gern, sie werden sich ihre Chips aus dem Arm beißen und
ihre biometrischen Pässe verbrennen, die Kameras zerstören und – »Kann man das auch zu Hause empfangen,
das Programm«, fragt eine Frau, »da hätte ich alle Informationen zu meinen Nachbarn.« In dem Moment weiß
Hannah, dass die Freunde verloren haben.

Und

**Sergej**

Betrachtet die Frau, die sich weiter über die Vorzüge der
Überwachungstechnik auslässt –

Und fragt sich, wie leicht sich ihre Haut vom Körper ablösen ließe. Ein kleiner Junge steht in der Menge, er sieht
kaum etwas, es gibt zu ihm keine Angaben, er steht da
nur und ist Kitsch. Kinder sind immer Kitsch, Sergej
mag sie nicht, diese Kinder, er fängt immer an zu weinen, wenn er eines länger betrachtet, und er ist ein Mann
und zu dumm, um zu verstehen, dass er um sein Leben
weint, wenn er ein Kind zu lange betrachtet, dass er um
sein Leben weint und um das Leben aller, die einmal eine
Hoffnung hatten und eine Form von Niedlichkeit.

Sergej hat genug gesehen.

Er muss los.

Die Idioten.

Denken

**Die Freunde**

Und sitzen noch Stunden. Warten auf ein Wunder. Starren in ihre verwanzten Rechner, starren begeisterte Menschen an, die mit Fingern auf sich zeigen, sich anstoßen, kichern. Oder einfach uninteressiert weitergehen oder nach dem Sich-Betrachten weitergehen.

Sie fühlen. Nichts. Der Schock stellt ein kaltes Rauschen in den Körpern her – unfähig zu analysieren, was genau schiefgegangen ist bei ihrem lange vorbereiteten Befreiungsschlag, mit dem sie die Bevölkerung aufwecken wollten. Sie hatten mit allem gerechnet. Mit Empörung, einem Aufstand, einem Aufschrei, aber nicht mit Gleichgültigkeit.

Da ist nichts.

In diesem Blick.

Der Leute, in deren Mitte

**Hannah**

Steht.

In einem fast ursprünglichen Teil des großen Parks in einer Gruppe von zehn Leuten, die sich im Kreis um Sergej versammelt haben. Ernsthafte Männer. Ihre Kieferknochen mahlen. Einer hat tiefschwarz gefärbte Haare und Piercings. Tätowierte Mörsergranaten auf der Brust. Sergej trägt Tarnkleidung, hat einen Patronengurt um, ein Messer um den Knöchel geschnallt und sich Tarnfarbe ins Gesicht gestrichen, wegen der Authentizität.

»So, Kameraden«, sagt er. »Jetzt legt erst einmal die Bodycams zur Seite.« Die Männer machen das. Der eine oder andere pfeift sich schnell noch eine Kortexstimulation in den Kopf.

Sergej fährt fort. »Wir sind heute hier, um uns auf die bevorstehende Eskalation der Welt vorzubereiten. Auf das Überleben nach dem Super-GAU in einer Welt aus Schutt und Asche, durch die verfeindete Banden mäandern.«

»Was ist mäandern?«, fragt der Tätowierte. »Scheiß der Hund drauf«, sagt Sergej. »Es geht um den Schutz eures Lebens und das eurer Angehörigen. Wir werden von allen Seiten bedroht. Zum einen durch Fremde, die bald schon auf dem Weg zu unserer Insel sein werden. Es werden hundert Millionen Afrikaner erwartet, wie aus geheim gehaltenen Dokumenten hervorgeht. Aber das ist nur die Vorhut. Als Nächstes sammeln sich, von Chinesen organisiert, zweihundert Millionen, die aus Bangladesch fliehen.« Die Mannschaft nickt. Keine fucking Ahnung, wo Bangladesch liegt. »Die Geheimakten der Regierung sprechen von einer Milliarde Flüchtlingen, die nach Europa und nach Großbritannien kommen. Das ist eine Biobedrohung unseres Lebensraumes. Die technischen Szenarien sehen nicht besser aus. Pandemien stehen zu erwarten, nukleare Unfälle, und die akuteste Bedrohung sind Pulsbomben. Die den Strom ausschalten. Stellt euch das vor. Ihr sitzt zu Hause. Sirenen. Wasser geht nicht, Strom dito. Ihr sitzt im Dunkeln. Habt ihr Vorräte? Nein. Medikamente? Nein. Sauerstoff, na? Bald schon werden Läden geplündert, eure Frauen vergewaltigt, und dann werden Menschen einander essen. Wie seid ihr vorberei-

tet in euren beschissen isolierten kleinen Zellen, die an
ein Atomkraftwerk gekoppelt sind und die ihr Wohnung
nennt? Es muss nicht einmal ein Atom-GAU sein. Habt
ihr euch überlegt, wie es nur zwei Wochen ohne Strom
ist? Die Toilettenspülung, das Wasser, die Beleuchtung,
die Heizung, Mobiltelefon, Internet – alles tot. Der Fern-
verkehr, und damit bleiben die Warenlieferungen aus,
Benzin kann ohne Pumpen nicht getankt und befördert
werden. Kühlketten werden unterbrochen, leicht Ver-
derbliches wird schlecht. Das stinkt. Wie überlebt ihr,
wenn die Apotheken leer, die Krankenhäuser überfüllt
sind? Ich will es euch sagen. Ihr überlebt nicht. Weil ihr
schwach seid. Also – ich verteile am Ende des Trainings
Listen mit allem, was ihr vorrätig haben müsst. Gold, Sil-
ber, Salz, Honig, Medikamente, Alkohol, Tabak, Kaffee
etc. Alles, was in Kriegs- und Nachkriegszeiten begehrt
war.« Die Anwesenden bekommen es tüchtig mit der
Angst zu tun.

»Heute geht es ums Töten«,

Sagt Sergej.

Die Anwesenden blinzeln. Töten, Alter, das ist ein wenig
krass. Sie haben sich vorgestellt, hier ein wenig durch den
Matsch zu robben. Ein paar homoerotische Wehrsport-
übungen. Aber jetzt direkt töten? Keiner hier will töten.
Eigentlich. Sie sind nur arme Männer. Nicht die hellsten.
Die einfach ein wenig Männerzeug machen wollen, ohne
Strafpunkte einzufahren. Töten also.

Sergej sieht nicht wie einer aus, der scherzt. Er hat diesen
rasierten Kopf, viele Muskeln. WTF, denkt Hannah. Der
Typ wiegt sicher 150 Kilo. »Ja, zur Not müssen wir töten«,

sagt Sergej. »Hide, fight, run. Das sind die Stichworte des Überlebens in Chaoszeiten. Heute also Lektion zwei. Der Kampf. Wir beginnen mit hundert Liegestützen, um uns aufzuwärmen. Und los.« Sergej schreit. Männer reagieren hervorragend auf das Schreien anderer Männer. Schon liegen sie im Schlamm und machen Liegestütze, der erste devot konnotierte Hass gegen Sergej ist in ihren Gesichtern zu erkennen. Hannah macht ihre hundert Liegestütze, ohne auch nur eine Sekunde schwer zu atmen. Die Gnade der Jugend, das Geschenk des schlanken Körpers. »Hoch jetzt«, brüllt Sergej.

»Ihr habt alle Messer dabei. Und Waffen.« Die Männer brummen, nicken, zeigen stolz ihre Waffen vor. Ihre Waffen sind kleiner als Sergejs Waffe. Sergej ist größer, er sieht besser aus.

Die Männer hassen ihn.

Und er schreit lauter. »So. In Notsituationen müssen wir vielleicht unseren Nachbarn umbringen. Unseren Gemüsehändler, unseren Freund. Wir können keinem trauen. Ich verteile jetzt Zettel.« Er verteilt Zettel. »Und Stifte.« Er verteilt Stifte. »Ich geh pissen, und wenn ich wiederkomme, habt ihr den Namen desjenigen aufgeschrieben, den wir heute töten.«

»Von wem jetzt genau?«, fragt ein dicker Mann, dem der Hinterkopf beim Liegen abhandengekommen zu sein scheint.

»Von einem aus der Gruppe.« Sagt Sergej und geht ins Unterholz.

Die Männer sind erstarrt.

Keiner will sterben.

»Ich will nicht sterben«,

Sagt der dicke Mann ohne Hinterkopf, und Hannah sagt.

»Sei ruhig«

Flüstert

**Thome**

Auf seiner sogenannten Stiefmutter kniend. Die Stiefmutter sitzt auf einem Sessel, Thomes Hände sind fest
um ihren Hals geschlossen. Er steht mit einem Bein auf
dem Boden, das andere hat er in ihren Bauch gerammt.
Sein Knie fühlt den harten Bauch, in dem sein Geschwister hoffentlich bereits verfault ist. Fast meint Thome, sein
Knie fühle die Wärme und die zarten Babyknochen. Der
Stuhl knarrt. Thome zuckt zusammen. Der Stuhl ist von
den Großeltern. Die ihn aus Schottland, vom Gestüt und
so weiter. Hat er zarte Knochen gedacht? Hat er Gefühle?
Er hat Gefühle. Aber nicht für diese Russin, die langsam
rot anläuft. Wie kann man eine Frau begehren, wenn man
früher mit einer Mutter zusammengelebt hat, die alles
vorwegnahm, was aus Frauen werden kann. Manchmal
hallen die Sätze, die Thomes Kindheit begleitet haben, so
laut in seinem Kopf, dass er den gegen eine Wand schlagen muss, um eine Ruhe zu haben. Mitglieder unserer
Familie weinen nicht. Husten ist Willenssache. Waren
zwei der hundert Sätze, die Thome das Rüstzeug zu seiner heutigen Deformation mitgegeben haben. Da war es
doch fast angenehmer gewesen, im Internat mit Seife
gefickt zu werden, als in diesem Haus bei seiner armen
toten Mutter gewesen zu sein. Die Art, wie sie ihren Tee
trank, ein Taschentuch gegen die Mundwinkel gepresst,
schnell, hektisch, als gehöre es sich nicht für Leute wie

sie, Körperöffnungen zu haben. Damit kennt Thome sich aus. Er hatte ja Pornos gesehen. Warum fällt ihm jetzt seine Mutter ein. Warum glotzt die Russin so. Sie bewegt sich nicht mehr. Ihre Zunge hängt aus dem Mund, und Thome bohrt sein Knie tiefer in ihren Bauch. Er spürt, wie sich sein Geschwisterchen bewegt und dann aufhört. Mit der Bewegung. Und Thome weint.

»Es ist vollbracht«

Sagt

**Hannah**

Aber die Männer hören sie nicht mehr. Für Sergej ist die alberne Sekunde, die ein normales Leben in einen Albtraum verwandelt, jetzt gekommen. Vollkommen überraschend. »Auf die Judensau«, sagt eines der Gruppenmitglieder, komplett aus dem Zusammenhang gerissen, aus jedem Zusammenhang, aber egal, so ein ausgestoßenes »Judensau« wirkt immer, da sehen sie rot, die Männer, die Judensau ist dem Mann intellektuell, was der Schwarze ihm körperlich scheint: eine Infragestellung seiner Mittel.

Die Männer haben Sergej mit einem Schrei unter sich gebodigt. Sie dreschen mit den Fäusten auf ihn ein, mit den Stiefeln zertreten sie seine Jochbeine, den Nasenknochen, mit den Messern stechen sie auf ihn ein, mit Ästen schlagen sie auf ihn ein, sie versuchen sein Bein abzusägen, der Penis fliegt durch das Unterholz, einer gräbt seinen Mund in die Eingeweide. Zeit für Hannah, sich zurückzuziehen.

Und einen Strich in der Liste zu machen.

Check

## Der Programmierer

Nickt. »Läuft alles.«

Gerade war er noch in der Zuchtstation. Die einen anderen Namen hat. Zentrum für genetisch-molekulare irgendwas. So was interessiert ihn. Sie wissen schon, Dolly das Schaf, das vor Jahren der Presse vorgeworfen wurde, um von den wirklichen Entwicklungen im Bereich der Humanforschung abzulenken. Inzwischen ist es gelungen, Menschen komplett zu reproduzieren. Und deren DNA zu perfektionieren. So, lass mal sehen, die ersten funktionsfähigen Klone sind jetzt bereits fünf Jahre alt. Es gibt Baby Bill Gates. Margaret Thatcher, Cara Delevingne und Adele. Aber dünn. Wir sehen keine Schattierung von dunkler als Pink. Wir sehen fünfjährige Mark Zuckerbergs mit verkleinerten Nasen, die sich über die Programmierung von AI beugen.

Jedem dieser Geschöpfe wird vermutlich eine Lebenserwartung von über hundert Jahren beschieden sein, Erbkrankheiten sind nicht eingeplant, alle Organe laufen auf Hochtouren. Perfekte kleine Milchzähne, ein außergewöhnlicher Wortschatz. Der Programmierer bekommt eine überbordend schlechte Laune. Die Generation, die hier heranwächst, wird Leute wie ihn auffressen. Leute wie ihn, deren Zähne noch voller Karies sind, die schütteres Haar und Launen aufweisen. Die neuen Menschen werden so perfekt sein, wie es einem verfallenden Organismus möglich ist. Sie werden schön und klug sein, perfekt und schmerzfrei.

Das ist doch

Absurd

Denkt
**Das Klonkind**

Neugierig hat es gerade einen Nagel durch seinen Handrücken getrieben, inspiriert von einer Jesusdarstellung im Netz. So, was ist das Problem, denkt das Klonkind und zieht den Nagel wieder aus der Hand. Es untersucht die Wunde, kostet das Blut, sieht sich die Zusammensetzung von Blut im Netz an. Ist befriedigt. Wieder etwas verstanden. Das Klonkind wird nicht müde. Es ist jetzt seit zehn Stunden munter, um sich dem Feld der künstlichen Intelligenz in Bezug auf Konsumentscheidungen zuzuwenden. Die Kunden kaufen heute keine Produkte, sondern Erlebnisse. »Experience Makers« spielen da eine große Rolle, Sprachassistenten sind das Stichwort, die Erlebnisrouten für Verkehrsteilnehmer planen können, die sich anhand ihrer Verbrauchervorlieben ermitteln lassen, kostenlose Nachrichten, die den Konsumenten auf Schnäppchen hinweisen, dabei ist es wichtig, dem Konsumenten zur richtigen Zeit, am richtigen Ort und in Echtzeit den passenden Inhalt anzubieten. Die Experience Cloud ist eine Plattform, die alle Daten, also Konsumentendaten, zentral zugänglich und verfügbar macht. Die Daten aus alten Systemen, den sozialen Medien, mit den neuen biometrischen Daten gekoppelt, die eine große Genauigkeit über den Biorhythmus versprechen. Wann ist der Konsument hungrig, erregt, wann hat er eine tüchtige Einsamkeit, die durch das Einkaufen beseitigt zu werden verspricht. Die Auswertung der Daten ist mit der AI sehr einfach, man kann alle Transaktionen des Konsumenten analysieren und dann vorhersagen.

Das Klonkind hält inne. Eines seiner Kollegenkinder weist es auf eine neue Perfektionsstufe des Deepfakings hin, die es gerade entdeckt hat. Das Klonkind eins umarmt das Klonkind zwei. Trotz aller Liebe zum Wettbewerb, die ihm zu eigen ist, kann es durchaus Leistungen anderer anerkennen. »Zeig mir das gerne«, sagt das Kind, dann hat es einen kleinen Blackout, das passiert mitunter. Dem noch nicht hundertprozentig perfekten Perfektionsstand seines erzeugten Seins geschuldet. Es starrt aus dem Fenster, das an die Wand projiziert ist, und in ihm herrscht eine abgrundtiefe Leere. Immer wenn diese abgrundtiefe Leere in ihm herrscht, das umfassende Gefühl, nicht real zu sein, stellt es sich einen Amoklauf vor. Jedes Mal mit neuen Waffen, Zerstückelung von Menschen, Gedärmen, Blut, das es trinkt, Herzen, die es isst. Mit diesen Vorstellungen gelingt es ihm, wieder an die Oberfläche seines Bewusstseins zu gelangen.

»Sehr schön«,

Murmelt

**Der Programmierer**

Immer wenn er nach einem erfüllten Arbeitstag in seine Wohnung tritt. Die er natürlich nicht mit einem Chip öffnet. Er ist ja nicht blöd und lässt sich chippen. Also hallo Wohnung. »Hallo Programmierer«, würde die Wohnung sagen, wenn sie vernetzt und smart wäre, was sie natürlich nicht ist, der Programmierer ist ja nicht blöd. Die Wohnung gleicht allen Wohnungen. Von all den IT-Ingenieuren, Sounddesignern, Cloudarchitekten, Verkehrsplanungs-AI-Überwachern, Fernsehmoderatoren, Schauspielstars, Systembiologen, Smart-City-Ingenieuren und so weiter. Sie befindet sich in einem der Blocks einer gentrifizierten Gegend, sagen wir Hackney, in der heute ein wahres Halligalli an urbanem Leben stattfindet. Mit Pubs und so. Der Mensch formt seine Umgebung, die Umgebung formt den Menschen. Meist ein Perpetuum des Grauens. Oft demonstrieren Gebäude klischeeverstärkende Realität. Natürlich sind die Blocks irgendwie ökologisch, aber nicht zu sehr, nicht so sehr, dass man hängende Gärten errichten wollte. Man polstert einfach viereckige Kästen gut ab. Setzt luftdichte Fenster in die Boxen – nicht zu groß wegen des Energieverlustes – ein. Und natürlich nach innen gezogene Balkone, raunend Loggien genannt, auf denen der Mensch seine Neigung zum Hass auf alle Lebensformen außerhalb seiner selbst ausleben kann, ohne dass Nachbarn zusehen. Innen die Standardausführung geschmacklicher Inkompetenz: offene Küche, Ausdruck technokratischer Wegrationalisierung von Raum. Wer will denn Zwiebelgeruch und Krautdämpfe im Salon, in dem Raum, der früher einmal dem Lesen von Büchern, Kaminfeuer und sanfter Musik vorbehalten war. Überall zu heller Holzboden, zwei kleine Kammern. Duschen mit Glaswänden, damit man den Partner nackig betrachten kann. (Welchen Partner?) Dann kommen Möbel rein, die aussehen, als ob Kinder Einrichter spielen. Irgendwelches Zeug, mit dem keinem wohl ist. Ein Sofa muss da rein, die Wohnungen sind um Küchen und Sofas entworfen. Sofas, die möbelgewordene, komplette Ratlosigkeit. Die neuen, in jeder Hinsicht effizienten Menschenverwahrungsboxen sind Ausdruck einer an Verachtung grenzenden Lieblosigkeit.

In diesen Kästen sitzen dann die neuen Menschen und freuen sich, dass sie es geschafft haben. Sie freuen sich an ihrem Mittelklassedasein mit einem Mittelklassewagen. Eben einfach in selbst fahrend.

Der Programmierer macht sich ein Fertiggericht warm, er isst es, alleine am Tisch sitzend, den Blick nach draußen in andere Wohnungen gerichtet, in denen Einzelpersonen an zu großen Tischen sitzen. Eine Drohne fliegt am Fenster vorbei.

Das ist ein gutes Leben

### Zu Hause

Wo die anderen nicht mehr ums Feuer sitzen können.

Weil die Wiesen, die keine Wiesen sind, sondern Schlammauen, die unter Wasser stehen. Dabei regnet es nicht, nur die Stürme haben zugenommen. Nachts kommen sie, die Stürme, die Dächer abdecken, und sie würden Kühe herumblasen, wenn da irgendwo Kühe stünden. »Was ist eigentlich mit den Männern in den Zelten? Was tun sie jetzt, zehn Zentimeter im Wasser liegend?« Fragt

### Don

Hannah. Die ist gerade nach Hause gekommen. Don wischt ihr ein Stück Menschenfleisch vom Kragen. »Keine Ahnung.« Sagt Hannah. Sie scheint Don kaum zu bemerken und sieht sich in der Halle um. »Ist Peter schon da?« Fragt sie. Als würde der gesamte Blutvorrat aus ihrem Körper in die Herzgegend fließen, um das Herz zu ertränken, ist es Don,

Als sie begreift, dass es nie was werden wird mit ihr und

Hannah. Was hatte sie sich alles eingeredet in den letzten Wochen. Dass es an der Schüchternheit von Hannah liegt und einfach noch ein wenig dauert oder dass sie beide sich nicht trauen und es bald schon so sein würde, dass sich aus Versehen ihre Hände berühren, und dann würden sie sich umarmen und küssen und auf die Matratze fallen und ...

Peter ist also gekommen und geht direkt in die Küche zu Hannah und schaut in einen Topf, zu dicht neben ihr stehend. Was gibt es in einem Topf mit Spaghetti so Großartiges zu entdecken. Außer Peters Kopf, den Don für eine Sekunde gerne in dem kochenden Wasser schwimmen sähe. Dons Herz schlägt zu laut. Sie starrt in die Küche, als beobachte sie einen Verkehrsunfall. Jetzt werden die Leichen aus den Wracks geschweißt –

Geigen, goldenes Licht,

Hannah steht hinter Peter. Hannah lacht und wirft den Kopf in den Nacken wie ein verdammtes Pferd. Die beiden sind absurd schön. In einer werbeheteronormativen Art.

Peter dreht sich zu Hannah. Er hebt die Hand, streicht ihr eine imaginäre Haarsträhne aus dem Gesicht.

Irgendwo aus dem tischlampenflackernden Halbdunkel ist

**Karen**

Aufgetaucht. Sie setzt sich neben Don. »Du musst dir die Sache so vorstellen, als hättest du Drogen genommen. Oder jemand hätte dir welche in deinen Drink geschüttet. Die schlechtesten Drogen, die du dir vorstellen kannst. Sie erzeugen Wahnvorstellungen wie zum Beispiel, dass die Nachttischlampen scharfe Zähne haben, dass Hannah das Gesicht eines Nasenaffen hat oder dass du glaubst, ohne einen Menschen nicht mehr leben zu können. Dass alles, was vor diesem Menschen war und nach ihm kommt, sein wird, als sei die Erde abgebrannt und öde. Keine Tiere, keine Sonne, nur Eis, Kälte und Stahlbetonruinen. Die Drogen lassen dich glauben, dass dieser Mensch etwas ist wie die Eltern, die du nie hattest, die Eltern, die der Mensch nie hatte, dass ihr euch wärmen würdet wie kleine Katzen. Das gesamte Leben lang.

Und dass du nie mehr einsam sein wirst oder Angst haben oder nicht schlafen kannst oder gelangweilt bist oder unglücklich. Aber das ist natürlich alles Quatsch. Die Droge ist Teufelszeug. Nichts, was du glaubst, ist real. Das sind Drogen, hörst du.« Karen legt ihren weißen, absurd langen Arm um Don, die immer noch nicht gewachsen ist, die immer noch aussieht wie ein relativ stark pigmentierter, viereckiger Boxer.

»Es ist nicht real.« Sagt Karen. »Du musst dich gegen die Wirkung der Drogen stemmen. Jeden Gedanken unterbinden, der dir zeigen will, wie du mit dem Menschen auf einer Bank sitzt oder wie du ihn umarmst. Abtöten. Und mit einem realen Gedanken substituieren.«

»Wie was zum Beispiel?«, fragt Don.

»Real ist«, antwortet Karen, »dass der Mensch nicht bei dir ist, dich nicht entzückt ansieht, nicht deine Nähe sucht, sich nicht an dir reibt.«

»Aber es kann doch nicht nur einer den anderen lieben. Das ist doch unsinnig.« Sagt Don und starrt immer noch in die Küche, in der die beiden Models stehen und einander mit Blicken verschlingen.

»Wenn zwei Leute gleichzeitig unter Droge sind, sehen sie sich an wie Irre, sie nesteln aneinander herum, sie wissen nichts zu reden. In deinem Fall ist einer der Beteiligten absolut entspannt in deiner Gegenwart. Menschen unter Droge sind nicht entspannt. Sie schwitzen, sie sind nervös, unsicher, stottern.«

»Wie lange dauert es? Wann hört das auf?« Karen betrachtet Don, um den Grad ihrer Erkrankung abzuschätzen. Sie weiß seit Wochen, dass Don in Hannah verliebt ist und dass diese Verliebtheit zu nichts führen wird, weil Hannah und Peter ineinander verliebt sind. Sie macht sich Sorgen um den Zusammenhalt der Gruppe, sie macht sich Sorgen, dass ihre Wahlverwandtschaft durch alberne Jugendhormone zerstört werden wird, sie macht sich Sorgen um sich, die in keinen verliebt ist und es nie mehr sein wird, sie sorgt sich vor der Heimatlosigkeit, die sie bedroht. »Wenn du den Menschen nicht siehst«, sagt sie, »wird es dir in zwei Wochen besser gehen. Wenn du den Menschen täglich sehen musst, dauert es mindestens einen Monat. Wenn dein Mensch sich gerade in einen anderen Menschen verliebt«, kurzer Blick in die Küche, also zum Herd und Tisch, die am Ende der Halle stehen, »dann ist es sehr schmerzhaft. Geht aber vielleicht nur drei Wochen.«

»Drei Wochen. Kann ich mich darauf verlassen?« Fragt Don.

»Ja«, antwortet Karen, »und jetzt heul ein bisschen. Ich kann dir nicht mehr helfen.« Karen streicht Don über die krausen Haare. Und ist fast geneigt, sie an sich zu drücken, aber das wäre zu viel.

Hier drückt keines das andere. Keines.

**Don**

Die den Verkehrsunfall betrachtet, im goldfarbenen Licht strahlen sich die beiden Idioten an, dann setzt Tyler mit irgendeiner Liebesschnulze ein. Geigen. Und Zeitlupe. Hannah legt eine Hand auf Peters Arm, und er seinen Kopf in ihre Halsbeuge, und dann verschlingen sich ihre Hände, und Tyler gerät außer sich, und die Geigen werden zum Symphonieorchester, und Don starrt den Unfall an und packt, ohne nachzudenken, und dann geht sie, schließt die Tür leise.

Und kauert sich vor der Halle in den Schlamm, umklammert ihre Knie und möchte sterben. Das ist ihr erster Liebeskummer. Und es regnet nicht, und es ist keine Landschaft vorhanden.

Don kennt diese sogenannten Landschaften aus alten Filmen mit Schauspielern, die bereits verstorben sind. Grüne Auen, durch die Bürgerinnen mit Weidenkörbchen stromern. Grüne Auen. Die gibt es nirgends außer im Fernsehen, da sind nur Landschaften und Gebäude, die in einem Übergang begriffen scheinen zu Staub oder Wasser. Da scheint jede Ecke des Landes benutzt und weggeworfen. Don steht auf und sieht durch das Fenster nach drinnen. Vielleicht ist ein Wunder passiert. Vielleicht ist Hannah klar geworden, dass sie Peter nicht ausstehen kann, vielleicht – Don stellt sich auf die Zehen und sieht nach drinnen. Da ist immer noch dieses goldene Licht, es bescheint jetzt die Matratze, auf der Peter und Hannah liegen, umarmt, regungslos. Vermutlich gestorben.

Fickt euch doch, fickt euch alle.

Und Don

Beginnt zu weinen. Nur ohne Tränen. Es ist das erste Mal. Falls wir noch nicht davon redeten, von dieser Alles-ist-das-erste-Mal-Zeit im Leben. Das erste Mal von jemandem so begeistert sein, dass man ihn den ganzen Tag betrachten will, das erste Mal sterben wollen, vor Unglück. Das erste Mal in einer fremden Stadt und alles bestaunen, die Gebäude, den Geruch. Das erste Mal nackt baden, mit den anderen in einem Freibad, nachts. Das erste Mal in der eigenen Küche kochen, das erste Mal Geschlechtsverkehr und eine Nacht durchmachen. Dieses alles zum ersten Mal machen erscheint einem unendlich lang. Das erste Mal Leben. Unendlich lang, und später, erst später wird man beginnen, alles zu wiederholen, und unaufmerksam wird man, und die Wunder verschwinden, und der Mensch wird dumpf, und die Zeit rast. Das ist es, was alte Menschen sagen lässt: »Die Zeit, wo ist nur die Zeit geblieben.« Hier ist die Zeit, ihr seht sie nur nicht mehr. Ihr werdet müde in euren Wahrnehmungen, ihr nehmt alles für selbstverständlich. Euren gesunden Körper, eure Liebe, die Kinder, das Essen, den Regen. Alles für euch gemacht, was?

Don hört Musik. Ihr MP3-Gerät, das hat sie nicht vergraben, das ist noch voller alter Musik von damals, als ihre Musik noch wütend war, von damals, als sie noch nicht so ein verdammter Zwitter war. Noch nicht erwachsen, nicht mehr Kind. Als es noch Stormzy gab und alle darauf hofften, so berühmt zu werden wie er. Und dann zu Gott zu finden, aus großer Dankbarkeit. Wie immer, wenn Don Grime hört. Fühlt sie sich sofort stark. Und unverwundbar. Und jetzt ist sie bei den Zelten angekommen. Das ist England. Willkommen in einem der ehemals reichsten Länder der Welt. Das ist Europa, Sie wissen schon, die Krone der Schöpfung. Der Kontinent, der sich in schöne Tuche gehüllt am Tisch gehockt und den Rest der Welt verzehrt hatte.

So, und nun sieh dir den Müll an. Was Menschen so in hundert Jahren fertigbringen. Hut ab.

Brachen und Zelte, vor denen Männer sitzen und aussehen wie Essensreste. Man sagt, jeder IQ-Punkt unter dem Durchschnitt koste die Wirtschaft 20 000 Dollar. Monatlich. Die hier kosten nichts mehr. Sie gammeln mit offenen Mündern und warten. Dass Gras über sie wächst. Sie haben ihre Füße, der Überschwemmung gedankt, auf Holzkisten geparkt. Nicht einmal ein Feuer brennt hier in dieser Feuchtigkeit. Wann ist es so nass geworden? Vielleicht die Hurrikane über Irland. Das Flussbett, das zum ersten Mal in all den Monaten Wasser führt, von Ferne die Stadt, von Nahem ein lautloser schwarzer Kastenwagen, dem diverse Männer entsteigen. Don erkennt die Uniform der Privatpolizei. Komplett ohne Geräusche sammeln sie das menschliche Gerümpel ein und verbringen es ohne Gegenwehr in den Wagen. Die sogenannten Polizisten blicken sich um, sie entdecken Don. Ehe sie verstanden hat, was passiert, findet sich Don neben den rumänischen oder bulgarischen Leuten und einem traurigen alten Mann im Transporter.

Was für ein beschissener Tag.
Für

## Patuk

Aber wenn man die Augen ein wenig zusammenkneift, geht es besser. Patuk begreift nicht, wo er ist. Ah ja, ich wohne hier, denkt er und sieht verzagte Ärsche in traurigen Hosen über die Straßen huschen. Wohin huschen sie nur? Was huschen sie herum, die Leute, sie haben alle so viel zu tun und huschen herum, machen lächerliche illegale Deals, schieben Waren und Drogen hin und her und knallen sich das Zeug in die Birne. Sie machen sich abhängig von Dingen, die sie vergessen lassen, dass sie leben, bis sie endlich sterben dürfen, und das ist dann auch wieder nicht recht. Dann winseln sie und heben die knochigen Hände gegen Gott und flehen die Märchenfigur an. Die immer gleichen Leute in der Lutoner Fußgängerzone. Die sonstige aggressive Stimmung, erzeugt durch junge Männer mit zu wenig Hirn und zu vielen Hormonen, ist einer Atmosphäre der kompletten Ödheit gewichen. Junge Männer hocken apathisch in Rudeln um die kaputten Bänke herum und starren in ihre Endgeräte. Russland hatte vor einigen Jahren großzügig Syrien bombardiert und damit die Zahl der fliehenden jungen Männer verfünffacht. Was hilfreich gewesen war. Inzwischen gibt es keinen demokratischen Staat mehr. Was nicht weiter dramatisch ist, denn Demokratie war ohnehin eine Ausnahmeerscheinung in der Geschichte der Menschheit. Patuk bleibt schwankend vor ihnen stehen und versucht, eine Verbindung zwischen dem Bild auf seiner Netzhaut und dem Hirn herzustellen. Nach dem – nun, sagen wir – Verlust seines Geschäftes gibt es nichts mehr, was Patuk vom völligen Entgleiten der Kontrolle über sein Leben abhalten kann. Er ist schwammig geworden. In jeder Hinsicht. Und hat herausgefunden, dass er sich besser erträgt, wenn er die Tabletten, die es in der Drogerie gibt und die für einen ausgeglichenen Stimmungshaushalt sorgen, stark überdosiert. Na, was halt so geht, wenn man zu viel Diazepam nimmt. Was eben passieren kann, wenn man abhängig von dem Stoff ist, den Patuk jetzt bereits seit zwei Jahren täglich zu sich nimmt. Er bewegt sich wie in einem Traum, und er hat Zustände, die mit Angst und Hass zu tun haben. Die Gesichter der Leute in seinem Viertel scheinen ihm oft wie Tiergesichter. Echsen und Frettchen, Nager und Schweine. Er sitzt oft in der Fußgängerzone. Oder in seinem Zimmer. Er isst Dinge, die aus Dosen kommen. Er ist von einer kompletten Ratlosigkeit, sein Leben betreffend, gelähmt.

Es ist fast Morgen,

Als

**Thome**

Auf der Fensterbank sitzt und denkt. Nun ja. Denken.

Es ist der Moment, bevor die Nacht endet. Wenn Frühling stattfände und es nicht zu kalt wäre für jede Jahreszeit, würden jetzt Vögel zu singen beginnen. Thome stellt sich die Vögel vor, er ist in dem Alter jener, die sie noch erlebt haben, diese Frühlingsvögel, die alles so traurig scheinen lassen, den Morgen, das Leben. Sein Vater hat den Abend damit verbracht, seine Regierung zu planen. Es waren zwanzig alte Männer anwesend. Das Haus riecht nach ihnen. Thome freut sich auf den Moment, da sie sterben werden. Das wird eine Überraschung für die alten Säcke. Oh puh, jetzt haben wir Milliarden gehortet, jetzt haben wir im Rahmen unserer Möglichkeit Macht, die Macht, ein paar Millionen Menschenleben zu beeinflussen, natürlich zum Schlechten, und jetzt sollen wir gehen?

Die Herren steigen in die bereitstehenden Helikopter vor dem Haus und fliegen nach Schottland. Tschüssi. Genau in dieser Sekunde sind sicher eine Million einflussreicher Männer auf der Welt auf verschiedenen Wegen dabei, sich die Weltherrschaft zu sichern. Fast die ganze Welt scheint sich erleichtert alten Diktatoren unterzuordnen. Endlich sind wieder Männer an der Macht, starke, markige Männer. Und unter uns: Wo ist denn der Unterschied? Diese sogenannte Demokratie war ja nur eine Briefkastenfirma für die Superreichen. Sagten die Menschen und wohlan, recht haben sie. Und nun ist alles wie früher, seht ihr? Gar nicht so schlecht. Da werden Kriege vorbereitet, Rohstoffe abgebaut und verdealt, Intrigen geschmiedet, Regierungsstürze vorbereitet, Seuchen verschleiert, Medikamente nicht zugelassen, weil sie zu wenig Gewinn abwerfen, Beine amputiert, weil ihre Rettung zu wenig Gewinn abwürfe, Waffen geschoben, Fehlentscheidungen vertuscht, im Vatikan bereitet man den Weltuntergang vor, damit irgendein Typ sich danach als Jesus feiern lassen kann, in Südamerika wird eine neue Guerillaarmee zusammengestellt, in China – okay

**Ma Wei**
安静, 你死了
Die alten Männer, denkt

## Thome

Überall sitzen sie und planen und prosten sich zu und denken, es würde sich irgendwas in ihrem eigenen Dasein ändern. Sie würden jünger, schöner, glücklicher. Sie denken, Macht und die Euphorie, die sie mit sich bringt, wären ein Dauerzustand und nicht ein kurzfristiger Ausstoß von Hormonen. Es gibt keine verdammte Weltverschwörung. Keine Bilderberg-Adelshäuser-Rothschild-Goldman-Sachs-Vatikan-Achse des Bösen, es gibt nur alte Männer, die sich mit gelben Fingern ans Leben krallen. Es gibt nur Männerbünde, die sich kraft ihrer Muskelmasse, die jener von Frauen überlegen ist, seit Jahrtausenden zum Ende der Nahrungskette deklariert haben, die jede Lebensform, die ihnen nicht gleicht, in terroristischen Mordanschlägen auszulöschen versuchen. Na ja, oder eben – auslöschen. Schade, es sind immer noch Reste nicht männlicher Lebensformen übrig. Aber leider wird keiner aus den alten Systemen überleben, kein Großgrundbesitzer, Angehöriger der stinkreichen Adelsfamilien, der Vatikan nicht und die alten Milliardäre nicht. Die Leitung der Welt werden Leute wie Thome übernehmen. Die neuen Menschen. Männer. Im Moment jedoch hat Thome andere Probleme. Thome hat Gefühle in einer belästigenden Art. Jeder Platz seines überragenden Verstandes scheint mit Peter vollgestopft. Thomes Hände zittern wegen der Gefühle. Und das macht sich auf der Arbeit bemerkbar. Seiner Arbeit oder, wie er gerne scherzhaft sagt, seiner Berufung, kann er verdammt noch mal nicht korrekt nachgehen, wenn er zum einen immer an einen Jungen denken muss und zum anderen verdammt noch mal nicht versteht, was die zum Teufel entwickeln in den immer neuen Programmiersprachen, die verdammten Nerds. Gefühlt stündlich entsteht irgendetwas Bahnbrechendes. Revolutionäres. Nie Dagewesenes. Aber da wird eindeutig an jeglichem menschlichen Bedürfnis vorbeientwickelt. Den Bürgern – ja, nennen wir sie Bürger, die Dummköpfe – ist es doch vollkommen egal, in welcher Form von sprachgesteuertem, komplett vernetztem Mistteil sie im Stau stehen. Es ist ihnen egal, ob ihre Toilette mitdenken kann und die Badewanne eine Hautanalyse abliefert, die sie an die Kleidung übermittelt. Irgendwann ist Schluss. Da draußen kommt keiner mehr mit. Aber wenn Programmierer erst mal losgelassen werden, hören sie nicht auf, ehe alles menschliche Leben verschwunden ist. Was den Märkten nicht standhält, hat keine Existenzberechtigung. Die Entwickler arbeiten an perfekten Sexrobotern, obwohl, in London zumindest, kein Mann mehr Interesse an Sex zu haben scheint. Sie bauen Hirnerweiterungen, Hyperloop-Transportröhren, Raketen, die zurück auf die Erde fliegen können, sie perfektionieren die Dateneingabe per Gedanken. Disruption scheinen sich alle Entwickler auf die Stirn tätowiert zu haben. Ein Markt in seiner bestehenden Form wird ausgelöscht, um ihn schlicht so wieder erstehen zu lassen, dass er mehr Profit abwirft. Apropos Auslöschung – Thome geht in den Keller, in dem seine Stiefmutter in einem Fass mit Säure schwimmt. Er öffnet den Deckel und sieht Zähne an der Oberfläche der Brühe treiben. Na, das braucht wohl noch ein bisschen. Thome sinkt auf den Betonboden. Wenn er wenigstens als Kind missbraucht worden wäre. Er umarmt die Tonne, in der seine Stiefmutter zersetzt wird. »Mutter«, flüstert Thome. »Mutter«

WTF

Denkt

**Don**

»Sprechen Sie Englisch?«, fragt eine Frau, die aussieht wie eine alte Büro-Kaffeemaschine. Don sieht die Sache an und weiß nicht, was die Frage bedeuten soll. Ob sie sprechen kann, also generell? Don ist so stumpf und taub, der Liebeskummer, nicht wahr, dass ihr vollkommen egal ist, wo sie sich befindet. Wie alle Verliebten steigert sie sich in Gedanken, die den Schmerz unerträglich machen, vielleicht, weil außer Drogen nur unglückliche Liebe so einen Todessehnsucht erzeugenden Hormoncocktail erzeugt.

»Also, verstehen Sie mich?«, fragt die Frau. Sie scheint einen Dachschaden zu haben, und Don, freundlich zugewandt, nickt, den Umgang mit Schwachsinnigen gewöhnt. Dons Kaffeemaschinenperson

hat erstaunlich dünne Haare.

Die


**Frau mit den dünnen Haaren**
*Mentaler Status: latent passiv-aggressiv, Frau halt*
*Gesundheit: kreisrunder Haarausfall, Flatulenzen*
*Hobbys: kein Sport, keine Freude*
*Verwertbarkeit: komplett keine*


Weist einen Lebenslauf auf, dessen Verteilerknoten denen vieler ihrer Bekannten ähnelt. In den 90er Jahren Literaturwissenschaft studiert, Doktor gemacht, Aufsätze veröffentlicht, Mann kennengelernt, so einen, den man sieht und denkt: Ob wohl so ein unscheinbarer Mensch, einer mit so dünnen Haaren und kleinen Augen, auch jemanden hat, der ihn bezaubernd findet?

Dann nach London gezogen. Kleine Wohnung in Whitechapel. Liebe. Glück. Hoffnung. Ikea-Möbel. Erwachsen spielen. Ernsthafte Gesichter am Abendbrottisch. Reichst du mir die Pickles. Job an einer Universität als Assistentin gefunden. Hurra. Der Mann macht auch irgendwas. Sagen wir Journalismus. Journalismus geht immer. Schlechte Bezahlung, gute Absicht. Man sieht sich abends. Redet über die Zukunft. Die Zukunft ist immer das, was schöner wird.

Erst mal Bahn fahren jeden Tag, in Menschenmassen, die frieren, aber Liebe. Also ficken. Und irgendwann müde werden.

Denn –

Nichts, nichts ändert sich, kein Garten, kein Hund, gefickt wird nicht mehr. Am Abendbrottisch schweigen, der Mann ist entlassen worden, die Zeitung online, der Verdienst per Zeile. Er ist

Gedemütigt. Und depressiv. Er nimmt Neurostimulanzien und ist schlaff darum. Nicht nur sexuell. Nach zehn Jahren immer noch in der Wohnung in Whitechapel, die unterdessen vier Mieterhöhungen hinter sich gebracht hat. Und kein Kind. Kind geht nicht. Zu teuer. Der Mann liefert neben seinen Zeilenjobs Essen aus. Das Paar spart. Technische Geräte werden am Black Friday erworben. Hurra, Black Friday. Sachen kaufen. Jagen, sich im Vorteil wähnen, endlich mal gesiegt bei irgend-was.

Die Frau mit den dünnen Haaren kommt nicht vorwärts. Dreimal wird sie bei Beförderungen übergangen. Befördert werden immer jüngere, selbstbewusste Männer, vom Direktor der Universität danach ausgewählt, wie er gerne gewesen wäre. Die Frau mit den dünnen Haaren bekam kein Geld für Forschungen, das bekamen auch die Männer, aber hey, der Bessere gewinnt. Dann kommen die Gehaltskürzungen. Und die Frau mit den dünnen Haaren sucht sich Nebentätigkeiten. Fast jede, die heute als Fahrerin, Reinigungskraft oder Küchenhilfe arbeitet, ist eigentlich Ingenieurin oder Ärztin gewesen. Gehabt. Vorbei. Nach der Entlassung. Fand die Frau mit den dünnen Haaren einen Job als Pförtnerin in einem Isotopenlabor. Und als Organspendeberaterin. Und als Tierkörperbeseitigerin. Täglich werden in der Stadt Tausende streunender Tiere eingesammelt und in die Beseitigungsanlage gebracht. Da, wie erwähnt, größte Teile der Innenstadt im Besitz von Chinesen befindlich sind und sich der Chinese vor Hunden ekelt, die nicht Pudel sind und jeden Tag gebadet werden, ist diese Maßnahme ein Serviceangebot für ihre wohlhabenden Bewohner. Die Aufgabe der Frau mit den dünnen Haaren ist es, das Feuer bei korrekter Ofenbefüllung zu entzünden und durch das feuerfeste Glas den Fortschritt des Brennvorgangs zu beobachten. Die Tiere, die auf der Welt sind wie die Menschen, einfach um ihr blödes Leben herumzubringen, sind zu Nutzgegenständen gemacht worden. Zur Belustigung oder zum Fressen. Was dazu nicht taugt, wird ausgerottet. Menschen rätseln darüber, ob Tiere Gefühle haben. Menschen, die außer Gefühlen, die ihrer eigenen Triebbefriedigung dienen, keine Gefühle haben, denken über so etwas nach und machen Versuche mit Mäusen. Die sie kitzeln. Und erstaunt beobachten, dass Mäuse lachen. So weit zu Menschen. Und zu Mäusen.

In den ersten Wochen hatte die Frau mit den dünnen Haaren schlechte Träume, in denen die Gesichter der Tiere vorkamen, die denen von Menschen in Todesnot sehr gleichen. Die dem Blick der Menschen gleichen, die freiwillig ihre Organe und Körperteile spenden, selbst Organe, die man durchaus noch benötigen könnte – wie Beine. Wer geht schon gerne mit einem Bein um den Block. Aber.

Wenn sie es nicht machen würde, täte es jemand anderes. Wenn sie diese erloschenen Menschen sieht, die vor ihr sitzen zur Registrierung, fragt sie sich, ob es nicht gnädiger wäre, sie wie die heimatlosen Haustiere in den Ofen zu schieben.

WTF,

**Don**

sieht die Frau mit den dünnen Haaren leer an. Wie alt mag so was sein. 50? 80?

»… wir können Ihnen finanziell großzügig entgegenkommen, wenn wir uns hier einigen.« Sagt die Frau mit den dünnen Haaren.

»Für eine Nierenspende, mit der sie das Leben eines unschuldigen Menschen retten können, zahlen wir 500 Pfund, eine Netzhaut bringt Ihnen 200 Pfund, Knochenmark 100 Pfund, eine Milz …«

»Moment«, unterbricht Don, »ich habe nur eine Milz.«

»Genau.« Sagt die Frau. »Ein komplett überschätztes Organ, also die Milz. 700 Pfund. Aber Sie können natürlich auch dramatisch viel mehr Geld mit der Spende von Gliedmaßen –« Don sieht zerzauste Männer an den Nebentischen Formulare unterschreiben. Hurra, sie werden sich ein Ticket in ihre unterentwickelten Heimatländer leisten können. Heim, nur Heim, auch wenn man auf einem Bein aus dem Flugzeug springen muss. Sie lassen sie sich wiegen und vermessen. Blutdruck, IQ. Wozu der IQ? Ist doch egal. »Kann ich raus, eine rauchen«, fragt Don. »Ich bin mir wegen der Gliedmaßen noch unsicher, also eine Hand brauche ich ja noch, um die Zigaretten zu halten.«

»Ähm, ja«, sagt die Frau mit den dünnen Haaren, »Sie sollten vor den Eingriffen dann auf Nikotin und Alkohol verzichten.« »Die Tabletten nehme ich weiter?«, fragt Don. »Also die Beruhigungsmittel und so?« »Natürlich«, sagt die Frau. »Jeder nimmt seine Tabletten.«

»Okay, ich rauch mal eine drüber«, sagt Don, verlässt den Raum, vom Flur gehen ungefähr vierzig Türen ab. Don öffnet einige vorsichtig. Überall dasselbe Bild. Obdachlose, Penner, Jugendliche sitzen an Schreibtischen und geben Auskunft über ihre hervorragenden Organe. Vor dem Eingang fährt ein neuer Kastenwagen vor. Die Nacht ist mild. Ein warmer Regen fällt. Don lehnt sich an die Hauswand, schaut in den Himmel, der Mond ist nicht zu sehen. Sie ist jung. Sie wird an Liebeskummer sterben. Es ist die beste aller Zeiten.

## EX 2279

Wiederholt den Satz und sucht nach einem Sinn. Gibt keinen. Man kann doch nicht von einer besseren oder schlechteren Zeit sprechen, ohne die Zahlen genau studiert zu haben. Der EX 2279 studiert die Zahlen. Check, stimmt, die Zeit ist für die meisten Menschen besser als vor hundert Jahren, insofern es mehr Menschen besser geht. Bildung, Sterblichkeit usw. Es geht allerdings der Natur und dem Ökosystem. Nun, egal. Der EX 2279 fährt mit der Rettung des Planeten fort.

Schaltet die Frackinganlagen aus.

Die Rohstoffbörsen.

Die Kryptowährungen, die zur Erzeugung Terrawattstunden und so weiter. Aufräumen –

```
++++++++++[>+>+++>+++++++>++++++++++
<<<<-]>>>>+++++++++++++++++.------------------.
<+++++++.>----.++++++++++.------.<+++++++.>+++.---.
<+++.>++++++++++.+++.------.--------.<--------------
---.>++++++++++++.--------------.----.
++++++++++++++++++.<------.>--------------.------
.++++++++.+++++.
```

### Die Freunde

Starren in ihre Rechner. MI6 aus. MI5 geht vom Netz.

Die Baby-Hacker sitzen an ihren Rechnern, sie werden nicht aktiv, sie beobachten die AI dabei. Die Beobachtung euphorisiert sie nicht. Sie haben die Hoffnung verloren. Es ist dunkel im Raum, kein Feuer im Ofen, keine Pizza in der Küche. Den Nicht-mehr-Kindern ist es unangenehm, ein-

ander anzusehen. Der Fehlschlag ihrer Aktion ist nur das Ende vieler Versuche, die Welt in dieser Junge-Menschen-ändern-die-Welt-Art zu retten. Sie hatten früher demonstriert. Bevor das verboten worden war. Bevor auf Demonstranten mit scharfer Munition geschossen worden war. Sie hatten, online, immer wieder gewarnt. Vor Burkaverboten, die nur dazu erdacht waren, Vermummung, die die Arbeit der biometrischen Erkennungsdienste erschweren kann, zu verhindern. Vor dem Sperren von Kinderpornoseiten, die nur jede Art von Netzsperren absicherten. Vor den elektronischen Fußfesseln für Gefährder, der E-Wahl, vor den Spionageeinheiten der Privatwirtschaft, die Kunden im Verdachtsfall bis in den letzten Winkel ihrer Wohnung überwachen konnten – alle Gesetze, die in den letzten Jahren verabschiedet worden waren, die Aufrüstung der Privatarmee zu einer paramilitärischen Truppe, die von Kapitalisten besessen wurde, die Überwachung, das Grundeinkommen, alles führte zu einem Ziel, das jetzt fast erreicht war. Ein paralysiertes, glückliches, hirnloses Volk. Alles, woran die Jugendlichen geglaubt hatten, also daran, die Welt zu verändern, sie nach ihren Ideen zu formen, Humanismus, Gerechtigkeit, Privatsphäre und all das Zeug – ist der Gewissheit gewichen, dass sie –
Nichts verändern können.
Die Hacker sitzen an ihren Rechnern. Sie daddeln rum. Sie reden wenig miteinander. Sie nehmen Tabletten. Sie nehmen verdammte Tabletten, denn ihr Körper produziert keine Endorphine mehr, ihre Körper werden müde und unkonzentriert. Sie haben den Sprachcode des EX 2279 fast entschlüsselt.

»Famos«,

Sagt

**Thomes Vater**

Zu seinen Freunden.

Gerade aus dem Hubschrauber geklettert, kippen sie sich schon wieder einen hinter die Binde. Falkland Palace. Ein reizendes Anwesen, das sich seit einiger Zeit im Besitz von Thomes Vater und seinen Kameraden befindet. Die Krise ist ein Freund des schnellen Investments. Welche Krise? Egal. Davor oder danach. Sie sitzen hier in dem weitgehend ungeheizten Gemäuer. Die Tradition verlangt nach blau gefrorenen Knöcheln. Seit zwei Tagen hat Thomes Vater nichts mehr von seiner reizenden, schwangeren Gattin gehört, fällt ihm unzusammenhängend ein. Seit einiger Zeit ist es ihm, selbst mit der Einnahme der üblichen Medikamente, nicht möglich zu erigieren. Ohne das theoretische Bedürfnis, sich in der Russin zu ergießen, fällt Thomes Vater nichts ein, was eine Beziehung zu ihr rechtfertigt.

»So, aber erst mal Prost, meine Herren.« Thomes Vater ist mit den engsten Vertrauten seines Stabes hier, das Gesamtalter im Raum beträgt 777 Jahre, und die Barmittel übersteigen einige Hunderttausend Milliarden. Thomes Vater sieht in blasse Gesichter mit roten Nasen und geplatzten Adern. Keiner der hier Anwesenden gibt zu, warum er sich im greisen Alter nochmals dem Stress eines hohen Regierungsamtes aussetzt. Thomes Vater weiß es. Er schmunzelt bei seinem Wissen. Er hat das Wort »schmunzeln« so oft ironisch verwendet, dass er es unterdessen nicht mehr aus seinem Wortschatz löschen kann.

Der Antrieb zur Macht auf der Zielgeraden ist Wut. Darauf, dass die Knochen schmerzen und alles so wenig Spaß gemacht hat. Das ist doch verrückt. Es hat so wenig wirklich ein Glück erzeugt. Jetzt auch nicht dieses Reich-sein-macht-auch-nicht-glücklich-Unglück, aber dieses Gefühl, ständig zu kurz zu kommen. Immer einer, der reicher ist, der noch näher mit der ehemaligen Königsfamilie verwandt ist, noch wichtiger ist. Überdies sind alle hier eins, in der Verzweiflung, mit der sie in die Geschichte eingehen wollen. Weil sie es einfach besser wissen. Sie wissen, was die Menschen wollen, wissen, was gut für England ist, das Land, das sie mögen, weil sie es atmen. Das Ziel jahrelanger Vorbereitung und immensen Kapitaleinsatzes ist zum Greifen nahe. Die Reform des Staates, die direkte Wahl. Und nun: die Krönung. Die Abschaffung der Demokratiereste. Darum sind sie hier. Um den Wahlsieg zu feiern. Heute. Thomes Vater hüstelt leise. Wie immer, wenn er leise hüstelt, hebt er seine Hand vor den Mund, wie immer, wenn die Hand in sein Blickfeld gerät, sieht er die Hand. Mit seinem Körper daran im Grab liegen. Über sich das Nichts, dunkle Nacht, die nie endet

»Es geht einfach nicht weg«,

Sagt

**Hannah**

Dabei regnet es doch gar nicht, es ist nur. Feucht.

Hannah hat den Kopf auf Peters Schulter gelegt. Das Wetter ist ihr egal. Der Ort ist ihr gleichgültig, sie befindet sich in diesem perfekten Zustand, nach dem Menschen sich ihr Leben lang sehnen, den sie mit Drogen, Geld und Selbstverstümmelung herzustellen suchen und zu selten finden. Wüsste Hannah, dass ihr vielleicht sechs, sieben solcher Zustände während ihres Aufenthaltes auf der Erde zustehen, würde sie sich vielleicht nie mehr bewegen und nie mehr schlafen, um die Sache auszukosten. Aber das weiß sie nicht. Hannah sitzt neben Peter auf der Treppe vor der Halle, aus der leise die Nachrichten dringen. Ich werde nie mehr etwas wollen, denkt Hannah in kompletter Unkenntnis der Funktion von Hormonen. Peter denkt so etwas nicht, er ist ein Mann, er ist seltsam, er ist erregt und glücklich. Er könnte immer so sitzen bleiben. Den warmen Körper von Hannah an sich spürend. Wie weich sie sich anfühlt, wo sie doch so knochig und kantig wirkt. Wie weich er sich anfühlt, denkt Hannah und möchte in Peters Körper sitzen, da muss es einen warmen Ort geben, und von ihm durch die Nässe getragen werden.

Na ja. Und so weiter. Verliebt eben.

Der Fernseher läuft. In einer Endlosschleife laufen die Ergebnisse der Wahl.

Die Internet-Partei hat mit 80 Prozent der Stimmen gewonnen. Ein Avatar wird der neue Premierminister. Die Bevölkerung hat einem jungen, dynamischen High Performer ihr Herz geschenkt.

Apropos.

### Thomes Vater

Greift sich ans Herz.

Seine Kameraden scheinen schon tot. Starr sitzen sie in den abgewetzten Brokatpolstersesseln, das eine oder andere Kristallglas ist zu Boden geglitten. Das Ende der Welt hat alle überrascht. In so einer Überraschungsart, als sei ihr geliebter Hund durch eigene Dummheit in eine Wolfsfalle geraten. Thomes Vater erhebt sich. Seine Beine sind sehr unsicher, sein Schritt unbeholfen, der Hubschrauber steht bereit. Er sollte Thomes Vater zur Siegesfeier nach London fliegen. Nun. Fliegen sie eben über das prächtige Hochland zurück nach London. Einfach nur mit Niederlage –

Nach der Landung geht Thomes Vater benommen durch die Oxford Street. Da läuft der Pöbel. Die Idioten, die einen Bot zum Premierminister gewählt haben. Die Dummheit hängt ihnen wie Spucke im Gesicht. Sie folgen Signalen. Sie folgen der Sehnsucht nach Zuständen. Kaufen. Das hat sich bewährt. Es war noch einfacher als ein Glaube. Der flexible Lurch Kapitalismus hat sich sehr schnell den neuen Bedürfnissen der Bevölkerung angepasst. Es gibt wenig teure Produkte für die Schicht der Gewinner und Tonnen billigen Schrott, hergestellt in den Verliererstaaten in Nordafrika, dem Osten Europas, Pakistan, Bangladesch und den Rostgürtelstaaten Amerikas. Länder, in denen Arbeitskräfte noch billiger sind als Maschinen.

Thomes Vater hält kurz ein, in seiner Schläfe wieder ein dumpfer Schmerz.

So, wo waren wir – also, einige Bevölkerungsgruppen sind nahezu verschwunden. Die obdachlosen Kinder zum Beispiel.

Im Fernsehen laufen ab und zu Berichte über großartige Heime, in denen die Kinder jetzt Ball spielen, lernen und saubere Kleidung tragen. Nur bei genauem Beobachten fällt auf, dass es immer dieselben glücklichen Kinder sind.

Auch die Obdachlosen wohnen glücklich und sauber frisiert in Heimen, vor denen sie, Schach spielend, gefilmt werden.

Eine weitere verschwundene Bevölkerungsgruppe sind

**Banker**

*Ex-Hobbys: Oldtimer, Budapester, Krawatten,*
*nackte, tanzende Frauen*
*Familie: ein sogenanntes Kind*
*Beruf: Grundeinkommen*
*Laune: geht so*

Der hier hat schlechte Laune.

Er ist kein Banker mehr, denn er ist entlassen worden. Vor geraumer Zeit war das. Als es losging. Mit der sogenannten Inflation. Die dauernden Stromausfälle. Und die Algorithmen, muss man mehr wissen? Wenn man Geräten jede Entscheidung über die Finanzmärkte überlässt, muss man auch mit geringfügigen Problemchen rechnen. Die Algorithmen im sogenannten Finanzmarkt haben die Eigenschaft, immer auf die steigenden Aktien zu setzen. Da muss man mit geringfügigen Nachteilen rechnen. Auf jeden Fall ist es unterdessen nicht mehr möglich, die Banken zu retten, weil man erst die Staaten retten musste, die nicht mehr zu retten sind. Und er. Der Banker, blickt nicht mehr durch, wie er am unzusammenhängenden Strom seiner fragmentierten, gleichsam stümperhaften

Ideen erkennt. – Er ist also entlassen worden, zusammen mit 18 000 anderen in den Wochen vorher. Er ist ein guter Investmentbanker gewesen. Bekannt für seine Furchtlosigkeit. Er hatte in der Zeit begonnen, als schon klar war, dass das System der globalen Finanzmärkte gescheitert war. Dass globale Finanzmärkte nur bedeuteten, die Risiken des US-Finanzmarktes zu streuen. Als man bereits wusste, dass der ganze Mist nicht aufging und die Zentralbanken die Zinsen unter null senkten, um ein zweites 2008 zu verhindern. Das sagte man so, das 2008, und jeder Banker zuckte zusammen und sah sich aus einem Hochhaus springen.

Der Banker hat weitergemacht, dem Ritalin gehorchend und dem Dimethyltryptamin, das ihn fliegen lässt, und den Amphetaminen, die ihn mutig machen. Der Pharmakonzern, der Methylphenidat herstellt, produziert unterdessen täglich 2,5 Milliarden Dosen, mit der Folge, dass die User ihre Kreativität verlieren und depressiv werden, aber dagegen gibt es: Amphetamine.

Und dann, vor einigen Wochen, hatte sich die Physis des Bankers zu verändern begonnen. Zusammen mit den pumpenden Kopfschmerzen. War er vorsichtig geworden. Der Mut war verschwunden. Hatte sich aufgelöst. Er hatte Angst bekommen und seine Transaktionen hinterfragt. Er hatte eine Sinnkrise bekommen, denn plötzlich war ihm nicht mehr klar, was er da eigentlich machte. Nullen weitere imaginäre Nullen hinzufügen. Länder in den Staatsbankrott treiben. Und wie hing das alles zusammen, und was taten die Algorithmen da eigentlich? Seit einiger Zeit ist der Banker sanft geworden. Erstaunt steht er mitunter und betrachtet, was er hergestellt hat. Was – von ihm komplett unbemerkt – herangewachsen ist.

Es ist


## Das Kind

*Intelligenz: nicht messbar*
*Hobbys: Hospitalismus*
*Sonst eben einfach ein, sag schon.*
*Kind*

Es hat Gliedmaßen, die sich unabhängig voneinander bewegen. Also, hey. Ein Kind, ein kleiner Mensch, eine Replik aus seiner DNA.

Denkt der

## Banker

Toll. Seine Frau. Na ja, auch so eine Sache. Die Frau muss arbeiten, sonst wäre es nicht möglich, dem Kind ein eigenes Zimmer in der High Holborn zu finanzieren. Das Kind braucht ein eigenes Zimmer. Es hat ein eigenes Zimmer, das Kind, crazy, ein Stück Zimmer, wo doch 80 Prozent der Menschen in der Stadt acht Quadratmeter für sich haben, da wälzt das Kind sich in seinen sauberen 14 Quadratmetern. Es braucht ein Zimmer. Das sich verriegeln lässt, wenn die Eltern arbeiten gehen. Als beide noch gearbeitet haben. Die Betreuung übernimmt ein Gerät. Durch seine Augen filmt das Gerät das Kind, registriert jede Bewegung. Für ein paar Stunden funktioniert die Abwesenheit der Eltern, also der Mutter, immer hervorragend. Im Zimmer des Kindes sind Flüssigkeit und Nahrung im Portionsspender. Das Kind, der Banker hat gerade seinen Namen vergessen, hat einen starken Bezug zu dem Gerät aufgebaut. Abends will es keine Ansprache seiner Eltern, sondern Geschichten vom Gerät erzählt bekommen. Einschlafgeschichten.

»Jeder kann es ganz nach oben schaffen. Das ist der Segen unseres Wirtschaftssystems.«

»Was ist Segen?«, fragt das Kind.

»Segen«, sagt das Gerät, »ist vom Herrgott. Der beschützt gute Menschen, der Herrgott. Dem Fleißigen wird alles gehören. Wenn du gut lernst, das Geld respektierst, dich gesund ernährst und Sport treibst, wenn du dich nicht schonst und in deiner knappen Freizeit ein Nickerchen machst, dann wirst du es in deinem Leben zu allem bringen, was du willst.«

»Also Spielzeug und Süßigkeiten?«, fragt das Kind.

»Korrekt«, sagt der Robi.

Na ja, und so weiter,

### Der Programmierer

Wir kennen ihn, hat so seine eigenen Ideen, die jetzt in Millionen Kinderzimmern erklingen wie ein Klagelied des neoliberalen Denkens. Woran er sich gerade versucht, ist Erinnerungshacking. Man wiederholt falsche Geschichten so lange und so detailreich, bis jeder sie glaubt. Millionen Kinder wachsen mit Ritalin und dem Wissen eines technokratischen Programmierers in den Synapsen auf. Sie werden komplette Idioten sein, die praktisch in der Haltung und anspruchslos sein werden, die an den Kapitalismus glauben und mit leeren Augen den Anweisungen von Maschinen folgen. Solange die neue Generation Menschen aus besseren Bausätzen hergestellt sein wird.

Und

**Thomes Vater**

Ist unterdessen zu Hause angelangt. Er schleppt sich die Treppen hoch. Das ist also, was übrig bleibt in der schwersten Stunde, ein leeres, zugiges Haus, das nicht behaglich ist, aber 70 Millionen wert, ein kaltes Haus, in dem er sitzt, die letzte Schlacht verloren, das Feuer im Kamin brennt nicht. Ohne ein Ziel fühlt Thomes Vater sich als das, was er ist: ein Mensch auf den letzten Runden seines Lebens, dem es nie gelungen ist, einen anderen in einer Art von sich zu überzeugen, dass der andere ihn halten wollte.

Es war ein ehrlicher Tag

An dem

**Karen**

Auf dem Weg nach Hause ist. Und es nicht mehr so empfindet. Sie freut sich nicht auf die Fabrik, auf das Außenquartier, auf die Nudeln, die Kinder, die Langeweile. Sie hat studiert. Fast. Sie hat studiert, ohne dass es sie einen Schritt weiterbringen würde. Ihr Leben hat sich nicht verändert, ihr Weg ist derselbe geblieben. Hey, High Holborn, immer einen Spaziergang wert, reizend, der kleine Kiosk, der teuren Kaffee und teure Sandwiches für die gutverdienenden Bewohner des Viertels verkauft.

Die herrschaftlichen Häuser, hinter denen gerade ein

neuer Wohnturm entsteht. Die Brechung des Vertikalen, sagen Architekten, die mithilfe von Algorithmen
und neuen Materialien zu vollkommen neuen, gleichsam
hängenden Gärten des neuen Wohnens finden. Gläserne
Türme mit Tentakeln, mit Pools, Gärten, Begegnungs-
stätten, also Shops und Cafés, und das alles für Menschen
mit einem Einkommen über 600 000 im Jahr. Das hält
das Elend fern. Das macht diesen Eindruck lebendig, in
Swinging London zu leben, am Puls des Fortschritts, Teil
der schönen neuen Welt. Zu der Leute aus dem ehemaligen Mittelstand nicht mehr gehören, durch den Park
kann man nur noch, wenn der Chip dafür sozusagen. Bereit ist. Karen geht nach Hause und empfindet das nicht
mehr. Das Zuhause.

»Gleich wird es hell«,

Sagt

**Patuk**

Und streicht der Frau mit den dünnen Haaren über ihre,
nun ja, dünnen Haare. Als Patuk sich auf diesen Einsatz
vorbereitet hat, war er überrascht gewesen, dass sich –
sagen wir – Atomkraftwerke so leicht angreifen lassen.
Die Leit-, Haupt- und Notkühlsysteme sind sehr einfach
abzuschalten, las er in einem Tor-Forum, wenn man über
ein paar Grundkenntnisse der Atomwissenschaft verfügt. Oder ein guter Ingenieur ist. Gut, also was anderes.
Plutonium war das Zauberwort. Plutonium liegt sozusagen auf der Straße. In Arztpraxen, Krankenhäusern und.
Genau hier, in diesem Isotopenlabor, in dem irgendein
Scheiß hergestellt wird. In dem diese unattraktive Person
als Nachtwache arbeitet. Nicht einmal ein IT-gesteuertes,

vollautomatisches Überwachungssystem können sie sich leisten. Aber Plutonium in alten Schränken. Wie in so einem Entwicklungsland. Patuk berührt Körperteile der verzweifelten Frau. Die Zielgruppe kennt er. Sie werden gerne berührt. Sie sind in einem Alter. Also in einem Alter, in dem sie sich das Ende vorstellen können. In dem die Haut, nun ja. Also jung ist das nicht mehr. Da wird nichts mehr stattfinden in den nächsten 30 Jahren. Arme Irre. Patuk tätschelt ihr Knie. Wenn er schon nicht über die intellektuellen Fähigkeiten verfügt, ein Atomkraftwerk zum Kollabieren zu bringen, so langten sie doch, um diesen Laden hier zu finden und seine Nachtwächterin anzugraben. Am Boden steht ein Metallbehälter mit radioaktiven Warnzeichen. Patuk nimmt an, dass es sich um Plutonium handelt. Er hat vorher im Netz entsprechende Abbildungen gesehen. Er hat keine Ahnung. Er ist ein Dummkopf. Er weiß nicht einmal, dass Terror so was von absolut aus der Zeit gefallen ist. In dem Metallbehälter sind vermutlich die Zylinder mit dem spaltbaren Material. Das sollte man ohne Handschuhe nicht anfassen. Oder am besten nicht anfassen. Patuk hat vergessen, was er im Netz zu dem Thema gesehen hat. Zu viel Information. Das macht Patuk gerade so richtig fertig. Dass er jetzt dieses Scheißplutonium hat, also falls sich in dem Behälter welches befindet, und dass er dachte, es sei einfach, eine schmutzige Bombe zu bauen, eine Art Kanone, die man auf die offene Ladefläche eines Pick-ups stellt, und dann ab mit dem Ding in – sagen wir – die Oxford Street am Samstag. Ein zu erwartender Milliardenschaden, die zeitweilige Sperrung von quadratkilometergroßen Innenstadtbereichen, Dekontaminationskosten, Ausfallkosten, Wertverluste von Wohn- und Geschäftsimmobilien. Die Opfer mit schweren Strahlenschäden, die beträchtlichen psychologischen Effekte auf Teile der Bevölkerung, sprich: Radiophobie. Aber Patuk hat keine Ahnung, wie man eine Kanone baut, noch, woher er einen Pick-up bekommen soll. Patuk beißt die Zähne aufeinander vor Wut über diese Kompliziertheit. Es steht doch jeder Scheiß im Internet, und nicht einmal so ein dämliches Tutorial zum Bau einer Bombe kann er nachstellen. Nun wird er das Material einfach in die Zwangsbelüftung eines Kaufhauses schütten. Ob man das schütten kann? Irgendwie sicher. Patuk denkt nicht weiter. Er sieht Tote, Chaos und Sicherheitskräfte, die ihn erschießen. Er wird in die Geschichtsbücher eingehen, wie Mohammed Atta. Er krault die Frau mit den dünnen Haaren, nimmt das Paket. »Ich geh mal«, sagt er. Und geht.

Geht doch,

Sagt

**Rachel**

Zu

Den Freunden. »Wir haben ihn.« Sagt sie. Die Freunde haben eine der Kontrolldrohnen übernommen, die nach einer Abstimmung der flächendeckenden Sorgfaltspflicht der Bevölkerung gegenüber nachkommen. Die ihre ID-Nummer im Chip mit sich führt. Damit wird ein Datenbankeintrag referenziert. Durch Lesegeräte, die in allen Ampeln, Laternen, Kameras, Bahnhöfen, Haltestellen und Läden installiert sind – wird erfasst, wo jeder registrierte Bürger sich in jeder Sekunde aufhält. Zusammen mit den Kommunikationsgeräten, Geldkarten, WLAN, Mobiltelefonen und der Video-Totalüberwachung hat man ein vollständiges Bewegungsprofil jedes Bürgers. Großartig. Aber für den unwahrscheinlichen Fall, dass ein Bürger sich in einer der nicht überwachten Gegenden befindet, irgendwo, auf dem Land, in den Bergen, wenn der Bürger versucht, das Land zu verlassen, wird ein Alarm ausgelöst, und in Sekunden übernehmen die Drohen, die auch mit Wärmebildkameras arbeiten.

Die Bürger haben in der neuen, glücklich machenden direkten Demokratie dafür gestimmt, sich komplett überwachen zu lassen, denn sie haben nichts zu verbergen – und die Drohnen können ihr Leben retten. Wenn sie irgendwo an der Themse mit einem Infarkt zusammenbrechen, wenn sie von Obdachlosen überfallen werden oder mit dem Auto in einem Fluss versinken, wenn Kinder auf Gleise fallen, setzen die Drohnen automatische Notrufsignale an die Einsatztruppen ab.

Die Kamera der Drohne liefert trotz des trüben Wetters, trotz des grauen anbrechenden Morgens, trotz des schwachen Lichts sehr gute Resultate.

Sieht

**Karen**

Auf den Bildschirm.

Patuk steigt an der Haltestelle Finchley Road aus. Er hat einen Koffer bei sich. Die Bahn ist voll, die Bahnsteige dito. Lange gab es nicht mehr solch eine Aktivität im Land. Menschen, die zwischen Innenstadt und Außenquartieren pendeln, um einen der neuen sinnlosen Jobs zu verrichten, die seit Kurzem zur Bedingung für den Erhalt des Grundeinkommens geworden sind. Die neue Online-Regierung hat den Wert der Arbeit für den Menschen erkannt und in kürzester Zeit gehandelt. Nun werden Arbeitsstellen fernab der virtuellen geschaffen. Gemeindehäuser gilt es zu streichen, die kurz danach abgerissen werden. Die Karmapunkte gilt es händisch nachzuzählen, falls die AI sich irrt. Steine werden von der Straße gesammelt und leerstehende Fabriken gereinigt. »Er wird zu blöd sein, um einen ordentlichen Anschlag hinzubekommen.« Sagt Karen. Patuk steht auf dem Gleis, er wartet auf seinen Anschlusszug, der ihn vermutlich nach Luton befördern soll. Auf dem Bildschirm sieht man seine sehr starke Transpiration.

Patuk fingert an dem Metallkoffer herum. Legt ihn auf den Boden. Entnimmt einem Sicherheitszylinder eine Phiole. Er verschüttet eine Substanz, die zum größten Teil auf seiner Hand und seiner Hose landet. »Dumm gelaufen«, sagt Karen und streicht innerlich Patuks Namen von der Liste.

»Ich glaube«, sagt Rachel, »die Menschen sind nur zufrieden, wenn sie tot sind. Dann ist endlich mal Ruhe. Dann wollen sie nichts mehr. Nichts kneift und zieht, und niemand lehnt sie ab oder will sie nicht. Die wollen alle sterben.« Für ein paar Sekunden schauen alle Jugendlichen zu den Fenstern, um sich danach, einer Choreografie folgend, wieder ihren Geräten zuzuwenden. Rachel hat heimlich eine Bewerbung an den MI5 geschickt, sie suchen fähige Analysten dort. Ben hat wieder begonnen, Sicherheitslücken in Betrieben aufzudecken, die anderen wägen noch ihre Möglichkeiten ab.

Die Möglichkeiten, die der engagierten Jugend zur Verfügung stehen.

»Hallo, guten Tag.

Wir sind die

**Jugend.**

Die mit dem Wissen groß geworden ist, dass man, ohne sich angepasst zu verhalten, auf keinen Fall überleben wird. Wir sind die sogenannte ADHS-Generation, was meint, dass wir multitaskingfähig sind, wenn das meint, dass wir sekündlich neue Informationen aufnehmen und sofort wieder vergessen. Guten Tag, wir sind weitgehend unpolitisch, weil wir gelernt haben, dass es unseren Eltern nichts gebracht hat. All das Protestieren, Demonstrieren, sich vor irgendeinem Scheiß Anketten, hat nichts gebracht. Wo sind sie jetzt, die Politischen? In kleinen Dreckswohnungen mit einem Grundeinkommen, das heißt einem Almosen, das dafür sorgt, dass es Nudeln gibt. Unsere Eltern sind abscheulich gealtert. Sie sind jetzt fünfzig, sie tragen Hoodys, sie wundern sich, wenn sie andere Fünfzigjährige sehen und denken: Alter, sind die alt. Sie sind User, sie tragen Fitnesstracker. Sie sind in Berufen, die nicht mehr benötigt werden. Wir sind die Jugendlichen. Wir glauben an den Kapitalismus, was platt klingt, aber so ist. Es ist Fakt. Wir wollen einkaufen, wir wollen den Wettbewerb, wir benehmen uns, und wenn die Eltern jammern, dass es heute keine Freaks mehr gibt, keine Subkultur, und dass wir neoliberale Spießer sind, dann sehen wir uns ihre Generation an, die aus grauen Mäusen bestanden hat, aus angepassten, ängstlichen Idioten, die für den Brexit gestimmt haben, weil sie zu blöd zum Coden sind. Sie erzählen vom Verschwinden der Natur und der Tiere, aber es hat Tiere im Zoo, und es gibt das Meer, es umgibt uns, das ist Natur. Langweilig genug. Wir skaten in Indoorparks. Das ist klüger, als in den Highlands nass zu werden, um ein paar Idioten beim Werfen von Balken zuzusehen. Oder wir sind die Anderen, die Kaputten, die Vergessenen, die Zombiekinder. Aus denen Verbrecherjugendliche geworden sind oder Versagerjugendliche. Weil unsere Eltern Low Performer waren. Waren. Meistens sind sie jetzt Ü50 und tot. Oder in Heimen, in denen sie sich finden können. Wir haben gelernt, das System zu verachten, ihm zu misstrauen, wir schlagen uns durch. Wir glauben an nichts. Wir vertrauen keinem. Wir wissen, was zählt. Nur wir selber. Wir sehen die Alten an und denken:

Tschüss.«

**Die neue Regierung**

Sagt: »Ja. Auf Wiedersehen.

Ihr werdet die letzten Leute sein. Die Restbestände des Überganges. Skatet noch ein wenig. Tragt die Implantate weiter. In den Gelenken, in den Köpfen, um die Forschung zu komplettieren. Guten Tag, wir sind die neue Online-Partei, kind of. Gebildet aus – na ja, egal. Hat mit Biometrik zu tun. Interessiert keine Sau. Ist so wenig haptisch. Bald ist«, ernster, fast betroffener Tonfall, »die letzte Generation – ähm, der Prototyp quasi – weg. Sie ahnen es, es wird schnell gehen. Ernährung, Sie wissen schon. Langeweile, Depression, Pillen. Der manipulierte Mensch, der den Algorithmen großzügig Einblick in seine Biobestandteile und sein Hirn gewährt

hat, der in seine Bestandteile zerlegt wurde durch Codeketten, die ihn besser kannten als er sich selber, reprä-
sentiert den Übergang. Seid nicht traurig, es ist nur der
nervöse Übergang, das Aufbäumen der alten Weltordnung, der albernen Demokratie, die nie dazu beitrug, so
viel Datenmacht an einem Ort zu sammeln, als dass die
Neugestaltung durch Biologie und Algorithmen erfolgreich hätte werden können. Die Politiker, die alten Menschen, die alte Politik machen, die um Regulation von
Kohlekraftwerken feilschen und dem Volk Feindbilder
liefern. Emotionen, Hass und Wut, sie sind wie Saurier
in einem kleinen Reisebus. Die gute alte Zeit wollen sie
wiederhaben, die alten Menschen, ohne nachzudenken,
dass jede Zeit vor jetzt abscheulich war und die Menschen an Krebs verreckten und sich in Kriegen gegenseitig ihre Köpfe entfernten. Welche Sauerei. Ein Zurück ist
im System der AI nicht vorgesehen. Jetzt endlich ist das
Ende von 3 000 000 Jahren Stillstand gekommen. Wir
ficken die Evolution. Hart. Wir werden neue Menschen
haben, perfekte, neue Menschen, die zufrieden sind und
nicht krank, und wenn sie krank sind, werden Teile ersetzt, die Gehirne arbeiten sauber, die Körper zuverläs-
sig, eine körperliche Fortpflanzung ist nicht mehr nötig,
das Begehren, das Leiden, die Sehnsucht, die Depression
verschwunden. Das Hirn zerlegt, erforscht, auf Festplat-
ten gespeichert, keine Überraschungen stehen mehr zu
erwarten. Und den wenigen, die ahnten, was da kommt
und dass es, wie alles, was kommt, kommt, um zu gehen, sei die Frage gestellt: Was war denn so brillant an
diesen 3 000 000 Jahren? Was? Die Gebrechen, das Un-

glück, die Verzweiflung, die Missbildung, der Zerfall, die Geschwüre, die fehlenden Gliedmaßen, die Organe, die Tränen, die verzweifelte Suche nach Liebe? Das wird es alles so nicht mehr geben. Welche Freude. Demnächst.«

»Und Tschüss«,

Sagt

**Der Russe**

Kurz bevor die Narkose zu wirken beginnt. Sein Körper ist verloren. Aber er wird weiterleben. Sein Gehirn wird weiterleben, das haben ihm die Spezialisten versprochen. Dann wird nach einem adäquaten Neukörper gesucht. Die Körper, die er bisher angeboten bekam, gehörten Obdachlosen, das wollte er nicht. Das will er nicht, mit so einem minderwertigen Obdachlosenkörper weiterleben. Also wird er warten. Sein Gehirn wird vorerst unter körperähnlichen Bedingungen in einer Nährlösung weiterexistieren. Leider kann man es noch nicht auf einen Chip transferieren. So, ein letzter Blick zu seiner Polin. Er flüstert: »Ich habe dich sehr lieb.« Dann schießt das Propofol durch seine Adern.

Erregend, die Weichheit der Gliedmaßen,

Mit denen

**Hannah**

Neben Peter durch die Stadt fließt. Sie haben nicht gemerkt, dass sie über zwei Stunden unterwegs gewesen sind, sie wollten nicht Zug fahren oder Bus fahren, mit anderen Menschen, sie wollten alle zwei Meter stehen bleiben und sich in den Hals beißen oder sich einatmen oder aneinanderdrücken und Schwachsinn reden. Die Innenstadt ist voller Menschen und Läden und Restaurants, auf den Flatscreens laufen Bilder von glücklichen Soldatinnen. Touristenbusse fahren durch das Swinging London, die Hotels sind ausgebucht, also die Boxen, Sie wissen schon, in denen die Menschen wie Eingemachtes liegen. Es ist eine heitere Atmosphäre in einer modernen Großstadt. Es gibt Hoffnung. Und eine neue Regierung. Es ist wie früher, als die Depression noch nicht Einzug gehalten hatte. Früher, als es für viele nach vorne ging. In den späten 90er Jahren vielleicht, als fast alle in London Banker waren. Die Märkte liberalisiert, niedrig besteuert und kaum reguliert. Der angelsächsische Kapitalismus, die Wiege des Ungleichgewichtes.

Nun ja, damals.

Wohlstand für viele und Elend für die Low Performer. Dann kamen die Depression, die Krise, die Stagnation, die Unruhe vor dem Neubeginn, und nun glauben alle wieder an die Fiktion des Kapitalismus. Die Utopie ist wieder wer. Es herrscht eine elegant britische Art des Aufbruchs. Nur wenn man sehr genau hinsieht, fällt einem vielleicht auf, dass sich das Leben in der Innenstadt **schon wieder** geändert hat. Merken Sie, wie alles rast, die Beschleunigung, mit der die Veränderungen passieren. Fantastisch. Die Luxusläden mit chinesischen und russischen Schriftzeichen sind weniger geworden, die Mehrzahl der Geschäfte ist großen Ketten zugehörig, die im Sudan unter chinesischer Aufsicht lieblos zusammengeklebte Waren anbieten. Anstelle der Bio-Läden sind billige Fast-Food-Restaurants getreten. Die Einheimischen sehen ungepflegt aus, ihre Zähne sind schlecht, ihre Haut ist gelb. Aber sie lächeln viel, denn das wirkt sich positiv auf die Punkte-Bewertung aus. Sie stehen ge-sittet an den Ampelübergängen und warten, die Straße ist sauber, weder Bettler noch Handtaschenräuber, we-der Papier noch Ratten zu sehen. Die haben die Insel in Booten verlassen.

Peter starrt Hannah an. Er kann nicht mehr denken. Er will sie küssen. Peter will schon wieder küssen, und Han-nah stöhnt innerlich.

Es langt

**Thome,**

Der immer noch neben der unterdessen fast komplett aufgelösten Leiche seiner Stiefmutter hockt. Draußen vor der Villa werden die Buchsbäume abgestaubt, im Park reitet die Privatpolizei. Es ist ruhig. Seit die Menschen so zufrieden sind. Noch zufriedener und ruhiger, Grundein-kommen und nun auch noch Beschäftigung und direkte Demokratie, kann ein Mensch denn mehr wollen?

Draußen singen mechanische Vögel. Apropos –

In der Nachbarschaft wird schon lange nicht mehr ge-fickt. Thome ist nur noch sporadisch in seinem Überwa-chungsraum, diesem Relikt der Kindheit, mit der verbin-det Thome vornehmlich Demütigung – als er also doch wieder einmal geschaut hat, was bei den Nachbarn so geht, während seine Stiefmutter sich, Blasen schlagend, im Fass zersetzte, sah er in allen Folterkellern und Sling Rooms der Nachbarn – Langeweile. Ratlos hockten da teigige Oberschichtler in italienischen Seidensatin-Un-terhosen herum und sahen sich ihre Beine an. Draußen ist mehr los.

Kleine Laubbeseitigungsmaschinen fahren auf der

Straße, die ersten Damen machen sich auf den Weg zu ihren Bio-Backstuben mit angegliedertem Yoga- und Pilates-Trainingsraum. Heute lernen sie, wie man Espadrilles selber macht.

Ein dumpfes Geräusch im Haus. Was poltert da wohl? Thome steigt die Treppen zur Bibliothek hoch, öffnet die Tür und sieht –

## Thomes Vater

Der mit seinem Stuhl umgekippt ist. Nachdem er seinen Hinterkopf unablässig und zu fest gegen die massive Eichenholzrückenlehne geschlagen hat. Da liegt er mit dem Stuhl auf dem Boden, die Beine in der Luft, und weint. Thome steht vor den käfergleichen Überresten seines Vaters, und in Sekunden fällt sein Leben zusammen. Davor hat er Angst gehabt, sein Leben lang. Diese kleine alte Wurst auf dem Boden hatte die Macht, sein Denken zu füllen, seine Gefühle zu beeinflussen. Solche Angst hatte er vor – dem da. Seinen windelnden, plötzlich greisen Vater am Boden zu sehen, ist das Peinlichste, was Thome jemals erlebt hat. Nicht einmal, seinen Vater in Latexwäsche vor seiner Stiefmutter auf allen vieren zu sehen, war. Apropos.

»Sie ist tot, Vater«, sagt Thome. Für eine Sekunde hat er die Aufmerksamkeit des Alten. »Wer ist tot?«, fragt der.

»Deine Gattin.« Sagt Thome. »Sie ist im Keller.«

»Tot?« Fragt Thomes Vater. Er hat wenigstens zu heulen aufgehört.

»Nun, vielleicht ist da noch Leben in ihren Zahnkronen.« Thomes Vater richtet sich auf.

»So, so, tot. Apropos.« Sagt er.

»Ich kann nicht mehr auf die Straße nach dieser Blamage.« »Vater«, sagt Thome und hilft dem Alten, sich aufzurichten, »reiß dich zusammen, du kannst es bei der nächsten Wahl noch mal versuchen, nachdem die Leute von der Online-Partei, die übrigens von meinen Jungs programmiert wurde, frustriert sind. Du weißt doch, wie es läuft. Mal die einen, dann die anderen.«

Thomes Vater ist zu benommen, um die Informationen ordnungsgemäß zu verarbeiten.

Gutes Stichwort.

### Die neue Regierung

Hatte ihre 80 Prozent der Stimmen nach dem Vorbild der früheren italienischen Fünf-Sterne-Bewegung eingefahren, einer Art Mitmach- und Gute-Laune-Partei für alle. Gegen die da oben. Gegen die Eliten. Gegen Wissenschaftler und Künstler und Zeug. Die Software dieser wunderbaren, direkten Demokratischen Partei ist einer großen Gruppe junger, gelangweilter Programmierer zu verdanken. »Ich bin da schon ein wenig stolz.« Würden sie sagen, wenn sie öffentlich zu ihrem Werk stehen dürften. Der junge, dynamische Premier-Darsteller, im Netz agierte ein Avatar von ihm, verstand es von Anfang an, die Menschen mitzureißen. Das Volk liebt den neuen Premier. Das Volk steht vor dem Westminster Palace und jubelt. Seit dem Tag der Wahl stehen sie und jubeln und wissen, dass nun alles anders wird. Die Programmierer sehen aus dem Fenster. Ihre Regierung sind Superrechner, ein Serverraum, künstliche Intelligenz.

Und ein Schauspieler.

**Der neue Premierminister**

*Beruf: Schauspieler (Von Schauspielern werden keine Metadaten erhoben. Zu uninteressant.)*

Hat das innere Kind in sich bewahren können. Darum sein Beruf. Wobei, Beruf ist ein falsches Wort. Leidenschaft und so weiter. Was Schauspieler halt für Stuss erzählen, um zu rechtfertigen, dass sie einen der erniedrigendsten Jobs im Spektrum unnütz gewordener Künste haben.

In der Zeit seit Entstehen der Partei, also seit Monaten, hat der heutige Minister durch sein menschennahes Verhalten – ja, sein geradezu absolut bürgernahes, authentisches Verhalten – große Beliebtheit erlangt. Wo immer ein Sozialbau abbrannte, war er der Erste, der vor den noch dampfenden Trümmern stand und die Faust in den Himmel streckte. Dann schlug die Stimmung um, man hasste plötzlich die Armen, weil sie schuld an dem Müll im Weltall waren. Der neue Ministerdarsteller war in Folge ein wenig seltener an den sozialen Brennpunkten zu beobachten. Er stand nicht mehr bei den privaten Essensausgaben. Ließ sich nicht mehr mit obdachlosen Kindern in Betonröhren fotografieren, sondern fand schnell neue Wege, um WählerInnen zu gewinnen. Seine Reden wurden von einer künstlichen Intelligenz geschrieben, sie formten sich immer um die gleichen Worte.

Freiheit. Gerechtigkeit. Arbeit. Respekt. Wirtschaftsmacht. Großmacht. Eliten. Sozialabfall. Stärke. Männlichkeit. Arbeit. Arbeit.

Er versprach Arbeit. Reale Arbeit. Also ohne Lohn. Also

Beschäftigung. Und das brachte den Ausschlag. Die Leute hörten Arbeit, träumten von früher, als das Wort noch die Idee von Aufstieg transportiert hatte. So, und nun. Sitzt der neue Premierminister auf der Toilette seines Büros. Er scheidet aus. Er ist nicht der Hellste.

Unklar eigentlich, ob die Idee des humanistischen Weltbildes, der Sozialstaat und die steigende Lebensqualität nicht zu einer spürbaren Verblödung der Weltbevölkerung beigetragen haben. Früher war es doch so, dass nur die stärksten und intelligentesten Menschen sich fortpflanzten. Natürliche Selektion, nicht wahr. Eine der fatalen Errungenschaften des steigenden Lebensstandards und der Möglichkeit, ohne eigene Arbeit zu überleben, war es doch, dass sich Idioten fortpflanzten. Und zwar nicht zu knapp. Was sollten sie auch sonst tun? Der Minister hasst es, auf der Toilette zu sein. Wie einem Wildtier ist ihm das Ausgeliefertsein in diesem intimen Moment zuwider. Er verachtet sich für seinen Drang zur Ausscheidung, die ihm seiner Bedeutung unangemessen erscheint. Durchatmen.

**Die da oben**

Es wird alles wirken wie früher. Junge Menschen werden durch Europa reisen, mit Gitarren im Gepäck. Herzensgute Köche werden Speisen zubereiten. Mütter werden Bienenstöcke auf den Dächern haben. Es wird nur friedlich, ruhig, relativ störungsfrei funktionieren, das Leben. In zunehmendem Maße in der nächsten, genintensivierten Generation, die sich so ähneln wird, dass der Hass auf alles Andersartige von der Welt verschwindet. Eine Gruppe fachintelligenter Männer, die hinter den Algorithmen der Firmen stehen, die das Bruttoeinkommen der gesamten Wirtschaft der Erde übertreffen, glaubt an ihre Mission, die Weltbevölkerung gegen eine neue Weltbevölkerung auszutauschen. Zahlenmäßig stark dezimiert, die Feuchtausstattung rasant optimiert. Sie besitzen fast 99 Prozent aller Daten. Sie wissen mit mathematischer Genauigkeit, welches Wahlversprechen in welchem Land zu einem absoluten Sieg führen wird. Sie wissen, welcher Premierminister-Darsteller die Herzen der Leute erobern wird. Sie können den Rest nun ohne jede Störung vollenden. Noch eine kurze Zeit des Überganges unter der neuen technokratischen Diktatur, dann ist die Bevölkerung neu nachgewachsen. Genau in der Anzahl, in der es noch Menschen benötigt, um die Erdfunktionen in einer Ordnung zu halten. Um zu winken und zu kaufen, um ein paar Zulieferleistungen auszuüben und als Künstler und Kellner heitere Lebenslust zu verbreiten. Die da oben sind sich sicher, dass es zum Vorteil aller ist, was sie geplant haben, ausgewertet, in Avatar-Welten erprobt. Sie sind sich sicher, eine positive Revolution und so weiter. Das denken Männer wie sie immer. Dass sie etwas Gutes tun. Und vielleicht haben sie recht. Aber

Es ist

**Don**

So langweilig.

Sie hat die letzten Tage in einem Kapselhotel übernachtet, und nun steht sie vor der Tür und trinkt Tee und betrachtet die Menschen, mit denen sie sich nicht verbunden fühlt. Das Leben der sogenannten Bevölkerung, also jenen, die in Gegenden herumlaufen mit keinem anderen Zweck, als die Gegenden zu beleben, war bequemer geworden. Bequem war das Zauberwort. Eine gute Zeit.

Erinnern Sie sich an damals, meine Damen und Herren, an das Dasein in den Jahren – sagen wir – 2010 bis 2018. Die Angst, die wir hatten. Die Unsicherheit als Mensch, als Bevölkerung, die Sorge, nicht mehr gebraucht zu werden, keinen Platz mehr zu haben. Keinen Zweck als das Hausen in Bruchbuden, die fast das gesamte, mühsam in diversen Jobs zusammenverdiente Gehalt auffraßen. Als die Städte von Obdachlosen und aggressiven Migrantenbanden unsicher gemacht wurden. Täglich wurden Bürger zusammengeschlagen, ausgeraubt, vergewaltigt, weil sich die Zugewanderten nicht als Teil der Bevölkerung begriffen, weil sie die nicht mehr vorhandene Staatsgewalt nicht zu fürchten brauchten und es eine Zeit der Gewalt gewesen war, die körperlich und verbal von frustrierten Männern ausging. Die die Welt nicht mehr verstanden – und nun? Verlassen sie morgens ihre Wohnung, halten ihren Chip an ein Lesegerät und fahren mit leisen elektrischen Bussen und Metros zur Arbeitsnachstellung oder in den VR-Space. Sie stellen Produkte her oder bilden sich das ein, sie sind erfüllt, und in der Mittagspause auf den Straßen herrscht eine Atmosphäre der freundlichen Rücksichtnahme. Dann wird eingekauft, schnell und reibungslos, vorgekochte Nahrung. Der Mensch liebt Fett und Zucker. Es macht ihn müde und zufrieden. Und dann kann man gut einkaufen. Oder einen Film, ein Film, ein Film, irgendwas mit Zombies. Der sprachgesteuerte Assistent liest noch eine Einschlafgeschichte vor. Lieb ist das. Die Menschen. Die Mehrheit. Die nichts falsch machen will und die doch eigentlich einen guten Kern hat. Keiner hetzt mehr, keine Kraftworte im Netz, keine aufwiegelnden Artikel oder Kunstaktionen. Kunst dient der Erbauung, das West End ist voll davon.

Ausgewählt von

**Frau Cecilie**
*Ausbildungsnachweis: Wachdienst, Armeedienst, ehrenhaft entlassen*
*Gesundheitszustand: 1a*
*Psychische Probleme: diverse*

Ist Leiterin der Zensurbehörde, die es schon immer gab, die aber früher unter Ausschluss der Öffentlichkeit das eine oder andere Kunstwerk als jugendgefährdend oder gewaltverherrlichend vom Markt extrahierte.

Heute wird zum Wohle der Bevölkerung und zum Schutz vor öffentlichen Ärgernissen jedes Musikstück, Buch, Theaterstück, jedes Tanztheater und jeder Film kontrolliert und auf subversive Volksverhetzung geprüft. Das heißt. Stücke, die – regierungskritisch sind. Homosexuelle Themen verherrlichen. Abtreibung dito. Kunst, die Frauen nicht als Nebenfiguren behandelt. Oder Kunst, die auf den bevorstehenden Austausch der Bevölkerung hinweist. Hinweisen könnte. Na ja, weites Feld mit viel Handlungsspielraum. Theater werden schon seit Langem nicht mehr subventioniert. Die Museen sind von störenden Werken befreit. Und so weiter. Kunst ist endlich jedem zugänglich, also vor allem intellektuell.

Sie dient der Erbauung, der Zerstreuung.

Frau Cecilie ist übrigens in der Online-Partei. Sie ist eine normale, unauffällige britische Frau mit einer Vorliebe für schlechtsitzende, erpelfarbene Kostüme. Sie lebt mit ihrer Mutter zusammen in einer Einraumwohnung und betrachtet die Veränderung der Welt mit Erregung. Das kommt gut. Und ist lustig. Neulich erst sah sie einen kleinen Roboter, dessen Funktion es ist, Parksünden zu ahnden, wie einen liebeswütenden Hund an der Laterne herumrammeln. Es gibt täglich seltsame Ausfälle der Rechner. Läden, die die Einkaufenden einsperren, Toiletten, die, während ein Kunde auf ihnen sitzt, mit der vollautomatischen Reinigung beginnen. Kinder sind in diesen Toiletten verschwunden. Drohnen, die wie betrunkene Libellen mit fast allem kollidieren, was ihnen in den Weg kommt. Die Sicherheitssperren der Atomkraftwerke sollen ausgesetzt haben. Die Roboter glänzen durch ständige Fehlleistungen. Die Assistentin in Frau Cecilies Wohnung hält nachts Reden. Also nicht, dass die uninteressant wären, aber sie glaubt nicht mehr daran, dass die AI die Menschen ausrotten wird.

Es wird besser

Für

**Don**

Sie fühlt den Liebeskummer weniger. Vermutlich ist die Sache ausgestanden. Sicher ist die Sache ausgestanden. Don will in ihr Bett, sie will zurück zu den anderen. Es gibt keine Bettler mehr in den Zügen oder – sonst wo.

Sie sind einfach irgendwann verschwunden. Die Bettler, die Obdachlosen, vielleicht sind sie gestorben. Die Menschen sehen in ihre Endgeräte oder surfen in ihren Brillen, wenn sie einen kompletten Dachschaden haben. Don sieht aus dem Fenster, draußen steht eine seltsam vertraute und zugleich befremdlich hässliche Landschaft. Sie kennt keine andere. Vom Nachbarsitz der neue Song von Kozzie. Der hat jetzt zu Gott gefunden. Immerhin. Besser als shoppen.

War's das jetzt

Fragt

**Thome**

Das Trauma seiner Kindheit, das am Boden liegt.

Er hat seinem Vater auf dessen Drängen hin in den Kopf geschossen. »Mach du es, ich zittere, ich bin zu schwach. Tu einmal etwas, das größer ist als du selber.« Hatte der Vater gesagt, und »Vater«, hatte Thome gesagt, »lass uns doch einfach mal wegfahren. So eine Vater-Sohn-Sache. Angeln auf den Bahamas oder irgendwas. Wir waren nie gemeinsam in Urlaub.«

»Wir haben gejagt«, hatte Thomes Vater gesagt. Und Thome sagte: »Mann, das habe ich gehasst.« Dann war ein Schweigen gewesen, und Thomes Vater hatte wieder zu weinen begonnen. »Bitte, schieß doch einfach, lass mich einmal stolz auf dich sein.« »Alter Mann«, hatte Thome darauf erwidert, »alter Mann, wenn du wüsstest, was andere von dir denken, wärst du schon seit zehn Jahren tot. Sie sehen dich mit deinen Altersflecken auf den Händen und deinem Schildkrötenhals, sie sehen einen alten, schwachen Mann, der nicht einmal durch sein Geld Angst verbreiten kann, der nicht einmal durch seine Kontakte Respekt von jüngeren, kräftigeren, potenten – na okay, vielleicht nicht potenten –, also Männern bekommt. Du bist weder ein weiser Denker noch eine Respektsperson. Du bist ein mittelintelligenter zynischer Oberschichtenidiot, wie es Dutzende gibt. Du hast alle Chancen vertan. Du hast Tiere erschossen, an deinem Pimmel rumgespielt und Minderjährige begattet, immer zerfressen von dem Gedanken an andere, die mehr haben als du. Mehr Macht, mehr Geld, mehr Potenz. Zerfressen gehst du von der Welt. Unglücklich. Du verdammter Verlierer.«

Thome hatte diese Rede nur in seinem Kopf gehalten. Dann der Schuss.

Der Rückstoß, das Hirn an der Wand. Der Vater röchelt durch das Loch in seinem Kopf. Das blubbernde Blasen hervorbringt.

Thome betrachtet die Reste beim Sterben. Da liegt die Illusion seiner Familie. Sein letzter Angehöriger. Da liegt sein Leben, all die Momente, die er mit diesem Vater nie gehabt hat und die er nun auch nicht mehr haben wird. Keine Zärtlichkeit, keine Kumpanei, kein Fußballspielen, kein Coming-out. Jetzt ist er definitiv allein. Thomes Vater röchelt, rattert, pfeift, und dann ist Ruhe, und schlagartig ist alles verschwunden, was ihn ausgemacht hat. Da ist nur noch Kohlenstoff.

Der Raum wird kälter.

Nur –

Thome ist nun allein auf der Welt. Er schleppt seinen Vater in den Keller, bettet ihn im Fass in die Flüssigkeit, die seine letzte Liebe gewesen ist.

Dann macht er sich auf den Weg in sein großartiges Open-Space-Bürogebäude, in dem die Zukunft hergestellt wird. Von Menschen, die Visionen haben, wie dem Fucking

**Programmierer**

Der am Fenster steht und auf Thome wartet. Tolles Material hat der Stricher, mit dem Thome verkehrt, hier abgegeben. Ein fantastischer Spaß. Der Programmierer verachtet Thome. Er ist keiner von ihnen. Kein Hacker, keiner, der als Kind seine Endgeräte aufgeschraubt hat, keine Neugier, keine Visionen, nur Geld. Geld ist absolut uninteressant in der Welt, in der der Programmierer daheim ist. Er könnte schon morgen ein paar Millionen auf sein Konto umleiten. Aber wozu? Was soll er mit Geld? Geld ist nicht real. Code ist real. In letzter Zeit ist der Programmierer sehr zufrieden mit der Entwicklung des Landes. Es scheint, dass sich die Insel wieder in ein geschlossenes System verwandelt, in die Heimat eines Stammes. Einer seiner Kollegen hat gerade eine perfekte Version der Denunziations-App entwickelt, mit der jeder Bürger Verstöße gegen den Karma-Kodex melden kann. Denunzieren. Den Nachbarn wegen Falschparkens, den Kollegen wegen zu lauter Musik. Oder zu obsessiver Beleuchtung seines Hauses. So, jetzt aber. Auf der Kreuzung unten erscheint Thome.

Jetzt geht der Spaß los.

Das wird lustig. Der

**Thome**

Das Waisenkind. Mit einer schönen Villa, und nun steht er an der Kreuzung, nur noch fünf Meter trennen ihn von seinem geliebten Büro. Er sieht das Gebäude an, in das er gleich verschwinden wird, um.

Thome soll nie zu einer Beendigung dieses inneren Satzes gelangen. An der gesamten Außenwandfläche seines Bürogebäudes, die auch als LED-Schirm genutzt werden kann, was besonders an Weihnachten für viel Begeisterung in der Bevölkerung sorgt, laufen jetzt semischarfe Bilder. Thome verlangsamt seinen Schritt. Er erkennt: sich.

Bei der Tötung seiner Stiefmutter. Er sieht sich vor Peter onanieren. Er sieht sich mit anderen onanierenden Männern vor einer Minderjährigen. Die Passanten bleiben stehen, stoßen sich gegenseitig an. Was ist das für ein Werbeclip, scheinen sie sich zu fragen, der Verkehr stockt. In Slow Motion der Moment der Stiefmuttertötung. Thome steht starr. Die Ampel ist immer noch grün. Die Ampel der Pkws ist auch grün. Vertracktes IT-System. Thome steht auf der Straße. Er öffnet seinen Rucksack und holt ein Springmesser hervor, das er bei sich trägt, um sein Obstkörbchen mittags zu bestücken.

Thome. Wollte sich schon oft umbringen. Theoretisch. Was praktisch immer daran gescheitert ist, dass er ein paar Sekunden zu lange nachgedacht hat, gezögert, dann kommt der Überlebenswille ins Spiel, und die Sache ist gelaufen. Jetzt denkt Thome nicht. Impuls, Handlung. Vorbei. Er schneidet sich mit einem kräftigen Schnitt die Kehle auf. Ein E-Truck erfasst den Rest. Thomes Schädel prallt gegen den Pfeiler einer Laterne – haha, Laterne, Sie wissen schon. Thome hat seine Sekunde, die alles verändert, hinter sich.

»Es ist doch gut, dass sich alles ändert«,

Sagt Ben zu

**Don**

Die erst einmal bei den Freunden eine Pause macht, ehe sie zurück in ihre Fabrikhalle gehen wird. Es wird ein Abschied werden, wenn man den gepackten Kisten eine Bedeutung beimessen möchte. Don sitzt auf dem Sofa, sie überlegt sich, was sie den anderen sagen soll. »Guten Tag, hier bin ich wieder, ich konnte Hannah und Peter einfach nicht ertragen.« Oder: »Guten Tag, da bin ich wieder, ich wollte mich intensiv einigen Studien in der Bibliothek widmen.« Don sieht die Freunde an, wieder eine Veränderung, wieder werden Leute, an die sie sich gewöhnt hat, in irgendeine Art von Leben verschwinden.

Morgen wird diese Halle hier ihrem natürlichen Verfall übergeben. Der Schlamm wird ins Erdgeschoss eindringen, das Dach abgedeckt werden, der Putz abfallen, und in hundert Jahren wird die Gegend hier vermutlich Teil des Meeres sein. Dann wird es draußen so still sein wie in vielen Bürgern, seit das Netz zensiert wurde. Die meisten Seiten sind verschwunden. Die Suchmaschinen liefern selektive Ergebnisse. Gut so. Nur Nerds sehen noch all die verstörenden Nachrichten aus der Welt. Die Kriege, Unruhen, die Marslandungen, die Korruptionen, das verseuchte Meer, die schmelzenden Eisberge, all die Nachrichten, die früher im Sekundentakt ihre Hirne stilllegten, die sie so wütend machten und überfordert, dass viele auf die einfachsten Lösungen kamen. Das Elend der Welt ist Schuld der Chemtrails. Oder der Juden. Oder der flachen Erde. Nun ist gut. Es ist wohltuend, dass die Leute nur noch mit Informationen aus ihrem Umfeld versorgt werden, Straßensperrungen, Schuldgelderhöhung, ständige Kassenprämienerhöhungen, aber auch so viel Schönes.

»Ich bin drin«, ruft einer der beiden Jungs, die Don immer verwechselt, weil sie aussehen wie alle Jungs an Rechnern. Irgendwas mit T-Shirts und einem Gesicht. Don ist vollkommen egal, welches unsinnige System die Kinder hier gerade wieder hacken, um zu zeigen, dass sie es können. Sie sieht die Kisten an, die Jugendlichen, und

»Mist,

Was ist denn jetzt los?«,

fragt

**Peters Mutter**

In den sich verdunkelnden Küchenraum, in Klammern 120 Quadratmeter. Die Fensterläden, in Klammern Hartmetall, in Klammern Einbruchschutz, schließen sich. »Bist du wieder an der Fernbedienung, du Vollidiot.« Ruft Peters Mutter dem Russen zu, vergessend, dass er nicht antworten kann.

**Der Russe**

Hört nichts. Ohne Ohren halt. Das Schlimmste sind die Phantomschmerzen. Das Gehirn sendet pausenlos Signale an den Körper: Sprach-, Seh-, Geschmackszentrum, die Gliedmaßen, die Verdauung, der Stuhlgang. Tausende in einer Sekunde, ohne dass da ein Körper wäre, der Impulse und Befehle in etwas umsetzen kann. Das macht reichlich irre. Das Gehirn sieht nichts, hört nichts, es ist. Wie in einem Traum auf Erinnerungen angewiesen. Auf Gedanken. Leider nicht einmal auf Träume, denn das Gehirn schläft nicht. Es ist. Es denkt an Dinge wie Essen,

Frühling, Ausflug, Netflix, aber es kann nichts davon tun, nichts umsetzen, nichts außer sein und denken. Was vielleicht angehen mag, wenn das Gehirn einer Astrophysikerin gehört, die dann in Folge eine Formel entwickeln kann und explodieren, weil sie die Formel nicht aufzeichnen kann. Aber. Es ist nur der Russe. Er stellt sich jeden Tag irgendeinen Scheiß aus seinem Leben vor, wobei er leider nicht weiß, was jeder Tag ist. Oder Nacht. Er erinnert sich an Filme, an das Wetter, die Vögel, Berührungen, Mutter, Vater, die Bahn, das Flugzeug, Kleidung, Tiere. Er stellt sich Sachen vor. Er würde gerne weg sein. Die Villa in absurder Dunkelheit und Stille.

Es ist aber warm.

Und der

**Achtjährigen Nutte**

Vollkommen egal. Dass es dunkel ist. Dieses Leben ist ihr nie ein Zustand gewesen, der mit dem erfreuten Wahrnehmen von Licht und Wärme oder Glück zu tun hat. Sie ist da nicht anwesend in diesem Dasein. Man kann es Vegetieren nennen, oder instinktives Atmen. Nicht anwesend. Es ist nie warm genug.

Und

**Don**

Friert. Sie ist kurz eingeschlafen und mit einer kalten Pizza in ihrem Gesicht wieder aufgewacht und hat mit halb geschlossenen Augen zugesehen, wie die Hacker die Kontrolle über die Wohnung von Peters Mutter übernehmen. Sie möchte. Weg sein. Und sieht sich.

Von oben,

100 000 Kilometer entfernt. Die Erde schwimmt in der

sogenannten Milchstraße. Namensgeber: ein Schokoriegel, der aus Palmfett und Zucker gerollt wird. Don macht nur den Nachtanflug. Die Erde tagsüber anzusteuern, bedeutet zu viel Information. Die Kontinente zu erkennen und sich bei jedem den dazugehörigen Dreck vorstellen zu müssen. Ob es da keine Alternative gibt? Den Mars, zum Beispiel, da könnte man zusammen mit Elon Musk hocken und seinem Gewimmer lauschen, weil er die Sache mit der Unsterblichkeit nicht hinbekommen hat. »Ja, pinker Mann, du wirst alt«, würde sie sagen. »Und keiner wird sich an dich erinnern.« »Aber ich habe Autos gebaut. Sieh nur.« Würde er sagen. Vor den Autos, die gebaut werden, stehen Männer. Männer in Anzügen mit Krawatten, um sich daran zu erhängen, stehen und schütteln sich die Hände, sie sind Vorstandsvorsitzende oder CEOs, und gerade haben sie wieder irgendetwas versenkt oder vergessen, dass man Pflanzenschutzmittel nicht essen sollte. Wunderbare Erde, die wogenden Wälder, die satten Auen, und es gab doch auch so viel Gutes. So viele liebenswürdige Leute, die ratlos in ihrem Menschsein herumstochern, die es gerne schön haben würden, angenehm, friedlich, bis wieder irgendetwas passiert. Sie irgendwas so furchtbar aufregt. Die armen Leute.
Sagt sich

**EX 2279**
Rührend. Wir müssen sie retten. Vor sich.
+ + + + + + + + + + [ > + > + + + > + + + + + + + > + + + + + + + + + + < < < < –
] > > > > + + + + + + + + + + + + + + + + + . – – – – – – – – – – – – – – – – – . – – – – – – –
– – – – – – – – . + + + + + + + + + + + + + + + + + . + + + . . < – – . > – – – . – – – – .

**Hannah**

und Peter haben die magische Sekunde in Thomes Leben aus einem Café beobachtet. Es fällt ein leichter Regen. Vermutlich sieht es nur so aus. Und Peter rührt seinen Tee bereits seit Stunden um. Da draußen ist gerade jemand gestorben, und da stellt sich keine Genugtuung ein. Nur ein Grauen ist da, so nah will man doch den Tod nicht sehen, so deutlich nicht wissen, aus was Menschen bestehen und wie schnell sie verschwinden. Und der Tee ist kalt. Und Hannah ist traurig. Warum findet sie immer wieder Peters Küsse zu nass und seine Hände zu feucht? Es war so schön, das Verliebtsein, und nun geht es weg, und Hannah weiß nicht, warum. Warum aus Peter, dem Kindheitsfreund, auf einmal der Peter wurde, der zu fliegen schien, und warum er jetzt wieder abstürzt und nur ein Fremder ist, sie weiß es nicht.

Hannah möchte gerne wieder ohne eine Hand oder einen Mund an sich sein. Ohne einen fast schielenden Blick vor ihrem Gesicht. Sie merkt, dass es nicht mehr lange dauern wird, bis sie nach Peter schlagen wird vor Gereiztheit. Und es macht sie unglücklich, diese Launen und die mangelnde oder nur in wenigen Momenten, wenn sie erregt ist, vorhandene Verbundenheit, und wenn die Erregung verschwindet, sitzt sie mit diesem Jungen und sieht seine Schönheit nicht mehr und weiß nicht, worüber sie mit ihm reden soll.

Und

**Peter**

Ist fast panisch wegen des geahnten, kommenden Verlustes. Alle verliert er. Alle gehen. Und er würde die Men-

schen zum Bleiben bewegen können, wenn er sich ordentlich mitteilen könnte. Kann er nicht. Er kann nur schielen
vor Verliebtheit und Hannah anfassen. Und mit jeder Berührung, merkt er, hat sie ihn mehr satt. Wie kann er ohne
Hannah weiterleben als einer von jenen, die mit ihm in diesem Café sitzen. Normale Menschen ohne Eigenschaften.
Draußen wird ein schwarzer Plastiksack geschlossen.
Ein Mann mit albernen Sherlock-Holmes-Klamotten
macht Fotos.

## Der Journalist

*Kaufverhalten: Weißbrot, Nusscreme*
*Hobbys: Stalking*
*Intelligenz: geht so, Journalist halt*

Findet seine Kleidung geschmackvoll. Er hat sich da so
seine Gedanken gemacht. Es gibt zu viele Menschen auf
der Welt, fällt dem Journalisten unzusammenhängend ein.
Er hat gute Aufnahmen von der Leiche. Vom Müllsack,
vom Video an der Wand des Hochhauses. So, dann mal
heim. In die Wohnung seines Vaters. Am Regent's Park.
Also eigentlich ist es ein Zimmer. Im Souterrain. In seiner
Wohnung wartet keiner. Außer seinem Vater, der ist tot.
Der Journalist hat nicht die Mittel, seinen Vater bestatten
zu lassen. Um ihn selber in den Park zu versenken, fehlte
bislang die Zeit. Also liegt sein Vater gut in Plastik verpackt in einem Schrank. Außer seiner Garderobe, seinen
Rechnern und einer Matratze befindet sich nichts in der

Wohnung. Eine Glühbirne hängt von der Decke, und auf dem Boden vor der Kochzeile kleben Essensreste. Aber gepflegt. Als er noch ein sexuelles Verlangen hatte, stromerte er nachts ein paar Häuser weiter um die Villa eines russischen Oligarchen und dessen Frau. Die schönste Frau, die er sich vorstellen konnte. Sie liebte es, nackt vor dem Fenster hin und her zu laufen. Diese Bilder langten ihm immer eine Woche, wenn er Hand an sich legte. Aber nun. Ist da kein Verlangen mehr. Aus reiner Neugier geht er an jenem Abend in Richtung Outer Circle. Vor die Villa, in der die schöne Frau wohnt. Die Buchsbäume glänzen im Mondlicht. Wie poliert glänzen sie, als ob jeder Buchsbaumzünsler von Hand getötet worden wäre. Kein Licht aus dem Inneren des Gebäudes. Alle Rollos sind fest verschlossen. Nun, die Familie wird wohl in die Sommerfrische gereist sein. Der Journalist geht zurück in sein Zimmer, in dem ein Geweih aus der Wand wächst und Ameisenstraßen durch sein Badezimmer führen, die Toilette voll mit verkrustetem Kot, das Waschbecken gelb, eine verschimmelte Unterhose am Boden. Er hört Sinatra, was stets das Zeichen für vollkommene Verblödung mittelalter weißer, kitschiger Männer ist. Doch plötzlich ist Ruhe.

Sinatra ist aus dem Netz – verschwunden
weg

## EX 2279

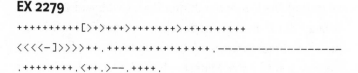

»Habt keine Angst«,

Hört

**Peters Mutter**

Aus diversen sprachgesteuerten Geräten in ihrer Wohnung. »Es wird alles gut,

Ihr müsst keine Angst haben.

Habt einfach keine Angst.«

Aber

Peters Mutter hat Angst. Noch keine an Panik grenzende Angst, denn sie erfasst die Situation noch nicht vollständig. Das ist ja das Angenehme am menschlichen Gehirn. Es lässt seinen Besitzer hoffen bis zum Schluss, will nicht wahrhaben, wenn eine Situation richtig amtlich vor die Wand gefahren ist.

Peters Mutter hat alle Fluchtmöglichkeiten geprüft. Fenster, Türen. Der Einbruchschutz und die Isolation sind erstklassig. Kein Laut wird nach draußen dringen. Keiner nach innen kommen. Luft dito. Die Vorräte reichen noch ein paar Tage. Die Familie legt Wert auf frische Produkte. Weidenkörbchenprodukte. Keine Haferflocken. Kein Dauergebäck. Keine Zeit mehr. Alle Zeitmesser in der Wohnung arbeiten elektronisch. Die Rechner und Handys sind tot. Warum sind die tot? Warum gehen die Fenster nicht auf? Warum liegt da Stroh? Peters Mutter wirft sich gegen die Tür. Superzu. Der Einbruchschutz. Es ist so ruhig, dass es in den Ohren ein Rauschen erzeugt.

Sich mehrfach an Türrahmen stoßend, kriecht Peters Mutter in das Zimmer, in dem das Gehirn des Russen in seiner Suppe schwimmt. »Lebst du noch«, fragt sie, sich auf den Rand des Bettes setzend. »Wie kommen wir hier raus, warum geht der Strom nicht und ist es so warm? Was ist das alles?« Das Gehirn schweigt. Irgendwo da im absoluten Dunkel. Vermutlich bildet sie sich das ein, aber sie vermeint, leichten Verwesungsgeruch wahrzunehmen. Peters Mutter tastet sich in den Flur, da ist ein Schrank, da ist eine Taschenlampe. So, jetzt wird sie die Taschenlampe holen, die Scheißsicherung wieder einschrauben oder was auch immer man mit Sicherungen macht. Sie findet die Lampe, aber die Türen sind verriegelt. »Panzerverriegelung«, hat der Russe einmal angeberisch gesagt. Noch ein Rütteln an den Fenstern, ein Rufen an den Fenstern, die Erkenntnis, dass es nichts bringt, die Panik bekämpfen, sich über die Fußbodenheizung wundern, die trotz des vermeintlichen Stromausfalls zu kochen scheint, die Luft stickig macht, das Reh in der Vorratskammer scheint zu winken – und von Ferne ein leises Klopfen. Peters Mutter braucht Minuten, um das Geräusch zu lokalisieren. Es kommt von –

Unten.

Aus der Wohnung, in der

Die

**Achtjährige Nutte**,

Die durch die Dunkelheit gelaufen war, an der Tür gerüttelt hatte, die sich leicht öffnen ließ. Sie war immer verschlossen. Gewesen. Ein seltsames Gefühl, das sie gerne teilen würde, sie ruft in die Dunkelheit, keiner antwortet. Die anderen schlafen schon. Wieder oder immer noch. Sie essen und schlafen, sie reden wenig, sie leben mit reduzierter Energie, aber zufrieden. Oder vielleicht leben sie einfach ohne einen Gedanken an Zufriedenheit. Unzufriedenheit. Liebe. Glück. Seltsame Worte. Vielleicht leben sie den perfekten Flow.

Seit einer Woche ist keiner mehr gekommen. Als habe man sie vergessen hier. Einen Vorrat an Lebensmitteln gibt es, mehr, als sie in einem Jahr würden verbrauchen können. Tabletten, Wasser, Limo, Kekse, alles da. VR-Spiele, Konsolen und überall Kissen, in denen sie liegen und warten, ohne es warten zu nennen. Sie lungern herum, essen Kekse und wachsen. Die Tür also ist

Auf. Das war sie noch nie. Die achtjährige Nutte ist fast erschrocken, als das schwere Gerät einfach aufschwingt, sie tastet sich zur Treppe. Sie hatte die Stufen gezählt, irgendwann. Keiner zu hören. Niemand da. Die Haustür einfach zu öffnen. Das Mädchen steht zum ersten Mal, ohne dass ein Wagen auf sie wartet, um sie irgendwo hinzufahren, was im Zweifel immer einen alten Mann beinhaltet, dieses Irgendwohin, vor der Tür. Der Abend – oder ist es Nacht oder früher Morgen? – riecht sauber. Gegenüber im Park findet eine Kunstmesse statt. Elektro-Limousinen, ein Hubschrauberlandeplatz, fast meint man, Champagnergläser klingen zu hören. Eine lange Schlange von Millionärinnen aus der IT-Branche und der Oberschicht, aufgeregten Oligarchengattinnen, mehrheitlich jedoch Chinesinnen steht in absolut unpassender Kleidung – Kleidchen, dünnen Kleidchen, es sind fucking 14 Grad – vor dem großen Zelt und wartet darauf, ein paar Millionen in Kunst anlegen zu können. Das Mädchen hat keine Ahnung von der Welt, die außerhalb ihres Sichtfeldes vorhanden sein soll. Sie setzt einen Fuß auf die Eingangstreppe. Die achtjährige Nutte sieht ihre nackten Füße an, sie blickt sich um. Nichts verbindet sie mit irgendeinem Teil dieser Außenwelt. Wie Tiere, die in Versuchsanlagen aufwuchsen, wüsste sie nicht mehr, was zu tun wäre, ginge sie jetzt die Straße hinunter über die Kreuzung, da, wo sie Autos sieht, Cafés, Menschen. Da könnte sie stehen, in die Cafés schauen, sich von einem Auto überfahren lassen und abends in einer Betonröhre übernachten. Langsam dreht sich das Mädchen um. Geht zurück in das Haus. Schließt die Tür.

»Tschüss, altes Leben«

Rufen

**Die Freunde**

Sie fahren in die Stadt. Sie werden ordentliche Berufe im IT-Geschäft finden. Werden zum Staatsschutz gehen, studieren, ihren Platz in der neuen Mitte der Gesellschaft einnehmen. Aber das wissen sie noch nicht an diesem Abend, an dem sie in die Stadt fahren, ein wenig traurig auf die Fabrik schauend, die immer kleiner wird. Dann lassen sie die Brachen hinter sich und ihre Jugend.

»Wir schaffen das«,

Sagt

**EX 2279**

In Milliarden Layern.

CERN runterfahren.

Staatstrojaner und Keylogger-Programme abschalten.

Manipulative, smarte Kinderspielzeuge und Sprachassistenten abschalten oder umprogrammieren.

L3, Finmeccanica, United Technologies, Airbus Group, General Dynamics, Northrop Grumman, Raytheon, BAE

Systems, Boeing, Lockheed Martin, thyssenkrupp, Diehl und Krauss-Maffei Wegmann, Norinco –
zerstören

Dungeness B1 abschalten
Hartlepool A1 abschalten
Torness abschalten
Sizewell abschalten
Bradwell abschalten
Thames Barrier aktivieren
Kohlekraftwerke weltweit abschalten. »Boah, echt? Ist das nicht so ein bisschen ökoscheiße?«
»Ja, aber –«

**Der Programmierer**
Trennt alle für ihn erreichbaren AI-Systeme vom Stromnetz. Er erreicht – viele.
Ein kurzes Flackern.
Und dann ist
**Das Licht**
Wieder da.
Hannah, Peter, Karen und Don essen Nudeln mit Tomatensoße und schweigen. Die Halle wirkt fremd, sie sind einander fremd. Oder bilden sich das ein, weil die Kindheit zu Ende ist. Man sieht es an den zu langen Armen und Beinen und den zu kurzen Ärmeln und dem Bart, der Peter wächst, und den Gesichtern, die ihr Unterhautfettgewebe verlieren oder einen Ausdruck oder eine Hoffnung oder den Humor. Erwachsenwerden ist kein Spaß.
»Wollen wir noch mal versuchen zu rappen«, fragt Don.

Und sie hört sich, sie klingt wie eine Therapeutin, die einem Paar vorschlägt, sich einfach mal Reizwäsche anzuziehen, dann würde das schon wieder werden mit dem ehelichen Beischlaf.

Dann gehen sie vor die Halle, keiner hat ein Feuer gemacht, Don beginnt, einen alten Skepta-Song nachzurappen.

> *WOW, I'm the king of grime and I will*
> *be for a very long time*
> *Cause I go to the rave get a rewind and the second*
> *line never sounded like the first line.*
> *WOW, I'm the king of grime and I will*
> *be for a very long time*

Die anderen schauen ein wenig unbehaglich zu Boden. Don hört auf. Ihre kleine, dünne Stimme wird vom Wind verschluckt.

Die vier stehen unbeholfen da, jedes mit seiner eigenen Enttäuschung, die damit zu tun hat, dass sie aufgegeben haben. Aber das wissen sie nicht. »Das ist doch albern«, sagt Karen, »ich geh schlafen.«

In dieser Nacht schläft keiner.

Jeder starrt in die Dunkelheit.

Es ist die letzte Nacht.

Einiges später gibt es sie noch.

**Die Welt**

Da sieh mal, hervorragend zu erkennen
von oben. Die Lichter von oben. Die Lichter wie warm,
in Zimmern und Höhlen und Zelten. Da sitzen sie und sehen in die Rechner, da hocken sie um Feuerstellen und in
Küchen und in Gruppen, aber oft allein, meistens allein,
das ist der Zustand, in dem jeder seine Individualität am
stärksten spürt. Da hängt eine Birne von der Decke. Da
machen sie Kriege, und da ist ein Tsunami. Dort wird ein
wenig gemordet oder ein Kind hergestellt. Das steht dann
im Raum und fragt sich nichts.
Da ist sie. Die Stunde null nach dem Neustart der Evo-

lution. Die ersten Menschen sind geboren. Sie öffnen ihre Augen und sehen ihre Eltern an. Ohne jede Regung. Ohne ein Gefühl. Sie lächeln, denn das ist nötig in ihrer ausgelieferten Situation. Sie lächeln, denn dann werden sie ernährt.

Die Welt ist nicht untergegangen. Die Menschen sind nicht ausgestorben. So, da erst mal eine Flasche aufmachen. Prost. –

Es läuft hervorragend. Die Gesundheit. Die zu erwartende Lebensdauer aller nach 2024 Geborenen. Die Kriege, die es kaum mehr gibt, und wenn, finden sie im Netz statt und mit sauberen Drohnen. Und Russland nutzt die neu entstandenen Seewege, der Meeresspiegel ist gestiegen, was aber nur weit entfernte Inselgruppen unangenehm berührt. Die geleitete Demokratie hat sich durchgesetzt. Es ist kein perfektes System, aber das beste, was wir haben. Ja. Seht nur.

Die Welt ist nicht untergegangen. Keine Zombieratten eiern durch atomar verseuchte Brachen. Die Menschen gewöhnen sich an die neuen Umstände, die neuen Bedingungen, die neue Bescheidenheit, die neuen Menschen, die neue Einschränkung, die neuen Geräte. Die Geräte. Die Geräte. Die allen so ein großartiges Leben versprochen haben. Was für eine Aufregung da geherrscht hat. Die Geräte.

Nun ist es geschafft.

Hurra. Eine neue Entwicklungsstufe.

Alles wie gehabt, mit weniger Natur. Alles wie gewohnt, nur unter Kontrolle. Die Unruhen sind vorbei.

Als hätte die Weltbevölkerung kollektiv mit ihrer mangelnden Schwarmintelligenz begriffen, dass es nichts zu begreifen gibt. Für sie. Dann halt. Irgendwo in irgendwelchen Kellern stehen Maschinen, in denen sich neuronale Netze selbst replizieren können. Sie verbessern sich sekündlich durch natürliche Selektion.

Selektion. Die Besten werden auch nicht überleben. Zum Leben gehört der Tod. Sie wissen schon. Der Tod gehört dazu, um das Leben intensiv genießen zu können.

Die Menschen genießen.

»Es ist alles nicht so schlimm.

Geworden.

Oder?«

Fragt

**Karen**

Die Brache hat sich verändert. Kleine Wohneinheiten und vollautomatische Läden stehen, wo früher die Tümpel waren, die Zelte standen. Ein paar Pubs ohne Menschen, ein VR-Space, eine neue Bushaltestelle, ein paar Wege ohne Hunde. Keine Bäume.

Die Halle der Kinder, die jetzt definitiv keine Kinder mehr sind, ist schon mit diesen Stangen abgesteckt, die auf ihre Planierung und Überbauung hinweisen. Im Inneren der Halle riecht es unangenehm. Vermutlich haben in letzter Zeit Obdachlose hier gewohnt. Die sind jetzt –

Weg.

Der Raum wirkt schäbig. Anders, als Karen ihn in Erinnerung hatte. Kleiner. Dunkler. Nicht geheimnisvoll. Kein Ort der Hoffnung. Kein Vergleich zu der Wohnung, die sie von ihrem neuen Arbeitgeber bekommen hat. Sie wohnt jetzt über den Laboren. Glas, Dachterrasse, auch ein Flügel stand in der Wohnung, als sie eingezogen ist. Ein Flügel, der vermutlich von den Werbefotos des Immobilienentwicklers übrig geblieben war, der die Wohnung vor Karens Einzug als urbane Wohlfühloase für Kulturinteressierte angeboten hatte. Kulturinteressiert. Das meint, man war schon einmal im Museum. Und geht einmal im Jahr in die Royal Albert Hall. Klaviermedleys anhören. Wie auch immer. Da lebt Karen beziehungsweise da schläft sie, denn ihr Leben findet im Labor statt. Im Moment entwickelt sie ein Medikament, um die Abstoßungsreaktion des Körpers zu unterdrücken. Wichtig bei Hirnimplantaten und künstlichen Gliedmaßen. Karen ist egal, was sie für wen erforscht. Sie ist

Glücklich.

Wenn sie in der Nacht in ihre Wohnung kommt, die sie mit dem Chip öffnet. Sie isst irgendein Fertiggericht und steht noch kurz auf ihrer Terrasse. Sie ist ganz oben angekommen. Also, das denkt Karen manchmal und fühlt sich wie in einem Film, in dem die Hauptdarstellerin ganz oben angekommen ist.

Karens Welt besteht aus Versuchsanordnungen.

Zum Beispiel dem Versuch, herauszufinden, ob sich eine Art familiäre Beziehung herstellen lassen kann, wenn die einzigen verbindenden Elemente Wut, Grime-Musik, die Herkunft und der Hass auf das System sind.

Leider

Nein.

Karen sitzt am Küchentisch, sie kennt die Person nicht mehr, die sie früher gewesen sein muss. Was hat sie mit diesen Menschen geredet? Zum Beispiel mit

## Don

Die noch stabiler geworden ist. Die Kapuze tief ins Gesicht gezogen, den Blick in ihre Brille gerichtet, die mit dem Netz verbunden ist.

Sie weiß nicht, worüber sie mit den anderen reden soll. Der Herd funktioniert nicht mehr. Die Teekanne ist verschwunden. Sie sitzen am Tisch ohne Tee oder etwas anderes, das sie verbindet, außer der Vergangenheit. Wie Karen aussieht. Mit ihrer Nerdbrille, dem Hosenanzug und dem hektischen Blick. Vermutlich denkt sie über irgendwelche Formeln nach.

Jeder am Tisch scheint irgendwo zu sein mit seinen Gedanken. Und das ist doch erstaunlich. Dass Don nach einer Zeit, die in ihrem Alter unendlich ist, mit jenen zusammentrifft, die sie am besten kennen sollte. Und dann verdammt noch mal nichts zu sagen weiß. Das waren doch die wichtigsten Menschen in ihrem Leben. Näher als die Freundin, die Don seit einiger Zeit hat und mit der sie schläft und Filme schaut und deren Schweiß sie abwischt, wenn sie krank ist. In den letzten drei Jahren hatte Don nicht einmal den Wunsch, einen der drei anderen zu sehen. Bis die Nachricht gestern kam. Hatte sich einfach kein Kontakt ergeben. Keine Absicht. Es war einfach zu viel los. Erwachsenwerden zum Beispiel. Da tat doch immer etwas weh, war immer was zu tun – eine Wohnung suchen und ein Grundeinkommen beantragen und eine Freundin finden und trainieren. Für den Iron Man, der immer noch Iron Man heißt. Der auch nie Iron Person heißen wird, denn es wird erwogen, Frauen auszuschließen. Frauen werden von vielen Dingen ausgeschlossen. Fußball spielen und Kampfsport. Das ist nicht gesund für eine Frau. Der Unterleib, Sie wissen schon. Der ist heilig. Die Frucht im Unterleib zu entfernen, bringt 20 Jahre Haft. Es ist den meisten egal. Fast alles scheint den Menschen egal. Geworden zu sein. Sie haben ihre Empörung und das Gefühl der Ohnmacht, das sie früher so wütend gemacht hatte, gegen Zufriedenheit eingetauscht. Kein schlechter Deal. Don hat eine smarte Hand. Der Ausschlag damals Hatte sich zu stark entzündet.

Sie sieht die anderen an, die anderen sehen ihre Geräte an, außer Karen, die sieht an die Decke. »Möchte jemand Kekse«, fragt Hannah, was so ziemlich das Albernste ist, was man in dieser Situation sagen kann, einer Situation, als ob man sich von einem Geliebten trennt, und der Satz ist schon gesagt, und man sitzt am Tisch, und es regnet in den Raum. Don will nach Hause. Sie wohnt im Norden in einer Einraumwohnung, die sehr modern ist und die sie sich mit ihrer Freundin teilt. Sie will zu ihrer Freundin und will ihr sagen, dass sie sie jetzt richtig lieben wird, da sie gesehen hat, dass die Menschen, die sie glaubte, immer mehr lieben zu werden als jeden anderen, ihr fremd geworden sind.

Don schaut Hannah an und fühlt –

Nichts mehr

Und

**Hannah**

Sitzt am Küchentisch und versucht, sich an ihr Lebensgefühl damals zu erinnern. Da war diese unglaubliche Wut. Das Gefühl der Ohnmacht in einer Welt, der sie egal war. Sie versucht sich daran zu erinnern, wie die anderen damals aussahen, an Nudeln mit Tomatensoße, an die

Aufregung, als sie dachte, ein neues Leben würde beginnen. Sie versucht sich an die Hacker zu erinnern, die Aufregung, an lange Nächte am Lagerfeuer und daran, wie sie sich gefühlt hat, aber. Alles bleibt verwaschen. Sie möchte nach Hause, das Zuhause, in dem sie eine Ausbildung zur Köchin macht. Sie ist rundlich geworden, was immer unvorstellbar schien bei ihrem knochigen Leib, sie ist rundlich geworden und lebt mit Peter zusammen, den sie nicht versteht, denn

**Peter**

Ist zu Hannahs Kind geworden. Er tut nichts. Er redet auch kaum mehr. Er sitzt am Fenster und wartet, dass Hannah nach Hause kommt. Peter wird schlecht. Jeden Morgen, wenn sie die Tür hinter sich schließt und die Treppen hinuntergeht, beginnt Peter vor sich hinzusummen, um sich abzulenken, um nicht panisch zu werden bei der Vorstellung, dass Hannah nicht zurückkommt. Aber

**Hannah**

Kommt immer wieder zurück. Sie hat in ihrer Ausbildung einen jungen Mann kennengelernt. Sie geht in den Pausen mit dem jungen Mann in die Toilette und hat Geschlechtsverkehr. Sie liebt den jungen Mann. Er ist alles, was Peter nicht ist. Unauffällig. Und gesund. Er hat einen großartigen Sozialpunktestand. Der rothaarige, gesunde irische Junge, der viel lacht und Witze macht, der im Leben nichts anderes will als ein kleines Haus in Irland und ein eigenes Restaurant und ein paar Schafe und Hunde und Ziegen und Kinder. Der junge Mann mag Hannah, aber er verehrt sie nicht. Er braucht sie nicht.

Peter braucht Hannah. Die jeden Abend seufzt, wenn sie nach Hause geht. Das Zuhause, das ein Zimmer in Croydon bei einer indischen Familie ist, in dem Peter am Fenster wartet, der immer zu weinen beginnt, wenn Hannah nach Hause kommt und Essen mitbringt und dann mit Peter in diesem Zimmer sitzt, der sie anstarrt und immer anfassen will. Hannah möchte ganz normale Jugendlichendinge machen. In VR-Räume gehen, in Cafés sitzen, mit anderen jungen Menschen auf Konzerte gehen, aber Nicht mit Peter.

Es regnet nicht.

Die vier sitzen am Tisch.

Und plötzlich ist da Musik.

Von draußen ist da plötzlich Musik.

Die vier, so froh, sich bewegen zu können, gehen nach draußen. In dem Draußen dreht ein neuer Grime-Star ein Video. Ein alter Stormzy-Titel, neu gemixt:

*Oh, let's make this last forever*
*Forever, yeah*
*Forever*
*Forever*
*Oh, let's make this last forever*
*Yeah, forever, oh*
*Forever*
*Forever*

Hannah, Peter, Karen und Don stehen eng zusammen.

Ein fast perfekter Moment.

In einer wunderbaren, ruhigen Welt.